SV

Elena Ferrante
Die Geschichte des verlorenen Kindes

Reife und Alter

Band 4
der Neapolitanischen Saga

Roman

Aus dem Italienischen
von Karin Krieger

Suhrkamp

Die Originalausgabe erschien 2014 unter dem Titel
Storia della bambina perduta bei Edizioni e/o, Rom.

Dieses Buch ist dank einer Übersetzungsförderung seitens
des Italienischen Außenministeriums und der
Cooperazione Internazionale Italiana erschienen.

*Die Personen und die Handlung des vorliegenden Werkes
sowie alle darin enthaltenen Namen und Dialoge sind erfunden
und Ausdruck der künstlerischen Freiheit der Autorin.
Jede Ähnlichkeit mit realen Begebenheiten, Personen, Namen
und Orten wäre rein zufällig und ist nicht beabsichtigt.
Auch die Erwähnung real existierender Institutionen unterliegt
der rein fiktionalen Gestaltung des Werkes.*

Die handelnden Personen

Familie Cerullo
(die Familie des Schuhmachers):

Fernando Cerullo, Schuster, Lilas Vater.
Nunzia Cerullo, Lilas Mutter.
Raffaella Cerullo, genannt Lina oder Lila, ist im August 1944 geboren. Mit sechsundsechzig Jahren verschwindet sie spurlos aus Neapel. Blutjung hat sie Stefano Carracci geheiratet, verliebt sich aber während eines Ferienaufenthalts auf Ischia in Nino Sarratore und verlässt seinetwegen ihren Mann. Nach dem Scheitern der wilden Ehe mit Nino und nach der Geburt ihres Sohnes Gennaro, genannt Rino, trennt sich Lila endgültig von Stefano, als sie erfährt, dass Ada Cappuccio ein Kind von ihm erwartet. Sie zieht mit Enzo Scanno nach San Giovanni a Teduccio und kehrt einige Jahre später mit Enzo und Gennaro zurück in den Rione.
Rino Cerullo, Lilas großer Bruder. Er ist mit Stefanos Schwester Pinuccia Carracci verheiratet und hat zwei Kinder mit ihr. Lilas Sohn – Rino – trägt den Namen ihres Bruders.
Weitere Kinder

Familie Greco
(die Familie des Pförtners):

Elena Greco, genannt Lenuccia oder Lenù, ist im August 1944 geboren und die Erzählerin der langen Geschichte, die wir hier lesen. Nach der Grundschule geht Elena mit wachsendem Erfolg weiter zur Schule und studiert dann an der Scuola Normale in Pisa, wo sie ihr Diplom macht und Pietro Airota kennenlernt, den sie einige Jahre später heiratet. Die beiden ziehen nach Florenz und bekommen zwei Kinder, Adele, genannt Dede, und Elsa, doch von der Ehe enttäuscht, verlässt Elena die Mädchen und Pietro, nachdem sie eine Affäre mit Nino Sarratore begonnen hat, ihrer großen Liebe seit Kindertagen.

Peppe, Gianni und *Elisa*, Elenas jüngere Geschwister. Trotz Elenas Missbilligung zieht Elisa mit Marcello Solara zusammen.

Der Vater ist Pförtner in der Stadtverwaltung.

Die Mutter ist Hausfrau.

Familie Carracci
(die Familie von Don Achille):

Don Achille Carracci, Schwarzhändler und Halsabschneider. Er wurde ermordet.

Maria Carracci, seine Frau. Ihr Sohn Stefano und Ada Cappuccio haben ihr gemeinsames Kind nach ihr benannt.

Stefano Carracci, Lebensmittelhändler und Lilas Ehemann. Unzufrieden in der turbulenten Ehe mit Lila, beginnt er eine Affäre mit Ada Cappuccio, mit der er zusammenzieht. Er ist der Vater von Lilas Sohn Gennaro und von Maria, die aus seiner Verbindung mit Ada hervorgegangen ist.

Pinuccia Carracci, sie heiratet Lilas Bruder Rino und hat zwei Söhne mit ihm.

Alfonso Carracci, er findet sich damit ab, nach einer langen Verlobungszeit Marisa Sarratore heiraten zu müssen.

Familie Peluso
(die Familie des Tischlers):

Alfredo Peluso, Tischler und Kommunist. Er stirbt im Gefängnis.

Giuseppina Peluso, seine ihm treu ergebene Frau. Als ihr Mann stirbt, nimmt sie sich das Leben.

Pasquale Peluso, der älteste Sohn. Maurer, militanter Kommunist.

Carmela Peluso, genannt *Carmen*. Sie war lange mit Enzo Scanno zusammen. Später heiratet sie den Tankwart vom Stradone und hat zwei Kinder mit ihm.

Weitere Kinder

Familie Cappuccio
(die Familie der verrückten Witwe):

Melina, Witwe, verwandt mit Nunzia Cerullo. Nach dem Ende ihrer Beziehung mit Donato Sarratore, dessen Geliebte sie war, verliert sie den Verstand.

Melinas Mann, stirbt unter ungeklärten Umständen.

Ada Cappuccio, nachdem sie lange mit Pasquale Peluso

verlobt war, wird sie Stefano Carraccis Geliebte und zieht mit ihm zusammen. Aus ihrer Verbindung geht eine Tochter, Maria, hervor.

Antonio Cappuccio, Automechaniker. Er war früher mit Elena liiert.

Weitere Kinder

Familie Sarratore
(die Familie des dichtenden Eisenbahners):

Donato Sarratore, Frauenheld, er war der Geliebte von Melina Cappuccio. Ihm gibt sich die sehr junge Elena am Strand von Ischia aus Kummer über die Affäre zwischen Nino und Lila hin.

Lidia Sarratore, Donatos Frau.

Nino Sarratore, der älteste Sohn, hat eine lange, heimliche Affäre mit Lila. Nachdem er Eleonora geheiratet und zusammen mit ihr einen Sohn, Albertino, bekommen hat, beginnt er ein Verhältnis mit Elena, die ebenfalls verheiratet ist und Kinder hat.

Marisa Sarratore, Ninos Schwester. Verheiratet mit Alfonso Carracci. Sie wird die Geliebte von Michele Solara, von dem sie zwei Kinder bekommt.

Pino, *Clelia* und *Ciro Sarratore*, die jüngeren Kinder.

Familie Scanno
(die Familie des Gemüsehändlers):

Nicola Scanno, Gemüsehändler, stirbt an einer Lungenentzündung.
Assunta Scanno, seine Frau, stirbt an Krebs.
Enzo Scanno, er war lange mit Carmen Peluso zusammen. Als Lila Stefano Carracci endgültig verlässt, kümmert Enzo sich um sie und ihren Sohn Gennaro und zieht mit ihnen nach San Giovanni a Teduccio.
Weitere Kinder

Familie Solara
(die Familie des Besitzers der gleichnamigen
Bar-Pasticceria):

Silvio Solara, Besitzer der Solara-Bar.
Manuela Solara, seine Frau, Wucherin. In vorgerücktem Alter wird sie an ihrer Wohnungstür ermordet.
Ihre Kinder:
Marcello und *Michele Solara*. *Marcello*, der in seiner Jugend von Lila abgewiesen worden war, zieht viele Jahre später mit Elisa zusammen, Elenas kleiner Schwester.
Michele, der mit Gigliola, der Tochter des Konditors, verheiratet ist und zwei Kinder mit ihr hat, nimmt sich Marisa Sarratore als Geliebte und hat auch mit ihr zwei Kinder. Trotzdem hält seine Obsession für Lila an.

Familie Spagnuolo (die Familie des Konditors):

Signor Spagnuolo, Konditor in der Solara-Bar
Rosa Spagnuolo, seine Frau
Gigliola Spagnuolo, verheiratet mit Michele Solara und
die Mutter seiner zwei Kinder
Weitere Kinder

Familie Airota:

Guido Airota, Professor für griechische Literatur
Adele Airota, seine Frau
Mariarosa Airota, die älteste Tochter, Dozentin für Kunst-
geschichte in Mailand
Pietro Airota, Universitätsprofessor schon in sehr jungen
Jahren. Er ist Elenas Mann und der Vater von Dede und
Elsa.

Die Lehrer:

Maestro Ferraro, Grundschullehrer und Bibliothekar
Maestra Oliviero, Grundschullehrerin
Professor Gerace, Gymnasiallehrer in der Unterstufe
Professoressa Galiani, Gymnasiallehrerin in der Ober-
stufe

Weitere Personen:

Gino, der Sohn des Apothekers. Er war Elenas erster Freund. Als Anführer der Faschisten im Rione wird er vor der Apotheke ermordet.

Nella Incardo, Maestra Olivieros Cousine

Armando, Arzt, Sohn von Professoressa Galiani. Er ist mit Isabella verheiratet und hat einen Sohn, Marco, mit ihr.

Nadia, Studentin, Tochter von Professoressa Galiani. Sie war mit Nino liiert. Während des militanten politischen Kampfes wird sie Pasquale Pelusos Freundin.

Bruno Soccavo, Nino Sarratores Freund und der Erbe der familieneigenen Wurstfabrik. Er wird in der Fabrik ermordet.

Franco Mari, Elenas Freund in ihren ersten Universitäts-jahren. Als militanter Linker wird er von Faschisten über-fallen und zusammengeschlagen, wodurch er ein Auge verliert.

Silvia, Studentin und politische Aktivistin. Ihr Sohn Mir-ko ging aus einer kurzen Verbindung mit Nino Sarratore hervor.

REIFE

Die Geschichte des verlorenen Kindes

1

Von Oktober 1976 bis zu der Zeit, als ich, 1979, nach
Neapel zurückzog, vermied ich es, wieder feste Beziehungen zu Lila aufzubauen. Das war nicht leicht. Sie versuchte fast sofort, erneut in mein Leben einzubrechen, und
ich ignorierte sie, tolerierte sie, ertrug sie. Obwohl sie
sich so verhielt, als wollte sie mir lediglich in einer schweren Zeit nahe sein, konnte ich nicht vergessen, mit welcher Geringschätzung sie mich behandelt hatte.

Heute denke ich, wenn mich nur die Beschimpfung gekränkt hätte – »du bist eine dumme Gans«, hatte sie am
Telefon geschrien, als ich ihr von Nino erzählt hatte, und
nie zuvor hatte sie so mit mir gesprochen –, dann hätte
ich mich schnell wieder beruhigt. Doch schwerer als diese
Beleidigung wog der Hinweis auf Dede und Elsa. »Denk
daran, was du deinen Töchtern damit antust«, hatte sie
mich zurechtgewiesen, und ich hatte das zunächst nicht
weiter beachtet. Aber mit der Zeit bekamen diese Worte
immer mehr Gewicht, sie fielen mir häufig ein. Lila hatte
nie das geringste Interesse für Dede und Elsa gezeigt, mit
ziemlicher Wahrscheinlichkeit erinnerte sie sich nicht
einmal an ihre Namen. Wenn ich am Telefon einen klugen Spruch von ihnen wiedergegeben hatte, war sie mir
stets ins Wort gefallen und hatte das Thema gewechselt.
Und als sie die beiden in der Wohnung von Marcello Solara zum ersten Mal sah, hatte sie sich auf einen flüchti-

gen Blick und auf ein paar allgemeine Bemerkungen beschränkt, sie hatte nicht im mindesten darauf geachtet, wie hübsch angezogen und gekämmt sie waren und wie gut sie sich ausdrücken konnten, obwohl sie noch so klein waren. Dabei hatte *ich* sie zur Welt gebracht, *ich* hatte sie aufgezogen, sie waren ein Teil von mir, ihrer langjährigen Freundin. Sie hätte – wenn schon nicht aus Zuneigung, so doch zumindest aus Höflichkeit – meinem mütterlichen Stolz Raum lassen müssen. Stattdessen hatte sie nicht einmal etwas gutmütigen Spott aufgebracht, sie hatte Gleichgültigkeit gezeigt, mehr nicht. Nun erst – garantiert aus Eifersucht, weil ich mir Nino geangelt hatte – waren ihr die Mädchen wieder eingefallen, und sie hatte unterstreichen wollen, was für eine schlechte Mutter ich war, die nur für ihr eigenes Glück deren Unglück verursachte. Immer wenn ich daran dachte, wurde ich nervös. Hatte Lila sich etwa um Gennaro gekümmert, als sie Stefano verlassen hatte, als sie den Jungen wegen ihrer Arbeit in der Fabrik zur Nachbarin gebracht und als sie ihn zu mir geschickt hatte, als ob sie ihn loswerden wollte? Ja doch, ich hatte meine Fehler, aber ich war unzweifelhaft eine bessere Mutter als sie.

2

In jenen Jahren wurden solche Gedanken zur Gewohnheit. Es war, als wäre Lila, die letztlich nur diesen einen hässlichen Satz über Dede und Elsa gesagt hatte, zum Anwalt ihrer kindlichen Bedürfnisse geworden und als fühlte ich mich jedes Mal, wenn ich die Mädchen vernachlässigte, um mich mir selbst zu widmen, verpflichtet, ihr zu beweisen, dass sie im Unrecht war. Aber das war nur eine Stimme, die mein Unmut erfunden hatte, was Lila wirklich über mein Verhalten als Mutter dachte, weiß ich nicht. Sie ist die Einzige, die das erzählen könnte, falls es ihr tatsächlich gelungen sein sollte, in diese lange Kette von Wörtern einzudringen, um meinen Text zu verändern, um fehlende Glieder geschickt einzufügen, um andere unauffällig herauszulösen, um mehr, als mir lieb ist, von mir zu erzählen, mehr, als ich erzählen kann. Ich sehne mich nach ihrer Einmischung, wünsche sie mir, seit ich angefangen habe, unsere Geschichte aufzuschreiben, doch ich muss erst zum Ende kommen, um alle diese Seiten einer Prüfung unterziehen zu können. Wollte ich das jetzt versuchen, würde ich sicherlich steckenbleiben. Ich schreibe schon zu lange und bin müde, es wird immer schwerer, im Chaos der Jahre, der kleinen und großen Ereignisse und auch der Launen den roten Faden nicht zu verlieren. Daher neige ich dazu, entweder über meine Angelegenheiten hinwegzugehen, um sofort wieder zu Lila und zu allen Komplikationen zu kommen, die sie mit sich bringt, oder aber, schlimmer noch, mich von den Ereignissen meines Lebens mitreißen zu lassen, nur weil ich sie leichter aufschreiben kann. Aber ich muss mich dieser Entscheidung entziehen. Den ersten Weg darf ich nicht gehen, weil ich – da das Wesen unserer Beziehung es gebietet, dass ich nur durch den Weg über mich zu ihr gelangen kann – schließlich immer weniger Spuren von Lila finden würde, wenn ich mich selbst außer Acht ließe. Und den zweiten Weg auch nicht. Denn dass ich immer ausführlicher über meine Erfahrungen spreche, ist genau das, was sie garantiert unterstützen würde. »Komm schon«, würde sie fordern, »lass uns wissen, welche Wendung dein Leben genommen hat, wen interessiert denn meins, gib's doch zu, nicht einmal dich.« Und am Ende würde sie sagen: »Ich bin ein Klecks auf einem Gekleckse, absolut ungeeignet für eins deiner Bücher. Lass mich in Ruhe, Lenù, etwas Gelöschtes erzählt man nicht.«

Was also tun? Ihr wieder einmal recht geben? Akzeptieren, dass Erwachsensein heißt, nicht mehr in Erscheinung zu treten, zu lernen, sich zu verstecken bis hin zum völligen Verschwinden? Eingestehen, dass ich, je mehr Jahre vergehen, immer weniger von Lila weiß?

Heute Morgen halte ich meine Müdigkeit im Zaum und setze mich wieder an den Schreibtisch. Jetzt, da ich kurz vor dem schmerzhaftesten Punkt unserer Geschichte bin, möchte ich auf dem Papier ein Gleichgewicht zwischen mir und ihr suchen, das ich im wahren Leben nicht einmal mit mir selbst gefunden habe.

3

Von den Tagen in Montpellier weiß ich noch alles, nur nicht, wie die Stadt aussah, es ist, als wäre ich nie dort gewesen. Außerhalb des Hotels, außerhalb des gewaltigen Audimax, in dem die wissenschaftliche Tagung stattfand, an der Nino teilnahm, sehe ich heute nur noch einen windigen Herbst und einen hellblauen, auf weißen Wolken liegenden Himmel. Trotzdem ist mir der Name Montpellier aus vielen Gründen wie ein Signal der Flucht im Gedächtnis geblieben. Ich war schon einmal im Ausland gewesen, mit Franco in Paris, und meine eigene Kühnheit hatte mich elektrisiert. Doch damals war es mir so vorgekommen, als wären der Rione und Neapel für immer meine Welt und würden es auch immer bleiben, während alles andere wie ein kurzer Ausflug war, eine Ausnahmesituation, in der ich mich fühlen konnte, wie ich in Wahrheit nie sein würde. Dagegen war mir in Montpellier, obwohl es bei weitem nicht so aufregend wie Paris war, als wären alle meine Dämme gebrochen und als würde ich über die Ufer treten. Schon allein die Tatsache, dass ich mich in dieser Stadt befand, war in meinen Augen der Beweis dafür, dass der Rione, Neapel, Pisa, Florenz, Mailand, ja ganz Italien nur winzige Splitter der Welt waren und dass ich gut daran tat, mich nicht mehr mit diesen Splittern zu begnügen. In Montpellier wurde mir die Begrenztheit meines Blicks und auch der Sprache bewusst, in der ich mich ausdrückte und in der ich geschrieben hatte. In Montpellier wurde mir klar, wie einengend es sein konnte, mit zweiunddreißig Jahren Hausfrau und Mutter zu sein. In diesen Tagen voller Liebe fühlte ich mich erstmals frei von den Fesseln, die im Laufe der Jahre entstanden waren, von den Fesseln, die aus meiner Herkunft erwuchsen, von denen, die sich aus meinen Studienerfolgen ergaben, und von denen, die sich aus meinen Lebensentscheidungen ableiteten, vor allem aus meiner Heirat. In Montpellier konnte ich auch besser nachvollziehen, warum ich mich so gefreut hatte, als ich erfahren hatte, dass mein erstes Buch in andere Sprachen übersetzt worden war, und warum ich so niedergeschlagen gewesen war, nachdem ich außerhalb von Italien nur wenige Leser gefunden hatte. Es war wunderbar, Grenzen zu überschreiten, sich in anderen Kulturen treiben zu lassen, die Vorläufigkeit dessen zu entdecken, was ich für endgültig gehalten hatte. Wenn ich den Umstand, dass Lila nie aus Neapel herausgekommen war – sogar San Giovanni a Teduccio

hatte ihr schon Angst gemacht –, früher für eine fragwür-
dige Entscheidung gehalten hatte, die sie allerdings für
gewöhnlich in ein vorteilhaftes Licht zu setzen verstand,
so schien er mir jetzt nur ein Zeichen geistiger Enge zu
sein. Ich reagierte, wie man auf jemanden, der einen beleidigt, reagiert, indem man dieselben Worte verwendet,
die einen beleidigt haben. »Du hast dich in mir getäuscht? Nein, meine Liebe, ich bin es, ich, die sich in
dir getäuscht hat: Du wirst dein Leben lang den vorbeifahrenden Lastwagen auf dem Stradone nachschauen.«

Die Tage verflogen. Die Organisatoren der Tagung hatten für Nino schon vor geraumer Zeit ein Einzelzimmer
im Hotel gebucht, und da ich mich zu spät entschlossen
hatte, ihn zu begleiten, war es nicht mehr möglich gewesen, stattdessen ein Doppelzimmer zu bekommen. Wir
waren getrennt untergebracht, aber jeden Abend nahm
ich eine Dusche, machte mich für die Nacht fertig und
schlüpfte mit einigem Herzklopfen in sein Zimmer. Wir
schliefen zusammen, eng aneinandergeschmiegt, als fürchteten wir, eine feindliche Macht könnte uns im Schlaf
trennen. Morgens ließen wir uns das Frühstück ans Bett
bringen, wir genossen diesen Luxus, den ich nur aus dem
Kino kannte, lachten viel, waren glücklich. Tagsüber leistete ich ihm in dem großen Sitzungssaal Gesellschaft,
doch obgleich die gelangweilten Redner Seite um Seite
herunterleierten, war ich begeistert, denn ich war mit ihm
zusammen, saß neben ihm, doch ohne ihn zu stören.
Nino verfolgte die Beiträge aufmerksam, machte sich
Notizen und flüsterte mir hin und wieder eine ironische
Bemerkung oder Liebesworte ins Ohr. Zum Mittag und
zum Abendessen gesellten wir uns zu den Gelehrten aus
aller Welt, fremde Namen, fremde Sprachen. Natürlich

hatten die angesehensten Redner einen separaten Tisch, wir saßen mit jüngeren Wissenschaftlern zusammen an einer langen Tafel. Ninos Gewandtheit beeindruckte mich, sowohl während der Arbeit als auch im Restaurant. Wie anders als der Student von damals er war und auch als der junge Mann, der mich vor fast zehn Jahren in der Mailänder Buchhandlung verteidigt hatte. Seinen polemischen Ton hatte er abgelegt, taktvoll überwand er die akademischen Barrieren und knüpfte mit ernster und zugleich gewinnender Miene Kontakte. Mal auf Englisch (ausgezeichnet), mal auf Französisch (gut) führte er geistreiche Gespräche und tat sich mit seiner alten Vorliebe für Statistiken hervor. Ich war stolz darauf, dass er so viel Beifall fand. Nach wenigen Stunden war er bei allen beliebt, man zog ihn hierhin und dorthin.

Nur einmal veränderte er sich plötzlich, das war am Abend vor seiner Rede auf der Tagung. Er wurde abweisend und unfreundlich, er schien mir sehr aufgeregt zu sein. Er begann seinen vorbereiteten Text schlechtzumachen, wiederholte mehrmals, dass ihm das Schreiben nicht so leichtfalle wie mir, ärgerte sich, weil er keine Zeit gehabt hatte, um gründlich zu arbeiten. Ich bekam ein schlechtes Gewissen – hatte unsere komplizierte Geschichte ihn abgelenkt? – und wollte es wiedergutmachen, indem ich ihn umarmte, küsste und drängte, mir seine Rede vorzulesen. Er tat es, und seine Miene eines ängstlichen Schuljungen rührte mich an. Sein Beitrag klang für mich nicht weniger langweilig als die der anderen, die ich auf der Tagung gehört hatte, doch ich lobte ihn sehr, und Nino beruhigte sich. Am folgenden Vormittag trat er mit gespieltem Eifer auf, man applaudierte ihm. Am Abend lud ihn einer der renommierten Tagungsteilnehmer, ein Amerikaner, an seinen Tisch ein. Ich blieb allein zurück, aber das störte mich nicht. Wenn Nino bei mir war, redete ich mit niemandem, während ich ohne ihn gezwungen war, mich mit meinem kümmerlichen Französisch zu behelfen. Ich kam mit einem Paar aus Paris ins Gespräch. Die beiden gefielen mir, denn ich hatte schnell bemerkt, dass sie in einer ganz ähnlichen Situation waren wie wir. Für sie hatte die Institution der Familie etwas Bedrückendes, beide hatten, wenn auch mit großem Bedauern, ihren Ehepartner und ihre Kinder verlassen, beide wirkten glücklich. Er, Augustin, war um die fünfzig, hatte ein rotes Gesicht, sehr lebhafte, hellblaue Augen und einen großen, ins Blonde spielenden Schnauzbart. Sie, Colombe, war kaum über dreißig wie ich, hatte sehr kurzes, schwarzes Haar, ein kleines Gesicht mit stark geschminkten Augen und Lippen und war von einer bezaubernden Eleganz. Ich unterhielt mich vor allem mit ihr, sie hatte einen siebenjährigen Sohn.

»Meine Älteste wird erst in ein paar Monaten sieben«, sagte ich, »aber sie kommt dieses Jahr schon in die zweite Klasse, sie ist sehr gut in der Schule.«

»Mein Sohn ist äußerst aufgeweckt und phantasievoll.«

»Wie hat er denn die Trennung verkraftet?«

»Gut.«

»Hat er gar nicht darunter gelitten?«

»Kinder sind nicht so festgefahren wie wir, sie sind anpassungsfähig.«

Sie kam immer wieder auf die Anpassungsfähigkeit zurück, die sie den Kindern zuschrieb, es schien sie zu beruhigen. Sie sagte weiter: »In unserem Bekanntenkreis kommt es ziemlich oft vor, dass Eltern sich trennen, die

Kinder wissen, dass das passieren kann.« Aber als ich ihr erzählte, dass ich keine weiteren getrennt lebenden Frauen kannte außer meiner Freundin, schlug sie plötzlich einen anderen Ton an, sie beklagte sich über ihr Kind: »Er ist gut in der Schule, aber langsam«, platzte sie heraus. »Die Lehrer sagen, er ist unordentlich.« Ich war betroffen, weil sie nun ohne jede Zärtlichkeit sprach, beinahe mit Groll, als wollte ihr Sohn sie mit diesem Verhalten ärgern, und das beunruhigte mich. Ihr Freund bemerkte das offenbar und schaltete sich ein, er prahlte mit *seinen* zwei Söhnen, vierzehn und achtzehn Jahre alt, und erzählte lachend, dass sie sowohl bei den jungen als auch bei den reiferen Frauen großen Anklang fanden. Als Nino wieder zu mir kam, begannen die beiden Männer – und Augustin besonders – auf üble Weise über viele der Redner herzuziehen. Mit einer etwas aufgesetzten Heiterkeit tat Colombe es ihnen kurz darauf nach. Die Lästerei wirkte sofort verbindend, Augustin redete und trank den ganzen Abend viel, seine Freundin lachte, sobald es Nino gelang, etwas zu sagen. Sie luden uns ein, in ihrem Auto nach Paris mitzufahren.

Die Gespräche über die Kinder und diese Einladung, die wir weder annahmen noch ablehnten, brachten mich auf den Boden der Tatsachen zurück. Bis dahin waren mir Dede und Elsa ständig in den Sinn gekommen, und auch Pietro, doch wie in einem Paralleluniversum angehalten, reglos am Küchentisch in Florenz, vor dem Fernseher oder in ihren Betten. Plötzlich traten meine und ihre Welt miteinander in Verbindung. Mir wurde bewusst, dass die Tage in Montpellier fast vorbei waren, dass Nino und ich unweigerlich zu unseren Familien zurückkehren würden, dass wir unsere jeweilige Ehekrise würden durchstehen müssen, ich in Florenz, er in Neapel. Die Körper meiner Mädchen verbanden sich wieder mit meinem, diese Berührung war heftig. Seit fünf Tagen hatte ich nichts von ihnen gehört, und als mir das bewusst wurde, überkam mich eine starke Übelkeit, und meine Sehnsucht wurde unerträglich. Ich hatte keine Angst vor der Zukunft im Allgemeinen, die nunmehr unweigerlich von Nino besetzt zu sein schien, sondern vor den nächsten Stunden, vor dem Morgen, dem Übermorgen. Ich konnte nicht an mich halten und versuchte anzurufen, obwohl es fast Mitternacht war. ›Na wenn schon‹, dachte ich, ›Pietro ist sowieso immer wach‹.

Es war ziemlich mühsam, aber schließlich kam ich durch. »Hallo«, sagte ich. »Hallo«, sagte ich noch einmal. Ich wusste, dass Pietro am Apparat war, ich sagte seinen Namen: »Pietro, ich bin's, Elena, wie geht es den Mädchen.« Das Gespräch wurde unterbrochen. Ich wartete ein paar Minuten, dann bat ich die Vermittlung um eine neue Verbindung. Ich war entschlossen, es die ganze Nacht zu versuchen, aber diesmal antwortete Pietro.

»Was willst du.«

»Wie geht es den Kindern.«

»Sie schlafen.«

»Das weiß ich, aber wie geht es ihnen.«

»Was kümmert dich das.«

»Es sind meine Töchter.«

»Du hast sie verlassen, sie wollen nicht mehr deine Töchter sein.«

»Haben sie dir das gesagt?«

»Sie haben es meiner Mutter gesagt.«

»Du hast Adele zu uns geholt?«

»Ja.«

»Sag ihnen, dass ich in ein paar Tagen zurückkomme.«

»Nein, komm nicht. Weder ich noch die Mädchen, noch meine Mutter wollen dich wiedersehen.«

4

Ich weinte, beruhigte mich wieder und ging zu Nino. Ich wollte ihm von dem Anruf erzählen, wollte, dass er mich tröstete. Aber als ich an seine Zimmertür klopfen wollte, hörte ich ihn mit jemandem sprechen. Ich zögerte. Er telefonierte, ich verstand nicht, was er sagte, und auch nicht, in welcher Sprache er redete, doch ich vermutete sofort, dass er sich mit seiner Frau unterhielt. Geschah das demnach jeden Abend? Telefonierte er immer mit Eleonora, wenn ich mich in meinem Zimmer für die Nacht fertig machte und er allein war? Suchten sie nach einem Weg, um sich friedlich zu trennen? Oder versöhnten sie sich gerade, und sie würde ihn sich nach dem Intermezzo in Montpellier zurückholen?

Ich entschloss mich, zu klopfen. Nino unterbrach das Gespräch, Stille, dann redete er weiter, diesmal noch leiser. Ich wurde nervös, klopfte erneut, nichts geschah. Ich musste ein drittes Mal und laut klopfen, bevor er mir öffnete. Als er es tat, stellte ich ihn sofort zur Rede, warf ihm vor, dass er seiner Frau nichts von mir erzählte, schrie, dass ich mit Pietro gesprochen hätte, dass mein Mann mich daran hindern wolle, die Mädchen wiederzusehen, dass ich mein ganzes Leben in Frage stellte, während er am Telefon mit Eleonora flirtete. Es war eine schlimme Nacht voller Streit, und es fiel uns schwer, uns wieder zu vertragen. Nino versuchte alles mögliche, um mich zu beruhigen. Er lachte nervös, regte sich darüber auf, wie Pietro mich behandelt hatte, küsste mich, ich stieß ihn zurück, er flüsterte, ich sei ja verrückt. Aber sosehr ich ihn auch bedrängte, gab er doch nicht zu, dass er gerade mit seiner Frau gesprochen hatte, im Gegenteil, er schwor bei seinem Sohn, dass er seit seiner Abreise aus Neapel nichts mehr von ihr gehört habe.

»Und mit wem hast du dann gesprochen?«

»Mit einem Kollegen hier im Hotel.«

»Um Mitternacht?«

»Um Mitternacht.«

»Du lügst.«

»Das ist die Wahrheit.«

Ich weigerte mich lange, mit ihm zu schlafen, ich konnte es nicht, hatte Angst, dass er mich nicht mehr liebte. Dann gab ich nach, um nicht denken zu müssen, dass schon alles zu Ende war.

Am nächsten Morgen wachte ich nach fünf Tagen Zusammensein erstmals schlechtgelaunt auf. Wir mussten abreisen, die Tagung war so gut wie vorbei. Doch ich wollte nicht, dass Montpellier nur ein Intermezzo war, fürchtete mich davor, nach Hause zu fahren, fürchtete mich davor, dass Nino nach Hause fuhr, fürchtete, meine Mädchen für immer zu verlieren. Als Augustin und Colombe uns erneut anboten, uns im Auto nach Paris mitzunehmen und uns sogar zu beherbergen, wandte ich mich fragend an Nino, ich hoffte, auch er würde sich nichts sehnlicher wünschen, als diese Zeit zu verlängern und die Heimkehr hinauszuzögern. Aber er schüttelte düster den Kopf, sagte: »Unmöglich, wir müssen zurück nach Italien«, und sprach von Flugzeugen, Tickets, Zügen, Geld. Ich war sehr empfindlich, spürte Enttäuschung und Wut.

›Wusste ich's doch‹, dachte ich, ›er hat mich angelogen, die Trennung von seiner Frau ist nicht endgültig.‹ Er hatte wirklich jeden Abend mit ihr telefoniert, hatte versprochen, nach der Tagung nach Hause zu kommen, und konnte das nicht mal ein paar Tage hinausschieben. Und ich?

Mir fiel der Verlag in Nanterre wieder ein und mein kleiner, gelehrter Text über die Erfindung der Frau durch den Mann. Bislang hatte ich mit niemandem über mich gesprochen, auch nicht mit Nino. Ich war die lächelnde, aber weitgehend stumme Frau gewesen, die mit dem brillanten Professor aus Neapel schlief, die Frau, die stets an ihm klebte und auf seine Bedürfnisse, seine Gedanken einging. Doch nun sagte ich mit gespielter Fröhlichkeit: »Nino muss zwar zurück, aber ich habe noch einen Termin in Nanterre; demnächst erscheint ein Buch von mir – vielleicht ist es auch schon erschienen –, ein Mittelding zwischen einem Essay und einer Erzählung; ich fahre sehr gern bei euch mit, dann kann ich einen Abstecher zum Verlag machen.« Die beiden sahen mich an, als hätte ich erst in diesem Moment begonnen, real zu existieren, und erkundigten sich nach meiner Arbeit. Ich erzählte ihnen davon, und es stellte sich heraus, dass Colombe mit der Chefin des kleinen, doch, wie ich nun erfuhr, angesehenen Verlags gut bekannt war. Ich kam in Fahrt, redete überschwenglich und bauschte meine literarischen Erfolge vielleicht ein wenig auf. Doch das tat ich nicht für die beiden Franzosen, sondern für Nino. Ich wollte ihn daran erinnern, dass auch ich ein befriedigendes Leben hatte und dass ich, wenn ich fähig war, meine Töchter und Pietro zu verlassen, auch auf ihn verzichten konnte, und zwar nicht in einer Woche, nicht in zehn Tagen, sondern gleich.

Er hörte mir zu, dann sagte er ernst zu Colombe und

Augustin: »Gut, wenn es euch keine Umstände macht, kommen wir gern mit.« Aber als wir allein waren, erklärte er mir der Form nach gereizt und dem Inhalt nach leidenschaftlich, dass ich ihm vertrauen müsse, dass wir unsere Lage, so schwierig sie auch sei, sicherlich meistern würden, dass wir dazu aber nach Hause zurückkehren müssten, wir dürften nicht von Montpellier nach Paris und danach in wer weiß welche Stadt flüchten, wir müssten uns mit unseren Ehepartnern auseinandersetzen und ein gemeinsames Leben beginnen. Plötzlich schien er mir nicht nur vernünftig, sondern auch aufrichtig zu sein. Ich war verwirrt, umarmte ihn und flüsterte: »Ist gut.« Trotzdem fuhren wir nach Paris, ich wollte nur noch ein paar weitere Tage.

5

Die Reise war lang, es war sehr windig, manchmal regnete es. Die blasse Landschaft war wie mit Rost überzogen, doch hin und wieder brach der Himmel auf, und alles begann zu glitzern, zuallererst der Regen. Ich schmiegte mich die ganze Zeit eng an Nino, manchmal schlief ich an seiner Schulter ein, und wieder hatte ich das Gefühl, weit über meine Grenzen hinausgegangen zu sein, und das voller Genuss. Mir gefiel die fremde Sprache, die im Auto erklang, mir gefiel, dass ich auf dem Weg zu einem Buch war, das ich auf Italienisch geschrieben hatte, das aber durch Mariarosa zunächst in einer anderen Sprache erschien. Wie ungewöhnlich das war, und was für erstaunliche Dinge ich erlebte. Mein Buch kam mir vor wie ein Stein, den ich auf eine unberechenbare Flugbahn geschickt hatte, mit einer Geschwindigkeit, die nicht mit der der Steine vergleichbar war, mit denen Lila und ich in unserer Kindheit die Jungsbande beworfen hatten.

Doch die Reise war nicht nur angenehm, manchmal wurde ich traurig. Außerdem hatte ich schon bald den Eindruck, dass Nino in einem Ton mit Colombe sprach, den er bei Augustin nicht hatte, ganz zu schweigen davon, dass seine Fingerspitzen zu oft ihre Schulter berührten. Meine schlechte Laune wuchs, ich sah, dass die beiden zunehmend vertraut miteinander wurden. Als wir in Paris ankamen, verstanden sie sich bereits bestens und redeten angeregt miteinander, Colombe lachte häufig, wobei sie sich mit einer unbewussten Geste ihr Haar zurechtzupfte.

Augustin hatte eine schöne Wohnung am Canal Saint-Martin, Colombe war vor kurzem zu ihm gezogen. Sie zeigten uns unser Zimmer, ließen uns dann aber noch nicht ins Bett gehen. Sie schienen nicht gern allein bleiben zu wollen, sie redeten und redeten. Ich war müde und nervös, die Fahrt nach Paris hatte ich mir gewünscht, und nun fand ich es absurd, mit Nino, der mich kaum beachtete, und weit entfernt von meinen Töchtern, bei fremden Leuten in dieser Wohnung zu sein. Später, in unserem Zimmer, fragte ich ihn:

»Gefällt dir Colombe?«

»Sie ist nett.«

»Ich habe gefragt, ob sie dir gefällt.«

»Suchst du Streit?«

»Nein.«

»Dann denk doch mal nach: Wie kann mir denn Colombe gefallen, wenn ich dich liebe?«

Ich erschrak, sobald sein Ton auch nur ein bisschen

schroffer wurde, fürchtete, einsehen zu müssen, dass etwas zwischen uns nicht so gut lief. ›Er ist bloß freundlich zu jemandem, der freundlich zu uns war‹, sagte ich mir und schlief ein. Doch ich schlief schlecht. Irgendwann hatte ich das Gefühl, allein im Bett zu sein, ich versuchte, wach zu werden, sank aber erneut in den Schlaf. Nach einer Weile fuhr ich wieder auf. Diesmal stand Nino im Dunkeln, so schien es mir jedenfalls. »Schlaf«, sagte er. Und ich schlief wieder ein.

Tags darauf brachten uns unsere Gastgeber nach Nanterre. Die ganze Fahrt über alberte Nino anspielungsreich mit Colombe herum. Ich zwang mich, nicht darauf zu achten. Wie konnte ich daran denken, mit ihm zu leben, wenn ich meine Zeit damit verbringen musste, ihn zu kontrollieren? Als wir unser Ziel erreichten und er auch zu Mariarosas Freundin, der der Verlag gehörte, und zu deren Geschäftspartnerin charmant und verführerisch war – die eine um die vierzig, die andere um die sechzig und beide bei weitem nicht so attraktiv wie Augustins Freundin –, stieß ich einen Seufzer der Erleichterung aus. ›Es ist nichts dabei‹, sagte ich mir schließlich, ›er ist zu allen Frauen so.‹ Und endlich fühlte ich mich wieder wohl.

Die zwei Frauen empfingen mich mit viel Wertschätzung und erkundigten sich nach Mariarosa. Ich erfuhr, dass mein Text erst seit kurzem in den Buchhandlungen war, aber schon einige Rezensionen erschienen waren. Die ältere der beiden zeigte sie mir, offenbar erstaunt, wie gut ich besprochen wurde, und wies Colombe, Augustin und Nino darauf hin. Ich überflog die Artikel, mal zwei Zeilen hier, mal vier Zeilen dort. Sie stammten von Frauen – im Gegensatz zu Colombe und den beiden

Verlegerinnen hatte ich ihre Namen noch nie gehört – und lobten mein Buch wirklich vorbehaltlos. Ich hätte zufrieden sein müssen, noch am Vortag hatte ich mich gezwungen gesehen, mich selbst zu beweihräuchern, nun war das nicht mehr nötig. Trotzdem konnte ich mich nicht freuen. Seit ich Nino liebte und er mich, war es, als ließe diese Liebe alles Gute, was mir geschah und noch geschehen würde, lediglich zu einem angenehmen Nebeneffekt werden. Ich zeigte mich maßvoll erfreut und äußerte mich mit matter Zustimmung zu den von meinen Verlegerinnen geplanten Werbemaßnahmen. »Sie müssen bald wiederkommen«, rief die ältere der zwei Frauen, »jedenfalls wünschen wir uns das.« Die jüngere fügte hinzu: »Mariarosa hat uns von Ihrer Ehekrise erzählt, hoffentlich überstehen Sie sie ohne allzu großen Kummer.«

Auf diese Weise erfuhr ich, dass die Nachricht vom Bruch zwischen Pietro und mir nicht nur zu Adele gedrungen war, sondern auch Mailand und sogar Frankreich erreicht hatte. ›Umso besser‹, dachte ich, ›so wird es leichter, die Trennung zu besiegeln.‹ Ich sagte mir: ›Ich werde mir nehmen, was mir zusteht, und darf nicht in der Angst leben, Nino zu verlieren, darf mir keine Sorgen wegen Dede und Elsa machen. Ich bin ein Glückspilz, er wird mich immer lieben, meine Töchter sind meine Töchter, alles wird gut.‹

6

Wir flogen nach Rom zurück. Beim Abschied schworen wir uns alles mögliche, wir schworen unablässig. Dann fuhr Nino nach Neapel und ich nach Florenz.

Ich kam geradezu auf Zehenspitzen nach Hause, davon überzeugt, dass mich eine der schwersten Prüfungen meines Lebens erwartete. Stattdessen begrüßten mich die Mädchen mit erschreckter Freude, und beide folgten mir in der Wohnung überallhin, als fürchteten sie, ich könnte erneut verschwinden, sobald sie mich aus den Augen verloren; Adele war freundlich und erwähnte den Grund, der sie zu uns geführt hatte, mit keiner Silbe; Pietro, kreidebleich, beschränkte sich darauf, mir eine Liste mit den Anrufen zu geben, die für mich eingegangen waren (Lilas Name tauchte nicht weniger als vier Mal auf), murmelte, er müsse dienstlich verreisen, und war bereits zwei Stunden später weg, ohne sich auch nur von seiner Mutter und den Mädchen verabschiedet zu haben.

Es dauerte einige Tage, bis Adele ihre Meinung deutlich zum Ausdruck brachte: Sie wollte, dass ich wieder zur Besinnung kam und an die Seite meines Mannes zurückkehrte. Und es dauerte einige Wochen, bis sie einsah, dass ich weder das eine noch das andere wollte. In dieser Zeit wurde sie nie laut, verlor nie die Ruhe und machte nicht eine ironische Bemerkung über meine häufigen und langen Telefongespräche mit Nino. Sie interessierte sich mehr für die Anrufe der zwei Frauen aus Nanterre, die mich über die Erfolge meines Buches und über eine Lesereise informierten, die mich durch Frankreich führen würde. Sie wunderte sich nicht über die positiven Rezensionen in den französischen Zeitungen, war sich sicher, dass mein Buch in Italien schon bald die gleiche Aufmerksamkeit erhalten würde, und sagte, was unsere Zeitungen anging, würde sie noch mehr erreichen können. Beharrlich lobte sie vor allem meine Intelligenz, meine Bildung, meinen Mut und nahm kein einziges Mal ihren Sohn in Schutz, der sich übrigens nie blicken ließ.

Ich hielt es für ausgeschlossen, dass Pietro wirklich berufliche Verpflichtungen außerhalb von Florenz hatte. Aber wütend und mit einem Anflug von Verachtung musste ich feststellen, dass er seine Mutter mit der Beilegung unserer Krise betraut und sich irgendwo verkrochen hatte, um an seinem nicht enden wollenden Buch zu arbeiten. Einmal konnte ich mich nicht beherrschen und sagte zu Adele:

»Es war wirklich nicht einfach, mit deinem Sohn zusammenzuleben.«

»Das ist mit keinem Mann einfach.«

»Glaub mir, mit ihm war es besonders schwer.«

»Meinst du, mit Nino wird es besser?«

»Ja.«

»Ich habe mich erkundigt. Was man in Mailand über ihn redet, ist wirklich schlimm.«

»Das Mailänder Gerede brauche ich nicht. Ich liebe ihn seit zwei Jahrzehnten, verschone mich mit Klatsch und Tratsch. Ich weiß mehr über ihn als alle anderen.«

»Wie gern du sagst, dass du ihn liebst.«

»Warum auch nicht?«

»Du hast recht, warum nicht. Ich habe mich geirrt: Einem verliebten Menschen kann man nicht die Augen öffnen.«

Von nun an erwähnten wir Nino nicht mehr. Und als ich ihr die Mädchen anvertraute, um nach Neapel zu hasten, zuckte sie mit keiner Wimper. Und das tat sie auch nicht, als ich ihr sagte, dass ich nach meiner Rückkehr aus Neapel für eine Woche nach Frankreich fahren würde. Sie fragte mich nur mit einem leicht ironischen Unterton:

»Und was ist mit Weihnachten? Wirst du dann bei den Mädchen sein?«

Diese Frage war geradezu beleidigend, ich antwortete: »Selbstverständlich.«

Ich packte vor allem Unterwäsche und elegante Kleider ein. Dede und Elsa, die übrigens nie nach ihrem Vater fragten, obwohl sie ihn nun schon eine Weile nicht gesehen hatten, nahmen die Ankündigung, dass ich wieder wegfahren würde, sehr schlecht auf. Dede schleuderte mir Worte entgegen, die garantiert nicht ihre waren, sie schrie: »Ja, hau bloß ab, du bist widerlich!« Fragend sah ich Adele an, ich hoffte, sie würde die Aufgabe übernehmen, die Kinder abzulenken und mit ihnen zu spielen, doch sie tat nichts. Als die zwei mich zur Tür gehen sahen, fingen sie an zu weinen. Zunächst Elsa, sie brüllte: »Ich will mitkommen!« Dede widerstand, sie bemühte sich, mir ihre ganze Gleichgültigkeit und vielleicht sogar Verachtung zu zeigen, aber am Ende hielt sie es nicht mehr aus und jammerte noch mehr als ihre Schwester. Ich musste mich von ihnen losreißen, sie hielten mich am Kleid fest, wollten, dass ich den Koffer abstellte. Ihr Weinen verfolgte mich bis auf die Straße.

Die Fahrt nach Neapel schien mir endlos zu sein. Kurz vor dem Ziel sah ich aus dem Fenster. Je langsamer der Zug auf seinem Weg ins Stadtgebiet wurde, umso stärker erfassten mich Unruhe und Erschöpfung. Mir fiel die Hässlichkeit der Außenbezirke mit ihren grauen Häusern hinter den Gleisen auf, mit den Gittermasten, den Signallichtern, den steinernen Brüstungen. Als der Zug in den Bahnhof einfuhr, hatte ich den Eindruck, dass das Neapel, mit dem ich mich verbunden fühlte, das Neapel, in das ich nun zurückkehrte, nur noch Nino beinhaltete.

Ich wusste, dass er in größeren Schwierigkeiten steckte als ich. Eleonora hatte ihn rausgeworfen, auch für ihn war alles provisorisch geworden. Er wohnte seit einigen Wochen bei einem Kollegen von der Universität, nur ein paar Schritte vom Dom entfernt. Wohin würde er mich bringen, was würden wir tun? Und vor allem, welche Entscheidungen würden wir treffen, hatten wir doch nicht einmal eine leise Ahnung davon, in welche Richtung unsere Geschichte gehen sollte. Ich wusste nur, dass ich vor Verlangen brannte, ich musste ihn unbedingt wiedersehen. Mit der Befürchtung, er könnte verhindert sein und mich nicht am Bahnsteig abholen, stieg ich aus dem Zug. Aber da stand er: Hochgewachsen, wie er war, ragte er aus dem Strom der Reisenden heraus.

Das beruhigte mich, und noch mehr beruhigte mich, dass er ein Zimmer in einem kleinen Hotel in Mergellina reserviert hatte und damit zu erkennen gab, dass er nicht die geringste Absicht hatte, mich in der Wohnung seines Freundes zu verstecken. Wir waren verrückt vor Liebe, die Zeit flog davon. Am Abend spazierten wir eng aneinandergeschmiegt die Uferstraße entlang, er hatte seinen Arm um meine Schulter gelegt und beugte sich hin und wieder zu mir, um mir einen Kuss zu geben. Ich versuchte auf jede erdenkliche Weise, ihn zu überreden, nach Frankreich mitzukommen. Er hätte es gern getan, doch dann machte er einen Rückzieher und verschanzte sich hinter seiner Arbeit an der Universität. Über Eleonora und Albertino sprach er nie, als könnte ihre bloße Erwähnung uns die Freude des Zusammenseins verderben. Ich dagegen erzählte ihm von der Verzweiflung meiner Mädchen, sagte, wir müssten so schnell wie möglich eine Lösung finden. Ich merkte, dass er nervös war, ich reagierte auf jede noch so leichte Spannung und fürchtete, er könnte von einem Augenblick zum anderen sagen: Ich kann nicht mehr, ich kehre nach Hause zurück. Aber ich irrte mich. Als wir essen gingen, erzählte er mir, wo das Problem lag. Plötzlich ernst geworden, sagte er, es gebe eine unerfreuliche Neuigkeit.

»Schieß los«, brummte ich.

»Heute Morgen hat mich Lina angerufen.«

»Aha.«

»Sie will uns sehen.«

7

Der Abend war gelaufen. Nino sagte, meine Schwiegermutter habe Lila verraten, dass ich in Neapel war. Er sprach mit großer Verlegenheit, wählte seine Worte sorgfältig und betonte Informationen wie: »Sie hatte keine Adresse von mir; sie hat meine Schwester nach der Privatnummer meines Kollegen gefragt; kurz bevor ich mich auf den Weg zum Bahnhof gemacht habe, hat sie angerufen; ich habe es dir nicht gleich gesagt, weil ich Angst hatte, du würdest dich aufregen, und das würde uns den Tag ruinieren.« Zum Schluss sagte er düster:

»Du weißt doch, wie sie ist, ich konnte einfach nicht nein sagen. Wir sind morgen um elf mit ihr verabredet, sie wartet an der U-Bahn-Station Piazza Amedeo auf uns.«

Ich konnte mich nicht beherrschen:

»Seit wann seid ihr wieder in Kontakt? Habt ihr euch getroffen?«

»Wie kommst du denn darauf? Natürlich nicht.«

»Das glaube ich dir nicht.«

»Elena, ich schwöre dir, dass ich seit 1963 nichts mehr von Lina gehört und gesehen habe.«

»Weißt du, dass das Kind nicht von dir ist?«

»Sie hat es mir heute Morgen gesagt.«

»Also habt ihr euch ausführlich über sehr persönliche Dinge unterhalten.«

»Sie hat doch von dem Kind angefangen.«

»Und in der ganzen Zeit hattest du nie den Wunsch, mehr über es zu erfahren?«

»Das ist mein Problem, ich sehe keine Notwendigkeit, das zu erörtern.«

»Deine Probleme sind jetzt auch meine. Wir haben viel zu bereden, unsere Zeit ist kurz, und ich habe meine Töchter nicht zurückgelassen, um diese Zeit mit Lina zu vergeuden. Wie konntest du dich nur mit ihr verabreden?«

»Ich dachte, du freust dich. Und außerdem: Da ist ein Telefon. Ruf deine Freundin an, sag ihr, dass wir zu tun haben und du sie nicht treffen kannst.«

Da hatten wir's, plötzlich hatte er die Geduld verloren, ich schwieg. Ja, ich wusste, wie Lila war. Seit ich aus Frankreich nach Florenz zurückgekehrt war, hatte sie häufig angerufen, aber ich hatte andere Dinge im Kopf gehabt, hatte jedes Mal aufgelegt und zudem Adele gebeten – falls sie es war, die das Gespräch entgegennahm –, ihr zu sagen, dass ich nicht zu Hause sei. Aber Lila hatte nicht aufgegeben. Es konnte also durchaus sein, dass Adele ihr von meinem Aufenthalt in Neapel erzählt hatte, es konnte sein, dass sie davon ausgegangen war, ich würde nicht in den Rione kommen, und es konnte sein, dass sie nach einem Weg gesucht hatte, mit Nino Kontakt aufzunehmen, nur um mich zu treffen. Was war schon dabei? Und vor allem, was erwartete ich? Ich wusste doch bereits, dass er Lila geliebt hatte und sie ihn. Na und? Das war lange her, jetzt noch eifersüchtig zu sein, war unangebracht. Ich streichelte seine Hand, flüsterte: »Ist gut, wir gehen morgen zur Piazza Amedeo.«

Beim Essen redete Nino ausführlich über unsere Zukunft. Er nahm mir das Versprechen ab, gleich nach meiner Rückkehr aus Frankreich die Trennung zu verlangen. Zugleich versicherte er mir, dass er bereits Kontakt zu einem befreundeten Anwalt aufgenommen habe und er, auch wenn alles kompliziert sei und Eleonora und ihre Eltern ihm garantiert das Leben schwermachen würden, entschlossen sei, die Sache durchzuziehen. »Du weißt ja«, sagte er, »dass so was in Neapel schwieriger ist. Was rückständiges Denken und schlechtes Benehmen angehen, sind die Eltern meiner Frau nicht besser als meine oder deine, obwohl sie Geld und hochangesehene Berufe haben.« Wie um dies zu erläutern, begann er meine Schwiegereltern zu loben. »Anders als du habe ich es leider nicht mit so anständigen Leuten wie den Airotas zu tun«, rief er aus und bezeichnete sie als Familie mit einer großen kulturellen Tradition und Menschen mit bewundernswertem Anstand.

Ich hörte ihm zu, aber nun war Lila zwischen uns, an unserem Tisch, und ich konnte sie nicht verjagen. Während Nino redete, erinnerte ich mich an die Schwierigkeiten, in die sie sich gebracht hatte, um mit ihm zusammen zu sein, und das, ohne sich darum zu scheren, was Stefano ihr antun könnte oder ihr Bruder oder Michele Solara. Und die Erwähnung unserer Eltern brachte mich für den Bruchteil einer Sekunde zurück nach Ischia, zu dem Abend am Maronti-Strand – Lila mit Nino in Forio, ich im feuchten Sand mit Donato –, und ich schauderte. ›Dieses Geheimnis‹, dachte ich, ›kann ich ihm niemals offenbaren.‹ Wie viele Worte bleiben selbst in der vertrautesten Liebesbeziehung unsagbar, und wie groß ist die Gefahr, dass andere sie aussprechen und es vernichten. Sein Vater und ich, er und Lila. Ich riss mich aus meinem Abscheu und kam auf Pietro zu sprechen, darauf, wie sehr er litt. Nino regte sich auf, nun war es an ihm, eifersüchtig zu sein, ich versuchte, ihn zu beruhigen. Er verlangte entschiedene Einschnitte und Schlusspunkte, und die verlangte ich auch, sie schienen uns unabdingbar zu sein, um ein neues Leben anzufangen. Wir beratschlagten das Wann, das Wo. Nino war durch seine Arbeit unweigerlich an Neapel gebunden, ich durch meine Mädchen an Florenz.

»Zieh wieder her«, sagte er plötzlich. »So schnell wie möglich.«

»Ausgeschlossen, Pietro muss die Gelegenheit haben, die Kinder zu sehen.«

»Ihr könnt euch doch abwechseln. Mal bringst du sie ihm, mal kommt er her.«

»Das wird er nicht akzeptieren.«

»Doch, das wird er.«

So verging der Abend. Je mehr wir dem Problem auf den Grund gingen, desto komplizierter schien es uns zu sein; je stärker wir uns unser gemeinsames Leben – jeden Tag, jede Nacht – ausmalten, desto mehr begehrten wir uns, und die Schwierigkeiten verschwanden. Inzwischen unterhielten sich die Kellner im leeren Restaurant miteinander, gähnten. Nino zahlte, wir gingen wieder die noch sehr belebte Uferstraße entlang. Während ich auf das dunkle Wasser schaute und dessen Geruch wahrnahm, schien es mir für einen kurzen Moment so, als wäre der Rione viel weiter weg als damals, als ich nach Pisa, nach Florenz gegangen war. Auch Neapel schien mir plötzlich sehr weit weg von Neapel zu sein. Und Lila von Lila, ich hatte das Gefühl, nicht sie bei mir zu haben, sondern meine eigenen Ängste. Nahe, sehr nahe waren nur Nino und ich uns. Ich raunte ihm ins Ohr: »Lass uns ins Bett gehen.«

8

Am nächsten Tag stand ich früh auf und schloss mich im Bad ein. Ich duschte lange, trocknete mir sorgfältig die Haare, fürchtete, der Hotelföhn mit seinem viel zu starken Gebläse könnte meine Frisur verderben. Kurz vor zehn weckte ich Nino, der mich, noch vom Schlaf benommen, mit Komplimenten für das Kleid, das ich angezogen hatte, überhäufte. Er versuchte, mich wieder zu sich zu ziehen, ich entwand mich ihm. Sosehr ich mich auch bemühte, so zu tun, als ob nichts wäre, so schwer fiel es mir, ihm zu verzeihen. Er hatte unseren neuen Tag der Liebe zu Lilas Tag gemacht, und jetzt war die Zeit vollkommen durch das bevorstehende Treffen beeinträchtigt.

Ich schleppte ihn zum Frühstück, gefügig folgte er mir. Er lachte nicht, zog mich nicht auf, sagte, wobei er mir mit den Fingerspitzen übers Haar fuhr: »Du siehst phantastisch aus.« Offensichtlich spürte er, dass ich in Aufruhr war. Na und ob, ich fürchtete, Lila könnte in Bestform zu unserer Verabredung erscheinen. Ich war, wie ich war, sie war von Natur aus anmutig. Außerdem hatte sie wieder Geld; wenn sie wollte, konnte sie sich so pflegen, wie sie es als junges Mädchen mit Stefanos Geld getan hatte. Ich wollte nicht, dass Nino erneut von ihr geblendet war.

Um halb elf brachen wir auf, ein kalter Wind wehte. Wir gingen zu Fuß und ohne Eile zur Piazza Amedeo, ich schauderte, obwohl ich einen dicken Mantel trug und Nino seinen Arm um meine Schulter gelegt hatte. Wir erwähnten Lila mit keinem Wort. Er erzählte mir etwas bemüht, wie viel in Neapel besser geworden sei, seitdem es einen kommunistischen Bürgermeister gebe, und drängte mich erneut, mit meinen Mädchen baldmöglichst zu ihm zu kommen. Den ganzen Weg lang hielt er mich fest im Arm, und ich hoffte, er würde das bis zur U-Bahn-Station tun. Ich wünschte mir, Lila würde schon am Eingang stehen, uns von weitem sehen, uns bewundern und denken müssen: ›Was für ein schönes Paar.‹ Aber einige Meter vor unserem Treffpunkt nahm er seinen Arm weg und zündete sich eine Zigarette an. Unwillkürlich griff ich nach seiner Hand und hielt sie fest, so kamen wir zur Piazza.

Ich sah Lila nicht sofort und hoffte kurz, dass sie nicht kommen würde. Aber dann hörte ich, wie sie mich rief – in ihrem üblichen Befehlston, als könnte sie nicht einmal die Möglichkeit in Betracht ziehen, dass ich sie nicht hörte, mich nicht umdrehte, ihrer Stimme nicht gehorchte. Sie stand vor der Kaffeebar gegenüber vom U-Bahn-Eingang, die Hände in den Taschen eines schäbigen, braunen Mantels, noch magerer als sonst, etwas gebeugt, ihr Haar in einem glänzenden, von Silberstreifen durchschnittenen Schwarz zu einem Pferdeschwanz gebunden. Sie schien ganz die Alte zu sein, die erwachsene Lila, von der Arbeit in der Fabrik geprägt. Sie hatte nichts getan, um sich schön zu machen. Drückte mich fest an sich, in einer heftigen Umarmung, die ich matt erwiderte, dann küsste sie mich geräuschvoll und mit einem frohen Lachen auf die Wangen. Nino gab sie zerstreut die Hand.

Wir setzten uns in die Bar, fast die ganze Zeit über redete nur sie und so, als wären wir allein. Sie stellte sich sofort meiner Feindseligkeit, die sie mir offenbar vom Gesicht ablas, und sagte lachend und in einem herzlichen Ton: »Ja gut, ich habe einen Fehler gemacht, du bist beleidigt, aber jetzt ist es genug, seit wann bist du so empfindlich, du weißt doch, dass ich alles an dir in Ordnung finde, komm, wir vertragen uns wieder.«

Ich verschanzte mich hinter einem dünnen Lächeln, sagte weder ja noch nein. Sie hatte sich Nino gegenüber gesetzt, doch kein einziges Mal warf sie ihm einen Blick zu oder richtete das Wort an ihn. Sie war meinetwegen hier, nahm irgendwann meine Hand, die ich ihr langsam entzog. Sie wollte, dass wir uns versöhnten, wollte sich wieder in meinem Leben einnisten, auch wenn sie mit der Richtung, die ich ihm gab, nicht einverstanden war. Das merkte ich daran, wie sie Frage an Frage reihte, ohne sich um die Antworten zu scheren. Sie war so versessen darauf, wieder jeden Teil von mir zu besetzen, dass sie sofort das Thema wechselte, sobald sie eines angeschnitten hatte.

»Wie geht's mit Pietro?«

»Schlecht.«

»Und deine Töchter?«

»Denen geht's gut.«

»Lässt du dich scheiden?«

»Ja.«

»Und ihr zwei zieht zusammen?«

»Ja.«

»Wo, in welcher Stadt?«

»Ich weiß nicht.«

»Zieh wieder her.«

»Das ist nicht so einfach.«

»Eine Wohnung besorge ich dir.«

»Falls das nötig wird, lasse ich es dich wissen.«

»Schreibst du was?«

»Ich habe ein Buch veröffentlicht.«

»Noch eins?«

»Ja.«

»Kein Mensch hat es besprochen.«

»Bis jetzt ist es nur in Frankreich erschienen.«

»Auf Französisch?«

»Natürlich.«

»Ein Roman?«

»Eine Erzählung, aber auch eine Abhandlung.«

»Worum geht es denn?«

Ich blieb vage, machte es kurz. Erkundigte mich lieber nach Enzo, nach Gennaro, nach dem Rione, nach ihrer Arbeit. Bei der Erwähnung ihres Sohnes warf sie mir einen amüsierten Blick zu und kündigte an, ich würde ihn in Kürze sehen, er sei jetzt in der Schule, komme dann aber mit Enzo, und es gebe auch noch eine schöne Überraschung. Doch als es um den Rione ging, wurde ihre Miene gleichgültig. Zum schlimmen Ende von Manuela Solara und dem Chaos, das es ausgelöst hatte, sagte sie: »Was ist das schon. Man wird ermordet wie an jedem anderen Ort in Italien auch.« Zu meiner Überraschung kam sie auf meine Mutter zu sprechen und hob deren Energie und Unternehmungslust hervor, obwohl sie über unsere konfliktreiche Beziehung bestens Bescheid wusste. Und ebenso überraschend war es, dass sie zärtlich von ihren Eltern sprach und erzählte, dass sie Geld zur Seite lege, um ihnen die Wohnung, in der sie seit jeher lebten, zu kaufen und ihnen ein sorgenfreies Dasein zu ermöglichen. »Das macht mir Spaß«, erklärte sie, als müsste sie sich für diese großzügige Regung rechtfertigen, »ich bin dort geboren, hänge an dieser Wohnung, und wenn Enzo und ich viel arbeiten, können wir sie abzahlen.« Sie schufte nun bis zu zwölf Stunden am Tag, nicht nur für Michele Solara, sondern auch für andere Kunden. »Ich arbeite mich in einen neuen Rechner ein«, erzählte sie, »in das System 32, ein viel besseres als das, welches ich dir in Acerra gezeigt habe, es ist ein weißer Kasten mit einem kleinen Sechs-Zoll-Bildschirm, einer Tastatur und einem eingebauten Drucker.« Sie redete und redete über fortgeschrittenere Systeme, die bald kommen würden. Sie war sehr gut informiert, wie gewöhnlich begeisterte sie sich für jede Neuheit, bis sie ihrer nach wenigen Tagen überdrüssig wurde. Ihr zufolge habe der neue Rechner eine ganz eigene Schönheit. »Nur schade«, sagte sie, »dass es abgesehen von diesem Gerät ringsrum nur Scheiße gibt.«

Da schaltete Nino sich ein und tat genau das Gegenteil dessen, was ich bisher getan hatte: Er gab ihr ausführliche Informationen. Begeistert erzählte er von meinem Buch, sagte, es werde demnächst auch in Italien erscheinen, erwähnte die positiven französischen Rezensionen, betonte, dass ich viele Probleme mit meinem Mann und den Mädchen hätte, sprach über den Bruch mit seiner Frau, bekräftigte, dass es keine andere Lösung gebe, als in Neapel zu wohnen, bestärkte Lila sogar darin, uns eine Wohnung zu suchen, und stellte ihr einige sachkundige Fragen zu ihrer und Enzos Arbeit.

Leicht beunruhigt hörte ich zu. Er redete stets distanziert, um mir zu zeigen, dass er Lila erstens vorher wirklich nie getroffen hatte und sie zweitens keinerlei Wirkung mehr auf ihn hatte. Nicht den Bruchteil einer Sekunde schlug er den verführerischen Ton an, den er Colombe gegenüber angeschlagen hatte und in den er aus Gewohnheit bei Frauen verfiel. Er dachte sich keine süßlichen Floskeln aus, sah ihr nie in die Augen und berührte sie nicht. Seine Stimme wurde nur ein wenig wärmer, wenn er Gutes über mich sagte.

Das verhinderte nicht, dass ich mich an den Strand von Citara erinnerte, daran, wie er und Lila die verschiedensten Themen angeschnitten hatten, um sich immer stärker im Einklang miteinander zu fühlen und mich auszuschließen. Aber nun hatte ich den Eindruck, dass genau das Entgegengesetzte geschah. Selbst als sie sich gegenseitig Fragen stellten und beantworteten, ignorierten sie sich dabei und wandten sich an mich, als wäre ich ihre einzige Gesprächspartnerin.

So diskutierten sie gut eine halbe Stunde lang, ohne sich in irgendeinem Punkt einig zu sein. Mich überraschte besonders, was für einen großen Wert sie darauf legten, ihre unterschiedlichen Meinungen über Neapel herauszustreichen. Mein politisches Wissen war inzwischen nur noch kläglich. Durch die Fürsorge für die Mädchen, durch die Vorarbeiten zu meinem Buch, durch dessen Niederschrift und vor allem durch das Erdbeben in meinem Privatleben hatte ich sogar die Zeitungslektüre vernachlässigt. Aber die zwei wussten über alles Bescheid. Nino zählte die Namen von Kommunisten und Sozialisten aus Neapel auf, die er gut kannte und denen er vertraute. Er lobte die endlich einmal ehrliche Verwaltung unter der

Leitung eines Bürgermeisters, den er als anständig, als sympathisch und als nicht an der üblichen, alten Ausplünderung beteiligt bezeichnete. Am Ende sagte er: »Endlich gibt es gute Gründe, um hier zu leben und zu arbeiten, das ist eine großartige Chance, da muss man zur Stelle sein.« Aber Lila spottete über alles, was er sagte. »Neapel«, entgegnete sie, »ist noch genauso ekelhaft wie früher, und wenn man den Monarchisten, den Faschisten und den Christdemokraten für ihre ganzen Schweinereien nicht eine ordentliche Abreibung verpasst, wenn man im Gegenteil Gras über die Sache wachsen lässt, wie es die Linke gerade tut, werden sich die Geschäftemacher« – bei diesem Wort lachte sie etwas schrill –, »also die Bürokraten der Stadtverwaltung, die Rechtsanwälte, die Landvermesser, die Banken und die Camorristi, die Stadt gleich wieder zurückholen.« Ich bemerkte sofort, dass sie mich in den Mittelpunkt auch dieser Diskussion gerückt hatten. Beide wollten, dass ich nach Neapel zurückkehrte, aber beide versuchten insgeheim auch, mich dem Einfluss des jeweils anderen zu entreißen, und drängten mich, rasch wieder in die Stadt zu ziehen, wie er sie sich vorstellte: Ninos Neapel war befriedet und tendierte zu einer guten Regierung; Lilas Neapel rächte sich an allen Plünderern, kümmerte sich einen Dreck um Kommunisten und Sozialisten und begann wieder bei null.

Ich beobachtete die beiden unentwegt. Mir fiel auf, dass Lila, je komplexer die Gesprächsthemen wurden, immer mehr von ihrem verborgenen Italienisch hervorholte, von dem ich wusste, dass sie es gut beherrschte, was mich in dieser Situation aber sehr erstaunte, denn jeder Satz ließ sie gebildeter wirken, als sie erscheinen wollte. Mich verstörte, dass der für gewöhnlich brillante, selbstsichere

Nino seine Worte vorsichtig wählte und manchmal wie eingeschüchtert war. ›Sie fühlen sich beide nicht wohl‹, dachte ich. ›Früher haben sie sich offen voreinander gezeigt, und jetzt schämen sie sich dafür, dass sie es getan haben. Was geschieht hier gerade? Machen sie mir was vor? Streiten sie sich wirklich um mich, oder versuchen sie nur, ihre alte Anziehungskraft füreinander unter Kontrolle zu halten?‹ Rasch und ausdrücklich gab ich meine Ungeduld zu erkennen. Lila bemerkte es, stand auf und ging weg, als wollte sie zur Toilette. Ich sagte kein Wort, ich fürchtete, mich Nino gegenüber aggressiv zu zeigen, und auch er schwieg. Als Lila zurückkam, rief sie fröhlich:

»Na los, es wird Zeit, gehen wir zu Gennaro!«

»Das können wir nicht«, sagte ich. »Wir haben schon was vor.«

»Mein Sohn hängt sehr an dir, er wird traurig sein.«

»Grüß ihn von mir, sag ihm, dass auch ich ihn sehr gernhabe.«

»Wir sind an der Piazza dei Martiri verabredet, bis dorthin sind es nur zehn Minuten, wir sagen Alfonso guten Tag, und ihr geht wieder.«

Ich sah sie forschend an, sie kniff sofort die Augen zusammen, wie um sie zu verbergen. War das also ihr Plan? Wollte sie Nino in das alte Schuhgeschäft der Solaras lotsen, ihn wieder an den Ort bringen, an dem sie sich fast ein Jahr lang heimlich geliebt hatten?

Ich antwortete mit einem schwachen Lächeln: »Nein, tut mir leid, wir müssen wirklich los.« Und ich warf Nino einen Blick zu, so dass er sofort dem Kellner winkte, um zu zahlen. Lila sagte: »Das habe ich schon erledigt«, und während er protestierte, wandte sie sich erneut an mich und beharrte in gewinnendem Ton:

»Gennaro kommt nicht allein, Enzo bringt ihn. Und mit ihnen kommt noch jemand, der dich unbedingt wiedersehen will, es wäre wirklich ein Jammer, wenn du wegfahren würdest, ohne ihm guten Tag zu sagen.«

Dieser Jemand war Antonio Cappuccio, mein Jugendfreund, den die Solaras nach dem Mord an ihrer Mutter in größter Eile aus Deutschland zurückbeordert hatten.

9

Lila erzählte mir, Antonio sei wegen Manuelas Beerdigung gekommen, allein, und er sei fast nicht wiederzuerkennen, so dünn sei er. Innerhalb weniger Tage habe er eine Wohnung in der Nähe von Melina gefunden, die bei Stefano und Ada lebe, dann habe er seine deutsche Frau und die drei Kinder in den Rione geholt. Also hatte er wirklich geheiratet, hatte er wirklich Kinder. Weit zurückliegende Lebensabschnitte fügten sich in meinem Kopf zusammen. Antonio war ein wichtiger Teil der Welt, aus der ich kam, Lilas Worte über ihn verringerten die Last dieses Vormittags, ich fühlte mich leichter. Ich flüsterte Nino zu: »Nur ein paar Minuten, ja?« Er zuckte mit den Schultern, und wir machten uns auf zur Piazza dei Martiri.

Auf dem ganzen Weg durch die Via dei Mille und die Via Filangieri beanspruchte Lila mich für sich allein und sprach mit der alten Vertrautheit mit mir, während Nino uns mit den Händen in den Taschen, mit gesenktem Kopf und garantiert schlechtgelaunt folgte. Sie sagte, ich müsste bei der nächsten Gelegenheit Antonios Familie kennenlernen. Beschrieb mir seine Frau und die Kinder auf die lebhafteste Weise. Sie sei bildschön, noch blonder als ich, und auch die drei Kinder seien blond, nicht eines komme nach dem Vater, der ja dunkel wie ein Sarazene sei. Wenn sie zu fünft durch den Stradone gingen, seine Frau und die Kinder mit schneeweißer Haut und diesen hellleuchtenden Köpfen, sähen sie aus wie seine im Rione herumgeführten Kriegsgefangenen. Sie lachte, dann zählte sie auf, wer außer Antonio noch alles auf mich wartete, um mich zu begrüßen: Carmen – die allerdings arbeiten müsse, sie werde nur kurz bleiben und dann mit Enzo schnell wieder verschwinden –, Alfonso natürlich, der nach wie vor das Geschäft der Solaras führte, und Marisa mit den Kindern. »Schenk ihnen ein paar Minuten«, sagte sie, »das wird sie freuen, sie haben dich sehr gern.«

Während sie redete, musste ich daran denken, dass alle diese Menschen, die ich gleich wiedersehen würde, wohl die Nachricht vom Ende meiner Ehe im Rione weitererzählt hatten, dass wohl auch meine Eltern davon erfahren hatten und dass meine Mutter wohl gehört hatte, dass ich die Geliebte von Sarratores Sohn geworden war. Aber ich bemerkte, dass mich das nicht aufregte, es gefiel mir sogar, dass meine Freunde mich mit Nino zusammen sehen und hinter meinem Rücken sagen würden: ›Das ist eine, die tut, was ihr gefällt, sie hat Mann und Kinder verlassen und geht jetzt mit einem anderen.‹ Überrascht stellte ich fest, dass ich mich danach sehnte, offiziell mit Nino in Verbindung gebracht zu werden, ich wollte mit ihm gesehen werden, wollte das Paar Elena – Pietro auslöschen und durch das Paar Nino – Elena ersetzen. Und ich wurde plötzlich ruhig und war ziemlich gut gegen das Netz gewappnet, in das Lila mich ziehen wollte.

Sie reihte pausenlos Wort an Wort, hakte sich irgendwann nach alter Gewohnheit bei mir ein. Diese Geste ließ mich kalt. ›Sie will sich einreden‹, dachte ich, ›dass wir immer noch dieselben sind, aber es wird Zeit, anzuerkennen, dass wir uns gegenseitig verschlissen haben. Ihr Arm ist wie ein Stück Holz oder wie das gespenstische Überbleibsel unseres aufregenden Kontakts von früher.‹ Und so erinnerte ich mich im Gegensatz dazu daran, wie ich Jahre zuvor gehofft hatte, sie sei wirklich krank und müsse sterben. Damals – so dachte ich – war unsere Beziehung trotz allem lebendig, intensiv und daher schmerzhaft. Aber jetzt gab es etwas Neues. Die ganze Heißblütigkeit, zu der ich fähig war, auch die, auf die jener schreckliche Wunsch zurückging, hatte sich auf den Mann konzentriert, den ich seit jeher liebte. Lila glaubte, noch immer ihre alte Kraft zu haben, mit der sie mich zog, wohin sie wollte. Aber was hatte sie da eigentlich arrangiert, ein Zurückkommen auf unreife Liebeleien und jugendliche Leidenschaften? Was mir wenige Minuten zuvor noch boshaft vorgekommen war, erschien mir nun harmlos wie ein Museumsbesuch. Für mich zählten andere Dinge, ob sie es wollte oder nicht. Ich und Nino zählten, Nino und ich, und sogar dass wir in der kleinen Welt des Rione Anstoß erregten, schien mir eine angenehme Bestätigung unserer Zweisamkeit zu sein. Lila spürte ich nicht mehr, in ihrem Arm war kein Blut, da war nur Stoff an Stoff.

Wir kamen zur Piazza dei Martiri. Ich drehte mich zu Nino um und kündigte ihm an, dass auch seine Schwester mit den Kindern im Geschäft sei. Ärgerlich murmelte er etwas vor sich hin. Das Ladenschild – SOLARA – tauchte auf, wir traten ein, und obwohl sich sämtliche Blicke auf Nino richteten, wurde ich begrüßt, als wäre ich allein. Nur Marisa sprach ihren Bruder an, beide schienen sich über dieses Zusammentreffen nicht zu freuen. Unverzüglich warf sie ihm vor, dass er nie von sich hören oder sich sehen ließ, sie rief: »Mama geht es schlecht, und Papa ist unerträglich, aber dich interessiert das einen Scheiß!« Er antwortete nicht, gab den Kindern einen flüchtigen Kuss, und weil Marisa ihn immer noch attackierte, knurrte er: »Ich habe meine eigenen Probleme, Marì, lass mich in Ruhe.« Obwohl ich sofort herzlich hierhin und dorthin gezogen wurde, behielt ich ihn ständig im Auge, aber nun ohne Eifersucht, ich fürchtete nur, er könnte sich unbehaglich fühlen. Ich wusste nicht, ob er sich noch an Antonio erinnerte, ob er ihn wiedererkannte, nur ich war über die Prügel im Bilde, die mein Exverlobter ihm verabreicht hatte. Ich sah, dass ihre Begrüßung sehr zurückhaltend war – ein Kopfnicken, ein leichtes Lächeln –, nicht anders als das, was sich kurz darauf zwischen ihm und Enzo abspielte, zwischen ihm und Alfonso, zwischen ihm und Carmen. Für Nino waren das alles Fremde aus meiner und Lilas Welt, mit der er kaum etwas zu tun gehabt hatte. Danach schlenderte er eine Zigarette rauchend durch das Geschäft, und niemand sprach ihn an, auch seine Schwester nicht. Er war da, war anwesend, war derjenige, für den ich meinen Mann verlassen hatte. Selbst Lila – sie vor allem – musste das ein für alle Mal zur Kenntnis nehmen. Jetzt, da jeder ihn ausgiebig gemustert hatte, wollte ich ihn nur noch schnellstmöglich dort herausziehen und wegbringen.

10

In der halben Stunde, die ich an diesem Ort blieb, prall-
ten Vergangenheit und Gegenwart chaotisch aufeinan-
der: die von Lila entworfenen Schuhe, das Foto von ihr
im Brautkleid, der Abend der Geschäftseröffnung und ihre Fehlgeburt, sie selbst, die den Laden aus eigenem Interesse in einen Salon und Alkoven verwandelt hatte; dazu
die heutige Situation, mit unseren über dreißig Jahren, unsere extrem unterschiedlichen Geschichten, die offen kur-
sierenden Gerüchte und die heimlichen.

Ich straffte mich, wählte einen fröhlichen Ton. Ich
tauschte Küsse, Umarmungen und einige Worte mit Gennaro, der ein übergewichtiger Junge von zwölf Jahren mit
einem dunklen Flaumstreifen über der Oberlippe geworden war und in seinen Gesichtszügen dem jungen Stefano
dermaßen ähnelte, dass Lila bei der Empfängnis ihr ganzes Selbst zurückgezogen haben musste. Ich fühlte mich
verpflichtet, zu Marisas Kindern genauso herzlich zu sein
und auch zu Marisa, die, erfreut über meine Aufmerksamkeit, in Andeutungen zu reden begann, Andeutungen von
jemandem, der über die Wendung, die mein Leben nun
nahm, Bescheid wusste. Sie sagte: »Lass dich doch mal
blicken, jetzt, wo du öfter nach Neapel kommst. Wir wissen, dass ihr viel zu tun habt, ihr seid studierte Leute und
wir nicht, aber ein bisschen Zeit werdet ihr ja vielleicht
erübrigen können.«

Sie stand neben ihrem Mann und hielt die Kinder fest,
die am liebsten ins Freie entwischt wären. Vergeblich suchte ich in Marisas Gesicht nach Zeichen der Blutsver-
wandtschaft mit Nino, aber sie hatte keine Ähnlichkeit
mit ihrem Bruder und auch mit ihrer Mutter nicht. Jetzt,

da sie etwas fülliger geworden war, glich sie eher Donato, auch seine verlogene Zungenfertigkeit hatte sie geerbt, mit der sie nun versuchte, bei mir den Eindruck zu erwecken, sie hätte eine nette Familie und ein schönes Leben. Alfonso nickte, um ihr beizustehen, und lächelte mich mit schneeweißen Zähnen still an. Sein Äußeres verwirrte mich sehr. Er war ausgesprochen elegant, seine sehr langen, schwarzen, zu einem Pferdeschwanz zusammengebundenen Haare betonten seine anmutigen Züge, aber in seinen Gesten, in seinem Gesicht lag etwas mir Unverständliches, etwas Unerwartetes, das mich beunruhigte. Er war außer Nino und mir der Einzige dort, der eine höhere Bildung genossen hatte, eine Bildung, die – so kam es mir vor –, anstatt mit der Zeit zu verblassen, seinen geschmeidigen Körper, seine feinen Gesichtszüge noch stärker geprägt hatte. Wie schön er war, wie kultiviert. Marisa hatte ihn unbedingt haben wollen, obgleich er sie gemieden hatte, und da waren sie nun, sie, die mit zunehmendem Alter immer männlicher wirkte, er, der seine Männlichkeit bekämpfte, indem er sich zusehends weiblicher gab, und ihre zwei Kinder, von denen es hieß, sie seien von Michele Solara. »Ja«, wisperte Alfonso die Einladung seiner Frau bekräftigend, »falls ihr mal zum Abendessen zu uns kommt, würde uns das sehr freuen.« Und Marisa: »Ein neues Buch, Lenù, wann schreibst du das? Wir sind schon alle gespannt, aber du musst mit der Zeit gehen, man hat dich für unanständig gehalten, dabei warst du es viel zu wenig, hast du das pornographische Zeug gesehen, das heute so geschrieben wird?«

Keiner der Anwesenden, obwohl sie nicht die geringste Sympathie für Nino bekundeten, deutete eine Kritik an der Kehrtwende in meinem Gefühlsleben an, nicht ein-

mal mit einem Blick oder mit einem Grinsen. Im Gegenteil, während ich unter Umarmungen und Plaudereien
meine Runde machte, bemühten sich alle, mir ihre Zuneigung und ihre Hochachtung zu zeigen. Enzo umarmte
mich mit seiner ernsten Kraft, und obgleich er nur wortlos lächelte, schien er mir zu sagen: ›Egal, wozu du dich
entschließt, ich habe dich sehr gern.‹ Carmen dagegen
zog mich sofort beiseite – sie war sehr nervös, sah ständig auf die Uhr – und erzählte mir hitzig von ihrem Bruder, wie man es einer freundlichen Autorität gegenüber
tut, die alles weiß, alles schafft und deren Aura durch keinen Fehltritt beschädigt werden kann. Sie erwähnte weder ihre Kinder noch ihren Mann, sprach weder ihr Privatleben an noch meines. Ich verstand, dass sie die ganze
Last des Rufs, ein Terrorist zu sein, in den Pasquale geraten war, auf sich genommen hatte, doch nur, um die Vorzeichen umzudrehen. In den wenigen Minuten unseres
Gesprächs beschränkte sie sich nicht darauf, zu erklären,
dass ihr Bruder als Unschuldiger verfolgt werde, sondern
beteuerte auch seinen Mut und seine Gutherzigkeit. Ihr
glühender Blick verriet die Entschlossenheit, stets und
unter allen Umständen auf seiner Seite zu stehen. Sie sagte, sie müsse wissen, wo sie mich erreichen könne, wollte
meine Telefonnummer und meine Adresse haben. »Du bist
eine wichtige Person, Lenù«, flüsterte sie, »du kennst Leute, die Pasquale helfen können, wenn man ihn mir nicht
vorher umbringt.« Sie winkte Antonio heran, der abseits
stand, wenige Schritte von Enzo entfernt. »Komm«, forderte sie ihn leise auf, »sag du es ihr auch.« Antonio trat
mit gesenktem Kopf näher und sagte schüchtern etwa
Folgendes zu mir: »Ich weiß, dass Pasquale dir traut, er
war bei dir zu Hause, bevor er die Entscheidung getrof-

fen hat, die er getroffen hat. Also wenn du ihn noch mal siehst, dann warne ihn. Er muss verschwinden, in Italien darf er sich nicht mehr blicken lassen. Ich habe es schon zu Carmen gesagt, das Problem sind nicht die Carabinieri, das Problem sind die Solaras. Sie sind davon überzeugt, dass er Signora Manuela ermordet hat, und wenn sie ihn finden – heute, morgen, in ein paar Jahren –, kann ich ihm nicht helfen.« Während er mit ernstem Ton diese kleine Rede hielt, mischte sich Carmen immer wieder ein, um mich zu fragen: »Verstehst du, Lenù?«, wobei sie mich ängstlich musterte. Zum Schluss umarmte sie mich, küsste mich und sagte leise: »Du und Lina, ihr seid meine Schwestern«, dann machte sie sich mit Enzo davon, sie hatten zu tun.

So blieb ich mit Antonio allein. Ich hatte das Gefühl, zwei Menschen in nur einem Körper vor mir zu haben, die aber trotzdem weit voneinander entfernt waren. Er war der Junge, der mich vor langer Zeit an den Teichen umarmt hatte, der mich vergöttert hatte und dessen intensiver Geruch mir wie ein nie wirklich befriedigtes Verlangen im Gedächtnis geblieben war. Und er war der Mann von heute, ohne ein Gramm Fett am Leib, nur straffe Haut und große Knochen, angefangen bei seinem harten, blicklosen Gesicht bis hin zu seinen Füßen in riesigen Schuhen. Ich sagte verlegen, ich würde niemanden kennen, der Pasquale helfen könnte, Carmen überschätze mich. Aber ich bemerkte schnell, dass seine Vorstellungen von meinem Ansehen noch übertriebener waren als die von Pasquales Schwester. Antonio murmelte, ich sei bescheiden wie immer, er habe mein Buch sogar auf Deutsch gelesen, ich sei weltberühmt. Obwohl er lange im Ausland gelebt und im Auftrag der Solaras sicherlich schlimme Dinge gesehen und getan hatte, war er doch einer aus dem Rione geblieben und glaubte weiterhin – oder, wer weiß, vielleicht tat er auch nur so, um mir eine Freude zu machen –, dass ich Macht hatte, die Macht anständiger Leute, weil ich ein Diplom besaß, Hochitalienisch sprach und Bücher schrieb. Lachend sagte ich: »Dieses Buch hat in Deutschland keiner außer dir gekauft.« Ich erkundigte mich nach seiner Frau, seinen Kindern. Er antwortete einsilbig und zog mich hinaus auf die Piazza. Dort sagte er freundlich:

»Jetzt musst du zugeben, dass ich recht hatte.«

»Womit?«

»Du wolltest immer ihn, und mich hast du nur angelogen.«

»Ich war ein kleines Mädchen.«

»Nein, du warst groß. Und du warst klüger als ich. Du weißt nicht, was du mir angetan hast, als du mir eingeredet hast, dass ich verrückt bin.«

»Hör auf.«

Er schwieg. Ich ging zurück ins Geschäft. Er folgte mir, hielt mich an der Tür auf. Einige Sekunden starrte er Nino an, der in einer Ecke saß. Er flüsterte:

»Wenn er dir auch wehtut, sag mir Bescheid.«

Ich lachte:

»Natürlich.«

»Lach nicht, ich habe mit Lina gesprochen. Sie kennt ihn genau und sagt, du darfst ihm nicht vertrauen. Wir respektieren dich, er nicht.«

Lila. Also benutzte sie Antonio, machte ihn zu ihrem Boten möglichen Unglücks. Wo war sie abgeblieben? Ich sah, dass sie sich abseits hielt und mit Marisas Kindern spielte, aber eigentlich jeden von uns mit zusammengekniffenen Augen überwachte. Und sie regierte sie alle, wie es ihre Art war: Carmen, Alfonso, Marisa, Enzo, Antonio, ihren eigenen Sohn und die Kinder der anderen, vielleicht sogar die Besitzer dieses Geschäfts. Wieder sagte ich mir, dass sie keinerlei Einfluss mehr auf mich hatte, nie mehr, dass diese lange Phase vorbei war. Ich verabschiedete mich von ihr, sie umarmte mich erneut fest, als wollte sie mich in sich hineinziehen. Als ich nacheinander allen auf Wiedersehen sagte, fiel mir wieder Alfonso auf, und diesmal verstand ich, was mich vom ersten Blick an verwirrt hatte. Das Wenige, was ihn als Don Achilles und Marias Sohn gekennzeichnet hatte, als Stefanos und Pinuccias Bruder, war aus seinem Gesicht verschwunden. Jetzt, mit diesem langen Pferdeschwanz, hatte er Ähnlichkeit mit Lila.

11

Ich fuhr nach Florenz zurück, sprach mit Pietro über unsere Trennung. Wir stritten uns heftig, während Adele versuchte, die Mädchen und vielleicht sich selbst zu schützen, indem sie sich mit ihnen in deren Zimmer zurückzog. Irgendwann merkten wir nicht etwa, dass wir übertrieben, sondern dass die Gegenwart unserer Töchter uns nicht erlaubte, so zu übertreiben, wie wir es dringend brauchten. Also gingen wir hinaus und bekriegten uns auf der Straße weiter. Als Pietro sich wer weiß wohin verabschiedete – ich war wütend, wollte ihn nicht mehr sehen und nicht mehr hören –, kehrte ich nach Hause zurück. Die Mädchen schliefen, Adele saß in der Küche und las. Ich sagte:

»Merkst du, wie er mich behandelt?«

»Und du?«

»Ich?«

»Ja, du. Merkst du, wie du ihn behandelst, wie du ihn behandelt hast?«

Ich ließ sie einfach sitzen und zog mich türenschlagend ins Bad zurück. Die Verachtung, die sie in diese Worte gelegt hatte, überraschte mich, verletzte mich. Es war das erste Mal, dass sie sich so deutlich gegen mich wandte.

Tags darauf fuhr ich nach Frankreich, beladen mit Schuldgefühlen wegen des Kummers der Mädchen und mit Büchern, die ich unterwegs lesen musste. Aber je mehr ich versuchte, mich auf die Lektüre zu konzentrieren, umso mehr vermischten sich die Seiten mit Nino, mit Pietro, mit meinen Töchtern, mit Pasquales Verteidigung durch seine Schwester, mit Antonios Worten, mit Alfonsos Verwandlung. Nach einer zermürbenden Zugfahrt und konfuser denn je kam ich in Paris an. Doch bereits als ich die jüngere der beiden Verlagsfrauen auf dem Bahnsteig entdeckte, wurde ich wieder froh und genoss erneut das Vergnügen, meine Grenzen zu erweitern, das ich schon mit Nino in Montpellier gehabt hatte. Doch diesmal gab es keine Hotelzimmer und keine riesigen Sitzungssäle, alles fiel bescheidener aus. Die beiden Frauen gingen mit mir auf Lesetour durch große Städte und kleine Ortschaften, jeden Tag eine Reise, jeden Abend ein Gespräch in einer Buchhandlung oder sogar in einer Privatwohnung. Was Verpflegung und Unterbringung anging, so gab es Hausmannskost und eine Liege, manchmal ein Sofa.

Ich war bald sehr erschöpft, achtete immer weniger auf mein Äußeres, magerte ab. Trotzdem gefiel ich meinen Verlegerinnen und dem Publikum, vor dem ich Abend für Abend auftrat. Während ich mich hierhin und dorthin begab, mit diesem und jenem in einer Sprache diskutierte, die zwar nicht meine war, die zu bändigen ich aber schnell lernte, entdeckte ich Stück für Stück eine Fähigkeit wieder, die ich schon vor Jahren mit meinem vorhergehenden Buch unter Beweis gestellt hatte. Wie selbstverständlich konnte ich kleine, private Ereignisse in einen öffentlichen Gedanken verwandeln. Ausgehend von meinen Erfahrungen konnte ich jeden Abend erfolgreich improvisieren. Ich sprach über die Welt, aus der ich kam, über Elend und Verfall, über männliche und auch weibliche Wutausbrüche, über Carmen, über ihr enges Verhältnis zu ihrem Bruder, über ihre Rechtfertigung von Gewalttaten, die sie selbst garantiert nie begehen würde. Ich sprach darüber, wie ich schon als kleines Mädchen an meiner Mutter und anderen Frauen die erniedrigendsten Seiten des Familienlebens, der Mutterschaft und der Männerhörigkeit beobachtet hatte. Ich sprach darüber, wie die Liebe zu einem Mann Frauen dazu treiben kann, anderen Frauen und den Kindern gegenüber jede nur mögliche Schandtat zu begehen. Ich sprach über meine anstrengende Beziehung zu den Frauengruppen in Florenz und Mailand, und als ich dies tat, gewann eine Erfahrung, die ich bislang unterschätzt hatte, plötzlich an Bedeutung, ich entdeckte während meiner öffentlichen Auftritte, wie viel ich als Zeugin dieses schmerzhaften Bemühens um tiefschürfende Erkenntnisse gelernt hatte. Ich sprach darüber, wie ich, um mich durchzusetzen, stets versucht hatte, ein männliches Denken zu praktizieren – ich leitete jeden Abend mit der Bemerkung ein: Ich habe mich von Männern erfunden gefühlt und von ihrer Phantasie kolonisiert –, und ich erzählte, dass ich kürzlich gesehen hat-

59

te, wie einer meiner Freunde aus Kindertagen mit allen Mitteln versuchte, sich umzukrempeln und eine Frau aus sich zu machen.

Ich kam oft auf diese halbe Stunde im Geschäft der Solaras zurück, aber das wurde mir erst recht spät bewusst, vielleicht, weil ich nie an Lila dachte. Ich weiß nicht, warum ich unsere Freundschaft bei keiner Gelegenheit erwähnte. Wahrscheinlich glaubte ich, obwohl sie es gewesen war, die mich in die Dünung ihrer Wünsche und der unserer Freunde aus der Kindheit hineingezogen hatte, dass sie nicht fähig war, das, was sie mir vor Augen geführt hatte, selbst zu entschlüsseln. Sah sie zum Beispiel das, was ich unverzüglich in Alfonso gesehen hatte? Dachte sie darüber nach? Das hielt ich für ausgeschlossen. Sie war im Sumpf des Rione versunken, hatte sich damit zufriedengegeben. Dagegen fühlte ich mich in diesen Tagen in Frankreich wie mitten im Chaos, aber doch mit den Mitteln ausgestattet, Gesetzmäßigkeiten darin zu erkennen. Diese durch den kleinen Erfolg meines Büchleins bekräftigte Überzeugung half mir, etwas weniger Angst vor der Zukunft zu haben, als wäre tatsächlich alles, was ich mit mündlichen oder schriftlichen Worten in Einklang bringen konnte, dazu bestimmt, auch in der Realität im Einklang zu sein. ›Na bitte‹, sagte ich mir, ›die Ehe verschwindet, die Familie verschwindet, jeder kulturelle Zwang verschwindet, jede mögliche sozialdemokratische Anpassung verschwindet, und gleichzeitig versucht alles gewaltsam neue, bislang ungeahnte Formen anzunehmen: Nino und ich, die Summe meiner Kinder und seiner, die Herrschaft der Arbeiterklasse, der Sozialismus und der Kommunismus, vor allem aber das unvorhergesehene Subjekt, die Frau, ich‹. Ich reiste umher und identifizierte mich

Abend für Abend mit dem reizvollen Gedanken einer allgemeinen Destrukturation und, zugleich, eines Neuaufbaus.

Unterdessen telefonierte ich, ständig etwas atemlos, mit Adele und sprach mit meinen Mädchen, die mir einsilbig antworteten oder wie in einer Litanei fragten: »Wann kommst du wieder?« Kurz vor Weihnachten versuchte ich, mich von meinen Verlegerinnen zu verabschieden, aber ihnen lag mein Schicksal inzwischen sehr am Herzen, sie wollten mich nicht weglassen. Sie hatten mein erstes Buch gelesen, wollten es erneut auflegen und brachten mich zu diesem Zweck in den französischen Verlag, der es vor Jahren erfolglos gedruckt hatte. Schüchtern ließ ich mich auf Diskussionen und Vertragsverhandlungen ein, unterstützt von den zwei Frauen, die im Gegensatz zu mir sehr kämpferisch waren, schmeicheln und drohen konnten. Am Ende kam man, auch dank der Vermittlung durch meinen Mailänder Verlag, zu einer Einigung. Mein Text sollte im Laufe des folgenden Jahres im Programm meiner Verlegerinnen erneut erscheinen.

Das erzählte ich Nino am Telefon, er gab sich begeistert. Aber dann kam Satz für Satz sein Unmut zum Vorschein.

»Vielleicht brauchst du mich nicht mehr«, sagte er.

»Soll das ein Witz sein? Ich kann es kaum erwarten, dich wieder zu umarmen.«

»Du bist so mit deinen Angelegenheiten beschäftigt, dass für mich nicht der kleinste Raum bleibt.«

»Das stimmt doch nicht. Nur durch dich konnte ich dieses Buch schreiben, habe ich das Gefühl, alles klar im Kopf zu haben.«

»Dann komm zu mir nach Neapel oder auch nach Rom, sofort, noch vor Weihnachten.«

Doch uns jetzt zu treffen, war unmöglich, die Verlagsgeschäfte hatten mich Zeit gekostet, und ich musste zurück zu den Mädchen. Trotzdem konnte ich nicht widerstehen, wir verabredeten uns für zumindest einige Stunden in Rom. Ich reiste im Liegewagen, kam am 23. Dezember völlig erschöpft in der Hauptstadt an. Ich saß sinnlose Stunden auf dem Bahnhof herum, von Nino keine Spur, ich war unruhig, war verzweifelt. Gerade als ich einen Zug nach Florenz nehmen wollte, tauchte er auf, trotz der Kälte völlig verschwitzt. Er hatte unzählige Schwierigkeiten gehabt, mit dem Zug hätte er es niemals geschafft. Hastig aßen wir etwas, nahmen ein Hotelzimmer wenige Schritte vom Bahnhof entfernt in der Via Nazionale und schlossen uns darin ein. Ich wollte am Nachmittag zurückfahren, hatte aber nicht die Kraft, mich von ihm zu lösen, und verschob die Rückreise auf den nächsten Tag. Wir wachten glücklich darüber auf, dass wir zusammen geschlafen hatten: Ach, es war herrlich, den Fuß auszustrecken und nach der Bewusstlosigkeit des Schlafs zu entdecken, dass er hier im Bett lag, neben mir. Es war der Tag vor Weihnachten, wir gingen aus, um uns Geschenke zu kaufen. Meine Abfahrt verschob sich Stunde um Stunde und seine auch. Erst am späten Nachmittag schleppte ich mich mit dem Gepäck bis zu seinem Auto, ich konnte mich einfach nicht von ihm trennen. Schließlich startete er den Motor und fuhr los, das Auto verschwand im Verkehr. Mit Mühe zockelte ich von der Piazza della Repubblica zum Bahnhof, aber ich war zu spät, ich verpasste den Zug um wenige Minuten. Ich verlor den Mut, ich würde erst mitten in der Nacht in Florenz ankommen. Aber so war es nun einmal, resigniert rief ich zu Hause an. Pietro meldete sich.

»Wo bist du?«

»In Rom, der Zug steht im Bahnhof, und ich weiß nicht, wann er losfährt.«

»Ja, ja, die Bahn. Dann sage ich den Mädchen, dass du zum Weihnachtsessen nicht da bist?«

»Ja, vielleicht komme ich nicht rechtzeitig.«

Er brach in Gelächter aus, legte auf.

Ich fuhr mit einem völlig leeren, eiskalten Zug, nicht einmal der Schaffner kam vorbei. Mir war, als hätte ich alles verloren und bewegte mich auf das Nichts zu, in einer Ödnis gefangen, die meine Schuldgefühle verstärkte. Tief in der Nacht traf ich in Florenz ein, ich fand kein Taxi. In der Kälte schleppte ich mein Gepäck durch die leeren Straßen, selbst das Weihnachtsläuten war längst in der Nacht verklungen. Ich benutzte den Schlüssel, um ins Haus zu gelangen. Die Wohnung war dunkel und beängstigend still. Ich lief durch die Zimmer, keine Spur von den Mädchen und auch von Adele nicht. Müde, entsetzt, aber auch aufgebracht, suchte ich nach einem Zettel, der mir wenigstens mitteilte, wohin sie gefahren waren. Nichts.

Die Wohnung war in tadelloser Ordnung.

12

Grässliche Gedanken kamen mir. Vielleicht waren Dede oder Elsa oder alle beide krank geworden, und Pietro und seine Mutter hatten sie ins Krankenhaus gebracht. Oder mein Mann war im Krankenhaus gelandet, weil er eine Dummheit gemacht hatte, und Adele war mit den Kindern bei ihm.

Von Angst aufgezehrt, lief ich in der Wohnung umher, ich wusste nicht, was ich tun sollte. Dann kam mir der Gedanke, dass meine Schwiegermutter in jedem Fall wahrscheinlich Mariarosa Bescheid gesagt hatte, und obgleich es drei Uhr nachts war, beschloss ich, sie anzurufen. Meine Schwägerin ging nach einer kurzen Weile ans Telefon, ich hatte Mühe, sie ganz aus dem Schlaf zu reißen. Doch am Ende erfuhr ich von ihr, dass Adele die Mädchen nach Genua mitgenommen hatte – sie seien zwei Tage zuvor abgereist –, um zum einen mir und Pietro zu ermöglichen, uns ungestört mit unserer Situation auseinanderzusetzen, und zum anderen Dede und Elsa Weihnachtsferien in einer sorglosen Atmosphäre zu bieten.

Einerseits beruhigte mich diese Nachricht, andererseits regte sie mich auf. Pietro hatte mich angelogen. Als ich mit ihm telefoniert hatte, war für ihn bereits klar, dass es kein Weihnachtsessen geben würde, dass die Mädchen nicht auf mich warteten, dass sie mit ihrer Großmutter weggefahren waren. Und Adele? Wie hatte sie es sich erlauben können, einfach meine Töchter mitzunehmen? Am Telefon ließ ich meinem Ärger Mariarosa gegenüber, die mir schweigend zuhörte, freien Lauf. Ich fragte: »Mache ich gerade alles falsch, habe ich das, was mir hier passiert, verdient?« Ihr Ton war ernst, doch sie machte mir Mut. Sie sagte, ich hätte ein Recht auf ein eigenes Leben und die Pflicht, weiter Studien zu betreiben und zu schreiben. Dann bot sie mir an, mich und die Mädchen aufzunehmen, wann immer ich in Schwierigkeiten sein sollte.

Ihre Worte beruhigten mich, aber schlafen konnte ich trotzdem nicht. Ich schlug mich mit Ängsten herum, mit Wut, mit der Sehnsucht nach Nino, mit dem Unbehagen darüber, dass er jedenfalls die Feiertage mit seiner Familie, mit Albertino verbringen würde, während ich nun als einsame Frau dasaß, ohne Zuneigung und in einem leeren Zuhause. Morgens um neun hörte ich die sich öffnende Wohnungstür, es war Pietro. Ich stellte ihn sofort zur Rede, schrie ihn an: »Warum hast du die Kinder in die Obhut deiner Mutter gegeben, ohne mich zu fragen?« Er war zerzaust, unrasiert, stank nach Wein, schien aber nicht betrunken zu sein. Er ließ mich schreien, ohne zu reagieren, wiederholte nur mehrmals und in einem niedergeschlagenen Ton: »Ich muss arbeiten, ich kann mich nicht um sie kümmern, und du hast deinen Geliebten und für sie keine Zeit.«

In der Küche nötigte ich ihn, sich zu setzen. Versuchte, mich zu beruhigen, sagte:

»Wir müssen zu einer Einigung kommen.«

»Und wie stellst du dir die vor?«

»Die Mädchen kommen zu mir, und du kannst sie an den Wochenenden sehen.«

»Und wo an den Wochenenden?«

»Bei mir zu Hause.«

»Und wo ist dein Zuhause?«

»Ich weiß nicht, das überlege ich mir noch: hier, in Mailand oder in Neapel.«

Schon dieses Wort genügte: Neapel. Als er es hörte, sprang er auf, riss die Augen auf, dann den Mund, als wollte er mich beißen, und holte mit der Faust aus, wobei er eine so wilde Grimasse zog, dass ich erschrak. Dieser Moment dauerte ewig. Der Wasserhahn tropfte, der Kühlschrank summte, jemand lachte auf dem Hof. Pietro war kräftig, seine Fingerknöchel waren groß und weiß. Er hatte mich schon einmal geschlagen, ich wusste, diesmal würde er mich mit einer solchen Wucht treffen, dass er mich auf der Stelle töten könnte, ich riss die Arme hoch, um mich zu schützen. Aber er überlegte es sich abrupt anders, drehte sich um und hieb einmal, zweimal, dreimal auf den Metallschrank ein, in dem ich die Besen aufbewahrte. Er hätte immer weitergemacht, wenn ich mich nicht an seinen Arm geklammert und geschrien hätte: »Hör auf, das reicht, du tust dir weh!«

Das Ergebnis seines Wutausbruchs war, dass das, was ich bei meiner Rückkehr befürchtet hatte, nun tatsächlich eintrat, wir landeten im Krankenhaus. Er bekam einen Gipsverband, auf der Heimfahrt war er geradezu heiter. Mir fiel wieder ein, dass Weihnachten war, ich kochte für uns. Wir setzten uns an den Tisch, unvermittelt sagte er:

»Gestern habe ich deine Mutter angerufen.«

Ich fuhr auf.

»Wie konntest du nur?«

»Na, irgendwer musste ihr ja Bescheid sagen. Ich habe ihr erzählt, was du mir angetan hast.«

»Es war meine Aufgabe, mit ihr zu sprechen.«

»Warum? Um ihr Lügen aufzutischen, wie du es mit mir getan hast?«

Wieder regte ich mich auf, aber ich versuchte, mich zu beherrschen, aus Angst, er könnte wieder anfangen, sich die Knochen zu brechen, um zu vermeiden, dass er meine brach. Ich sah, dass er stattdessen ruhig lächelte und seinen Gipsarm betrachtete.

»So kann ich nicht Auto fahren«, brummte er.

»Wo musst du denn hin?«

»Zum Bahnhof.«

Ich erfuhr, dass meine Mutter sich am Weihnachtstag in den Zug gesetzt hatte – an dem Tag, für den sie sich ein Höchstmaß an häuslicher Wichtigkeit zuschrieb, ein Höchstmaß an Verpflichtungen – und demnächst eintreffen würde.

13

Ich war drauf und dran, mich davonzumachen. Erwog, nach Neapel zu verschwinden – in die Stadt meiner Mutter zu flüchten, während sie gerade in meiner ankam – und bei Nino etwas Frieden zu suchen. Aber ich rührte mich nicht vom Fleck. Sosehr ich auch das Gefühl hatte, mich verändert zu haben, war ich doch der disziplinierte Mensch geblieben, der sich nie vor irgendetwas gedrückt hatte. ›Und außerdem‹, sagte ich mir, ›was kann sie mir schon anhaben? Ich bin eine erwachsene Frau, kein Kind mehr. Sie wird bestenfalls ein paar Leckerbissen mitbringen wie zu dem Weihnachtsfest vor zehn Jahren, als ich krank war und sie mich im Collegio der Scuola Normale besucht hat.‹

Ich setzte mich ans Steuer und fuhr mit Pietro zum Bahnhof, um meine Mutter abzuholen. Sie stieg kerzengerade aus dem Zug, hatte neue Kleider, eine neue Tasche, neue Schuhe und auf den Wangen sogar etwas Puder. »Gut siehst du aus«, sagte ich zu ihr, »sehr schick.« Sie zischte: »Nicht deinetwegen«, dann sprach sie kein Wort mehr mit mir. Dafür behandelte sie Pietro sehr herzlich. Sie erkundigte sich nach dem Grund seines Gipsarms,

und da er vage blieb – er behauptete, er sei gegen eine Tür
gestolpert –, knurrte sie in einem unsicheren Italienisch:
»Gestolpert, ich weiß schon, durch wen du gestolpert
bist, von wegen gestolpert.«

Als wir zu Hause angekommen waren, gab sie ihre falsche Gefasstheit auf. Sie hielt mir eine lange Predigt, wobei sie im Wohnzimmer auf und ab humpelte. Sie lobte
meinen Mann über alle Maßen und befahl mir, ihn sofort
um Verzeihung zu bitten. Da ich mich nicht dazu aufraff-
te, bat sie ihn selbst inständig, mir zu vergeben, und schwor
auf Peppe, Gianni und Elisa, dass sie nicht eher wieder
nach Hause fahren würde, als bis wir zwei Frieden geschlossen hätten. So übertrieben, wie sie redete, glaubte
ich anfangs, sie mache sich sowohl über meinen Mann
als auch über mich lustig. Ihre Aufzählung von Pietros
Tugenden schien mir gar kein Ende zu nehmen, und – das
muss ich zugeben – auch bei der Erwähnung von meinen
war sie nicht kleinlich. Unzählige Male betonte sie, wie
sehr wir in Bezug auf Intelligenz und Bildung füreinander
geschaffen seien. Sie bat uns, doch an Dede zu denken –
sie war ihr Liebling, Elsa zu erwähnen, fiel ihr nicht
ein –, das Mädchen begreife alles, und es sei nicht recht,
ihr wehzutun.

Während sie sprach, zeigte sich mein Mann immerfort
einverstanden, wenn auch mit der ungläubigen Miene, mit
der man ein maßlos übertriebenes Schauspiel verfolgt.
Sie umarmte ihn, küsste ihn, bedankte sich für seine
Großzügigkeit, vor der ich – schrie sie mich an – einfach
nur niederknien müsste. Mit groben Gesten stieß sie uns
beide zueinander, damit wir uns umarmten und küssten.
Ich entzog mich, war abweisend. Fortwährend dachte
ich: ›Ich ertrage sie nicht, ich ertrage es nicht, dass ich so-

gar in einer Situation wie dieser und vor Pietros Augen darunter leiden muss, dass ich die Tochter dieser Frau bin.‹ Ich versuchte mich zu beruhigen, indem ich mir sagte: ›Das ist nur eine ihrer üblichen Szenen, sie wird bald müde sein und schlafen gehen.‹ Erst als sie mich zum wiederholten Mal packte und mich zwingen wollte, zuzugeben, dass ich einen großen Fehler gemacht hatte, hielt ich es nicht mehr aus, ihre Hände taten mir weh, und ich machte mich los. Ich sagte etwas wie: »Jetzt reicht's aber, Ma', das hat doch keinen Zweck, ich kann nicht mehr mit Pietro leben, ich liebe einen anderen.«

Das war ein Fehler. Ich kannte sie, auf diese kleine Provokation hatte sie nur gewartet. Ihre Litanei brach ab, blitzschnell änderte sich die Lage. Sie gab mir eine heftige Ohrfeige, wobei sie zeterte: »Sei bloß still, du Nutte, sei still, sei still, sei still!« Sie wollte mich an den Haaren ziehen und kreischte, sie halte es mit mir nicht mehr aus, es sei doch nicht möglich, dass ich, *ich*, mein Leben ruinieren wolle, indem ich Sarratores Sohn hinterherrannte, einem, der noch schlimmer, noch viel schlimmer sei als dieser Scheißkerl von seinem Vater. »Früher«, schrie sie, »habe ich geglaubt, dass deine Freundin Lina dich auf Abwege bringt, aber ich habe mich geirrt, du, *du* bist die Schlampe; sie hat sich ohne dich prächtig gemacht. Ach, verflucht, ich hätte dich windelweich prügeln sollen, als du klein warst! Du hast einen Ehemann aus purem Gold, seinetwegen kannst du in dieser wunderschönen Stadt die feine Dame spielen, er liebt dich, hat dir zwei Töchter geschenkt, und du dankst ihm das so, du Miststück? Los, komm her, ich habe dich zur Welt gebracht, und ich bringe dich auch um!«

Sie klammerte sich an mich, und ich dachte, sie wollte

mich wirklich töten. Da spürte ich die tiefe Enttäuschung, die ich ihr bereitete, die tiefe Mutterliebe, die, nunmehr ohne die Hoffnung, mich zu dem hinbiegen zu können, was sie für mein Bestes hielt – mit anderen Worten, zu dem, was sie nie gehabt hatte, ich dagegen durchaus, und was bis zum Vortag die glücklichste Mutter des Rione aus ihr gemacht hatte –, sich unversehens in Hass verwandeln und mich zerstören konnte, um mich für die Vergeudung der Gaben Gottes zu bestrafen, die ich mir gerade zuschulden kommen ließ. Daher stieß ich sie weg, ich stieß sie weg und schrie noch lauter als sie. Ich stieß sie unwillkürlich, instinktiv, so heftig, dass sie das Gleichgewicht verlor und zu Boden stürzte.

Pietro war entsetzt. In seinem Gesicht, in seinen Augen sah ich meine Welt, die gegen seine prallte. Garantiert hatte er in seinem ganzen Leben noch nie eine solche Szene erlebt, mit einem so großen Geschrei und mit so wilden Reaktionen. Meine Mutter hatte einen Stuhl mitgerissen, sie war hart gefallen. Nun hatte sie mit ihrem kranken Bein Mühe, wieder aufzustehen, sie fuchtelte mit einer Hand, um die Tischkante zu ergreifen und sich hochzuziehen. Aber sie gab nicht auf, schleuderte mir noch immer Drohungen und Beschimpfungen entgegen. Sie hörte auch nicht auf, als der schockierte Pietro ihr mit seinem gesunden Arm aufhalf. Mit fast versagender, wütender und zugleich aufrichtig schmerzerfüllter Stimme und weit aufgerissenen Augen keuchte sie: »Du bist nicht mehr meine Tochter, aber er, ja er, ist mein Sohn, nicht mal dein Vater will dich mehr, nicht mal deine Brüder; soll Sarratores Sohn dir doch einen Tripper und die Syphilis anhängen, was habe ich bloß verbrochen, um so einen Tag erleben zu müssen, o Gott, o Gott, ich will sofort tot umfallen, jetzt, auf der Stelle!« Sie war so von Kummer überwältigt, dass sie, für mich kaum fassbar, in Tränen ausbrach.

Ich rannte ins Schlafzimmer und schloss mich ein. Ich wusste nicht ein noch aus, nie hätte ich erwartet, dass meine Trennung zu einer solchen Tortur werden würde. Ich war erschrocken, war verzweifelt. Aus welcher dunklen Tiefe, aus welcher Anmaßung war meine Entschlossenheit gekommen, meine Mutter mit der gleichen körperlichen Gewalt wegzustoßen, die sie aufgebracht hatte? Ich beruhigte mich erst, als nach einer Weile Pietro an die Tür klopfte und mit einer unerwarteten Sanftheit leise sagte: »Mach nicht auf, ich verlange nicht, dass du mich reinlässt; ich möchte dir nur sagen, dass ich das nicht wollte, das ist zu viel, das verdienst auch du nicht.«

14

Ich hoffte, meine Mutter würde weich werden, würde schon am nächsten Morgen mit einer ihrer abrupten Kehrtwenden einen Weg finden, wieder zu bekräftigen, dass sie mir zugetan und trotz allem stolz auf mich sei. Doch das geschah nicht. Ich hörte, wie sie sich mit Pietro unterhielt. Sie schmeichelte ihm, wiederholte ärgerlich, mit mir sei es schon immer ein Kreuz gewesen, seufzte, man müsse Geduld mit mir haben. Um zu vermeiden, dass wir erneut aneinandergerieten, lief ich am nächsten Tag ziellos in der Wohnung herum oder versuchte zu lesen, ohne mich je in ihre Gespräche einzumischen. Ich war sehr unglücklich. Ich schämte mich für den Stoß, den ich ihr gegeben hatte, schämte mich für sie und für mich, sehnte mich danach, sie um Verzeihung zu bitten, sie zu umarmen, fürchtete aber, sie könnte das falsch verstehen und als eine Kapitulation meinerseits auffassen. Sie war zu der Überzeugung gelangt, ich sei Lilas schwarze Seele und nicht Lila meine, offenbar hatte ich ihr eine wirklich unerträgliche Enttäuschung zugefügt. Zu ihrer Rechtfertigung sagte ich mir: ›Ihr Maßstab ist der Rione. Dort hat sich in ihren Augen alles zum Besten gewendet: Durch Elisa fühlt sie sich mit den Solaras verwandt, ihre Söhne arbeiten endlich für Marcello, den sie stolz *meinen Schwiegersohn* nennt. Ihre neuen Kleider sind für sie das Zeichen des Wohlstands, der ihr zugefallen ist. Da ist es nur normal, dass ihr Lila wesentlich erfolgreicher vorkommt als ich, Lila, die in Michele Solaras Diensten steht, fest mit Enzo zusammenlebt und so reich ist, dass sie für ihre Eltern deren kleine Wohnung abbezahlen will.‹ Aber solche Gedanken ließen den Abstand zwischen mir und ihr nur noch deutlicher werden, wir hatten keine Berührungspunkte mehr.

Sie fuhr ab, ohne dass wir noch ein Wort miteinander wechselten. Wir brachten sie mit dem Auto zum Bahnhof, doch sie tat so, als wäre ich, die am Steuer saß, gar nicht da. Sie beschränkte sich darauf, Pietro alles erdenklich Gute zu wünschen und ihn bis kurz vor der Abfahrt des Zuges zu bitten, sie über seinen gebrochenen Arm und über die Mädchen auf dem Laufenden zu halten.

Als sie weg war, stellte ich einigermaßen erstaunt fest, dass ihr Überfall eine unverhoffte Wirkung gehabt hatte. Schon auf dem Heimweg ging mein Mann über die wenigen, am Abend zuvor an meiner Tür geflüsterten Worte der Solidarität hinaus. Die unverhältnismäßig harte Auseinandersetzung mit meiner Mutter dürfte ihm mehr über mich und darüber, wie ich aufgewachsen war, verraten haben, als ich ihm erzählt hatte und als er sich hatte vorstellen können. Ich tat ihm leid, glaube ich. Er besann sich plötzlich, unser Umgang miteinander wurde wieder höflich, und wenige Tage später gingen wir zu einem Anwalt, der ein bisschen über dies und das redete und uns dann fragte:

»Sind Sie sicher, dass Sie nicht mehr zusammenleben möchten?«

»Wie soll man denn mit einem Menschen zusammenleben, der einen nicht mehr liebt?«, antwortete Pietro.

»Signora, lieben Sie Ihren Mann nicht mehr?«

»Das ist doch wohl meine Sache«, sagte ich. »Sie sollen bloß die Formalitäten der Trennung in die Wege leiten.«

Als wir wieder auf der Straße standen, sagte Pietro lachend:

»Du bist genau wie deine Mutter.«

»Das ist nicht wahr.«

»Du hast recht, das ist nicht wahr. Du bist, wie deine Mutter wäre, wenn sie studiert und angefangen hätte, Romane zu schreiben.«

»Wie meinst du das?«

»Ich meine, du bist noch schlimmer als sie.«

Ich ärgerte mich, aber nicht sehr, ich freute mich, dass er im Rahmen des Möglichen wieder zur Vernunft gekommen war. Ich stieß einen Seufzer der Erleichterung aus und konzentrierte mich auf die Modalitäten der Trennung. In langen Ferngesprächen erzählte ich Nino alles, was ich von dem Moment an erlebt hatte, als wir uns verabschiedet hatten, wir diskutierten meinen Umzug nach Neapel, doch ich verschwieg ihm vorsichtshalber, dass Pietro und ich wieder unter einem Dach schliefen, wenn natürlich auch in getrennten Zimmern. Vor allem aber telefonierte ich mehrmals mit meinen Töchtern und kündigte Adele mit ausdrücklicher Feindseligkeit an, dass ich sie abholen würde.

»Mach dir mal keine Sorgen«, versuchte meine Schwiegermutter mich zu beruhigen, »du kannst sie so lange bei mir lassen, wie es für dich nötig ist.«

»Dede muss aber zur Schule.«

»Wir können sie hier ganz in der Nähe anmelden, ich kümmere mich um alles.«

»Nein, ich muss sie bei mir haben.«

»Überleg's dir noch mal. Eine geschiedene Frau mit deinem Ehrgeiz und zwei Töchtern muss den Tatsachen ins Auge sehen und sich entscheiden, worauf sie verzichten kann und worauf nicht.«

Alles an diesem letzten Satz ärgerte mich.

15

Ich wollte sofort nach Genua fahren, aber ich bekam einen Anruf aus Frankreich. Die ältere der beiden Verlegerinnen bat mich, für eine bedeutende Zeitschrift die Gedanken aufzuschreiben, die ich in ihrem Beisein vor Publikum geäußert hatte. So fand ich mich unversehens vor die Wahl gestellt, entweder meine Mädchen abzuholen oder mich an die Arbeit zu setzen. Ich verschob die Fahrt, strengte mich Tag und Nacht an, um gute Arbeit zu leisten. Ich feilte noch an einer akzeptablen Form meines Textes, als Nino mir mitteilte, er habe noch ein paar Tage frei, bevor die Universität wieder losgehe, und er wolle zu mir kommen. Ich konnte nicht widerstehen, wir fuhren mit dem Auto an die Argentario-Küste. Ich betäubte mich mit Liebe. Wir verbrachten wunderbare Tage am winterlichen Meer und genossen, wie ich es weder mit Franco noch mit Pietro je erlebt hatte, die Freuden von Essen und Trinken, kultivierten Gesprächen und Sex. Im Morgengrauen quälte ich mich aus dem Bett und machte mich ans Schreiben.

Eines Abends im Bett gab mir Nino ein paar Seiten von sich zu lesen, er sagte, ihm liege viel an meiner Meinung. Es war ein komplizierter Essay über Italsider in Bagnoli. Ich las ihn eng an Nino geschmiegt, der von Zeit zu Zeit abwiegelnd murmelte: »Mein Stil ist schlecht, korrigiere ihn, wenn du willst, du bist besser als ich, das warst du schon am Gymnasium.« Ich lobte seine Arbeit sehr und empfahl ihm einige Änderungen. Aber das reichte Nino nicht, er drängte mich, stärker in den Text einzugreifen. Bei dieser Gelegenheit erzählte er mir, fast wie um mich von der Notwendigkeit meiner Korrekturen zu überzeugen, dass er mir etwas Schlimmes gestehen müsse. Halb verlegen, halb ironisch nannte er sein Geheimnis »das Schändlichste, was ich in meinem ganzen Leben gemacht habe«. Er sagte, es habe mit dem kleinen Artikel zu tun, in dem ich meine Auseinandersetzung mit dem Religionslehrer zusammengefasst hatte und den er in unserer Zeit am Gymnasium für eine Studentenzeitschrift betreut hatte.

»Was hast du denn angestellt?«, fragte ich lachend.

»Ich sag's dir, aber bedenke, dass ich nur ein kleiner Junge war.«

Ich merkte, dass er sich ernsthaft schämte, und wurde etwas unruhig. Er sagte, als er meinen Artikel gelesen hatte, habe er es kaum für möglich gehalten, dass man so sympathisch und so intelligent schreiben könne. Ich freu-

75

te mich über dieses Kompliment, küsste ihn, erinnerte mich daran, wie gründlich ich zusammen mit Lila an diesen Seiten gearbeitet hatte, und schilderte ihm selbstironisch meine Enttäuschung, meinen Kummer darüber, dass die Zeitschrift ihn aus Platzgründen nicht gedruckt hatte.

»Habe ich das so gesagt?«, fragte Nino voller Unbehagen.

»So ungefähr, ich erinnere mich nicht mehr genau.«

Betrübt verzog er das Gesicht.

»Die Wahrheit ist, dass für deinen Artikel reichlich Platz vorhanden war.«

»Und warum haben sie ihn dann nicht veröffentlicht?«

»Aus Neid.«

Ich lachte auf.

»Die Redakteure waren neidisch auf mich?«

»Nein, *ich* war neidisch. Ich habe deinen Text gelesen und ihn weggeworfen. Ich konnte es nicht ertragen, dass du so gut warst.«

Eine Weile sagte ich nichts. Dieser Artikel hatte mir viel bedeutet, ich hatte sehr gelitten. Ich konnte es nicht glauben: War es möglich, dass Professoressa Galianis Lieblingsschüler aus der Oberstufe so neidisch auf die Zeilen eines Mädchens aus der Unterstufe gewesen war, dass er sie in den Papierkorb geworfen hatte? Ich spürte, dass Nino auf meine Reaktion wartete, aber ich wusste nicht, wie ich eine so gemeine Handlung mit dem Glorienschein vereinbaren sollte, der ihn damals zu umgeben schien. Die Sekunden vergingen, und verwirrt versuchte ich, diese erbärmliche Tat einzugrenzen, damit sie sich nicht mit dem miserablen Ruf verband, den Nino, Adele zufolge, in Mailand hatte, und mit dem Rat, ihm zu misstrauen, den ich von Lila und Antonio erhalten hatte. Dann raffte ich mich auf, die positive Seite dieses Geständnisses sprang mir ins Auge, ich umarmte ihn. Eigentlich gab es keinen Grund für ihn, mir diese Geschichte zu erzählen, es war ein lange zurückliegender Fehltritt. Trotzdem hatte er es soeben getan, und sein Bedürfnis, ohne jeden Vorteil aufrichtig zu sein, sogar auf die Gefahr hin, sich in ein denkbar schlechtes Licht zu setzen, rührte mich. Plötzlich hatte ich das Gefühl, ich könnte ihm fortan immer glauben.

In dieser Nacht liebten wir uns leidenschaftlicher als sonst. Beim Erwachen wurde mir bewusst, dass Nino mit seinem Schuldeingeständnis auch eingeräumt hatte, mich stets als ein außergewöhnliches Mädchen betrachtet zu haben, auch als er mit Nadia Galiani zusammen gewesen war, auch als er Lilas Liebhaber geworden war. Wie aufregend es war, sich nicht nur geliebt, sondern auch geachtet zu fühlen. Er gab mir seinen Text, ich half ihm, ihn in eine ansprechendere Form zu bringen. In diesen Tagen an der Argentario-Küste war mir, als hätte ich meine Fähigkeit, wahrzunehmen, zu verstehen und mich auszudrücken, nun endgültig erweitert, was – so dachte ich mit Stolz – durch den recht ordentlichen Erfolg meines Buches außerhalb Italiens bestätigt wurde, eines Buches, das ich von Nino angespornt geschrieben hatte, um ihm zu gefallen. Ich hatte alles in diesem Moment. Nur Dede und Elsa waren außen vor geblieben.

16

Meiner Schwiegermutter sagte ich nichts von Nino. Stattdessen erzählte ich von der französischen Zeitschrift und erklärte mich völlig in Anspruch genommen von dem Text, an dem ich saß. Zugleich bedankte ich mich, wenn auch widerwillig, bei ihr dafür, dass sie sich so um ihre Enkelkinder kümmerte.

Obwohl ich Adele nicht vertraute, begriff ich nun, dass sie ein wahres Problem angesprochen hatte. Was konnte ich tun, um mein Leben mit dem der Mädchen in Einklang zu bringen? Ich rechnete natürlich damit, schon bald irgendwo mit Nino zusammenzuziehen, wir würden uns dann gegenseitig helfen. Aber bis dahin? Es würde nicht leicht werden, das Bedürfnis, uns zu sehen, Dede, Elsa, mein Schreiben, die öffentlichen Auftritte und die Belastungen durch die wenn auch vernünftiger ausgetragenen Spannungen mit Pietro miteinander zu vereinbaren. Vom Geld gar nicht zu reden. Ich hatte nur noch sehr wenig übrig und wusste noch nicht, wie viel mir das neue Buch einbringen würde. Ausgeschlossen, dass ich in absehbarer Zeit für Miete, Telefon und den alltäglichen Lebensunterhalt für meine Mädchen und mich selbst würde aufkommen können. Und an welchem Ort sollte unser alltägliches Leben überhaupt Gestalt annehmen? Ich war drauf und dran, mir meine Töchter zurückzuholen, doch um sie wohin zu bringen? Nach Florenz, in die Wohnung, in der sie aufgewachsen waren und in der sie angesichts eines freundlichen Vaters und einer liebenswürdigen Mutter zu der Überzeugung gelangen würden, dass wie durch Zauberei alles wieder in Ordnung war? Wollte ich sie täuschen, wohl wissend, dass ich sie beim ersten Hereinbrechen Ninos noch stärker enttäuschen würde? Durfte ich Pietro auffordern zu gehen, obwohl ich diejenige war, die die Trennung gewollt hatte? Oder sollte eher ich die Wohnung verlassen?

Mit unzähligen Fragen im Kopf und ohne eine Entscheidung brach ich nach Genua auf. Meine Schwiegereltern empfingen mich mit höflicher Kälte, Elsa mit unsicherer Begeisterung und Dede mit Feindseligkeit. Ich kannte die Wohnung in Genua nicht besonders gut, ich hatte nur ihre Helligkeit in Erinnerung. Doch ganze Zimmer waren mit Büchern wie tapeziert, dazu antike Möbel, Kristalllüster, edle Teppiche, schwere Vorhänge. Nur das Wohnzimmer war strahlend hell, es hatte eine große Fensterfront, die ein Stück Licht und Meer ausschnitt und es wie eine Kostbarkeit präsentierte. Meine Töchter bewegten sich – wie ich feststellte – mit mehr Freiheit als zu Hause in der ganzen Wohnung. Sie fassten alles an, nahmen alles, ohne je einen Vorwurf zu hören, und sprachen in dem höflichen, doch befehlenden Ton mit dem Hausmädchen, den sie von ihrer Großmutter gelernt hatten. In den ersten Stunden nach meiner Ankunft zeigten sie mir ihr Zimmer, wollten, dass ich mich für das viele Spielzeug begeisterte, das sie, so teuer wie es war, von mir und ihrem Vater nie bekommen hätten, erzählten mir von den vielen schönen Dingen, die sie gemacht und gesehen hatten. Allmählich wurde mir klar, dass Dede sehr an ihrem Großvater hing, während Elsa, obwohl sie mich fast schon verzweifelt umarmt und geküsst hatte, sich mit allem, was sie brauchte, an Adele wandte oder auf ihren Schoß kletterte, wenn sie müde war, und mich von dort aus mit dem Daumen im Mund melancholisch ansah. Hatten die Mädchen in so kurzer Zeit gelernt, ohne mich auszukommen? Oder waren sie durch das, was sie in den letzten Monaten gesehen und gehört hatten, völlig erschöpft, so dass sie nun, besorgt über die Fülle von Unheil, das ich hervorrief, Angst davor hatten, mich wieder zu akzeptieren? Ich weiß es nicht. Natürlich traute ich mich nicht, sofort zu sagen: »Packt eure Sachen, wir fahren ab.« Ich blieb einige Tage, begann wieder, mich um sie zu kümmern. Meine Schwiegereltern mischten sich nie ein, im Gegenteil, sobald vor allem Dede zu ihrer Autorität Zuflucht nahm, um meine zu bekämpfen, zogen sie sich zurück, um jeden Konflikt zu vermeiden.

Insbesondere Guido achtete sehr darauf, über andere Dinge zu reden, in der ersten Zeit erwähnte er den Bruch zwischen mir und seinem Sohn nicht einmal andeutungsweise. Nach dem Abendessen, wenn Dede und Elsa ins Bett gingen und er sich aus Höflichkeit ein bisschen mit mir unterhielt, bevor er sich in sein Büro zurückzog, um bis tief in die Nacht zu arbeiten (offensichtlich ahmte Pietro nur das Beispiel seines Vaters nach), war er verlegen. Für gewöhnlich flüchtete er sich in politische Themen: die Zuspitzung der Krise des Kapitalismus, das Allheilmittel der Härte, die sich ausdehnende Ausgrenzung, das Erdbeben in Friaul als das Symbol eines instabilen Italiens, die großen Schwierigkeiten der Linken, alter Parteien und kleiner Gruppierungen. Doch er tat es ohne das geringste Interesse an meiner Meinung, die zu haben ich mich übrigens auch nicht bemühte. Wenn er sich wirklich einmal entschloss, mich zu ermutigen, etwas zu sagen, wich er auf mein Buch aus, dessen italienische Ausgabe ich in dieser Wohnung tatsächlich zum ersten Mal sah: Es war ein dünnes, unscheinbares Bändchen, das mit den zahlreichen Büchern und Zeitschriften gekommen war, die sich ständig auf den Tischen stapelten und darauf warteten, durchgeblättert zu werden. Eines Abends stellte er beiläufig einige Fragen dazu, und da ich wusste, dass er es nicht gelesen hatte und es auch nicht lesen würde, fasste ich den Inhalt für ihn zusammen und las ihm ein paar Zeilen vor. Er hörte im Wesentlichen ernst und sehr aufmerksam zu. Nur einmal brachte er eine gelehrte Kritik an einer Passage von Sophokles an, den ich falsch zitiert hatte, und griff dabei zu einem so schulmeister-lichen Ton, dass ich mich schämte. Dieser Mann strahlte Autorität aus, auch wenn Autorität eine Fassade ist und es manchmal nicht viel braucht, um sie, und sei es nur für Minuten, bröckeln zu lassen, so dass dahinter ein an-derer, weniger erfreulicher Mensch zum Vorschein kommt. Als ich eine Bemerkung zum Feminismus machte, gab Guido unversehens seine Beherrschung preis, in seinen Augen blitzte eine unerwartete Bosheit auf, und er stimm-te sarkastisch, mit rotem Kopf – er, der sonst immer ein blutleeres Gesicht hatte – einige Parolen an, die er irgend-wo aufgeschnappt hatte: *Spieglein, Spieglein an der Wand, wer hat den schönsten Sex im Land? Keine!* Und auch: *Wir sind keine Maschinen zur Reproduktion, wir kämp-fen für die Emanzipation.* Er trällerte und lachte, voll-kommen erhitzt. Als er merkte, dass er mich unangenehm überrascht hatte, griff er nach seiner Brille, putzte sie sorg-fältig und zog sich in sein Arbeitszimmer zurück.

An diesen wenigen Abenden sagte Adele fast kein Wort, aber ich erkannte schon bald, dass sowohl sie als auch ihr Mann nach einer sauberen Methode suchten, um mich aus der Reserve zu locken. Da ich nicht anbiss, war es mein Schwiegervater, der das Problem schließlich auf sei-ne Weise anpackte. Als Dede und Elsa uns gute Nacht

sagten, fragte er seine Enkeltöchter wie bei einem gutmütigen Ritual:

»Wie heißen denn diese zwei wunderschönen kleinen
Damen?«

»Dede.«

»Elsa.«

»Und wie weiter? Der Opa will den ganzen Namen
wissen.«

»Dede Airota.«

»Elsa Airota.«

»Airota wie wer?«

»Wie Papa.«

»Und wer noch?«

»Wie Opa.«

»Und eure Mama, wie heißt die?«

»Elena Greco.«

»Und heißt ihr Greco oder Airota?«

»Airota.«

»Fein gemacht. Gute Nacht, meine Lieben, träumt
schön.«

Kaum hatten die Mädchen in Adeles Begleitung das
Zimmer verlassen, sagte er wie in einem Gedankengang,
der sich aus den Antworten der Kleinen ergab: »Ich habe gehört, der Grund für den Bruch mit Pietro ist Nino
Sarratore.« Ich zuckte zusammen, nickte. Er lächelte und
begann Nino zu loben, doch nicht mit der vorbehaltlosen
Zustimmung der vergangenen Jahre. Er bezeichnete ihn
als einen sehr intelligenten Burschen, als einen, der seine
Sache verstehe, allerdings – er legte Gewicht auf die ein-
schränkende Konjunktion – sei Nino wankelmütig, er
wiederholte dieses Wort, wie um zu sehen, ob er das richtige gewählt hatte. Dann betonte er: »Die letzten Sachen,

die Sarratore geschrieben hat, haben mir nicht gefallen.« Und mit einem unvermittelt abfälligen Ton warf er ihn mit denjenigen in einen Topf, denen es viel wichtiger war, zu lernen, wie man die Mechanismen des Neokapitalismus handhabe, als weiterhin eine Veränderung der sozialen Beziehungen und der Produktionsverhältnisse zu fordern. Er bediente sich zwar dieses Vokabulars, sprach aber jedes Wort aus wie eine Beschimpfung.

Das hielt ich nicht aus. Ich ereiferte mich, weil ich ihn davon überzeugen wollte, dass er sich irrte, und Adele kam gerade in dem Moment zurück, als ich Texte von Nino zitierte, die ich für sehr radikal hielt, und Guido mir zuhörte, wobei er einen dumpfen Laut von sich gab, den er für gewöhnlich verwendete, wenn er zwischen Zustimmung und Ablehnung schwankte. Ich verstummte sofort, ziemlich aufgeregt. Mein Schwiegervater schien sein Urteil für einige Minuten abzumildern (*es ist ja für alle schwer, sich im Chaos der italienischen Krise zurechtzufinden, und ich kann verstehen, wenn junge Leute wie er Probleme haben, besonders wenn sie etwas tun wollen*), dann stand er auf, um in sein Arbeitszimmer zu gehen. Aber bevor er verschwand, überlegte er es sich anders. Er blieb an der Tür stehen und erklärte ärgerlich: »Aber man kann auf diese oder jene Art etwas tun, Sarratore ist ein kluger Kopf ohne Traditionen, ihm liegt mehr daran, denen zu gefallen, die den Ton angeben, als für eine Idee zu kämpfen, er wird ein sehr willfähriger Experte werden.« Er brach ab, zögerte aber noch, als lägen ihm noch viel härtere Worte auf der Zunge. Doch er murmelte nur gute Nacht und ging in sein Büro.

Ich spürte Adeles Blick. ›Ich muss mich auch zurückziehen‹, dachte ich, ›muss zu einer Ausrede greifen, sagen, dass ich müde bin.‹ Aber ich hoffte, Adele würde eine versöhnliche Formulierung finden, die mich beruhigte, daher fragte ich sie:

»Was soll das heißen, Nino ist ein kluger Kopf ohne Traditionen?«

Sie sah mich spöttisch an.

»Dass er niemand ist. Und für einen, der niemand ist, gibt es nichts Wichtigeres, als jemand zu werden. Daraus folgt, dass dieser Signor Sarratore ein unzuverlässiger Mensch ist.«

»Ich bin auch ein kluger Kopf ohne Traditionen.«

Sie lächelte.

»Du auch, ja, und du bist ja auch tatsächlich unzuverlässig.«

Schweigen. Adele hatte ruhig gesprochen, als wären ihre Worte nicht emotional aufgeladen und gäben lediglich nüchtern Tatsachen wieder. Trotzdem war ich gekränkt.

»Was meinst du damit?«

»Dass ich dir meinen Sohn anvertraut habe und du nicht ehrlich zu ihm warst. Warum hast du ihn geheiratet, wenn du doch einen anderen wolltest?«

»Ich wusste nicht, dass ich einen anderen wollte.«

»Du lügst.«

Ich zögerte, gab zu:

»Ich lüge, ja, aber nur, weil du mich zwingst, dir eine einfache Erklärung zu geben, und einfache Erklärungen sind fast immer Lügen. Du hast mir gegenüber auch schlecht über Pietro gesprochen, hast mich sogar gegen ihn unterstützt. Hast du gelogen?«

»Nein. Ich bin wirklich auf deiner Seite gewesen, aber im Rahmen einer Abmachung, die du hättest einhalten müssen.«

»Was denn für eine Abmachung?«

»Die, bei deinem Mann und den Kindern zu bleiben. Du warst eine Airota, deine Töchter waren Airotas. Ich wollte nicht, dass du dich unzulänglich fühlst und unglücklich bist, ich habe versucht, dir dabei zu helfen, eine gute Mutter und Ehefrau zu sein. Aber da die Abmachung nicht mehr eingehalten wird, ist jetzt alles anders. Du bekommst nichts mehr von mir und meinem Mann, im Gegenteil, ich werde dir alles wegnehmen, was ich dir gegeben habe.«

Ich seufzte tief, bemühte mich, meine Stimme ruhig zu halten, wie Adele es übrigens auch immer noch tat.

Ich sagte: »Adele, ich bin Elena Greco, und meine Töchter sind meine Töchter. Ich scheiß' auf euch Airotas.«

Sie nickte, blass und mit einer nun strengen Miene.

»Dass du Elena Greco bist, sieht man, das ist jetzt mehr als klar. Aber die Mädchen sind die Töchter meines Sohnes, und wir werden nicht zulassen, dass du sie kaputtmachst.«

Sie ließ mich einfach sitzen und ging schlafen.

17

Das war meine erste Auseinandersetzung mit meinen Schwiegereltern. Es folgten weitere, die aber nie mehr mit einer so ausdrücklichen Verachtung endeten. Künftig beschränkten die beiden sich darauf, mir auf jede erdenkliche Art zu beweisen, dass ich Dede und Elsa in ihre Obhut geben musste, wenn ich weiter darauf bestand, mich vor allem um mich selbst zu kümmern.

Natürlich widersetzte ich mich, es verging kein Tag, an dem ich mich nicht aufregte und beschloss, meine Töchter sofort wegzubringen, nach Florenz, nach Mailand, nach Neapel, egal wohin, nur um sie keine Minute länger in diesem Haus zu lassen. Doch schnell wurde ich wieder schwach, verschob meine Abreise, immer geschah etwas, was sich gegen mich wandte. Zum Beispiel rief Nino an, und ich konnte nicht widerstehen, ich stürzte zu ihm, egal wohin. Außerdem hatte auch in Italien eine kleine Erfolgswelle meines Buches eingesetzt, das zwar von den Rezensenten der großen Zeitungen ignoriert wurde, aber trotzdem ein Publikum fand. Daher verband ich meine Lesungen häufig mit den Treffen mit meinem Geliebten, was die Zeit verlängerte, in der ich nicht bei meinen Mädchen war.

Ich riss mich gewaltsam von ihnen los. Ich spürte ihren anklagenden Blick, ich litt. Doch schon im Zug, während ich las, während ich mich auf eine öffentliche Diskussion vorbereitete, während ich in meiner Phantasie die Begegnung mit Nino vorwegnahm, empfand ich eine unverschämte Freude, die mich zunehmend aufwühlte. Schnell bemerkte ich, dass ich mich nun daran gewöhnte, glücklich und unglücklich zugleich zu sein, als wäre dies der neue, unvermeidliche Zustand meines Lebens. Wenn ich nach Genua zurückkehrte, hatte ich ein schlechtes Gewissen – Dede und Elsa fühlten sich inzwischen unabhängig von mir wohl, hatten eine Schule, Spielkameraden, alles, was sie brauchten –, doch sobald ich wieder wegfuhr, wurden die Schuldgefühle zu einem lästigen Hindernis, ließen nach. Das war mir natürlich bewusst, und ich fühlte mich schäbig in diesem Schwanken. Es war beschämend, zugeben zu müssen, dass ein bisschen Ruhm und die Liebe zu Nino genügten, um Dede und Elsa in den Hintergrund treten zu lassen. Und doch war es so. Der Widerhall von Lilas Satz: *Denk daran, was du deinen Töchtern damit antust,* entwickelte sich in dieser Zeit zu einer Art Motto, das die Einleitung zum Unglück war. Ich reiste umher, lag oft in einem fremden Bett, konnte oft nicht schlafen. Die Verwünschungen meiner Mutter fielen mir wieder ein, sie vermischten sich mit Lilas Worten. Die beiden Frauen, die für mich seit jeher jeweils die Kehrseite der anderen gewesen waren, stimmten in diesen Nächten häufig überein. Beide empfand ich als meinem neuen Leben gegenüber feindselig, fremd, und einerseits schien mir dies der Beweis dafür zu sein, dass ich endlich wirklich ein unabhängiger Mensch geworden war, doch andererseits fühlte ich mich einsam und meinen Schwierigkeiten ausgeliefert.

Ich frischte die Beziehung zu meiner Schwägerin auf. Sie war wie üblich sehr hilfsbereit, organisierte für mein Buch eine Veranstaltung in einer Mailänder Buchhandlung. Es kamen vor allem Frauen, und ich wurde von widerstreitenden Gruppen heftig kritisiert beziehungsweise sehr gelobt. Anfangs war ich erschrocken, aber Mariarosa ging energisch dazwischen, und ich entdeckte meine unvermutete Fähigkeit, die Kontrolle über Ablehnung und Zustimmung zu behalten und die Rolle der Vermittlerin zu übernehmen (ich konnte sehr überzeugend erklären: *Das war nicht ganz das, was ich sagen wollte*). Am Ende wurde ich von allen gefeiert, besonders von ihr.

Danach ging ich zum Abendessen und zum Schlafen zu ihr nach Hause. Dort traf ich Franco, traf ich Silvia mit ihrem Sohn Mirko. Unverwandt sah ich das Kind an – ich rechnete aus, dass es nun acht Jahre alt sein musste –

und erfasste alle körperlichen und auch charakterlichen Ähnlichkeiten, die es sicherlich mit Nino hatte. Ich hatte ihm nicht erzählt, dass ich von diesem Kind wusste, und beschloss, es auch nie zu tun. Den ganzen Abend redete ich mit Mirko, kuschelte mit ihm, spielte mit ihm, hielt ihn auf meinem Schoß. In was für einer Unordnung wir lebten, wie viele Scherben von uns wegsprangen, als wäre Leben dasselbe wie Zersplittern. Da war dieses Kind in Mailand, da waren meine Töchter in Genua und Albertino in Neapel. Ich konnte nicht an mich halten, sprach mit Silvia, mit Mariarosa, mit Franco über diese Verstreuung, wobei ich mich als nüchterne Denkerin gab. Im Grunde wartete ich darauf, dass mein Exfreund wie üblich das Wort an sich riss, mit seiner geschickten Dialektik, die die Gegenwart systematisierte und die Zukunft vorwegnahm, alles einordnete und uns so beruhigte. Aber er war die eigentliche Überraschung des Abends. Er hielt Reden über das nahe Ende einer Zeit, die *objektiv* – er gebrauchte das Wort mit Sarkasmus – revolutionär gewesen sei, mit deren Untergang aber nun, sagte er, sämtliche Kategorien verschwänden, die als Orientierung gedient hätten.

»Den Eindruck habe ich nicht«, widersprach ich, doch nur, um ihn zu provozieren. »In Italien haben wir eine sehr lebendige, kämpferische Situation.«

»Du hast diesen Eindruck nicht, weil du selbstzufrieden bist.«

»Ganz im Gegenteil, ich bin deprimiert.«

»Deprimierte schreiben keine Bücher. Die werden von zufriedenen Leuten geschrieben, die herumreisen, verliebt sind und in der Überzeugung reden und reden, dass die Wörter auf die eine oder andere Art immer an der richtigen Stelle landen.«

»Ist es denn nicht so?«

»Nein. Wörter landen selten an der richtigen Stelle, und wenn, dann nur für sehr kurze Zeit. Meistens taugen sie nur zu sinnlosem Geschwätz, so wie jetzt. Oder dazu, so zu tun, als wäre alles unter Kontrolle.«

»So zu tun? Du, der du doch immer alles unter Kontrolle hatte, hast nur so getan?«

»Warum denn nicht? Es ist doch normal, sich ein bisschen zu verstellen. Wir, die die Revolution machen wollten, waren diejenigen, die sich sogar mitten im Chaos immer eine Ordnung ausdachten und so taten, als wüssten sie genau, wie die Dinge gerade liefen.«

»Ist das eine Selbstbezichtigung?«

»Aber ja. Eine gute Grammatik, eine gute Syntax. Eine vorgefertigte Erklärung für alles. Und so viel kunstvolle Logik: Das hier ergibt sich aus dem und führt zwangsläufig zu dem. Und fertig ist das Spiel.«

»Funktioniert das denn nicht mehr?«

»Oh, es funktioniert ausgezeichnet. Es ist so bequem, sich nie zu irren. Keine Wunde, die sich infiziert, keine Verletzung, die nicht genäht wurde, kein dunkles Zimmer, das dir Angst macht. Nur dass der Trick irgendwann nicht mehr hinhaut.«

»Und das heißt?«

»Blablabla, Lena, blablabla. Der Inhalt verschwindet gerade aus den Worten.«

Dabei beließ er es nicht. Er spottete ausgiebig über seine eigenen Sätze, wobei er sich über sich und über mich lustig machte. Dann murmelte er: »Wie viel Blödsinn ich erzähle«, und hörte uns die restliche Zeit nur noch zu.

Mich verstörte, dass, während bei Silvia die schrecklichen Spuren der Vergewaltigung restlos verschwunden zu sein schienen, die Prügelattacke, der er einige Jahre zuvor ausgesetzt gewesen war, bei ihm nach und nach einen anderen Körper und einen anderen Geist zum Vorschein gebracht hatte. Er stand sehr oft auf, um ins Bad zu gehen, hinkte, wenn auch nicht auffällig, und die violette Höhle mit dem unvorteilhaften Glasauge wirkte kämpferischer als das andere Auge, das zwar lebte, doch durch die Depression getrübt war. Vor allem war aber sowohl der angenehm energische Franco von früher verschwunden als auch der düstere der Genesungszeit. Er kam mir vor wie ein sanfter Melancholiker, der zu einem liebevollen Zynismus fähig war. Während Silvia mir mit wenigen Worten riet, meine Töchter wieder zu mir zu nehmen, und Mariarosa sagte, solange ich noch keine feste Wohnung gefunden hätte, seien Dede und Elsa bei ihren Großeltern gut aufgehoben, erging sich Franco in einem Lob meiner Fähigkeiten, die er ironisch als männlich bezeichnete, und drang darauf, dass ich sie weiter verfeinerte, ohne mich in weiblichen Pflichten zu verlieren.

Als ich mich in mein Zimmer zurückgezogen hatte, konnte ich nicht einschlafen. Was war schlecht für meine Mädchen, was war gut für sie? Und für mich, was war schlecht oder gut für mich, und stimmte es mit dem überein, was für sie schlecht oder gut war, oder unterschied es sich davon? In dieser Nacht trat Nino in den Hintergrund, und Lila tauchte wieder auf. Nur Lila, ohne die Unterstützung meiner Mutter. Ich wollte mich mit ihr streiten, sie anschreien: Kritisiere mich nicht bloß, übernimm auch Verantwortung und sag mir, was ich tun soll. Schließlich schlummerte ich ein. Am nächsten Tag fuhr ich nach Genua zurück und sagte in Gegenwart meiner Schwiegereltern unvermittelt zu Dede und Elsa:

»Meine Kleinen, ich habe gerade viel Arbeit. In ein paar Tagen muss ich wieder weg und dann noch mal und noch mal. Wollt ihr mitkommen oder bei Oma und Opa bleiben?«

Noch heute, während ich das schreibe, schäme ich mich für diese Frage.

Zunächst antwortete Dede, gleich darauf Elsa:

»Bei Oma und Opa bleiben. Aber komm wieder, wenn du kannst, und bring uns was Schönes mit.«

18

Mehr als zwei Jahre voller Freuden, Sorgen, schlimmer Überraschungen und erduldeter Vermittlungen waren nötig, bevor es mir gelang, wieder etwas Ordnung in mein Leben zu bringen. Währenddessen hatte ich trotz schmerzhafter Brüche im Privaten in der Öffentlichkeit doch weiterhin Glück. Die nicht einmal hundert Seiten, die ich vor allem geschrieben hatte, um auf Nino Eindruck zu machen, wurden bald schon ins Deutsche und ins Englische übersetzt. Sowohl in Frankreich als auch in Italien wurde mein zehn Jahre altes Buch neu aufgelegt, und ich begann erneut für Zeitungen und Zeitschriften zu schreiben. Mein Name und auch ich als Person erlangten nach und nach wieder einige Bekanntheit, meine Tage waren wieder so ausgefüllt, wie es bereits in der Vergangenheit der Fall gewesen war, und ich gewann das Interesse, manchmal auch die Wertschätzung, von Persönlichkeiten, die damals sehr präsent im öffentlichen Leben waren. Was mir aber half, selbstsicherer zu werden, war eine Klatschgeschichte vom Chef des Mailänder Verlags, der mir von Anfang an mit

Sympathie begegnet war. Bei einem Abendessen mit ihm, bei dem wir über meine publizistische Zukunft redeten, doch auch – wie ich zugeben muss – über eine Essaysammlung von Nino, die ich ihm vorschlagen wollte, verriet er mir, dass Adele kurz vor dem letzten Weihnachtsfest Druck gemacht hatte, damit die Veröffentlichung meines Büchleins gestoppt wurde.

»Die Airotas«, sagte er lachend, »sind es gewohnt, zum Frühstück zu intrigieren, um einen Staatssekretär ins Amt zu heben, und zum Abendessen, um einen Minister zu entthronen, aber bei deinem Buch konnten sie sich nicht durchsetzen. Der Text war schon fertig, und wir haben ihn in den Druck gegeben.«

Auch hinter der spärlichen Zahl von Rezensionen in der italienischen Presse steckte ihm zufolge meine Schwiegermutter. Wenn sich das Buch trotzdem behauptet habe, sei dies folglich nicht einem freundlichen Sinneswandel der Dottoressa Airota zuzuschreiben, sondern der Kraft meines Schreibens. So erfuhr ich, dass ich Adele diesmal überhaupt nichts verdankte, was sie allerdings jedes Mal, wenn ich nach Genua kam, fortgesetzt behauptete. Es gab mir Selbstvertrauen, machte mich stolz, ich sagte mir schließlich, dass die Zeit der Abhängigkeit, jeder Abhängigkeit, für mich vorbei war.

Lila bemerkte gar nichts davon. Aus der Tiefe des Rione, aus diesem Areal, das für mich nun nicht größer als ein Klecks war, betrachtete sie mich noch immer als ihr Anhängsel. Von Pietro hatte sie die Genueser Telefonnummer erhalten und wählte sie fortan, ohne sich darum zu kümmern, dass sie meine Schwiegereltern störte. Wenn sie mich erreichte, überging sie meine Einsilbigkeit und redete ununterbrochen für uns beide. Sie sprach über Enzo, über die Arbeit, über ihren Sohn, der gut in der Schule war, über Carmen, über Antonio. Aber wenn sie mich nicht erreichte, rief sie immer wieder an, mit neurotischer Hartnäckigkeit, so dass sie Adele – die die Telefonate für mich in einem Heft notierte und, was weiß ich, in dem und dem Monat an dem und dem Tag Sarratore (drei Anrufe) oder Cerullo (neun Anrufe) vermerkte – die Gelegenheit gab, über die Unannehmlichkeiten zu nörgeln, die ich ihr bereitete. Ich versuchte, Lila davon zu überzeugen, dass es sinnlos war, es immer wieder zu probieren, wenn man ihr sagte, ich sei nicht da, dass die Wohnung in Genua nicht mein Zuhause war und dass sie mich in eine peinliche Situation brachte. Es hatte keinen Zweck. Sie rief schließlich sogar Nino an. Es ist schwer zu sagen, wie sich die Dinge wirklich verhalten hatten: Er war verlegen, wiegelte ab, hatte Angst, etwas zu sagen, was mich aufregen könnte. Zunächst erzählte er mir, Lila habe mehrmals zu Hause bei Eleonora angerufen, die wütend geworden sei, dann glaubte ich zu verstehen, dass sie versucht hatte, ihn direkt in der Via Duomo telefonisch zu erreichen, und zum Schluss, dass er selbst sie schnellstens kontaktiert hatte, um zu verhindern, dass sie ständig bei seiner Frau anrief. Wie auch immer, fest stand jedenfalls, dass Lila ihn genötigt hatte, sich mit ihr zu treffen. Allerdings nicht allein: Nino legte Wert darauf, sofort klarzustellen, dass sie in Begleitung von Carmen gekommen sei, denn Carmen sei es – vor allem Carmen –, die sich dringend mit mir in Verbindung setzen wollte.

Ich hörte mir den Bericht über dieses Treffen ungerührt an. Lila hatte anfangs ganz genau wissen wollen, wie ich mich verhielt, wenn ich vor Publikum über meine Bücher sprach: wie ich mich kleidete, wie ich mich frisierte und schminkte, ob ich schüchtern war, ob ich unterhaltsam war, ob ich ablas, ob ich improvisierte. Dann war sie still gewesen und hatte Carmen das Feld überlassen. So hatte sich herausgestellt, dass die ganze Aufregung, nur um mich zu sprechen, mit Pasquale zu tun hatte. Carmen hatte über eigene Kanäle erfahren, dass Nadia Galiani sich ins Ausland abgesetzt hatte, und wollte mich daher erneut bitten, Kontakt zu meiner Gymnasiallehrerin aufzunehmen, um sie zu fragen, ob auch Pasquale in Sicherheit sei. Carmen hatte wiederholt gerufen: »Ich will nicht, dass die Kinder feiner Leute sich aus der Affäre ziehen können und solche wie mein Bruder nicht!« Dann – als betrachtete sie ihre Sorge um Pasquale auch selbst als eine strafbare Handlung und somit als ein Verbrechen, in das auch ich verwickelt werden könnte – hatte sie Nino geraten, mich darauf hinzuweisen, dass ich, falls ich ihr helfen wollte, nicht das Telefon benutzen durfte, weder um die Lehrerin zu kontaktieren noch um mich mit ihr, Carmen, in Verbindung zu setzen. Abschließend sagte Nino: »Sowohl Carmen als auch Lina sind ziemlich unvernünftig, halte lieber Abstand zu ihnen, sie könnten dich in Schwierigkeiten bringen.«

Mir ging durch den Kopf, dass mich ein Treffen von Nino und Lila, wenn auch in Carmens Beisein, noch bis vor wenigen Monaten beunruhigt hätte. Doch nun stellte ich erleichtert fest, dass es mich kaltließ. Offenbar war ich mir Ninos Liebe inzwischen so sicher, dass es mir, obwohl ich nicht ausschließen konnte, dass Lila ihn mir wegnehmen wollte, unmöglich zu sein schien, dass ihr das gelang. Ich streichelte seine Wange und sagte amüsiert: »Bring mal bitte du dich nicht in Schwierigkeiten. Wie kommt es denn, dass du nie eine Sekunde frei hast, aber diesmal doch die nötige Zeit aufbringen konntest?«

19

In dieser Zeit war ich erstmals erstaunt, wie streng abgesteckt das Gebiet war, das Lila sich zugeteilt hatte. Sie kümmerte sich immer weniger um das, was außerhalb des Rione geschah. Wenn sie sich für etwas begeisterte, was nicht nur eine lokale Dimension hatte, dann deshalb, weil es Menschen betraf, die sie von klein auf kannte. Selbst ihre Arbeit interessierte sie, soweit ich wusste, nur innerhalb eines sehr engen Radius. Von Enzo wusste man, dass er manchmal für eine Weile nach Mailand oder nach Turin fahren musste. Lila nicht, sie hatte sich nie wegbewegt, aber ihre Abschottung begann mich erst ernsthaft zu beschäftigen, als ich selbst zunehmend die Lust am Reisen entdeckte.

Ich nutzte damals jede sich bietende Gelegenheit, um Italien zu verlassen, besonders, wenn ich es mit Nino gemeinsam tun konnte. Als zum Beispiel der kleine deutsche Verlag, der mein Buch publiziert hatte, eine Lesereise durch Westdeutschland und Österreich organisierte, ließ Nino alle seine Verpflichtungen sausen und war mir ein fröhlicher und gehorsamer Chauffeur. Etwa zwei Wochen lang reisten wir umher, glitten von Landschaft zu Landschaft, wie an Gemälden in gleißenden Farben vorbei. Jedes Gebirge, jeder See, jede Stadt, jede Sehenswürdigkeit fand nur Eingang in unsere Zweisamkeit, um Teil des Vergnügens zu werden, in jenem Moment da zu sein, und erschien uns stets als ein Beitrag zur Abrundung unseres Glücks. Selbst wenn die rauhe Wirklichkeit uns einholte und erschreckte, weil sie den düstersten Worten entsprach, die ich Abend für Abend vor einem sehr radikalen Publikum äußerte, erzählten wir uns hinterher von diesem Schrecken wie von einem schönen Abenteuer.

Als wir eines Nachts mit dem Auto zum Hotel zurückfuhren, hielt uns die Polizei an. In der Dunkelheit klang die deutsche Sprache, aus dem Mund von Männern in Uniform und mit vorgehaltener Waffe, sowohl in meinen als auch in Ninos Ohren unheimlich. Die Polizisten zerrten uns aus dem Auto, trennten uns, ich landete schreiend in einem Auto, Nino in einem anderen. In einem kleinen Raum sahen wir uns wieder, zunächst uns selbst überlassen, dann brutal unter Druck gesetzt: Papiere, Grund unseres Aufenthalts, Arbeit. An einer Wand hing eine Unmenge von Fotos, finstere Gesichter, überwiegend bärtige Männer, ab und zu eine Frau mit kurzen Haaren. Ich ertappte mich dabei, dass ich ängstlich nach den Gesichtern von Pasquale und Nadia suchte, ich fand sie nicht. Wir wurden im Morgengrauen entlassen, man brachte uns zu unserem Auto zurück. Niemand entschuldigte sich bei uns: Wir hatten ein italienisches Kennzeichen, wir waren Italiener, es hatte sich um eine Routinekontrolle gehandelt.

Mich verstörte mein Impuls, in Deutschland unter den Fahndungsfotos von Verbrechern aus der halben Welt gerade nach dem Bild eines Menschen zu suchen, der Lila damals am Herzen lag. Pasquale Peluso war für mich in jener Nacht wie ein Signal, das sie von dem engen Raum, in den sie sich eingesperrt hatte, ausgesandt hatte, um mich in meinem viel größeren Raum an sich selbst im

Strudel der Weltereignisse zu erinnern. Für einige Sekunden wurde Carmens Bruder zum Berührungspunkt zwischen ihrer immer kleiner werdenden und meiner immer größer werdenden Welt.

An den Abenden, an denen ich in irgendwelchen ausländischen Kleinstädten über mein Buch sprach, hagelte es am Ende Fragen zur Härte des politischen Klimas, und ich zog mich mit allgemein gehaltenen Sätzen aus der Affäre, die im Wesentlichen um das Wort *unterdrücken* kreisten. Als Erzählerin fühlte ich mich verpflichtet, phantasievoll zu sein. »Kein Raum bleibt verschont«, sagte ich. »Eine Dampfwalze bewegt sich von Land zu Land, von Westen nach Osten, um den ganzen Planeten aufzuräumen: Die Arbeiter sollen arbeiten, die Arbeitslosen darben, die Hungernden verhungern, die Intellektuellen sinnloses Zeug faseln, die Schwarzen sollen Neger sein und die Frauen Weibchen.« Aber manchmal hatte ich das Gefühl, etwas Wahreres sagen zu müssen, etwas Ehrliches, etwas Eigenes, und ich erzählte die Geschichte Pasquales mit allen ihren tragischen Etappen, von seiner Kindheit bis zu seiner Entscheidung, in den Untergrund zu gehen. Noch konkreter konnte ich nicht werden, mein Wortschatz war der, den ich mir zehn Jahre zuvor angeeignet hatte, diese Worte waren für mich nur dann mit Inhalt gefüllt, wenn ich sie mit Tatsachen aus dem Rione verband. Ansonsten waren sie lediglich bewährtes Material, das seine Wirkung garantiert nicht verfehlte. Während ich mich allerdings in der Zeit meines ersten Buches früher oder später auf die Revolution berufen hatte, wie es wohl der allgemeinen Stimmung entsprach, vermied ich dieses Wort jetzt, Nino hatte begonnen, es naiv zu finden, von ihm lernte ich nun, wie komplex Politik war, und ich war vorsichtiger. Ich griff vielmehr zu der Formulierung *Widerstand ist richtig* und fügte sofort hinzu, dass man den Konsens erweitern müsse, der Staat werde länger bestehen, als wir gedacht hätten, und es sei dringend notwendig, regieren zu lernen. Nach diesen Veranstaltungen war ich selten mit mir zufrieden. Manchmal hatte ich das Gefühl, ich mäßigte meinen Ton nur, um Nino zufriedenzustellen, der in kleinen, verqualmten Räumen zwischen schönen Ausländerinnen, in meinem Alter oder jünger als ich, saß und mir zuhörte. Oftmals konnte ich mich nicht beherrschen und übertrieb, meinem alten, dunklen Drang folgend, der mich früher dazu verleitet hatte, mit Pietro zu streiten. Das geschah vor allem, wenn mein Publikum aus Frauen bestand, die mein Buch gelesen hatten und scharfe Worte erwarteten. »Passt auf«, sagte ich dann, »dass wir nicht zu unseren eigenen Polizistinnen werden, es ist ein Kampf bis aufs Messer, und er ist erst vorbei, wenn wir gesiegt haben.« Nino zog mich danach auf, sagte, immer müsse ich übertreiben, wir lachten beide.

Manchmal schmiegte ich mich nachts an ihn und versuchte, mit mir ins Reine zu kommen. Ich gab zu, dass mir subversive Worte gefielen, solche, die die Kompromisse der Parteien und die Brutalität des Staates anprangerten. »Politik«, sagte ich, »Politik, wie du sie verstehst, *so wie sie sicherlich ist*, langweilt mich, die überlasse ich dir, ich bin für diese Art von Engagement nicht geschaffen.« Dann dachte ich weiter nach und fügte hinzu, dass ich mich auch für das andere Engagement nicht geeignet fühlte, zu dem ich mich in der Vergangenheit mit meinen Töchtern im Schlepptau gezwungen hatte. Das Drohgeschrei der Demonstrationszüge mache mir Angst und ebenso die aggressiven Minderheiten, die bewaffneten Gruppen, die Toten auf der Straße, der revolutionäre Hass auf alles. Ich gestand: »Ich muss öffentlich reden und weiß nicht, was ich bin, ich weiß nicht, bis zu welchem Punkt ich das, was ich sage, wirklich denke.«

Nun, bei Nino, war mir, als könnte ich meine geheimsten Gefühle in Worte fassen, auch das, was ich vor mir selbst verschwiegen hatte, auch meine Widersprüche und Feigheiten. Er war so selbstsicher, so robust, und hatte zu allem eine detaillierte Meinung. Ich fühlte mich, als hätte ich auf die chaotische Aufsässigkeit der Kindheit saubere Etikette mit passenden Sätzen geklebt, um einen guten Eindruck zu machen. Als wir einmal zu einer Tagung nach Bologna fuhren – wir waren Teil eines kämpferischen Marsches in die Stadt des freien Lebens –, gerieten wir ständig in Polizeikontrollen, wir wurden bestimmt fünfmal angehalten. Waffen im Anschlag, raus aus dem Wagen, die Papiere, na los, an die Wand. Damals bekam ich noch mehr Angst als in Deutschland: Das war mein Land, meine Sprache, ich wurde unruhig, wollte stillhalten, gehorchen, fing aber an zu schreien, verfiel unbewusst in den Dialekt, ließ Beschimpfungen auf die Polizisten niederprasseln, weil sie mich herumschubsten. Meine Angst und meine Wut vermischten sich, ich konnte oft weder das eine noch das andere im Zaum halten. Nino dagegen blieb gelassen, flachste mit den Polizisten herum, stimmte sie versöhnlich, beruhigte mich. Für ihn zählten nur wir beide. »Vergiss nicht, dass wir zusammen sind, hier und jetzt«, sagte er zu mir, »der Rest ist Nebensache und wird sich ändern.«

20

In diesen Jahren waren wir ständig unterwegs. Wir wollten dabei sein, beobachten, durchleuchten, verstehen, erörtern, Zeugen sein und uns vor allem lieben. Die heulenden Polizeisirenen, die Straßensperren, das Knattern der Hubschrauberrotoren, die Todesopfer waren Tafeln, auf denen wir die Zeit unserer Beziehung vermerkten, die Wochen, die Monate, das erste Jahr, dann ein und ein halbes Jahr, immer von der Nacht an gerechnet, in der ich in unserer Wohnung in Florenz zu Nino ins Zimmer gegangen war. Damals – sagten wir uns – hatte unser wahres Leben begonnen. Und was wir als *wahres Leben* bezeichneten, war der Eindruck eines wunderbaren Glanzes, der uns auch dann nicht verließ, als die alltäglichen Schrecken einsetzten.

In den Tagen nach der Entführung Aldo Moros waren wir in Rom. Ich war zu Nino gefahren, der das Buch eines neapolitanischen Kollegen über Süditalienpolitik und Geographie vorstellen sollte. Über das Werk wurde so gut wie gar nicht gesprochen, dafür aber viel über den Vorsitzenden der christdemokratischen Partei. Ich bekam Angst, weil ein Teil des Publikums rebellierte, als Nino erklärte, dass gerade Moro es gewesen sei, der den Staat mit Dreck beworfen, seine hässlichste Seite hervorgekehrt und die Voraussetzungen für die Entstehung der Roten Brigaden geschaffen habe, denn er habe unbequeme Wahrheiten über seine Partei der korrupten Politiker verschleiert und diese Partei sogar mit dem Staat gleichgesetzt, um sie vor jeder Anklage und jeder Bestrafung zu bewahren. Auch als er abschließend sagte, die staatlichen Institutionen zu verteidigen, bedeute nicht, deren Vergehen zu verschleiern, sondern sie ohne Ausnahme in allen ihren Schaltzentralen transparent, leistungsstark und gerecht zu machen, beruhigten sich die Gemüter nicht, Schimpfwörter wurden gerufen. Ich sah, dass Nino immer blasser wurde. Sobald es ging, zog ich ihn weg. Wir flüchteten uns in uns selbst wie in einen funkelnden Schutzpanzer.

So waren die Zeiten damals. Auch mir erging es eines Abends schlecht, in Ferrara. Moros Leiche war gut einen Monat zuvor gefunden worden, als mir für seine Entführer die Bezeichnung Mörder entschlüpfte. Mit den Wörtern war es immer kompliziert, mein Publikum verlangte, dass ich sie dem gängigen Sprachgebrauch der extremen Linken anpasste, und ich war sehr auf der Hut. Doch oft ereiferte ich mich, und dann sagte ich ungefilterte Sätze. Das Wort Mörder gefiel keinem der Anwesenden – *Mörder sind die Faschisten* –, ich wurde angegriffen, kritisiert, verhöhnt. Ich verstummte. Wie sehr ich litt, wenn mir plötzlich die Zustimmung versagt wurde. Ich verlor mein Selbstvertrauen, fühlte mich bis auf den Grund meiner Herkunft herabgezogen, fühlte mich politisch unfähig, fühlte mich wie ein Weibchen, das besser den Mund gehalten hätte, und für eine Weile vermied ich jede öffentliche Auseinandersetzung. *Ist man etwa kein Mörder, wenn man einen ermordet?* Der Abend ging schlecht aus, Nino war drauf und dran, sich mit einem Kerl hinten im Raum zu prügeln. Aber auch in diesem Fall zählte nur, dass wir zu unserer Zweisamkeit zurückkehrten. So war es: Wenn wir zusammen waren, konnte uns keine Kritik wirklich etwas anhaben, im Gegenteil, wir wurden überheblich, nichts außer unseren Meinungen hatte einen Sinn. Wir stürzten uns auf das Abendbrot, auf das gute Essen, auf den Wein, auf den Sex. Wir wollten uns immer nur umarmen und festhalten.

21

Die erste kalte Dusche kam Ende 1978, natürlich von Lila. Sie war der Ausgangspunkt einer Reihe unangenehmer Ereignisse, die Mitte Oktober begannen, als Pietro auf dem Heimweg von der Universität von einigen Jugendlichen – roten, schwarzen, man blickte nicht mehr durch – mit vermummten Gesichtern und bewaffnet mit Schlagstöcken angegriffen wurde. Ich hastete zum Krankenhaus, davon überzeugt, ihn deprimierter denn je anzutreffen. Stattdessen war er trotz des verbundenen Kopfes und eines blauen Auges guter Laune. Er begrüßte mich in einem versöhnlichen Ton, dann vergaß er mich und unterhielt sich die ganze Zeit mit seinen Studenten, unter denen ein sehr hübsches Mädchen auffiel. Als die anderen gegangen waren, setzte sie sich zu ihm auf den Rand des Bettes und nahm seine Hand. Sie trug einen weißen Rollkragenpulli und einen blauen Minirock, ihr braunes Haar reichte ihr bis auf den Rücken. Ich war freundlich, erkundigte mich nach ihrem Studium. Sie sagte, ihr fehlten noch zwei Examen zum Diplom, sie schreibe aber schon an ihrer Arbeit, über Catull. »Sie ist eine sehr gute Studentin«, lobte Pietro sie. Ihr Name war Doriana, und solange ich im Zimmer war, ließ sie seine Hand nur los, um ihm ein wenig die Kissen zurechtzurücken.

Am Abend erschien meine Schwiegermutter mit Dede und Elsa in der Wohnung in Florenz. Ich erzählte ihr von dem Mädchen, und sie lächelte zufrieden, sie wusste von

dem Verhältnis ihres Sohnes. Sie sagte: »Du hast ihn verlassen, was erwartest du denn.« Tags darauf gingen wir
alle zusammen ins Krankenhaus. Dede und Elsa waren
sofort hingerissen von Doriana, von ihren Halsketten und
Armreifen. Sie beachteten ihren Vater und mich kaum,
spielten auf dem Hof mit ihr und mit ihrer Großmutter.
›Das ist jetzt eine neue Phase‹, dachte ich und sondierte,
was Pietro betraf, vorsichtig das Terrain. Bereits vor dem
Überfall hatte er seine Besuche bei unseren Töchtern
stark eingeschränkt, und nun verstand ich, warum. Ich
fragte ihn nach der Studentin. Er erzählte mir von ihr,
so wie er es konnte, mit Ergebenheit. Ich fragte: »Wird
sie zu dir ziehen?« Er sagte, dazu sei es noch zu früh, er
wisse es nicht, aber ja, vielleicht ja. Beiläufig warf ich
hin: »Wir müssen über die Mädchen reden.« Er war einverstanden.

Bei der ersten Gelegenheit sprach ich mit Adele über
die neue Situation. Sie rechnete wohl damit, dass ich mich
darüber beschweren wollte, aber ich erklärte ihr, dass
ich wirklich nicht verärgert sei, mein Problem seien die
Mädchen.

»Und das heißt?«, fragte sie alarmiert.

»Ich habe sie bis jetzt bei dir gelassen, weil es nicht anders ging und weil ich dachte, Pietro müsse sich erst wieder fangen, aber da er nun sein eigenes Leben hat, liegen
die Dinge anders. Auch ich habe ein Recht auf ein bisschen Stabilität.«

»Und weiter?«

»Ich werde mir eine Wohnung in Neapel suchen und
mit den Mädchen dorthin ziehen.«

Wir hatten einen äußerst heftigen Streit. Sie hing sehr
an den Mädchen und wollte sie mir nicht anvertrauen.

Sie beschuldigte mich, ich hätte zu viel mit mir selbst zu tun, um mich gebührend um sie kümmern zu können. Unterstellte, es sei eine gravierende Unvorsichtigkeit, sich einen fremden Mann – sie meinte Nino – ins Haus zu holen, wenn man zwei kleine Töchter habe. Schließlich schwor sie, niemals zuzulassen, dass ihre Enkelinnen in einer so chaotischen Stadt wie Neapel aufwuchsen.

Wir sagten uns gehörig die Meinung. Sie brachte meine Mutter ins Spiel, Pietro hatte ihr offenbar von der fürchterlichen Szene bei uns zu Hause erzählt.

»Und wenn du verreisen musst, wo lässt du die Mädchen dann, bei ihr?«

»Ich lasse sie, bei wem ich möchte.«

»Ich will nicht, dass Dede und Elsa mit Leuten zu tun haben, die sich nicht in der Gewalt haben.«

Ich antwortete:

»Die ganzen Jahre habe ich geglaubt, du wärest die Mutterfigur, nach der ich mich immer gesehnt habe. Aber ich habe mich geirrt, meine Mutter ist besser als du.«

22

Später sprach ich erneut mit Pietro über das Problem, und es stellte sich heraus, dass er, wenn auch mit vielen Vorhaltungen, zu jeder Einigung bereit war, die es ihm erlaubte, möglichst viel mit Doriana zusammen zu sein. Dann fuhr ich nach Neapel, um mit Nino zu reden, ich wollte eine so heikle Angelegenheit nicht am Telefon besprechen. Er beherbergte mich in der Wohnung in der Via Duomo, wie es inzwischen häufig geschah. Ich wusste, dass er weiterhin dort wohnte, sie war sein Zuhause, und obwohl sie jedes Mal einen provisorischen Eindruck auf mich machte und ich mich über die zu lange ungewaschene Bettwäsche ärgerte, war ich glücklich, ihn zu sehen, und kam gern dorthin. Als ich ihm ankündigte, dass ich nun bereit sei, mit meinen Mädchen umzuziehen, wurde er geradezu euphorisch. Wir feierten, er versprach, schnellstmöglich eine Wohnung für uns zu finden, wollte sich um alle unvermeidlichen Unannehmlichkeiten kümmern.

Ich war erleichtert. Nach all dem Herumhetzen, Reisen, Leiden und Genießen war es Zeit, dass wir sesshaft wurden. Ich hatte nun etwas Geld, würde für den Unterhalt der Mädchen noch welches von Pietro bekommen und war kurz davor, einen vorteilhaften Vertrag für ein neues Buch zu unterschreiben. Außerdem fühlte ich mich endlich erwachsen, mit einer zunehmenden Reputation und in einer Verfassung, in der meine Rückkehr nach Neapel ein aufregendes und für meine Arbeit sehr fruchtbringendes Wagnis sein konnte. Doch vor allem wollte ich mit Nino zusammenleben. Wie angenehm es war, mit ihm spazieren zu gehen, seine Freunde zu treffen, bis spät in die Nacht zu diskutieren. Ich wollte eine lichtdurchflutete Wohnung mit Blick aufs Meer mieten. Meine Töchter sollten den Komfort von Genua nicht entbehren.

Ich vermied es, Lila anzurufen und ihr meinen Entschluss mitzuteilen. Für mich stand außer Frage, dass sie sich vehement in meine Angelegenheiten einmischen würde, und das wollte ich nicht. Stattdessen rief ich Carmen an, zu der ich im letzten Jahr ein gutes Verhältnis aufgebaut hatte. Um ihr eine Freude zu machen, hatte ich mich mit Nadias Bruder Armando getroffen, der – wie ich erfahren hatte – nicht mehr nur Arzt, sondern auch ein führender Vertreter der linksextremen Democrazia Proletaria war. Er hatte mich mit viel Respekt behandelt. Hatte mein jüngstes Buch gelobt, hatte sich dafür eingesetzt, dass ich irgendwo in der Stadt zu einer Diskussion darüber kam, hatte mich zu einem viel gehörten Radiosender geschleppt, den er gegründet hatte, und hatte mich dort, in schlimmster Unordnung, interviewt. Was aber meine, wie er es spöttisch nannte, permanente Neugier in Bezug auf seine Schwester anging, war er vage geblieben. Er hatte gesagt, Nadia gehe es gut, sie sei zusammen mit ihrer Mutter auf einer langen Reise, und nichts weiter. Von Pasquale wisse er dagegen nichts und lege auch keinen Wert darauf, von ihm zu hören. Solche wie er – hatte er betont – seien der Ruin einer großartigen politischen Ära gewesen.

Carmen hatte ich natürlich eine geschönte Zusammenfassung dieser Begegnung gegeben, aber sie war trotzdem traurig geworden. Es war eine beherrschte Traurigkeit, die mich letztlich veranlasst hatte, mich hin und wieder mit ihr zu treffen, wenn ich in Neapel war. Ich spürte eine Angst an ihr, die ich verstand. Pasquale war *unser* Pasquale. Wir hatten ihn beide sehr gern, egal was er getan hatte oder tat. Ich hatte nur noch bruchstückhafte, unstete Erinnerungen an ihn, an damals, als wir zusammen in der Bibliothek des Rione gewesen waren; als es die Schlägerei auf der Piazza dei Martiri gegeben hatte; als er mich mit dem Auto abgeholt und zu Lila gebracht hatte; als er mit Nadia bei mir in Florenz aufgetaucht war. Von Carmen hatte ich ein kompakteres Bild. Ihr Kummer aus Kindertagen – ich hatte noch gut im Gedächtnis, wie ihr Vater verhaftet worden war – verschmolz mit dem Kummer um ihren Bruder, mit ihrem beharrlichen Bemühen, über sein Schicksal zu wachen. Während sie früher nur eine Freundin aus der Kindheit gewesen war, die später durch Lilas Vermittlung als Verkäuferin in der neuen Salumeria der Carraccis angefangen hatte, war sie nun jemand, den ich mit Freuden sah und gernhatte.

Wir trafen uns in einer Kaffeebar in der Via Duomo. Der Raum war düster, wir setzten uns an die Eingangstür. Ich erzählte ihr ausführlich von meinen Plänen, wusste, dass sie mit Lila darüber reden würde, und dachte: ›Gut so.‹ Dunkel gekleidet und sogar mit dunklem Gesicht hörte Carmen mir zu, sehr aufmerksam und ohne mich zu unterbrechen. Ich kam mir oberflächlich vor in meinem eleganten Kleid und mit dem Geplauder über Nino und über meinen Wunsch, in einer schönen Wohnung zu leben. Irgendwann sah sie auf die Uhr, sie sagte:

»Gleich kommt Lina.«

Ich wurde nervös, ich hatte eine Verabredung mit ihr, nicht mit Lila. Auch ich schaute auf die Uhr, erklärte:
»Ich muss los.«

»Warte, nur fünf Minuten, und sie ist da.«

Sie begann herzlich und voller Dankbarkeit über unsere Freundin zu reden. Lila kümmere sich um ihre Freunde. Lila sorge für alle: für ihre Eltern, für ihren Bruder, sogar für Stefano. Lila habe Antonio geholfen, eine Wohnung zu finden, und habe sich sehr mit der Deutschen angefreundet, die er geheiratet hatte. Lila spiele mit dem Gedanken, sich mit den Rechnern selbständig zu machen. Lila sei ehrlich, sei reich, sei großzügig, wenn man in Schwierigkeiten sei, greife sie zu ihrem Portemonnaie. Lila sei bereit, Pasquale auf jede erdenkliche Art zu helfen. »Ach, Lenù«, sagte sie, »was hattet ihr für ein Glück, dass ihr immer so eng befreundet wart, wie habe ich euch beneidet.« Und mir war, als würde ich in ihrer Stimme, in einer Bewegung ihrer Hand den Ton und die Gesten unserer Freundin wiedererkennen. Alfonso fiel mir ein, ich erinnerte mich an meinen Eindruck, dass er, als Mann, sogar in seinen Gesichtszügen Ähnlichkeit mit Lila hatte. Pegelte der Rione sich gerade auf sie ein, fand er gerade eine Richtung?

»Ich gehe«, sagte ich.

»Warte noch ein bisschen, Lina hat dir was Wichtiges zu sagen.«

»Sag du es mir.«

»Nein, das ist ihre Sache.«

Ich wartete und das immer unwilliger. Schließlich kam Lila. Diesmal hatte sie viel mehr auf ihr Äußeres geachtet als damals, als wir uns an der Piazza Amedeo getroffen hatten, und ich musste feststellen, dass sie, wenn sie wollte, noch immer sehr schön sein konnte. Sie rief:

»Du hast dich also entschieden, du kommst nach Neapel zurück!«

»Ja.«

»Und Carmen erzählst du das, mir aber nicht?«

»Ich hätte es dir schon noch gesagt.«

»Wissen es deine Eltern?«

»Nein.«

»Und Elisa?«

»Auch nicht.«

»Deiner Mutter geht es nicht gut.«

»Was hat sie denn?«

»Husten, aber sie will nicht zum Arzt gehen.«

Ich rutschte auf meinem Stuhl hin und her, sah wieder auf die Uhr.

»Carmen sagt, du hast mir was Wichtiges zu sagen.«

»Es ist nichts Schönes.«

»Na sag schon.«

»Ich habe Antonio gebeten, Nino im Auge zu behalten.«
Ich fuhr auf.

»Wie – im Auge zu behalten?«

»Um zu sehen, was er so treibt.«

»Und warum?«

»Ich habe es zu deinem Besten getan.«

»Um mein Bestes kümmere ich mich schon selbst.«

Lila warf Carmen einen Blick zu, wie um Unterstützung zu erhalten, dann wandte sie sich wieder mir zu.

»Wenn du so weitermachst, sage ich gar nichts. Ich will
nicht, dass du wieder beleidigt bist.«

»Ich bin nicht beleidigt, nun mach schon.«

Sie schaute mir geradewegs in die Augen und eröffnete
mir mit knappen Sätzen, auf Italienisch, dass Nino seine
Frau nie verlassen hatte, dass er nach wie vor mit ihr und
seinem Sohn zusammenlebte, dass er zur Belohnung gerade in diesen Tagen an die Spitze eines wichtigen Forschungs-
instituts gesetzt worden war, das von der Bank finanziert
wurde, die von seinem Schwiegervater abhängig war. Zum
Schluss fragte sie ernst:

»Wusstest du das?«

Ich schüttelte den Kopf.

»Nein.«

»Wenn du mir nicht glaubst, gehen wir zu ihm, und du
wirst sehen, dass ich ihm das alles noch mal ins Gesicht sage,
Wort für Wort, genauso, wie ich es dir gerade erzählt habe.«

Ich winkte ab.

»Ich glaube dir«, flüsterte ich, schaute aber durch die
Tür auf die Straße, um ihrem Blick auszuweichen.

Währenddessen erreichte mich von weit her Carmens Stimme, die sagte: »Wenn ihr zu Nino geht, will ich mitkommen, zu dritt machen wir ihn fertig, wir schneiden ihm den Schwanz ab.« Sie berührte sanft meinen Arm, um meine Aufmerksamkeit auf sich zu lenken. Als Kinder hatten wir in dem kleinen Park an der Kirche Fotoromane gelesen und ebendiesen Impuls gespürt, der Heldin zu helfen, wenn sie in Schwierigkeiten war. Garantiert hatte sie nun dasselbe Gefühl der Solidarität wie damals, aber mit der Ernsthaftigkeit von heute, und dieses Gefühl war authentisch, ausgelöst durch ein Unrecht, das nicht mehr fiktiv war, sondern real. Lila dagegen hatte diese Sorte von Lektüre stets verachtet und saß jetzt sicherlich aus anderen Gründen vor mir. Ich stellte mir vor, dass sie zufrieden war, wie auch Antonio es vermutlich gewesen war, als er Ninos Falschheit entdeckt hatte. Ich sah, dass sie und Carmen einen Blick miteinander wechselten, als beratschlagten sie stumm, welche Entscheidung sie treffen sollten. Das dauerte lange. ›Nein‹, las ich Carmen von den Lippen ab, es war ein Hauch, begleitet von einem kaum merklichen Kopfschütteln.

Nein wozu?

Lila sah mich wieder an, mit leicht geöffnetem Mund. Sie übernahm wie üblich die Aufgabe, mir einen Stich ins Herz zu versetzen, nicht um es zum Stillstand zu bringen, sondern um es noch heftiger schlagen zu lassen. Ihre Augen waren zusammengekniffen, ihre hohe Stirn gerunzelt. Sie wartete auf meine Reaktion. Wollte, dass ich schrie, dass ich weinte, dass ich ihre Unterstützung suchte. Ich sagte leise:

»Jetzt muss ich aber wirklich los.«

23

Ich hielt Lila aus allem heraus, was dann folgte.

Ich war verletzt, nicht weil sie mir verraten hatte, dass Nino mir seit mehr als zwei Jahren Lügen über den Zustand seiner Ehe erzählte, sondern weil es ihr gelungen war, mir das zu beweisen, was sie mir praktisch schon von Anfang an gesagt hatte: dass meine Entscheidung falsch war, dass ich dumm war.

Wenige Stunden später traf ich mich mit Nino, tat aber so, als ob nichts wäre, und entzog mich nur seinen Umarmungen. Ich war sehr verbittert. Die ganze Nacht lag ich mit weit offenen Augen wach, und die Sehnsucht, mich an diesen langen Männerkörper zu schmiegen, war zerstört. Tags darauf wollte er mir eine Wohnung in der Via Tasso zeigen, und ich nahm es hin, als er mir sagte: »Wenn sie dir gefällt, mach dir wegen der Miete keine Sorgen. Darum kümmere ich mich, ich habe gerade einen Auftrag in Aussicht, der alle unsere finanziellen Probleme lösen wird.« Erst am Abend hielt ich es nicht mehr aus und fuhr aus der Haut. Wir waren in der Wohnung in der Via Duomo, sein Freund war wie immer nicht da. Ich sagte zu Nino:

»Morgen will ich mich mit Eleonora treffen.«

Er sah mich verblüfft an.

»Warum denn?«

»Ich muss mit ihr reden. Ich will wissen, was sie über uns weiß, wann du zu Hause ausgezogen bist, seit wann ihr nicht mehr miteinander schlaft. Ich will wissen, ob ihr die gerichtliche Trennung beantragt habt. Ich will, dass sie mir sagt, ob ihr Vater und ihre Mutter wissen, dass es mit eurer Ehe vorbei ist.«

Er blieb ruhig.

»Das kannst du auch mich fragen. Wenn dir was nicht klar ist, erkläre ich es dir.«

»Nein, ich glaube nur ihr, du bist ein Lügner.«

Dann schrie ich los, verfiel in den Dialekt. Er kapitulierte sofort, gab alles zu, ich hatte keinen Zweifel, dass Lila mir die Wahrheit gesagt hatte. Ich schlug mit den Fäusten gegen seine Brust, und während ich das tat, war mir, als gäbe es ein von mir losgelöstes Ich, das ihm noch mehr wehtun wollte, das ihn ohrfeigen und ihm ins Gesicht spucken wollte, wie ich es in meiner Kindheit bei den Auseinandersetzungen im Rione gesehen hatte, das ihn als Scheißkerl beschimpfen, ihn kratzen und ihm die Augen ausreißen wollte. Ich war überrascht, erschrocken. *Bin ich denn auch diese andere, Rasende? Ich hier, in Neapel, in dieser dreckigen Wohnung, ich, die diesen Mann am liebsten umbringen, ihm mit aller Kraft ein Messer ins Herz rammen würde, wenn ich es könnte? Soll ich diesen Spuk – meine Mutter, alle unsere Vorfahren – zügeln, oder soll ich ihm freien Lauf lassen?* Ich schrie, prügelte auf Nino ein. Und anfangs parierte er die Hiebe, wobei er so tat, als amüsierte er sich, dann verfinsterte sich sein Gesicht plötzlich, er ließ sich in einen Sessel fallen, verteidigte sich nicht mehr.

Ich wurde langsamer, mein Herz war nahe daran, zu zerspringen. Er murmelte:

»Setz dich.«

»Nein.«

»Gib mir wenigstens die Chance, dir alles zu erklären.«

Ich sank auf einen weit von ihm entfernten Stuhl und ließ ihn reden. »Du weißt doch«, begann er mit erstickter Stimme, »dass ich Eleonora vor Montpellier alles gesagt hatte und unsere Trennung unwiderruflich war. Aber nach meiner Rückkehr war alles komplizierter geworden.« Seine Frau sei durchgedreht, auch Albertinos Leben sei in seinen Augen in Gefahr gewesen. Darum habe er ihr, um weitermachen zu können, sagen müssen, dass wir uns nicht mehr sähen. Eine Weile habe diese Lüge auch funktioniert. Aber da seine Erklärungen für sein häufiges Wegbleiben immer unwahrscheinlicher geklungen hätten, sei es erneut zu heftigen Szenen gekommen. Einmal habe Eleonora nach einem Messer gegriffen und versucht, es sich in den Bauch zu rammen. Ein anderes Mal habe sie die Balkontür aufgerissen und sich hinunterstürzen wollen. Und einmal habe sie die Wohnung verlassen und den Jungen mitgenommen. Einen ganzen Tag sei sie verschwunden gewesen, er sei fast gestorben vor Angst. Als er sie bei einer Tante, der sie sehr nahestehe, endlich ausfindig gemacht habe, sei ihm aufgefallen, dass Eleonora sich verändert habe. Sie habe begonnen, ihm ohne Zorn zu begegnen, nur mit einer Spur von Verachtung. »Eines Morgens«, sagte Nino atemlos, »hat sie mich gefragt, ob ich dich verlassen habe. Ich habe ja gesagt. Da hat sie nur geantwortet: ›Gut, ich glaube dir.‹ Genau das hat sie gesagt, und seither tut sie so, als würde sie mir glauben, sie *tut so*. Wir leben jetzt mit dieser Täuschung, und alles ist in Ordnung. Aber tatsächlich bin ich, wie du siehst, hier bei dir, ich schlafe mit dir, und wenn ich will, verreise ich mit dir. Und sie weiß das alles, verhält sich aber so, als hätte sie keine Ahnung.«

An dieser Stelle holte er tief Luft, räusperte sich und versuchte zu erkennen, ob ich ihm zuhörte oder nur mit meiner Wut beschäftigt war. Ich sagte noch immer nichts, schaute weg. Offenbar glaubte er, ich sei im Begriff nachzugeben, und fuhr mit größerer Bestimmtheit fort, sich zu rechtfertigen. Er redete und redete, so wie er es konnte, er zog alle Register. Er war schmeichelnd, selbstironisch, schmerzerfüllt, verzweifelt. Doch als er versuchte, sich mir zu nähern, stieß ich ihn schreiend zurück. Da hielt er es nicht mehr aus und begann zu weinen. Er gestikulierte, beugte sich in meine Richtung, flüsterte unter Tränen: »Ich will ja gar nicht, dass du mir verzeihst, ich möchte nur verstanden werden.« Ich unterbrach ihn wütender denn je, kreischte: »Du hast sie angelogen und mich angelogen, und das hast du nicht aus Liebe zu einer von uns getan, das hast du für dich getan, weil du nicht zu deinen Entscheidungen stehen kannst, weil du ein Feigling bist!« Dann griff ich zu den übelsten Ausdrücken im Dialekt, und er ließ sich beschimpfen, stammelte nur ein paar Sätze des Bedauerns. Bald ging mir die Luft aus, ich verhaspelte mich und verstummte, was ihm die Möglichkeit gab, erneut Anlauf zu nehmen. Wieder versuchte er, mich davon zu überzeugen, dass mich zu belügen der einzige Weg gewesen sei, eine Tragödie zu verhindern. Als er glaubte, es sei ihm gelungen, als er mir zuflüsterte, wir könnten doch jetzt, durch Eleonoras stillschweigende Duldung, ohne Probleme zusammenleben, sagte ich ihm gefasst, dass es aus sei zwischen uns. Ich fuhr ab, zurück nach Genua.

24

Die Stimmung im Haus meiner Schwiegereltern wurde immer angespannter. Nino rief ständig an, ich knallte den Hörer entweder sofort wieder auf oder stritt mich viel zu laut mit ihm. Einige Male rief auch Lila an, sie wollte wissen, wie es mir ging. Ich sagte: »Gut, ausgezeichnet, wie soll's mir denn gehen«, und legte auf. Ich wurde unausstehlich, zeterte ohne Grund mit Dede und Elsa. Aber vor allem legte ich mich mit Adele an. Eines Morgens warf ich ihr vor, was sie getan hatte, um die Veröffentlichung meines Textes zu verhindern. Sie leugnete es nicht, sagte sogar: »Das ist bloß ein Heftchen, das hat nicht den Stellenwert eines Buches.« Ich erwiderte: »Während ich immerhin Heftchen schreibe, hast du in deinem ganzen Leben noch nicht mal das zustande gebracht, und es bleibt doch rätselhaft, woher du deinen ganzen Einfluss nimmst.« Sie war gekränkt, zischte: »Du weißt gar nichts über mich.« O doch, ich wusste Dinge, die sie sich nicht vorstellen konnte. Dieses Mal konnte ich meinen Mund noch halten, aber einige Tage später hatte ich einen besonders heftigen Streit mit Nino, ich zeterte im Dialekt am Telefon, und da meine Schwiegermutter mir in verächtlichem Ton Vorwürfe machte, konterte ich:

»Lass mich in Ruhe und kümmere dich lieber um deinen eigenen Kram.«

»Was soll das heißen?«

»Das weißt du doch.«

»Ich weiß überhaupt nichts.«

»Pietro hat mir erzählt, dass du Liebhaber hattest.«

»Ich?«

»Ja du, tu doch nicht so überrascht. Ich habe mich meiner Verantwortung vor allen Menschen gestellt, auch vor Dede und Elsa, und ich trage die Konsequenzen für mein Tun. Du dagegen spielst dich wahnsinnig auf und bist doch bloß eine scheinheilige Spießerin, die ihre Schweinereien unter den Teppich kehrt.«

Adele wurde blass, es verschlug ihr die Sprache. Steif, mit angespanntem Gesicht, stand sie auf und ging zur Wohnzimmertür, um sie zu schließen. Dann sagte sie leise, fast flüsternd, ich sei ein schlechter Mensch, ich könne nicht verstehen, was es heiße, wirklich zu lieben und auf den geliebten Menschen zu verzichten, ich verstecke hinter meiner sympathischen Art und meiner Nachgiebigkeit eine vulgäre Raffsucht, die sich weder durch meine Bildung noch durch Bücher je würde zügeln lassen können. Zum Schluss sagte sie: »Morgen verschwindest du von hier, du und deine Töchter; es tut mir nur leid für die Mädchen, wenn sie hier aufgewachsen wären, hätten sie die Chance gehabt, nicht wie du zu werden.«

Ich antwortete nicht, wusste, dass ich zu weit gegangen war. Ich verspürte den Impuls, mich zu entschuldigen, tat es aber nicht. Am folgenden Morgen wies Adele das Hausmädchen an, mir beim Packen zu helfen. »Das mache ich allein!«, schrie ich, und ohne mich wenigstens von Guido zu verabschieden, der in seinem Arbeitszimmer saß und tat, als ob nichts wäre, fand ich mich kofferbeladen am Bahnhof wieder, mit meinen zwei Mädchen, die mich forschend ansahen, um zu verstehen, was ich vorhatte.

Ich erinnere mich noch an die Erschöpfung, an die hallenden Geräusche im Bahnhofsgebäude, an den Wartesaal. Dede beschwerte sich über meine grobe Art: »Schubs mich nicht, und schrei doch nicht so, ich bin ja nicht taub.« Elsa fragte: »Fahren wir zu Papa?« Die beiden freuten sich, weil sie nicht zur Schule mussten, doch ich spürte, dass sie kein Vertrauen zu mir hatten, und bereit, sofort zu verstummen, falls ich mich aufregen sollte, erkundigten sie sich vorsichtig: »Was machen wir denn jetzt, wann gehen wir wieder zu Oma und Opa, wo essen wir, wo schlafen wir heute Abend?«

In meiner Verzweiflung war mein erster Gedanke, nach Neapel zu fahren und mit den Mädchen bei Nino und Eleonora hereinzuplatzen. Ich sagte mir: ›Ja, das muss ich tun, die Mädchen und ich sind auch seinetwegen in dieser Lage, er muss dafür bezahlen.‹ Ich wollte, dass mein Chaos ihm zusetzte und ihn mitriss, wie es mich gerade mitriss. Er hatte mich betrogen. Hatte seine Familie behalten und, als Zeitvertreib, auch mich. Ich hatte mich endgültig entschieden, er nicht. Ich hatte Pietro verlassen, er war bei Eleonora geblieben. Ich war also im Recht. Es stand mir zu, in sein Leben einzubrechen und zu ihm zu sagen: ›Tja, mein Lieber, da wären wir; du hast dir Sorgen um deine Frau gemacht, weil sie verrücktgespielt hat, jetzt spiele ich verrückt, wollen doch mal sehen, was du jetzt machst.‹

Aber als ich mich schon auf eine lange, unerträgliche Reise nach Neapel einstellte, überlegte ich es mir abrupt anders – eine Lautsprecheransage genügte –, und ich fuhr nach Mailand. In meiner neuen Situation brauchte ich mehr denn je Geld, ich überlegte, dass ich als Erstes zum Verlag gehen und um Arbeit betteln musste. Erst im Zug wurde mir der Grund für diesen plötzlichen Sinneswandel klar. Trotz allem machte mir die Liebe grausam zu schaffen, und schon der Gedanke daran, Nino wehzutun, stieß mich ab. Soviel und ausführlich ich inzwischen auch über weibliche Unabhängigkeit schrieb und nachdachte, konnte ich doch nicht auf seinen Körper verzichten, auf seine Stimme, auf seine Intelligenz. Es war schrecklich, mir das einzugestehen, aber ich begehrte ihn noch immer, liebte ihn sogar mehr als meine Töchter.

Die Vorstellung, ihm zu schaden und ihn nie wiederzusehen, ließ mich verwelken; die freie, gebildete Frau verlor ihre Blütenblätter, sie trennte sich ab von der mütterlichen Frau, und die mütterliche Frau rückte von der Geliebten ab und die Geliebte von dem wildgewordenen Weibsstück, und alle zusammen schienen wir drauf und dran zu sein, in verschiedene Richtungen davonzufliegen. Je näher Mailand kam, umso deutlicher sah ich, dass ich ohne Lila, die ich beiseitegeschoben hatte, nicht in der Lage war, mir eine Kompaktheit zu geben, es sei denn, ich schmiegte mich Ninos Formen an. Ich war unfähig, mein ureigenes Vorbild zu sein. Ohne ihn hatte ich keine Mitte mehr, von der aus ich mich über den Rione hinaus in der Welt ausdehnen konnte, ich war ein Trümmerhaufen.

Völlig erschöpft und in Panik kam ich bei Mariarosa an.

25

Wie lange blieb ich dort? Mehrere Monate, und das Zusammenleben war zeitweise schwierig. Meine Schwägerin wusste bereits von meiner Auseinandersetzung mit Adele und sagte mir mit ihrer üblichen Offenheit: »Du weißt, dass ich dich gernhabe, aber meine Mutter so zu behandeln, war falsch von dir.«

»Sie hat sich miserabel benommen.«

»In letzter Zeit. Doch anfangs hat sie dir geholfen.«

»Aber bloß, damit ihr Sohn keine schlechte Figur macht.«

»Du bist unfair.«

»Nein, ich rede nur Klartext.«

Sie sah mich mit einem für sie untypischen Überdruss an. Dann sagte sie, als formulierte sie ein Prinzip, dessen Verletzung sie nicht dulden würde:

»Dann will ich auch Klartext reden. Meine Mutter ist meine Mutter. Sag über meinen Vater und über meinen Bruder, was dir Spaß macht, aber sie lass in Ruhe.«

Ansonsten war sie freundlich. Sie nahm uns auf ihre lockere Art in ihrer Wohnung auf, gab uns ein großes Zimmer mit drei Liegen und auch Handtücher und überließ uns dann uns selbst, wie sie es mit allen Gästen tat, die in ihrer Wohnung ein und aus gingen. Wie immer beeindruckte mich ihr äußerst lebhafter Blick, im Vergleich zu diesen Augen wirkte ihr Körper nur wie ein aufgehängter, schäbiger Morgenrock. Ich achtete kaum auf ihre ungewöhnliche Blässe, auf ihre Magerkeit. Ich war vollkommen mit mir selbst beschäftigt, mit meinem Kummer, und schon bald schenkte ich ihr gar keine Aufmerksamkeit mehr.

Ich versuchte, etwas Ordnung in das staubige, schmutzige, vollgeräumte Zimmer zu bringen. Ich bezog die Betten der Mädchen und meines. Machte eine Liste der Dinge, die wir brauchten. Aber dieser organisatorische Eifer hielt nicht lange vor. Ich war mit meinen Gedanken woanders, wusste nicht, welche Entscheidung ich treffen sollte, die ersten Tage verbrachte ich unentwegt am Telefon. Nino fehlte mir so sehr, dass ich ihn sofort anrief. Er ließ sich Mariarosas Nummer geben und rief nun mich ständig an, auch wenn jedes Gespräch in einem Streit endete. Zunächst freute ich mich, seine Stimme zu hören, und war manchmal kurz davor, ihm wieder zu verfallen. Ich sagte mir: ›Ich habe ihm ja auch verschwiegen, dass Pietro nach Hause zurückgekommen ist und wir unter einem Dach geschlafen haben.‹ Dann ärgerte ich mich über mich selbst, sah ein, dass das nicht das Gleiche war. Ich hatte nicht mehr mit Pietro geschlafen, aber Nino mit Eleonora; ich hatte die Trennung in die Wege geleitet, er hatte seine Ehe gefestigt. Und so stritten wir wieder, ich schrie, er solle sich nie wieder melden. Doch das Telefon klingelte regelmäßig morgens und abends. Er sagte, er könne ohne mich nicht leben, flehte mich an, zu ihm nach Neapel zu kommen. Eines Tages teilte er mir mit, dass er die Wohnung in der Via Tasso gemietet habe und alles für mich und meine Töchter vorbereitet sei. Er erklärte, kündigte an, machte Versprechungen und war offenbar zu allem bereit, entschloss sich allerdings nicht, die wichtigsten Worte zu sagen: *Mit Eleonora ist jetzt wirklich Schluss.* Daher kam irgendwann immer der Punkt, an dem ich ohne Rücksicht auf die Mädchen und auf jeden, der in der Wohnung herumlief, kreischte, er solle mich nicht quälen, und ein ums andere Mal verbittert auflegte.

26

In diesen Tagen verachtete ich mich, es gelang mir nicht, Nino aus dem Kopf zu bekommen. Lustlos brachte ich meine verschiedenen Arbeiten zu Ende, verreiste unfreiwillig, kehrte unfreiwillig zurück, war verzweifelt, war am Ende. Und ich merkte, dass die Tatsachen Lila recht gaben: Ich vernachlässigte meine Töchter, ließ sie ohne Fürsorge und ohne Schulunterricht.

Dede und Elsa waren begeistert von unserem neuen Quartier. Sie kannten ihre Tante kaum, liebten aber die

Aura absoluter Freiheit, die sie verbreitete. Ihre Wohnung in San Ambrogio war noch immer der reinste Taubenschlag, Mariarosa empfing jeden wie eine Schwester oder vielleicht wie eine Ordensschwester ohne Vorurteile und scherte sich nicht um Schmutz, psychische Störungen, Verbrechen, Drogen. Meine Mädchen hatten keine Pflichten und liefen neugierig bis spätabends durch die Zimmer. Sie hörten die verschiedensten Reden und Jargons, freuten sich, wenn musiziert, wenn gesungen und getanzt wurde. Ihre Tante ging morgens zur Universität und kam spätnachmittags nach Hause. Sie war nie gereizt, brachte sie zum Lachen, lief ihnen durch die Zimmer nach und spielte Verstecken oder Blindekuh mit ihnen. Wenn sie zu Hause blieb, begann sie eine große Putzaktion, in die sie die Mädchen, mich und ihre streunenden Gäste einbezog. Aber mehr noch als um unseren Körper kümmerte sie sich um unseren Geist. Sie hatte Kulturabende ins Leben gerufen, lud ihre Kolleginnen von der Universität dazu ein und hielt manchmal auch selbst sehr intelligente, faktenreiche Vorträge, wobei sie ihre Nichten an sich zog, sie ansprach, sie beteiligte. An solchen Abenden füllte sich die Wohnung mit ihren Freunden und Freundinnen, die extra kamen, um sie zu hören.

Einmal, bei einem dieser Vorträge, klingelte es an der Tür, und Dede, die gern die Leute begrüßte, lief hin, um zu öffnen. Die Kleine kam ins Wohnzimmer zurück und sagte sehr aufgeregt: »Die Polizei ist da.« Durch das kleine Publikum ging ein aufgebrachtes, fast schon drohendes Raunen. Mariarosa stand ruhig auf und ging zu den Polizisten, um mit ihnen zu reden. Sie waren zu zweit, sagten, die Nachbarn hätten sich beschwert, oder etwas in der Art. Sie reagierte liebenswürdig, bestand darauf, dass sie hereinkamen, nötigte sie geradezu, sich zu uns ins Wohnzimmer zu setzen, und fuhr mit ihrem Vortrag fort. Dede hatte noch nie einen Polizisten aus der Nähe gesehen und fing ein Gespräch mit dem jüngeren an, wobei sie sich mit dem Ellbogen auf sein Knie stützte. Ich erinnere mich noch an ihre einleitende Bemerkung, mit der sie klarstellen wollte, dass Mariarosa ein guter Mensch war:

»Eigentlich«, sagte sie, »ist meine Tante eine Professorin.«

»Eigentlich«, murmelte der Polizist mit unsicherem Lächeln.

»Ja.«

»Du sprichst ja gut.«

»Danke. Eigentlich heißt sie Mariarosa Airota und unterrichtet Kunstgeschichte.«

Der junge Mann flüsterte seinem älteren Kollegen etwas ins Ohr. Etwa zehn Minuten blieben sie in unserem Gewahrsam, dann gingen sie wieder. Dede brachte sie zur Tür.

Später sollte auch ich eine dieser Bildungsveranstaltungen bestreiten, und zu meinem Abend kamen mehr Leute als gewöhnlich. Meine Töchter saßen in dem großen Zimmer auf Kissen in der ersten Reihe und hörten mir artig zu. Ich glaube, an diesem Abend begann Dede mich mit Neugier zu betrachten. Sie hielt große Stücke auf ihren Vater, auf ihren Großvater und jetzt auch auf Mariarosa. Von mir wusste sie nichts und wollte sie auch nichts wissen. Ich war ihre Mutter, ich verbot ihr alles mögliche, sie konnte mich nicht leiden. Offenbar erstaunte es sie, dass man mir mit einer Aufmerksamkeit zuhörte, die sie mir schon aus Prinzip nie entgegengebracht hätte. Und vielleicht gefiel ihr auch die Ruhe, mit der ich die Kritik entkräftete, die an diesem Abend überraschenderweise von Mariarosa kam. Meine Schwägerin zeigte sich als einzige von den anwesenden Frauen mit keinem Wort einverstanden, das ich sagte, sie, die mich vormals ermutigt hatte, zu recherchieren, zu schreiben, zu publizieren. Ohne mich um Erlaubnis zu bitten, erzählte sie von der Auseinandersetzung zwischen mir und ihrer Mutter in Florenz, wobei sich erwies, dass sie bis in alle Einzelheiten darüber Bescheid wusste. Sie stellte die Theorie auf, eine Frau ohne Liebe sei, »wie viele kluge Zitate besagen«, für ihren Ursprung verloren.

27

Wenn ich verreiste, ließ ich die Mädchen bei meiner Schwägerin, doch ich merkte schnell, dass eigentlich Franco sich um sie kümmerte. Meistens blieb er in seinem Zimmer, er hörte sich die Vorträge nicht an, scherte sich nicht um das ständige Kommen und Gehen. Aber meine Töchter schloss er ins Herz. Wenn es nötig war, kochte er für sie, erfand Spiele und unterrichtete sie auf seine Weise. Dede lernte von ihm, Agrippas dumme Fabel – wie sie sie nannte, als sie mir davon erzählte – in Frage zu stellen, sie hatten sie in der neuen Schule durchgenommen, an der ich sie angemeldet hatte. Sie lachte und sagte: »Der Patrizier Menenius Agrippa, Mama, hat die Plebejer mit seinem Geschwätz verblüfft, aber er konnte nicht beweisen, dass die Glieder eines Menschen ernährt werden, wenn der Magen eines anderen gefüllt wird. Hahaha.« Von ihm lernte sie anhand einer großen

Weltkarte auch die Geographie des ungeheuren Wohlstands und der unerträglichen Armut. Ständig wiederholte sie: »Das ist so eine Ungerechtigkeit.«

Eines Abends, als Mariarosa nicht da war, sagte mein Exfreund aus der Zeit in Pisa mit ernstem Bedauern über die Mädchen, die mit anhaltendem Geschrei in der Wohnung Fangen spielten: »Das hätten auch unsere sein können.« Ich korrigierte ihn: »Dann wären sie jetzt ein paar Jahre älter.« Er nickte. Sekundenlang spähte ich zu ihm hinüber, während er seine Schuhspitzen betrachtete. Ich verglich ihn im Stillen mit dem reichen, gebildeten Studenten von vor fünfzehn Jahren: Er war es, doch zugleich auch nicht. Er las nicht mehr, schrieb nicht, hatte seine Auftritte auf Versammlungen, bei Diskussionen und Demonstrationen seit fast einem Jahr auf ein Minimum reduziert. Über Politik, das Einzige, was ihn wirklich interessierte, sprach er ohne die frühere Überzeugung und Leidenschaft, hatte sogar seinen Hang verstärkt, sich über die eigene Schwarzseherei lustig zu machen. Theatralisch zählte er mir die seines Erachtens bevorstehenden Katastrophen auf: erstens, der Untergang des revolutionären Subjekts schlechthin, der Arbeiterklasse; zweitens, die endgültige Aufweichung des politischen Erbes von Sozialisten und Kommunisten, die dadurch, dass sie sich täglich die Rolle als Handlanger des Kapitals streitig machten, längst degeneriert seien; drittens, das Ende jeder Theorie der Veränderung, alles sei, wie es sei, und wir müssten uns dem anpassen. Ich fragte skeptisch: »Glaubst du, das geht wirklich so aus?« Er lachte: »Natürlich, aber du weißt ja, dass ich ein versierter Redner bin, und wenn du willst, beweise ich dir mit These, Antithese und Synthese auch das genaue Gegenteil: Der Sieg des Kommunismus ist unvermeidlich, die Diktatur des Proletariats ist die höchste Form der Demokratie, die Sowjetunion, China, Nordkorea und Thailand sind viel besser als die Vereinigten Staaten, Blutvergießen in Bächen oder in Strömen ist in manchen Fällen ein Verbrechen und in anderen erlaubt. Ist es dir so lieber?«

Nur bei zwei Gelegenheiten sah ich ihn, wie er als junger Mann gewesen war. Eines Morgens tauchte Pietro auf, ohne Doriana und wie ein Inspektor, der kontrolliert, in welchen Verhältnissen seine Töchter lebten, in welcher Schule ich sie angemeldet hatte und ob es ihnen gutging. Die Situation war sehr angespannt. Die Mädchen hatten ihm vielleicht zu viel davon erzählt, wie sie lebten, und dies mit der kindlichen Freude an phantastischen Übertreibungen. Daher führte er einen heftigen Streit zunächst mit seiner Schwester und dann mit mir, er behauptete, wir seien beide verantwortungslos. Ich verlor die Geduld, schrie ihn an: »Du hast recht, nimm sie mit, kümmert ihr euch um sie, du und Doriana!« Da kam Franco aus seinem Zimmer, ging dazwischen und setzte die alte Wortgewandtheit ein, mit der er in der Vergangenheit äußerst turbulente Versammlungen moderiert hatte. Am Ende führten er und Pietro ein gelehrtes Streitgespräch über Mann und Frau, Familie, Kinderbetreuung und sogar über Plato, wobei sie Mariarosa und mich vergaßen. Mein Mann verabschiedete sich mit erhitztem Gesicht und glänzenden Augen, gereizt, aber auch zufrieden, einen Gesprächspartner gefunden zu haben, mit dem er klug und gesittet hatte diskutieren können.

Noch stürmischer – und ziemlich schrecklich für mich – war der Tag, an dem unangemeldet Nino erschien. Er war müde von der langen Autofahrt, ungepflegt und sehr angespannt. Im ersten Moment glaubte ich, er sei gekommen, um ein Machtwort zu sprechen und über mein Schicksal und das der Mädchen zu entscheiden. »Genug jetzt«, hoffte ich von ihm zu hören, »ich habe meine Eheangelegenheiten geklärt, wir werden in Neapel leben.« Ich war bereit, ohne Umschweife nachzugeben, war erschöpft von meinem provisorischen Leben. Aber so kam es nicht. Wir zogen uns in ein Zimmer zurück, und entgegen allen meinen Erwartungen bekräftigte er mit großer Unsicherheit, während er seine Hände, seine Haare und sein Gesicht malträtierte, dass er sich nicht von seiner Frau trennen könne. Er war aufgeregt, versuchte, mich zu umarmen, erklärte mir atemlos, dass es ihm nur dann möglich sei, nicht auf mich und unser gemeinsames Leben zu verzichten, wenn er bei Eleonora bleibe. Bei anderer Gelegenheit hätte er mir leidgetan, sein Kummer war offenbar aufrichtig. Aber damals interessierte mich nicht im Geringsten, wie sehr er litt, ich starrte ihn fassungslos an.

»Was sagst du da?«

»Dass ich Eleonora nicht verlassen kann, aber auch nicht ohne dich leben kann.«

»Dann habe ich dich also richtig verstanden: Du schlägst mir allen Ernstes vor, die Rolle der Geliebten gegen die einer Zweitfrau zu tauschen.«

»Ach was, so ist das doch nicht.«

Ich ging auf ihn los: »*Natürlich ist das so!*«, und wies ihm die Tür. Ich hatte seine Ausflüchte satt, seine Ausreden, seine elenden Worte. Da gestand er mir mit erstickter Stimme, aber auch mit der Miene eines Menschen, der die unleugbaren Gründe für das eigene Verhalten nun endgültig offenbart, etwas, das – schrie er – *ich nicht von anderen erfahren sollte*, und deshalb sei er gekommen, um es mir persönlich zu sagen: Eleonora war im siebten Monat schwanger.

28

Heute, da mein Leben hinter mir liegt, weiß ich, dass ich bei dieser Nachricht überreagierte, und während ich dies schreibe, merke ich, dass ich in mich hineinlächle. Ich kenne viele Männer und Frauen, die von ähnlichen Erlebnissen erzählen können: Liebe und Sex sind unvernünftig und brutal. Aber damals konnte ich nicht mehr. Diese Tatsache – *Eleonora ist im siebten Monat schwanger* – war für mich das unerträglichste Unrecht, das Nino mir antun konnte. Mir fiel Lila wieder ein, der kurze Moment der Unsicherheit, als sie und Carmen sich mit Blicken verständigt hatten, als hätten sie mir noch etwas anderes zu sagen gehabt. Hatte Antonio demnach auch diese Schwangerschaft entdeckt? Hatten sie davon gewusst? Doch warum hatte Lila mir nicht davon erzählt? Hatte sie sich das Recht herausgenommen, meinen Schmerz zu dosieren? Etwas in meiner Brust und in meinem Bauch zersprang. Während Nino vor Beklemmung nach Luft rang und fieberhaft versuchte, sich zu rechtfertigen, indem er stammelte, diese Schwangerschaft sei zwar einerseits gut dafür, seine Frau zu beruhigen, habe es ihm andererseits aber noch schwerer gemacht, sie zu verlassen, krümmte ich mich vor Schmerz, mit verschränkten Armen, mein ganzer Körper tat mir weh, ich konnte nicht sprechen, nicht schreien. Dann rappelte ich mich ungestüm auf. In der Wohnung war zu der Zeit nur noch Franco. Keine verrückten, desolaten, singenden, kranken Frauen mehr. Mariarosa war mit den Mädchen spazieren gegangen, damit Nino und ich uns aussprechen konnten. Ich öffnete die Zimmertür und rief mit schwacher Stimme meinen Exfreund aus Pisa. Er kam sofort, ich zeigte auf Nino. Fast keuchend bat ich ihn: »Wirf ihn raus.«

Er warf ihn nicht raus, bedeutete ihm aber, den Mund zu halten. Er vermied es zu fragen, was vorgefallen war, packte mich an den Handgelenken, hielt mich fest und wartete, bis ich mich wieder gefangen hatte. Dann brachte er mich in die Küche, setzte mich auf einen Stuhl. Nino folgte uns. Ich rang nach Atem, ächzte in meiner Verzweiflung. »Wirf ihn raus«, verlangte ich erneut, als Nino in meine Nähe kommen wollte. Er schickte ihn weg, sagte ruhig: »Lass sie in Frieden, geh raus.« Nino gehorchte, und vollkommen konfus erzählte ich Franco alles. Er hörte mir zu, ohne mich zu unterbrechen, bis er merkte, dass ich keine Kraft mehr hatte. Erst da sagte er in seiner gebildeten Art, es sei ein gutes Prinzip, nicht wer weiß was zu verlangen, sondern sich über das Mögliche zu freuen. Ich legte mich auch mit ihm an: »Die üblichen Machosprüche«, schrie ich ihn an, »das Mögliche ist mir scheißegal, was ist denn das für ein Blödsinn!« Er war nicht beleidigt, wollte, dass ich die Situation so betrachtete, wie sie war. »Also gut«, sagte er, »dieser feine Herr hat dich zweieinhalb Jahre belogen, hat erzählt, er hätte seine Frau verlassen, hat erzählt, dass er nicht mehr mit ihr schläft, und jetzt erfährst du, dass er sie vor sieben Monaten geschwängert hat. Du hast recht, das ist schrecklich, Nino ist ein Mistkerl. Aber«, gab er zu bedenken, »nachdem er aufgeflogen war, hätte er abhauen können, ohne sich noch weiter um dich zu kümmern. Wieso ist er dann aber mit dem Auto aus Neapel nach Mailand gekommen, wieso ist er die ganze Nacht durchgefahren, wieso hat er die Erniedrigung auf sich genommen, sich selbst anzuklagen, wieso hat er dich angefleht, ihn nicht zu verlassen? Das alles hat doch was zu bedeuten.« »Es bedeutet«, schrie ich, »dass er ein Lügner ist, dass er oberflächlich ist, dass er unfähig ist, sich zu entscheiden!« Franco nickte in einem fort, er war meiner Meinung. Aber dann fragte er mich: »Und wenn er dich nun ernsthaft liebt und weiß, dass er dich nur auf diese Weise lieben kann?«

Mir blieb nicht mehr die Zeit zu schreien, dass genau das ja Ninos Standpunkt sei. Die Wohnungstür ging auf, Mariarosa erschien. Meine Mädchen erkannten Nino mit gespielter Zurückhaltung wieder, und mit der Aussicht, seine Aufmerksamkeit zu erlangen, vergaßen sie schlagartig, dass sein Name aus dem Mund ihres Vaters tagelang, monatelang wie ein Schimpfwort geklungen hatte. Er beschäftigte sich sofort mit ihnen, Mariarosa und Franco kümmerten sich um mich. Wie kompliziert das alles war. Dede und Elsa redeten jetzt laut und lachten, meine Gastgeber wandten sich mit ernsten Argumenten an mich. Sie wollten mir helfen, nüchtern nachzudenken, doch mit unterschwelligen Gefühlen, die auch sie nicht unter Kontrolle hatten. Franco ließ überraschend die Neigung erkennen, einer herzlichen Vermittlung Raum zu geben, statt harte Schnitte zu setzen, wie es früher seine Art gewesen war. Meine Schwägerin zeigte zunächst großes Verständnis für mich, versuchte aber dann, auch Ninos Beweggründe zu verstehen und vor allem Eleonoras tragische Lage, so dass sie mich am Ende vielleicht unabsichtlich, vielleicht vorsätzlich kränkte. »Reg dich nicht auf«, sagte sie, »überleg doch mal: Was empfindet eine

Frau mit deinem Verstand bei der Vorstellung, dass ihr Glück sich auf den Ruin einer anderen gründet?«

So ging es immer weiter. Franco drängte mich, mir zu nehmen, was im Rahmen der Situation möglich war, Mariarosa führte mir die verlassene Eleonora vor Augen, allein mit einem kleinen Kind und in Erwartung eines zweiten, und riet mir: »Such ihre Nähe, spiegelt euch ineinander.« ›Das dumme Gerede einer Ahnungslosen‹, dachte ich nunmehr kraftlos, ›von einer, die nicht versteht. Lila dagegen würde reagieren, wie sie es immer getan hat, Lila würde mir raten: Du hast schon genug falsch gemacht, spuck allen ins Gesicht und verschwinde. Dieses Ende hat sie sich immer gewünscht.‹ Aber ich war entsetzt, war nach den Reden von Franco und Mariarosa noch verwirrter, hörte ihnen nicht mehr zu. Stattdessen beobachtete ich verstohlen Nino. Wie gut er aussah, während er sich die Zuneigung meiner Mädchen zurückeroberte. Jetzt kam er mit ihnen ins Zimmer, tat so, als ob nichts wäre, lobte sie Mariarosa gegenüber – »Siehst du, was für besondere junge Damen das sind, Tantchen?« –, und schon schlug er wie selbstverständlich seinen einschmeichelnden Ton an, berührten seine Finger sacht ihr nacktes Knie. Ich zog ihn aus der Wohnung, nötigte ihn zu einem langen Spaziergang durch Sant'Ambrogio.

Es war heiß, das weiß ich noch. Wir gingen an einem ziegelroten Gebüsch entlang, die Luft war voller Platanenflusen. Ich sagte, ich müsse mich daran gewöhnen, ohne ihn zu leben, könne das aber vorerst noch nicht, ich bräuchte noch Zeit. Er antwortete, er werde nie ohne mich leben können. Ich erwiderte, er könne sich doch nie von irgendetwas oder irgendwem trennen. Er wiederholte, das sei nicht wahr, es liege an den Umständen, er sei gezwungen, so zu handeln, um mit mir zusammen zu sein. Ich sah, dass es zwecklos war, ihn zwingen zu wollen, diese Haltung aufzugeben, er sah nichts als einen Abgrund vor sich und fürchtete sich davor. Ich begleitete ihn zu seinem Auto, schickte ihn weg. Noch kurz bevor er losfuhr, fragte er mich: »Was willst du jetzt tun?« Ich gab keine Antwort, ich wusste es selbst nicht.

29

Die Entscheidung wurde mir von den Ereignissen einige Wochen später abgenommen. Mariarosa war verreist, sie hatte irgendeinen Termin in Bordeaux. Bevor sie losfuhr, hatte sie mich beiseitegenommen und mir einen konfusen Vortrag über Franco gehalten, über die Notwendigkeit, dass ich während ihrer Abwesenheit ständig in seiner Nähe blieb. Sie bezeichnete ihn als sehr depressiv, und plötzlich wurde mir klar, was ich bis dahin nur manchmal geahnt und aus Unaufmerksamkeit wieder aus den Augen verloren hatte: Bei Franco spielte sie nicht die barmherzige Samariterin, wie sie es sonst bei allen tat. Ihn liebte sie wirklich, sie war seine Mutter-Schwester-Geliebte geworden, und ihre bekümmerte Miene, ihr ausgedörrter Körper waren der ständigen Angst um ihn geschuldet, der Gewissheit, dass er zu fragil geworden war und jeden Augenblick zerbrechen konnte.

Sie blieb acht Tage fort. Es kostete mich einige Mühe – ich hatte anderes im Kopf –, aber ich kümmerte mich freundlich um ihn, nahm mir jeden Abend Zeit, bis in die Nacht hinein mit ihm zu plaudern. Ich freute mich, dass er, anstatt über Politik zu reden, eher sich als mir erzählte, wie gut es uns zusammen ergangen war, damals, bei unseren langen Frühlingsspaziergängen durch Pisa, sogar im Gestank am Lungarno oder als er mir bis dahin nie gesagte Dinge über seine Kindheit, seine Eltern, seine Großeltern anvertraut hatte. Besonders gefiel mir, dass er mich über meine Sorgen sprechen ließ, über den neuen Vertrag, den ich mit dem Verlag geschlossen hatte, und über die daraus entstandene Notwendigkeit, ein neues Buch zu schreiben; über meine mögliche Rückkehr nach Neapel, über Nino. Er griff nie zu Verallgemeinerungen oder Ausschmückungen. Im Gegenteil, er redete deutlich, fast schon vulgär. »Wenn dir mehr an ihm als an dir selbst liegt«, sagte er eines Abends zu mir, an dem er wie betäubt war, »musst du ihn so nehmen, wie er ist: mit Frau, Kindern, seinem ständigen Drang, andere Frauen zu vögeln, und mit den Schweinereien, zu denen er fähig ist und noch sein wird. Lena, Lenuccia«, flüsterte er zärtlich und schüttelte den Kopf. Dann lachte er, stand aus seinem Sessel auf, sagte geheimnisvoll, seiner Meinung nach höre die Liebe erst auf, wenn es möglich sei, ohne Angst und Abscheu zu sich selbst zurückzukehren, und verließ den Raum mit einem tastenden Schlurfen, wie um sich zu vergewissern, dass der Boden wirklich da war. Ich weiß nicht, warum mir an diesem Abend Pasquale einfiel, der mit seiner sozialen Herkunft, seiner Bildung und seiner politischen Einstellung denkbar weit von Franco entfernt war. Und doch stellte ich mir für einen kurzen Moment vor, dass mein Freund aus dem Rione, falls er lebend aus dem Dunkel, das ihn verschlungen hatte, herausgekommen sein sollte, den gleichen Gang gehabt hätte.

Einen ganzen Tag kam Franco nicht aus seinem Zimmer. Abends hatte ich einen beruflichen Termin, klopfte bei ihm an und fragte, ob er Dede und Elsa Abendbrot machen könne. Er versprach es. Ich kam spät zurück, anders als üblich hatte er die Küche in großer Unordnung hinterlassen, ich räumte den Tisch ab, spülte das Geschirr. Ich schlief nicht lange, um sechs war ich schon wieder wach. Auf dem Weg ins Bad kam ich an seiner Tür vorbei und wunderte mich über einen Zettel, der mit einer Reißzwecke daran befestigt war. Darauf stand: *Lena, lass die Mädchen hier nicht rein.* Ich vermutete, Dede und Elsa hätten ihn in den vergangenen Tagen gestört oder ihn am Vorabend geärgert, und nahm mir vor, als ich das Frühstück vorbereiten ging, sie deswegen zurechtzuweisen. Dann dachte ich noch einmal darüber nach. Franco verstand sich ausgezeichnet mit meinen Töchtern, ich hielt es für ausgeschlossen, dass er ihnen wegen irgendetwas böse war. Gegen acht klopfte ich behutsam bei ihm an. Keine Antwort. Ich klopfte kräftiger, öffnete die Tür vorsichtig, im Zimmer war es dunkel. Ich rief seinen Namen, Schweigen, ich machte Licht.

Auf dem Kopfkissen und dem Laken war Blut, ein großer, dunkler Fleck, der sich bis zu den Füßen zog. Der Tod ist abstoßend. An dieser Stelle will ich nur sagen, dass ich zugleich Abscheu und Erbarmen empfand, als ich diesen leblosen Körper sah, den ich bis ins Intimste kannte, der glücklich und aktiv gewesen war, der viele Bücher gelesen und sich vielen Erfahrungen ausgesetzt hatte. Franco war lebende Materie gewesen, durchdrungen von politischer Bildung, von großzügigen Absichten und Hoffnungen, von guten Umgangsformen. Nun bot er ein grauenhaftes Bild. Er hatte sich auf eine so brutale Art des

Gedächtnisses, der Sprache, der Fähigkeit zur Sinngebung entledigt, dass für mich sein Hass auf sich selbst, auf die eigene Haut, die Stimmungen, die Gedanken, die Worte und auf die schlimme Entwicklung der Welt, die ihn umgeben hatte, offensichtlich wurde.

In den folgenden Tagen kam mir Giuseppina, die Mutter von Pasquale und Carmen, in den Sinn. Auch sie hatte aufgehört, sich und das Leben zu ertragen, das ihr geblieben war. Aber Giuseppina stammte aus der Zeit vor meiner Zeit, während Franco meine Zeit war, und sein grausames Sichentziehen berührte mich nicht nur, es erschütterte mich. Ich dachte lange über seine Nachricht nach, die einzige, die er hinterlassen hatte. Sie war an mich gerichtet und sagte mir im Grunde: Lass die Mädchen nicht rein, ich will nicht, dass sie mich so sehen, aber du darfst ruhig reinkommen, du *sollst* mich sehen. Noch heute muss ich an diesen doppelten Imperativ denken, einen expliziten und einen impliziten. Nach dem Begräbnis, an dem eine Menge militanter Kämpfer mit schlaff geballter Faust teilnahmen (Franco war damals noch sehr bekannt und geachtet), versuchte ich, die Verbindung zu Mariarosa wieder herzustellen. Ich wollte ihr nahe sein, wollte über Franco reden, doch das ließ sie nicht zu. Ihr ohnehin abgehärmtes Gesicht wurde noch ausgezehrter und nahm die Züge eines kranken Misstrauens an, das auch die Lebhaftigkeit ihrer Augen auslöschte. Die Wohnung verwaiste allmählich. Mariarosa gab mir gegenüber ihr schwesterliches Verhalten auf, sie wurde immer feindseliger. Entweder war sie den ganzen Tag über in der Universität, oder sie zog sich, falls sie zu Hause war, in ihr Zimmer zurück und wollte nicht gestört werden. Sie regte sich auf, wenn die spielenden Mädchen laut waren, sie regte sich noch mehr auf, wenn ich die beiden wegen ihrer lärmenden Spiele zurechtwies. Ich packte unsere Sachen und fuhr mit Dede und Elsa nach Neapel.

30

Nino hatte die Wahrheit gesagt, er hatte wirklich eine Wohnung in der Via Tasso gemietet. Ich zog sofort dort ein, auch wenn sie von Ameisen befallen war und die Einrichtung nur aus einem Ehebett ohne Kopfteil, den Liegen für die Mädchen, einem Tisch und ein paar Stühlen bestand. Ich sagte nichts von Liebe, erwähnte die Zukunft nicht.

Ich sagte ihm, meine Entscheidung sei größtenteils Franco zu verdanken, und beschränkte mich darauf, ihm eine gute und eine schlechte Nachricht mitzuteilen. Die gute war, dass mein Verlag eingewilligt hatte, seine Essaysammlung zu veröffentlichen, sofern er eine neue, weniger hölzerne Fassung davon schrieb; die schlechte war, dass ich nicht von ihm angefasst werden wollte. Die erste Nachricht nahm er freudig auf, die zweite betrübt. Dann saßen wir jeden Abend zusammen und schrieben seine Texte um, und diese Nähe hinderte mich daran, meine Wut zu schüren. Eleonora war noch schwanger, als wir wieder anfingen miteinander zu schlafen. Und als sie ein Mädchen zur Welt brachte, das den Namen Lidia erhielt, waren Nino und ich bereits wieder ein Liebespaar mit eigenen Gewohnheiten, einer schönen Wohnung, zwei Mädchen und einem privat und gesellschaftlich recht intensiven Leben.

»Glaub ja nicht«, sagte ich anfangs zu ihm, »dass ich

nach deiner Pfeife tanze. Im Moment bin ich nicht fähig, dich zu verlassen, aber früher oder später wird es passieren.«

»Das wird nicht passieren, du wirst keinen Grund dazu haben.«

»Gründe habe ich jetzt schon genug.«

»Bald wird alles anders sein.«

»Wir werden ja sehen.«

Aber es war eine Komödie, ich stellte etwas als absolut vernünftig vor mir selbst dar, was in Wahrheit unvernünftig und erniedrigend war. ›Ich nehme mir‹ – sagte ich mir in Anlehnung an Francos Worte – ›das, worauf ich jetzt nicht verzichten kann, und sobald sich sein Gesicht, seine Worte und jedes Verlangen für mich abgenutzt haben, schicke ich ihn weg.‹ Wenn ich tagelang vergeblich auf ihn wartete, redete ich mir ein, das sei besser so, ich hätte zu tun, er klebe ohnehin zu sehr an mir. Wenn die Eifersucht an mir nagte, versuchte ich, mich mit dem Satz zu beruhigen: ›*Ich bin die Frau, die er liebt.*‹ Und wenn ich an seine Kinder dachte, sagte ich mir: ›Er verbringt mehr Zeit mit Dede und Elsa als mit Albertino und Lidia.‹ Natürlich war das alles wahr und alles falsch. Ja, Ninos Anziehungskraft würde schwinden. Ja, ich hatte jede Menge zu tun. Ja, Nino liebte mich, liebte Dede und Elsa. Aber da waren auch andere Jas, die ich geflissentlich ignorierte. Ja, ich fühlte mich mehr denn je zu ihm hingezogen. Ja, ich war bereit, alles und jeden zu vernachlässigen, sobald er mich brauchte. Ja, seine Beziehung zu Eleonora, Albertino und dem Baby Lidia waren mindestens so eng wie seine Beziehung zu mir und meinen Töchtern. Über diese Jas legte ich einen dunklen Schleier, und wenn er hier und dort aufriss und offenbarte, wie die Dinge wirklich standen, griff ich hastig zu großspurigen Worten über die Welt von morgen: »Alles ist im Wandel begriffen, wir sind dabei, neue Formen des Zusammenlebens zu erfinden« und noch mehr solcher Sprüche, wie ich sie bei jeder Gelegenheit reichlich herumerzählte oder schrieb.

Aber mit Schwierigkeiten hatte ich tagtäglich zu kämpfen, in einem fort taten sich neue Risse auf. Die Stadt war kein bisschen besser geworden, sie zermürbte mich sofort. Die Via Tasso erwies sich von ihrer Lage her als ungünstig. Nino besorgte mir ein gebrauchtes Auto, einen weißen R4, in den ich mich auf der Stelle verliebte, doch anfangs wollte ich ihn nicht benutzen, weil ich oft eingekeilt im Verkehr stecken blieb. Ich hatte viel mehr Mühe, die tausend Alltagsdinge zu bewältigen, als früher in Florenz, in Genua, in Mailand. Dede hasste ihre Lehrerin und ihre Klassenkameraden vom ersten Schultag an. Elsa, die nun in die erste Grundschulklasse ging, kam häufig mit rotgeweinten Augen und traurig nach Hause, weigerte sich aber, mir zu erzählen, was passiert war. Ich begann beiden Vorwürfe zu machen. Sagte, sie seien nicht in der Lage, auf Missgeschicke zu reagieren, könnten sich nicht durchsetzen, sich nicht anpassen und müssten das lernen. Daraufhin verbündeten die beiden Schwestern sich gegen mich. Sie fingen an, von ihrer Großmutter Adele und ihrer Tante Mariarosa wie von Gottheiten zu reden, die eine ihnen gemäße, glückliche Welt organisiert hatten, und beklagten immer lauter, dass die Frauen nicht mehr da waren. Wenn ich sie, um sie wieder für mich einzunehmen, an mich zog und sie liebkoste, umarmten sie mich nur widerspenstig und stießen mich manchmal sogar weg. Und meine Arbeit? Es wurde immer offensichtlicher, dass ich, zumal in dieser aussichtsreichen Phase, besser daran getan hätte, in Mailand zu bleiben und mir eine Anstellung im Verlag zu suchen. Oder nach Rom zu ziehen, hatte ich doch auf meinen Lesereisen Leute kennengelernt, die sich erboten hatten, mir behilflich zu sein. Was hatten meine Kinder und ich in Neapel verloren? Waren wir nur hier, um Nino zufriedenzustellen? Machte ich mir etwas vor, wenn ich mich frei und unabhängig gab? Und machte ich meinem Publikum etwas vor, wenn ich als eine auftrat, die mit ihren zwei kleinen Büchern jeder Frau helfen wollte, sich das einzugestehen, was sie sich selbst nicht sagen konnte? Waren das nur Phrasen, an die zu glauben für mich bequem war, und unterschied ich mich in Wahrheit nicht von meinen konservativeren Altersgenossinnen? Ließ ich mich meinem ganzen Gerede zum Trotz von einem Mann *erfinden*, so dass seine Bedürfnisse meine und die meiner Töchter überformten?

Ich lernte, vor mir selbst wegzulaufen. Es genügte, dass Nino an die Tür klopfte, und mein Bedauern verflog. Ich sagte mir: ›Das Leben ist *jetzt* eben so und kann nicht anders sein.‹ Unterdessen bemühte ich mich um Disziplin, ich gab nicht auf, versuchte, streitbar zu sein, manchmal gelang es mir sogar, mich glücklich zu fühlen. Die Wohnung war strahlend hell. Von meinem Balkon aus sah ich Neapel, das sich bis an den Rand des gelbblau glänzenden Meeres erstreckte. Ich hatte meine Töchter aus dem provisorischen Leben in Genua und Mailand herausgeholt, und die Luft, die Farben, die Laute des Dialekts auf den Straßen und die Intellektuellen, die Nino selbst mitten in der Nacht bei mir anschleppte, gaben mir Sicherheit, machten mich froh. Ich brachte die Mädchen zu Pietro nach Florenz und freute mich, wenn er sie in Neapel besuchte. Ich beherbergte ihn in meiner Wohnung und wehrte mich gegen Ninos Vorhaltungen. Ich bezog ihm ein Bett im Zimmer der Mädchen, die ihm ihre ausdrückliche Zuneigung schenkten, als wollten sie ihn dadurch festhalten, dass sie ihm vorführten, wie lieb sie ihn hatten. Wir bemühten uns um ein ungezwungenes Verhältnis, ich erkundigte mich nach Doriana und fragte ihn nach seinem Buch, das immer kurz vor der Veröffentlichung stand, doch dann tauchten neue Details auf, die vertieft werden mussten. Wenn die Mädchen ihren Vater fest umarmten und mich ignorierten, nahm ich mir ein wenig frei. Ich ging die Via Arco Mirelli hinunter und schlenderte die Via Caracciolo am Meer entlang. Oder ich stieg bis zur Via Aniello Falcone hoch und kam zur Villa Floridiana. Ich suchte mir eine Parkbank, las.

31

Von der Via Tasso aus war der Rione ein weit entfernter, fahler Steinhaufen, nichts als beliebiges, urbanes Geröll am Fuß des Vesuvs. Ich wollte, dass das so blieb: Ich war jetzt jemand anderes, ich würde dafür sorgen, dass er mich nicht wieder packte. Aber auch diesmal war der Vorsatz, den ich fasste, nicht besonders fest. Bereits drei, vier Tage nach dem ersten, hektischen Bezug der Wohnung wurde ich weich. Ich kleidete die Mädchen sorgfältig, putzte mich selbst gründlich heraus und sagte: »Jetzt besuchen wir eure Großmutter Immacolata, euren Großvater Vittorio und eure Onkel.«

Wir gingen früh los, an der Piazza Amedeo nahmen

wir die U-Bahn, bei der Einfahrt des Zuges waren die Mädchen begeistert vom starken Wind, der die Haare zerzauste, die Kleider an die Körper presste und uns den Atem nahm. Ich hatte von meiner Mutter seit ihrem Auftritt in Florenz nichts mehr gesehen und gehört. Ich fürchtete, sie könnte sich weigern, mich zu treffen, und vielleicht hatte ich deswegen nicht angerufen, um meinen Besuch anzukündigen. Aber um ehrlich zu sein, es gab noch einen anderen, verborgeneren Grund. Nur widerwillig gestand ich mir ein: ›Ich bin aus diesem und noch aus einem anderen Grund hier, ich will dorthin, und ich will noch woandershin.‹ Der Rione war für mich, noch vor meinen Eltern, Lila: Die bewusste Planung dieses Besuchs hätte auch bedeutet, mich fragen zu müssen, wie ich es mit ihr halten wollte. Und ich hatte noch keine endgültige Antwort darauf, also lieber alles dem Zufall überlassen. Für alle Fälle, denn wir hätten ihr ja unterwegs begegnen können, hatte ich größten Wert auf mein Äußeres und auf das der Mädchen gelegt. Lila sollte gegebenenfalls sehen, dass ich eine seriöse Dame war und es meinen Töchtern an nichts fehlte, dass sie nicht ins Abseits geraten waren und es ihnen ausgezeichnet ging.

Es wurde ein emotional sehr aufgeladener Tag. Ich durchquerte den Tunnel, machte einen Bogen um die Tanksäule, die von Carmen und ihrem Mann Roberto betrieben wurde, und ging über unseren Hof. Mit Herzklopfen stieg ich die brüchigen Stufen des alten Wohnblocks hinauf, in dem ich geboren war. Dede und Elsa waren in höchster Aufregung, als wären sie gerade in wer weiß was für ein Abenteuer geraten, ich stellte sie vor mir auf, klingelte. Da war auch schon das Hinken meiner Mutter zu hören, sie öffnete die Tür und riss die Augen auf, als wären wir drei Gespenster. Auch ich zeigte mich, gegen meinen Willen, erstaunt. Es lag eine Kluft zwischen dem Menschen, den zu sehen ich erwartet hatte, und dem, der tatsächlich vor mir stand. Meine Mutter hatte sich sehr verändert. Für den Bruchteil einer Sekunde hielt ich sie für eine ihrer Cousinen, die ich als Kind wenige Male gesehen hatte und die ihr sehr ähnelte, obwohl sie sechs oder sieben Jahre älter war als sie. Meine Mutter war nun sehr dünn, ihre Gesichtsknochen, ihre Nase, ihre Ohren wirkten riesig.

Ich wollte sie umarmen, sie entzog sich. Mein Vater war nicht da, auch Peppe und Gianni nicht. Etwas über sie alle zu erfahren war unmöglich, gut eine Stunde lang sprach sie praktisch kein Wort mit mir. Aber zu den Mädchen war sie lieb. Sie lobte sie sehr, und nachdem sie ihnen große Schürzen umgebunden hatte, damit sie sich nicht bekleckerten, machte sie Zuckerbonbons mit ihnen. Ich war die ganze Zeit über sehr verlegen, sie tat so, als wäre ich nicht da. Als ich den Mädchen sagte, sie äßen zu viele Bonbons, wandte sich Dede prompt an ihre Großmutter:

»Dürfen wir noch welche essen?«

»Esst, so viel ihr wollt«, antwortete meine Mutter, ohne mich anzusehen.

Die Szene wiederholte sich, als sie ihren Enkeltöchtern erlaubte, zum Spielen auf den Hof zu gehen. In Florenz, Genua und Mailand hatte ich sie nie allein rausgelassen. Ich sagte:

»Nein, ihr Süßen, das geht nicht, bleibt hier.«

»Oma, dürfen wir raus?«, fragten meine Mädchen im Chor.

»Das habe ich euch doch schon gesagt, ja.«

Wir waren nun allein. Beklommen, als wäre ich noch ein Kind, erzählte ich ihr:

»Ich bin umgezogen. Ich habe jetzt eine Wohnung in der Via Tasso.«

»Schön.«

»Seit drei Tagen.«

»Schön.«

»Ich habe noch ein Buch geschrieben.«

»Ist mir scheißegal.«

Ich schwieg. Mit angewidertem Gesicht zerschnitt sie eine Zitrone und presste den Saft in ein Glas.

»Warum machst du dir denn ein Zitronenwasser?«, fragte ich.

»Weil sich mir der Magen umdreht, wenn ich dich sehe.«

Sie goss Wasser in den Saft, gab etwas Natron dazu und trank das schäumende Knistern in einem Zug aus.

»Geht es dir nicht gut?«

»Mir geht's ausgezeichnet.«

»Das stimmt doch nicht. Warst du beim Arzt?«

»So weit kommt's noch, dass ich Geld für Ärzte und Medikamente zum Fenster rauswerfe.«

»Weiß Elisa, dass es dir nicht gutgeht?«

»Elisa ist schwanger.«

»Warum habt ihr mir das denn nicht gesagt?«

Sie antwortete nicht. Stellte das Glas mit einem langen Seufzer ins Spülbecken und wischte sich die Lippen mit dem Handrücken trocken. Ich sagte:

»Dann bringe eben ich dich zum Arzt. Was für Beschwerden hast du sonst noch?«

»Alles, was ich deinetwegen gekriegt habe. Du bist schuld, dass mir im Bauch eine Ader geplatzt ist.«

»Wie bitte?«

»Jawohl, wegen dir ist was in mir kaputtgegangen.«

»Ich hab dich doch lieb, Mama.«

»Ich dich nicht. Willst du mit den Kleinen in Neapel bleiben?«

»Ja.«

»Und dein Mann kommt nicht?«

»Nein.«

»Dann lass dich in diesem Haus nie wieder blicken.«

»Ma', das ist heute nicht mehr so wie früher. Du kannst zu den anständigen Leuten gehören, obwohl du deinen Mann verlässt, obwohl du dich mit einem anderen einlässt. Warum regst du dich so über mich auf, und zu Elisa, die schwanger ist, ohne verheiratet zu sein, sagst du nichts?«

»Weil du nicht Elisa bist. Hat Elisa etwa studiert, so wie du? Habe ich mir von Elisa erhofft, was ich mir von dir erhofft habe?«

»Ich mache Dinge, über die du dich freuen solltest. Der Name Greco bekommt gerade Gewicht. Ich bin jetzt sogar im Ausland ein bisschen bekannt.«

»Bei mir brauchst du dich nicht aufzuspielen, du bist niemand. Was du zu sein glaubst, zählt für normale Leute nicht. Ich genieße hier Ansehen, nicht weil ich dich, sondern weil ich Elisa geboren habe. Sie, die nicht studiert hat, die nicht mal die Mittelschule abgeschlossen hat, ist eine geachtete Frau geworden. Und du mit deinem Diplom in der Tasche, wo bist du gelandet? Es tut mir nur leid um die beiden Mädchen, sie sind so hübsch und sprechen so gut. An sie hast du wohl gar nicht gedacht? Mit so einem Vater wachsen sie auf wie die Kinder im Fernsehen, und was machst du? Bringst sie nach Neapel?«

»Ich habe sie erzogen, Ma', nicht ihr Vater. Und wohin ich sie auch bringe, sie werden auch weiterhin so aufwachsen.«

»Herrje, was bist du eingebildet, was habe ich alles falsch gemacht bei dir. Ich dachte immer, die Eingebildete wäre Lina, dabei bist du es. Deine Freundin hat ihren Eltern die Wohnung gekauft, und du? Deine Freundin hat alle fest im Griff, sogar Michele Solara, und du, wen hast du im Griff, diesen Scheißkerl von Sarratores Sohn?«

Dann stimmte sie ein Loblied auf Lila an: »Ach, wie schön Lina ist und wie großzügig, sie hat jetzt sogar eine eigene Firma, sie und Enzo haben es wirklich geschafft.« Schließlich wurde mir klar, dass meine größte Schuld in ihren Augen gerade darin bestand, dass sie hier ohne Wenn und Aber einräumen musste, dass ich weniger wert war als Lila. Als sie sagte, sie wolle für Dede und Elsa etwas kochen, und mich absichtlich ausschloss, begriff ich, dass sie sich nicht durchringen konnte, mich zum Mittagessen einzuladen, und verbittert verließ ich ihre Wohnung.

32

Als ich wieder auf dem Stradone stand, zögerte ich: Sollte ich am Gittertor auf die Rückkehr meines Vaters warten, um ihm guten Tag zu sagen; auf der Suche nach meinen Brüdern durch die Straßen schlendern; nachsehen, ob meine Schwester zu Hause war? Ich suchte eine Telefonzelle, rief Elisa an und ging mit den Mädchen im Schlepptau zu ihrer großen Wohnung, von der aus man den Vesuv sah. Meine Schwester zeigte noch keine Anzeichen einer Schwangerschaft, hatte sich aber trotzdem sehr verändert. Durch ihren Zustand schien sie schlagartig gewachsen, aber auch entstellter zu sein. Sie wirkte nun mit ihrem Körper, mit ihrer Sprache und mit ihrer Art ordinärer. Sie hatte einen erdfahlen Teint und war so vergiftet von schlechter Laune, dass sie uns nur widerwillig empfing. Nicht einmal für einen kurzen Moment fand ich bei ihr die etwas kindliche Hochachtung wieder, die sie stets für mich empfunden hatte. Und als ich auf den Gesundheitszustand unserer Mutter zu sprechen kam, schlug sie einen aggressiven Ton an, den ich ihr nie zugetraut hätte, am allerwenigsten mir gegenüber. Sie platzte los:

»Lenù, der Arzt hat gesagt, es geht ihr ausgezeichnet, nur ihre Seele ist krank. Mama ist kerngesund, sie hat nichts, da ist nichts zu kurieren, bloß ihr Kummer. Wenn du sie nicht so enttäuscht hättest, wäre sie nicht so erschöpft.«

»Was redest du denn da für einen Blödsinn?«

Sie wurde noch erbitterter.

»Blödsinn? Ich sage dir nur eins: Mir geht es gesundheitlich schlechter als Mama. Aber egal, da du ja jetzt wieder in Neapel wohnst und schlauer bist als der Arzt, kannst du dich ja um sie kümmern, damit das alles nicht nur an mir hängenbleibt. Gib ihr einfach ein bisschen recht, und schon lebt sie wieder auf.«

Ich versuchte, mich zu beherrschen, wollte mich nicht streiten. Warum redete sie so mit mir? Hatte auch ich mich zum Schlechten verändert, so wie sie? Gehörte unser gutes schwesterliches Verhältnis der Vergangenheit an? Oder war Elisa, die Jüngste in der Familie, der sichtbare Beweis dafür, dass das Leben im Rione die Menschen noch mehr verdarb als früher? Ich sagte zu den

Mädchen, die sich artig und still hingesetzt hatten, allerdings enttäuscht darüber, dass ihre Tante sie ohne jede Wärme behandelte, dass sie die restlichen Bonbons von ihrer Großmutter aufessen dürften. Dann fragte ich meine Schwester:

»Wie geht's mit Marcello?«

»Bestens, wie soll's denn gehen? Wenn er nicht so viele Sorgen hätte, seit seine Mutter gestorben ist, wären wir wirklich froh und zufrieden.«

»Was denn für Sorgen?«

»Sorgen, Lenù, Sorgen eben. Du hast deine Bücher im Kopf, aber das Leben ist was anderes.«

»Und Peppe und Gianni?«

»Die schuften viel.«

»Ich treffe sie nie an.«

»Selber schuld, wenn du nie kommst.«

»Jetzt komme ich öfter.«

»Na schön. Dann kannst du ja auch mal ein Wörtchen mit deiner Freundin Lina reden.«

»Was ist denn los?«

»Nichts. Außer dass gerade sie eines von Marcellos vielen Problemen ist.«

»Und das heißt?«

»Frag Lina, und falls sie dir antwortet, sag ihr, dass sie gut daran tut, auf ihrem Platz zu bleiben.«

Ich erkannte die gefährliche Verschwiegenheit der Solaras, und mir wurde klar, dass wir nie mehr zu unserem früheren Vertrauensverhältnis zurückfinden würden. Ich sagte ihr, dass meine Beziehung zu Lila nicht mehr so eng sei, ich aber gerade von unserer Mutter erfahren hätte, dass sie nicht länger für Michele arbeite und sich selbständig gemacht habe. Elisa polterte los:

»Sie hat sich mit unserem Geld selbständig gemacht.«

»Das musst du mir erklären.«

»Was soll ich da noch erklären, Lenù? Sie hat Michele herumgeschoben, wie sie wollte. Aber bei meinem Marcello schafft sie das nicht.«

33

Auch Elisa lud uns nicht ein, zum Mittagessen zu bleiben. Erst als sie uns zur Tür brachte, schien ihr diese Unhöflichkeit bewusst zu werden, und sie sagte zu Elsa: »Komm mal mit.« Sie verschwanden für einige Minuten, was Dede traurig machte, die sich an meine Hand klammerte, um sich nicht so übergangen zu fühlen. Als sie zurückkamen, hatte Elsa ein ernstes Gesicht, doch fröhliche Augen. Meine Schwester, die offenbar Mühe hatte, sich auf den Beinen zu halten, schloss die Tür hinter uns, sobald wir auf dem Treppenabsatz waren.

Auf der Straße zeigte die Kleine uns das heimliche Geschenk der Tante: zwanzigtausend Lire. Elisa hatte Geld geschenkt, wie manche kaum reichere Verwandten es getan hatten, als wir klein gewesen waren. Aber Geld war damals nur scheinbar ein Geschenk für uns Kinder gewesen, eigentlich waren wir angehalten, es meiner Mutter zu geben, die es brauchte, um uns durchzubringen. Auch Elisa hatte das Geld wohl eher mir als Elsa zugedacht, aber aus einem anderen Grund. Mit diesen zwanzigtausend Lire – dem Gegenwert von gut und gern drei Büchern in einer schönen Ausgabe – hatte sie mir zeigen wollen, dass Marcello sie liebte und sie im Wohlstand leben ließ.

Ich beschwichtigte die Mädchen, die sich bereits in die Haare geraten waren. Elsa musste einem strengen Verhör unterzogen werden, damit sie zugab, dass das Geld nach dem Willen ihrer Tante geteilt werden sollte, zehntausend für sie und zehntausend für Dede. Sie stritten und schubsten sich noch, als ich hörte, dass mich jemand rief. Es war Carmen, in einer hässlichen, blauen Tankwartsmontur. Ich hatte nicht auf den Weg geachtet und keinen Bogen um die Tanksäule gemacht. Nun winkte Carmen mir zu, mit ihren pechschwarzen Locken und dem breiten Gesicht.

Ich konnte mich schwerlich entziehen. Carmen schloss die Tankstation und nahm uns zum Mittagessen mit zu sich nach Hause. Ihr Mann, den ich nie kennengelernt hatte, kam auch noch. Er hatte schnell die Kinder vom Kindergarten abgeholt, zwei Jungen, der eine so alt wie Elsa, der andere ein Jahr jünger. Er war ein sanfter, sehr herzlicher Mann. Er deckte den Tisch, wobei er sich von den Kindern helfen ließ, räumte ab, spülte das Geschirr. Bis dahin hatte ich noch nicht ein Paar in unserer Generation erlebt, das sich so gut verstand, das so sichtlich erfreut über sein Zusammenleben war. Endlich fühlte ich mich willkommen, und ich merkte, dass auch meine Mädchen sich wohlfühlten. Sie aßen mit Appetit, kümmerten sich mütterlich um die zwei kleinen Jungen. Kurz, meine Stimmung besserte sich, ich hatte ein paar ruhige Stunden. Dann musste Roberto die Tankstation wieder aufmachen, Carmen und ich blieben allein.

Sie war taktvoll, erkundigte sich nicht nach Nino und nicht danach, ob ich nach Neapel gezogen sei, um mit ihm zusammenzuleben, obwohl sie den Eindruck machte, schon alles zu wissen. Stattdessen erzählte sie mir von ihrem Mann, einem fleißigen Arbeiter und sehr familienverbunden. »Lenù, bei all dem Kummer«, sagte sie, »sind er und die Kinder der einzige Trost.« Und sie rief die Vergangenheit wieder wach: die schlimme Geschichte von ihrem Vater, die Aufopferung der Mutter und deren Tod, die Zeit, in der sie, Carmen, in Stefano Carraccis Salumeria gearbeitet hatte und in der Ada Lilas Nachfolge angetreten und sie schikaniert hatte. Wir lachten sogar ein wenig über die Zeit, als sie mit Enzo zusammen gewesen war: »Was für eine Dummheit«, sagte sie. Pasquale erwähnte sie mit keinem Wort, ich war es, die nach ihm fragte. Doch sie starrte zu Boden, schüttelte den Kopf und sprang auf, wie um etwas zu verdrängen, was sie mir nicht sagen wollte oder konnte.

»Ich rufe Lina an«, sagte sie. »Wenn sie erfährt, dass wir uns gesehen haben und ich ihr nicht Bescheid gesagt habe, redet sie nie wieder mit mir.«

»Lass es gut sein, sie muss bestimmt arbeiten.«

»Ach was, jetzt ist sie die Chefin und macht, was sie will.«

Ich versuchte, sie aufzuhalten, indem ich sie vorsichtig nach dem Verhältnis zwischen Lila und den Solaras fragte. Sie wurde verlegen, antwortete, sie wisse so gut wie nichts darüber, und ging dann trotzdem zum Telefon. Ich hörte, wie sie begeistert von meinem Besuch und meinen Töchtern erzählte. Als sie zurückkam, sagte sie:

»Lina hat sich sehr gefreut, sie kommt gleich.«

Von nun an wurde ich immer nervöser. Und doch fühlte ich mich wohl, in diesem rechtschaffenen Haus ließ es sich gut aushalten, die vier Kinder spielten im Nebenzimmer. Es klingelte, Carmen öffnete die Tür, und da war Lilas Stimme.

34

Gennaro bemerkte ich anfangs gar nicht und auch Enzo nicht. Sie wurden erst nach vielen Sekunden sichtbar, in denen ich nur Lila und ein unerwartetes schlechtes Gewissen spürte. Vielleicht erschien es mir falsch, dass wieder sie es war, die sofort kam, um mich zu sehen, während ich sie hartnäckig aus meinem Leben verbannte. Oder vielleicht hielt ich es für gemein, dass ich, obwohl sie sich nach wie vor für mich interessierte, darauf abzielte, ihr mit meinem Schweigen, mit meiner Abwesenheit zu signalisieren, dass ich nichts mehr von ihr wissen wollte. Ich weiß es nicht. Auf jeden Fall dachte ich, als sie mich umarmte: ›Wenn sie mich nicht mit boshaften Worten über Nino attackiert, wenn sie so tut, als wüsste sie nichts von seiner neuen Vaterschaft, wenn sie freundlich zu meinen Töchtern ist, werde ich sie herzlich behandeln, dann sehen wir weiter.‹

Wir setzten uns. Seit unserer Begegnung in der Bar in der Via Duomo hatten wir uns nicht mehr gesehen. Lila redete als Erste. Sie schob Gennaro nach vorn – einen halbwüchsigen, stämmigen Jungen mit einem akneverwüsteten Gesicht – und begann sofort sich über seine schulischen Leistungen zu beklagen. Sie sagte, doch in einem liebevollen Ton: »In der Grundschule war er gut, auch in der Mittelschule war er gut, aber dieses Jahr lassen sie ihn sitzen, in Latein und Griechisch kommt er nicht durch.« Ich knuffte ihn und sagte tröstend: »Du musst einfach bloß üben, Gennà, komm zu mir, dann gebe ich dir Nachhilfe.« Und impulsiv beschloss ich, die Initiative zu ergreifen und das für mich heikelste Thema selbst anzusprechen, ich sagte: »Vor ein paar Tagen bin ich wieder nach Neapel gezogen, die Dinge mit Nino sind im Rahmen des Möglichen geklärt, es ist alles in Ordnung.« Dann rief ich mit ruhiger Stimme nach meinen Töchtern, und als sie ins Zimmer lugten, sagte ich: »Da sind meine Mädchen, wie findest du sie, sieh nur, wie groß sie geworden sind!« Es gab einige Verwirrung. Dede erkannte Gennaro wieder und zog ihn glücklich und mit verführerischer Miene hinter sich her, sie neun Jahre alt, er fast fünfzehn; Elsa zerrte ihrerseits an ihm, um nicht hinter ihrer Schwester zurückzustehen. Ich betrachtete sie mit mütterlichem Stolz und freute mich, als Lila sagte: »Gut, dass du nach Neapel zurückgekommen bist, man muss tun, wozu man Lust hat, die Mädchen sehen wirklich gut aus, wie hübsch sie sind.«

Da war ich erleichtert, Enzo, der das Gespräch in Gang halten wollte, erkundigte sich nach meiner Arbeit. Ich prahlte ein bisschen mit dem Erfolg meines letzten Buches, begriff jedoch sofort, dass man damals im Rione zwar vom ersten gehört hatte und der eine oder andere es auch gelesen hatte, vom zweiten aber nicht nur Enzo und Carmen nichts wussten, sondern auch Lila nicht. Und so verlor ich mit selbstironischem Ton noch ein paar allgemeine Worte darüber und erkundigte mich dann nach ihrer Firma, lachend warf ich hin: »Ich höre, ihr habt euch von Proletariern zu Wirtschaftsbossen gemausert.« Lila verzog abwiegelnd das Gesicht, drehte sich zu Enzo, und Enzo versuchte mit kurzen Sätzen, mir alles zu erklären. Er sagte, in den letzten Jahren hätten sich die Rechner weiterentwickelt, sagte, IBM habe Geräte auf den Markt gebracht, die völlig anders seien als ihre Vorgänger. Wie üblich verlor er sich in für mich langweiligen technischen Details. Er zählte Abkürzungen auf, das Sys-

tem /34, den 5120, und erläuterte, dass es nun keine Loch-
karten mehr gebe, auch keine Stanzmaschinen und keine
Lochkartenprüfer, sondern eine neue Programmierspra-
che, das BASIC, dazu immer kleinere Geräte, die zwar eine geringe Rechenleistung und Speicherkapazität hätten,
aber sehr preiswert seien. Ich verstand am Ende nur,
dass diese neue Technik entscheidend für die beiden gewesen war, sie hatten sich ausgiebig damit befasst und
dann beschlossen, sich selbständig zu machen. So hatten
sie eine eigene Firma gegründet, die Basic Sight – *auf Englisch, sonst nehmen sie dich nicht für voll* –, und von dieser Firma mit Sitz in den kleinen Räumen ihrer Wohnung – *von wegen Wirtschaftsbosse* – sei er, Enzo, der
Hauptgesellschafter und Geschäftsführer, aber die Seele,
die eigentliche Seele des Geschäfts – Enzo wies stolz auf
sie – sei Lila. »Sieh dir mal das Firmenzeichen an«, sagte
er. »Das hat sie entworfen.«

Ich musterte das Logo, ein Schnörkel um eine senk-
rechte Linie. Ich betrachtete es mit plötzlicher Rührung,
es war ein weiterer Ausdruck ihres ungebändigten Verstandes, wer weiß, wie viel davon ich verpasst hatte. Ich
sehnte mich in die schönen Momente unserer Vergangenheit zurück. Lila lernte, verwarf, lernte. Sie konnte es
nicht lassen, zog sich nie zurück: das /34, der 5120, das
BASIC, die Basic Sight, das Firmenlogo. »Schön«, sagte
ich, und ich fühlte mich so, wie ich mich mit meiner Mutter und meiner Schwester nicht gefühlt hatte. Alle schienen froh zu sein, mich wieder bei sich zu haben, großzügig bezogen sie mich in ihr Leben ein. Wie um mir zu
beweisen, dass sich seine Ansichten trotz der guten Geschäfte nicht geändert hatten, erzählte Enzo auf seine
nüchterne Art, was er sah, wenn er seine Runde durch die

Fabriken machte: Die Leute arbeiteten für ein paar lumpige Lire unter entsetzlichen Bedingungen, und manchmal schämte er sich, dass er die Schweinerei der Ausbeutung in die Reinheit der Programmierung transformieren musste. Und Lila sagte, um diese Reinheit zu erreichen, seien die Firmenbosse gezwungen, ihr ihren ganzen Dreck aus der Nähe zu zeigen, und sie redete voller Sarkasmus über die Unehrlichkeit, die Betrügereien und die krummen Geschäfte, die hinter der Anmutung ordentlich geführter Konten steckten. Carmen stand ihr in nichts nach, sie sprach über Benzin und rief: »Auch da ist alles beschissen!« Und nun erst erwähnte sie ihren Bruder und die richtigen Beweggründe, die ihn dazu gebracht hätten, die falschen Dinge zu tun. Sie rief die Erinnerung an den Rione unserer Kindheit und Jugend wach. Erzählte uns – was sie vorher nie getan hatte – von der Zeit, als sie und Pasquale klein gewesen waren und ihr Vater Punkt für Punkt aufgezählt hatte, was die Faschisten ihm unter Don Achilles Führung angetan hatten: dass er direkt am Eingang zum Tunnel zusammengeschlagen worden war; dass sie ihn gezwungen hatten, Mussolinis Foto zu küssen, er aber darauf gespuckt hatte; und wenn sie ihn nicht umgebracht hatten, wenn er nicht verschwunden war wie so viele andere Genossen – *eine Geschichte derjenigen, die von den Faschisten ermordet und beiseitegeschafft worden sind, gibt es nicht –*, so nur deshalb nicht, weil er die Tischlerwerkstatt gehabt hatte und ziemlich bekannt im Rione gewesen war und weil alle es gemerkt hätten, wenn er ausradiert worden wäre.

Die Zeit verging. Irgendwann herrschte eine so große Eintracht zwischen uns, dass sie sich mir gegenüber zu einem großen Beweis ihrer Freundschaft entschlossen.

Carmen warf Enzo und Lila einen fragenden Blick zu, dann sagte sie vorsichtig: »Wir können Lenuccia vertrauen.« Als sie sah, dass sie einverstanden waren, verriet sie mir, dass sie vor kurzem Pasquale getroffen hätten. Er sei nachts bei Carmen zu Hause aufgetaucht, sie habe Lila angerufen, und Lila sei mit Enzo sofort gekommen. Es gehe Pasquale gut. Er habe sehr gepflegt ausgesehen, nicht ein Härchen am falschen Fleck, hochelegant, wie ein Chirurg. Doch er habe auch traurig gewirkt. Seine Anschauungen seien noch dieselben, aber er sei traurig, traurig, traurig gewesen. Er habe gesagt, er werde sich nie ergeben, sie müssten ihn schon umbringen. Bevor er wieder gegangen sei, habe er nach seinen schlafenden Neffen geschaut, er kenne nicht einmal ihre Namen. An dieser Stelle begann Carmen zu weinen, doch lautlos, damit die Kinder nicht herbeigelaufen kamen. Wir versicherten uns gegenseitig, zunächst sie, und sie stärker als ich und Lila (Lila war einsilbig, Enzo beschränkte sich auf ein Nicken), dass uns der von Pasquale gewählte Weg nicht gefalle, dass wir entsetzt über das ganze blutige Chaos in Italien und der Welt seien, dass Pasquale aber dieselben grundlegenden Dinge wisse wie wir und dass wir, selbst wenn er schlimme Sachen – von all denen man in der Zeitung las – verbrochen habe, und obwohl wir uns in unserem Leben mit Informatik, Latein und Griechisch, Büchern und Benzin eingerichtet hätten, wir uns doch niemals von ihm abwenden würden. Keiner von denen, die ihn liebten, würde das tun.

Hier ging der Tag zu Ende. Nur eine letzte Frage hatte ich noch an Lila und Enzo, weil ich mich mit ihnen wohlfühlte und ich mich an das erinnerte, was Elisa mir kurz zuvor erzählt hatte. Ich fragte: »Und die Solaras?« Enzo starrte sofort zu Boden. Lila zuckte mit den Schultern, sagte: »Die üblichen Arschlöcher.« Dann erzählte sie spöttisch, dass Michele durchgedreht sei. Nach dem Tod seiner Mutter habe er Gigliola verlassen, habe Frau und Kinder aus der Wohnung in Posillipo gejagt, und wenn sie sich blicken ließen, prügele er auf sie ein. »Die Solaras« – sagte sie mit einem Anflug von Genugtuung – »sind am Ende. Stell dir vor, Marcello erzählt überall herum, es sei meine Schuld, dass sein Bruder sich so aufführt.« Und an dieser Stelle kniff sie die Augen zusammen und verzog zufrieden das Gesicht, als hätte Marcello ihr ein Kompliment damit gemacht. Am Ende sagte sie: »Es hat sich so vieles verändert, während du weg warst, Lenù; du musst jetzt mehr mit uns zusammen sein; gib mir deine Telefonnummer, wir müssen uns so oft wie möglich treffen; und dann will ich dir Gennaro schicken, sieh mal, ob du ihm helfen kannst.«

Sie nahm einen Stift und war bereit zum Schreiben. Ich diktierte ihr auf Anhieb die ersten zwei Ziffern, dann kam ich durcheinander, ich hatte die Nummer erst wenige Tage zuvor auswendig gelernt und hatte sie noch nicht richtig im Kopf. Aber als sie mir wieder einfiel, zögerte ich erneut, ich fürchtete, Lila könnte mein Leben wieder belagern, diktierte ihr noch zwei Ziffern und irrte mich bei den restlichen absichtlich.

Das hatte ich richtig gemacht. Als ich mit den Mädchen aufbrechen wollte, fragte mich Lila vor allen anderen, auch vor Dede und Elsa:

»Willst du ein Kind mit Nino machen?«

35

»Natürlich nicht«, antwortete ich und kicherte verlegen. Doch unterwegs musste ich vor allem Elsa erklären – Dede schwieg düster –, dass ich keine weiteren Kinder bekommen würde, sie seien meine beiden Mädchen und damit genug. Tagelang hatte ich Kopfschmerzen, tat kein Auge zu. Wenige, gezielt gesetzte Worte, und schon hatte Lila bei einer Begegnung, die ich für angenehm gehalten hatte, wieder für Verwirrung gesorgt. Ich sagte mir: ›Nicht zu ändern, sie ist unverbesserlich, sie schafft es jedes Mal, mir das Leben schwerzumachen.‹ Und ich dachte dabei nicht nur an die Sorgen, die sie bei Dede und Elsa ausgelöst hatte. Lila hatte etwas in mir getroffen, was ich gut vor mir selbst verbarg und was mit dem dringlichen Kinderwunsch zusammenhing, den ich erstmals vor zwölf Jahren gespürt hatte, als ich in Mariarosas Wohnung den kleinen Mirko auf den Arm genommen hatte. Es war ein vollkommen irrationaler Impuls gewesen, eine Art Liebesbefehl, der mich damals überwältigt hatte. Schon zu jener Zeit hatte ich geahnt, dass das nicht der bloße Wunsch nach einem Kind war, ich wollte ein bestimmtes Kind, ein Kind wie Mirko, ein Kind von Nino. Und dieser Drang war auch durch Pietro und die Empfängnis von Dede und Elsa nicht abgeschwächt worden. Seit kurzem war er sogar jedes Mal wieder erwacht, wenn ich Silvias Kind gesehen hatte, und besonders, als Nino mir gesagt hatte, dass Eleonora schwanger war. Jetzt machte er mir immer öfter zu schaffen, und Lila mit ihrem typischen Scharfblick hatte das erkannt. ›Das ist ihr Lieblingsspiel‹, dachte ich, ›so macht sie es mit Enzo, mit Carmen, mit Antonio, mit Alfonso. Garantiert ist sie auch zu Michele Solara so gewesen und zu Gigliola. Erst spielt sie die Freundliche, Liebevolle, aber dann stupst sie dich an, drängt dich ein kleines bisschen ab und vermasselt dir alles. Auch mit mir, auch mit Nino will sie das wieder tun.‹ Schon war es ihr gelungen, ein heimliches Beben aufzudecken, das ich für gewöhnlich zu ignorieren versuchte, so wie man ein Zucken des Augenlids ignoriert.

Tagelang beschäftigte mich diese Frage, während ich allein oder in Gesellschaft in der Wohnung in der Via Tasso saß: *Willst du ein Kind mit Nino machen?* Aber nun war es nicht mehr Lilas Frage, nun stellte ich sie mir selbst.

36

In der folgenden Zeit kehrte ich oft in den Rione zurück, vor allem dann, wenn Pietro die Mädchen besuchte. Ich ging zu Fuß zur Piazza Amedeo hinunter, nahm die U-Bahn. Manchmal blieb ich auf der Eisenbahnbrücke stehen und schaute auf den Stradone hinunter, manchmal durchquerte ich nur den Tunnel und machte einen Spaziergang bis zur Kirche. Aber meistens ging ich zu meiner Mutter, um sie in heftigen Auseinandersetzungen dazu zu bewegen, sich von einem Arzt untersuchen zu lassen, und ich bezog auch meinen Vater, Peppe und Gianni in diesen Kampf ein. Sie war starrköpfig und regte sich über ihren Mann und die Söhne auf, sobald sie ihre Gesundheitsprobleme ansprachen. Mich schrie sie mit regelmäßiger Zuverlässigkeit an: »Sei still, du bist es doch, die mich ins Grab bringt!«, und sie warf mich raus oder schloss sich im Bad ein.

Lila dagegen war auf Zack, und das war bekannt, Michele, zum Beispiel, wusste es seit langem. Und so war Elisas Abneigung gegen sie nicht nur auf ein paar Meinungsverschiedenheiten mit Marcello zurückzuführen, sondern auf den Umstand, dass Lila sich von den Solaras wieder einmal abgekoppelt hatte und die Überlegene war, nachdem sie sie ausgenutzt hatte. Durch die Basic Sight wuchs ihr Ansehen, was Innovation und Gewinne betraf, zunehmend. Sie war nicht mehr die Launenhafte, die schon als Kind die Fähigkeit besessen hatte, dir das Chaos aus Kopf und Brust zu reißen, um es dir dann wohlsortiert zurückzureichen, oder dich, wenn sie dich nicht leiden konnte, durcheinanderzubringen und dann entmutigt stehen zu lassen. Jetzt verkörperte sie auch die Fähigkeit, einen neuen Beruf zu erlernen, einen Beruf, von dem kein Mensch etwas verstand, der aber einträglich war. Ihre Geschäfte liefen so gut – hieß es –, dass Enzo nach einem Ort für ein passendes Büro Ausschau hielt anstelle des improvisierten, das er zwischen Küche und Schlafzimmer eingerichtet hatte. Aber wer war schon Enzo, so aufgeweckt er auch sein mochte? Nur Lilas Untergebener. Sie war es, die die Fäden zog, die schaltete und waltete. Daher hatte sich die Lage im Rione, etwas zugespitzt formuliert, in kurzer Zeit wohl folgendermaßen entwickelt: Man lernte entweder, so wie Marcello und Michele zu sein oder so wie Lila.

Gewiss, es kann eine fixe Idee von mir gewesen sein, doch zumindest damals glaubte ich, immer mehr von ihr in allen Menschen zu erkennen, die ihr nahegestanden hatten oder nahestanden. Einmal traf ich Stefano Carracci, er war sehr dick geworden, hatte ein gelbliches Gesicht, war schlecht gekleidet. Er hatte absolut nichts mehr von dem jungen Kaufmann, den Lila geheiratet hatte, vom Geld ganz zu schweigen. Trotzdem hörte ich aus den wenigen Worten, die er mit mir wechselte, viele Formulierungen seiner Frau heraus. Und auch Ada, die Lila in dieser Zeit sehr schätzte und wegen des Geldes, das Stefano von ihr bekam, in den höchsten Tönen von ihr sprach, schien mir Lilas Gesten nachzuahmen, vielleicht auch ihr Lachen.

Verwandte und Freunde scharten sich auf der Suche nach Arbeit um sie und bemühten sich, passend zu erscheinen. Ada war von heute auf morgen in der Basic Sight angestellt worden, sie hatte als Telefonistin anfangen müssen, später würde sie gegebenenfalls etwas anderes lernen. Auch Rino – der sich an einem schlechten Tag mit Marcello gestritten und den Supermarkt verlassen hatte – drängte sich, ohne auch nur um Erlaubnis zu bitten, in die Firma seiner Schwester, wobei er sich damit brüstete, im Handumdrehen alles lernen zu können, was nötig war. Doch die für mich überraschendste Nachricht – Nino, der sie von Marisa gehört hatte, erzählte sie mir eines Abends – war, dass sogar Alfonso zur Basic Sight gekommen war. Michele Solara, der nach wie vor verrücktspielte, hatte das Geschäft an der Piazza dei Martiri grundlos geschlossen, und Alfonso war arbeitslos geworden. So fand auch er – und mit Erfolg – durch Lilas Hilfe eine neue Aufgabe.

Ich hätte mehr darüber erfahren können, und vielleicht hätte es mir sogar gefallen, ich hätte Lila nur anrufen müssen, nur bei ihr vorbeischauen müssen. Doch das tat ich nicht. Ich traf sie nur einmal auf der Straße, sie blieb unwillig stehen. Vermutlich war sie beleidigt, weil ich ihr eine falsche Telefonnummer gegeben hatte und weil ich angeboten hatte, ihrem Sohn Nachhilfe zu geben, dann aber verschwunden war, und auch weil sie alles für unsere Versöhnung getan hatte, während ich mich zurückgezogen hatte. Sie sagte, sie habe es eilig, fragte im Dialekt:

»Wohnst du immer noch da oben in der Via Tasso?«

»Ja.«

»Das ist doch unbequem.«

»Man sieht das Meer.«

»Und was ist das Meer, von da oben? Ein bisschen Farbe. Besser, du gehst dicht ran, dann siehst du, dass es ein Haufen Müll ist, Dreck, Pisse, verpestetes Wasser. Aber solchen wie dir, die Bücher lesen und schreiben, gefällt es ja, sich statt der Wahrheit Lügen zu erzählen.«

Ich war kurz angebunden, sagte:

»Jetzt wohne ich nun mal da.«

Sie war genauso kurz angebunden:

»Verändern kann man sich immer. Wie oft sagt man das eine, macht dann aber das andere? Nimm dir hier eine Wohnung.«

Ich schüttelte den Kopf, verabschiedete mich von ihr. War es das, was sie wollte? Mich in den Rione zurückholen?

37

Dann geschahen in meinem ohnehin schon komplizierten Leben gleichzeitig zwei völlig unerwartete Dinge. Das von Nino geleitete Forschungsinstitut erhielt eine Einladung nach New York für irgendeine wichtige Arbeit, und ein winziger Verlag in Boston veröffentlichte mein

Buch. Beides zusammen genommen ergab die Chance einer Reise in die Vereinigten Staaten.

Nach langem Zögern, unzähligen Diskussionen und einigen Auseinandersetzungen beschlossen wir, uns diesen Urlaub zu nehmen. Aber ich musste Dede und Elsa zwei Wochen allein lassen. Schon unter normalen Bedingungen hatte ich Mühe, sie unterzubringen. Ich schrieb für einige Zeitschriften, machte Übersetzungen, nahm an Diskussionen in großen und kleinen Einrichtungen teil, sammelte Material für ein neues Buch, und diese ganze Plackerei mit den Mädchen in Einklang zu bringen, war jedes Mal extrem schwierig. Für gewöhnlich wandte ich mich an Mirella, eine sehr zuverlässige Studentin von Nino, die nicht viel verlangte, und wenn sie nicht frei war, ließ ich die beiden bei Antonella, einer Nachbarin um die fünfzig und Mutter erwachsener Kinder. Diesmal wollte ich die Mädchen zu Pietro bringen, doch er sagte, es sei ihm unmöglich, sie zu dieser Zeit so lange zu nehmen. Ich sondierte die Lage (zu Adele hatte ich keinen Kontakt mehr; Mariarosa war verreist, und kein Mensch wusste, wohin; meine Mutter war durch ihre schwer fassbare Krankheit geschwächt; Elisa wurde immer feindseliger) und sah keinen annehmbaren Ausweg. Am Ende war es Pietro, der mir vorschlug: »Frag doch Lina, sie hat ihren Sohn damals monatelang bei dir gelassen, sie steht in deiner Schuld.« Die Entscheidung fiel mir schwer. Einerseits stellte ich mir vor, dass Lila, selbst wenn sie mir trotz ihrer beruflichen Verpflichtungen ihre Hilfe zusagte, meine Töchter wie verwöhnte, zimperliche Püppchen behandeln, sie schikanieren und sie Gennaro überlassen würde; aber andererseits, und das ärgerte mich vielleicht noch mehr, hielt ich Lila für den einzigen der mir bekannten

Menschen, der alles dafür tun würde, dass es ihnen gutging. Da ich dringend eine Lösung finden musste, rief ich sie an. Auf meine Anfrage voller Pausen und Umschweife antwortete sie, ohne zu zögern und mich wie gewöhnlich überraschend:

»Deine Töchter sind natürlich auch meine Töchter, bring sie mir, wann es dir passt, und tu, was du willst und so lange du es willst.«

Obwohl ich ihr gesagt hatte, dass ich mit Nino verreisen würde, erwähnte sie ihn nicht, auch nicht, als ich ihr mit zahllosen Ratschlägen die Mädchen brachte. So fuhr ich im Mai 1980, von Zweifeln zerfressen und doch voller Begeisterung, in die Vereinigten Staaten. Diese Reise war für mich ein besonderes Erlebnis. Wieder fühlte ich mich frei von Grenzen, fähig, über Ozeane zu fliegen, fähig, mich über die ganze Welt auszudehnen. Ein erregender Rausch. Natürlich waren es zwei sehr anstrengende und sehr kostspielige Wochen. Die Frauen, die mein Buch publiziert hatten, besaßen kein Geld, und obwohl sie denkbar großzügig waren, gab ich immer noch viel aus. Und Nino hatte Mühe, sich wenigstens sein Flugticket erstatten zu lassen. Trotzdem waren wir glücklich. Mir zumindest ist es nie wieder so gut gegangen wie in diesen Tagen.

Auf dem Rückweg war ich sicher, schwanger zu sein. Schon vor dem Abflug nach Amerika hatte ich einen entsprechenden Verdacht gehabt, hatte aber Nino nichts davon gesagt und diese Möglichkeit während der ganzen Reise im Stillen und mit leichtsinniger Freude genossen. Aber als ich meine Mädchen abholte, hatte ich keinen Zweifel mehr und fühlte mich buchstäblich so voller Leben, dass ich versucht war, mich Lila anzuvertrauen.

Doch wie üblich ließ ich es dann sein, ich dachte: ›Sie würde bloß was Unangenehmes sagen, würde mir vorwerfen, dass ich geleugnet hatte, noch ein Kind zu wollen.‹ Ich strahlte trotzdem vor Freude, und als hätte mein Glück Lila angesteckt, begrüßte sie mich mit einer nicht weniger frohen Miene, sie rief: »Wie schön du bist!« Ich gab ihr die Geschenke, die ich für sie, Enzo und Gennaro mitgebracht hatte. Beschrieb ihr ausführlich die Städte, die ich besucht hatte, die Begegnungen, die ich gehabt hatte. »Aus dem Flugzeug«, sagte ich, »habe ich durch ein Loch in den Wolken ein Stück vom Atlantischen Ozean gesehen. Und die Leute sind sehr umgänglich, nicht so zugeknöpft wie in Deutschland oder so überheblich wie in Frankreich. Auch wenn du schlecht Englisch sprichst, hören sie dir aufmerksam zu und bemühen sich, dich zu verstehen. Im Restaurant schreien alle durcheinander, lauter als in Neapel. Und der Wolkenkratzer am Corso Novara, wenn du den mit welchen in Boston oder New York vergleichst, merkst du, dass das gar kein Wolkenkratzer ist. Die Straßen sind nummeriert, sie tragen keine Namen von Leuten, die niemand mehr kennt.« Nino erwähnte ich nicht, ich erzählte überhaupt nichts von ihm und seiner Arbeit, ich tat so, als wäre ich allein verreist. Sie hörte mir aufmerksam zu, stellte mir Fragen, auf die ich keine Antwort wusste, und sprach dann mit aufrichtigem Lob über meine Töchter, sagte, sie habe sich sehr wohl mit ihnen gefühlt. Ich freute mich, war wieder kurz davor, ihr zu erzählen, dass ich ein Kind erwartete. Doch dazu ließ Lila mir keine Zeit, ernst flüsterte sie: »Wie schön, dass du wieder da bist, Lenù, ich habe gerade eine gute Nachricht erhalten und bin froh, dass ich sie dir als Erste sagen kann.« Auch sie war schwanger.

38

Lila hatte sich meinen Mädchen mit Leib und Seele gewidmet. Es konnte kein leichtes Unterfangen gewesen sein, sie morgens rechtzeitig zu wecken, sie zu nötigen, sich zu waschen, sich anzuziehen, sie zu einem reichlichen und gleichzeitig schnellen Frühstück zu zwingen, sie im morgendlichen Chaos der Stadt zur Schule hinauf in die Via Tasso zu bringen, sie pünktlich im gleichen Gewühl wieder abzuholen, sie in den Rione zu bringen, ihnen etwas zu essen zu machen, ihre Hausaufgaben zu kontrollieren und sich währenddessen um die Arbeit und den Haushalt zu kümmern. Aber wie sich aus meiner gründlichen Befragung von Dede und Elsa ergab, war sie bestens zurechtgekommen. Und nun war ich als Mutter für die beiden mehr denn je unfähig. Ich konnte die Nudeln mit Tomatensoße nicht so machen wie Tante Lina, konnte ihnen nicht so gut und sanft die Haare trocknen und kämmen, wie sie es tat, konnte nichts versuchen, was Tante Lina nicht mit einem größeren Feingefühl in Angriff genommen hätte, abgesehen vielleicht vom Singen einiger Kinderlieder, die sie liebten und die Lila zugegebenermaßen nicht kannte. Hinzu kam, dass dieses Wunder von einer Frau, die ich frevelhafterweise zu selten besuchte (*Mama, warum gehen wir nicht zu Tante Lina, warum dürfen wir nicht öfter bei ihr schlafen, musst du nicht wieder verreisen?*), besonders in Dedes Augen eine Eigenschaft besaß, durch die sie einzigartig wurde. Sie war die Mutter von Gennaro, den meine Älteste für gewöhnlich Rino nannte und der für sie überhaupt der wohlgeratenste Mensch männlichen Geschlechts war.

Anfangs nahm ich das übel. Mein Verhältnis zu den

Mädchen war nicht gerade idyllisch, und Lilas Verherrlichung durch die beiden verschlechterte es noch mehr. Bei der hundertsten Kritik an mir verlor ich die Geduld, ich brüllte: »Jetzt reicht's! Dann geht doch auf den Elternmarkt und kauft euch eine andere Mutter!« Dieser Markt gehörte zu einem Spiel zwischen uns, das normalerweise dazu da war, Konflikte beizulegen und uns wieder miteinander zu versöhnen. Ich sagte: »Verkauft mich auf dem Elternmarkt, wenn ich euch nicht passe«, und sie antworteten dann: »Nein, Mama, wir wollen dich nicht verkaufen, du gefällst uns doch.« Diesmal, allerdings, antwortete Dede, womöglich wegen meines ungehaltenen Tons: »Ja, wir gehen gleich los, wir verkaufen dich und kaufen uns Tante Lina.«

So war eine Zeitlang die Stimmung bei uns. Und natürlich war sie nicht die günstigste, um den beiden Mädchen zu verkünden, dass ich sie angelogen hatte. Ich war in einer sehr komplizierten Gefühlsverfassung, war unverschämt, scheu, fröhlich, ängstlich, fühlte mich unschuldig und schuldig. Ich wusste nicht, wie ich anfangen sollte, es war eine schwierige Rede: ›Meine Süßen, ich dachte, dass ich kein Kind mehr wollte, dabei wollte ich doch noch eins, und jetzt bin ich wirklich schwanger, ihr bekommt ein Brüderchen oder vielleicht auch ein Schwesterchen, aber sein Vater ist nicht euer Vater, sein Vater ist Nino, der aber schon eine Frau und zwei Kinder hat, keine Ahnung, wie er das aufnehmen wird.‹ Ich dachte darüber nach, überlegte es mir anders und verschob das Ganze.

Dann ergab sich aus heiterem Himmel ein Gespräch, das mich überraschte. In Gegenwart von Elsa, die leicht beunruhigt zuhörte, sagte Dede in dem Ton, den sie hatte, wenn sie sich ein Problem voller Fallstricke erklären wollte:

»Weißt du, dass Tante Lina mit Enzo schläft, sie aber nicht verheiratet sind?«

»Wer hat dir das erzählt?«

»Rino. Enzo ist nicht sein Vater.«

»Hat dir das auch Rino erzählt?«

»Ja. Darum habe ich Tante Lina gefragt, und sie hat es mir erklärt.«

»Was hat sie dir erklärt?«

Sie war angespannt. Musterte mich, um zu sehen, ob sie mich wütend machte.

»Soll ich es dir sagen?«

»Ja.«

»Tante Lina hat einen Mann genauso wie du, und dieser Mann ist Rinos Vater, er heißt Stefano Carracci. Außerdem hat sie Enzo, Enzo Scanno, der schläft mit ihr. Und genauso ist es bei dir. Du hast Papa, der heißt Airota, aber du schläfst mit Nino, der heißt Sarratore.«

Ich lächelte sie beruhigend an.

»Wie hast du bloß alle diese Namen gelernt?«

»Na von Tante Lina, aber sie hat gesagt, dass sie Blödsinn sind. Rino ist aus ihrem Bauch gekommen, er wohnt bei ihr, aber er heißt Carracci wie sein Vater. Wir sind aus deinem Bauch gekommen, wir sind viel öfter mit dir zusammen als mit Papa, aber wir heißen Airota.«

»Ja und?«

»Mama, wenn einer über Tante Linas Bauch reden muss, sagt er doch nicht: ›Das ist Stefano Carraccis Bauch‹, er sagt: ›Das ist Lina Cerullos Bauch.‹ So ist das auch bei dir. Dein Bauch ist Elena Grecos Bauch und nicht Pietro Airotas Bauch.«

»Und was bedeutet das?«

»Dass es richtig wäre, wenn Rino Rino Cerullo heißen würde und wir Dede und Elsa Greco.«

»Hast du dir das ausgedacht?«

»Nein, Tante Lina.«

»Und was hältst du davon?«

»Ich denke das auch.«

»Wirklich?«

»Ja, ganz bestimmt.«

Elsa, die sah, dass die Stimmung offenbar gut war, zerrte an mir und mischte sich ein:

»Mama, das stimmt nicht. Sie hat gesagt, dass sie Dede Carracci heißt, wenn sie heiratet.«

Dede schrie wütend:

»Sei ruhig, du lügst!«

Ich wandte mich an Elsa:

»Wieso Dede Carracci?«

»Weil sie Rino heiraten will.«

Ich fragte Dede:

»Hast du Rino lieb?«

»Ja«, sagte sie angriffslustig. »Und wenn wir nicht heiraten, schlafe ich trotzdem mit ihm.«

»Mit Rino?«

»Ja. Wie Tante Lina mit Enzo. Und wie du mit Nino.«

»Darf sie das, Mama?«, erkundigte sich Elsa skeptisch.

Ich antwortete nicht, wich aus. Aber dieser Wortwechsel verbesserte meine Laune und leitete eine neue Phase ein. Es war für mich nicht schwer zu erkennen, dass Lila es mit diesen und weiteren Reden über richtige und falsche Väter, über alte und neue Namen geschafft hatte, für Dede und Elsa die Lebensumstände, in die ich sie gebracht hatte, nicht nur akzeptabel, sondern sogar interessant erscheinen zu lassen. Denn wie durch ein Wunder hörten meine Mädchen auf, Adele und Mariarosa nachzutrauern; hörten auf, wenn sie aus Florenz zurückkehrten, zu erklären, sie wollten für immer bei ihrem Vater und Doriana bleiben; hörten auf, der Babysitterin Mirella das Leben schwerzumachen, als wäre sie ihre ärgste Feindin; hörten auf, Neapel abzulehnen, die Schule, die Lehrer, ihre Klassenkameraden und vor allem die Tatsache, dass Nino in meinem Bett schlief. Kurz, sie wirkten unbeschwerter. Ich registrierte diesen Wandel mit Erleichterung. So ärgerlich es sein mochte, dass Lila auch in das Leben meiner Töchter eingedrungen war und sie an sich gezogen hatte, konnte ich ihr doch wirklich nicht vorwerfen, ihnen nicht ein Höchstmaß an Zuneigung gegeben zu haben, ein Höchstmaß an Fürsorge und eine Hilfestellung zur Linderung ihrer Sorgen. Das war, in der Tat, die Lila, die ich liebte. Sie konnte plötzlich aus der ihr eigenen Boshaftigkeit ausbrechen und mich überraschen. Schlagartig verblasste jede Kränkung – *sie ist gehässig, das ist sie immer gewesen, aber sie ist auch vieles andere, man muss sie ertragen* –, und ich sah ein, dass sie mir gerade half, meinen Töchtern weniger wehzutun.

Eines Morgens beim Aufwachen dachte ich erstmals seit langem ohne Feindseligkeit an Lila. Ich erinnerte mich an ihre Hochzeit, an ihre erste Schwangerschaft. Sie war sechzehn Jahre alt gewesen, nur sechs, sieben Jahre älter als Dede. Meine Tochter würde bald in das Alter der Gespenster unserer Mädchenzeit kommen. Für mich war es unvorstellbar, dass sie in einem vergleichsweise kurzen Zeitraum in einem Brautkleid landen könnte, wie es Lila passiert war, vergewaltigt im Bett eines Mannes, und sie sich in die Rolle der Signora Carracci zurückziehen könnte; für mich war es unvorstellbar, dass sie, wie es mir passiert war, unter dem schweren Körper eines älteren Mannes landen könnte, nachts, am Maronti-Strand, schmutzig vom schwarzen Sand und von Körpersäften, nur um etwas zu kompensieren. Ich erinnerte mich an die unzähligen Widerwärtigkeiten, durch die wir gegangen waren, und ließ die Solidarität wiederaufleben. Ich dachte: ›Was für eine Verschwendung wäre es, unsere Geschichte damit zu verderben, dass wir negativen Gefühlen zu viel Raum ließen. Negative Gefühle sind unvermeidlich, es kommt aber darauf an, sie in Grenzen zu halten.‹ Ich näherte mich Lila wieder an, mit der Ausrede, dass den Mädchen viel daran lag, sie zu sehen. Das Übrige taten unsere Schwangerschaften.

39

Doch wir waren zwei sehr unterschiedliche Schwangere. Mein Körper reagierte mit Zustimmung, ihrer mit Widerwillen. Trotzdem betonte Lila von Anfang an, diese Schwangerschaft *gewollt* zu haben, lachend sagte sie: »Ich habe sie programmiert.« Aber etwas in ihrem Organismus leistete wie üblich Widerstand. Während ich mich gleich so fühlte, als schimmerte ein rosiges Licht in mir auf, bekam sie eine grünliche Farbe, das Weiß ihrer Augen wurde gelb, sie verabscheute bestimmte Gerüche, musste sich in einem fort übergeben. »Was soll ich machen«, sagte sie. »Ich bin froh, aber dieses Dings in meinem Bauch ist es nicht, es ist sogar sauer auf mich.« Enzo widersprach, er sagte: »Ach was, es freut sich mehr als wir uns alle zusammen.« Lila zufolge, die ihn aufzog, sollte das heißen: Ich habe es da reingesetzt, ich habe gesehen, dass es brav ist, verlass dich drauf, du brauchst dir keine Sorgen zu machen.

Wenn ich Enzo traf, hegte ich eine noch größere Sympathie für ihn als sonst, eine größere Bewunderung. Es war, als hätte sich zu seinem alten Stolz noch ein neuer hinzugesellt, der sich in einem verhundertfachten Arbeitswillen äußerte und auch in einer Wachsamkeit zu Hause, in der Firma und auf der Straße, die ganz darauf gerichtet war, seine Gefährtin vor physischen und metaphysischen Gefahren zu schützen und jedem ihrer Wünsche zuvorzukommen. Er übernahm es, Stefano die Nachricht zu überbringen, der mit keiner Wimper zuckte, nur leicht das Gesicht verzog und wegging, vielleicht, weil auch die alte Salumeria inzwischen fast nichts mehr einbrachte und er auf das Geld angewiesen war, mit dem seine Exfrau ihn unterstützte, oder vielleicht, weil jede Verbindung zwischen ihm und Lila ihm wie eine längst vergangene Geschichte vorkam, was scherte es ihn, dass sie schwanger war, er hatte andere Probleme, andere Wünsche.

Vor allem übernahm Enzo es aber, es Gennaro zu sagen. Denn Lila hatte ihrem Sohn gegenüber die gleichen – doch sicherlich stärker gerechtfertigten – Hemmungen, wie ich sie Dede und Elsa gegenüber hatte. Gennaro war kein kleiner Junge mehr, ihm konnte man nicht mit kindlichem Benehmen und kindlichen Wörtern kommen. Er war ein Junge mitten in der Pubertät, der noch kein Gleichgewicht gefunden hatte. Nach zweimal hintereinander Sitzenbleiben am Gymnasium war er überempfindlich geworden, unfähig, die Tränen zurückzuhalten, er konnte die Blamage nicht verwinden. Er verbrachte die Tage entweder damit, durch die Straßen zu ziehen, oder, in der Salumeria seines Vaters in einer Ecke zu sitzen, die Pickel in seinem breiten Gesicht zu zerkratzen und jeden Handgriff und jede Miene Stefanos zu beobachten, ohne ein Wort zu sagen.

»Er nimmt es bestimmt furchtbar schlecht auf«, sorgte sich Lila und hatte zugleich Angst, dass er es von anderen erfahren könnte, von Stefano, zum Beispiel. Daher nahm Enzo ihn eines Abends beiseite und erzählte ihm von der Schwangerschaft. Gennaro blieb teilnahmslos. Enzo drängte ihn: »Geh und umarme deine Mutter, zeig ihr, dass du sie liebst.« Der Junge gehorchte. Aber einige Tage später fragte Elsa mich hinter dem Rücken ihrer Schwester:

»Mama, was ist eine läufige Hündin?«

»Die Frau vom Hund.«

»Wirklich?«

»Ja.«

»Rino hat zu Dede gesagt, Tante Lina ist eine läufige Hündin.«

Probleme also. Lila erzählte ich nichts davon, ich hielt es für überflüssig. Außerdem hatte ich meine eigenen Sorgen. Ich schaffte es nicht, Pietro zu informieren, schaffte es nicht, es den Mädchen zu sagen, und vor allen Dingen schaffte ich es nicht, es Nino zu sagen. Ich war mir sicher, dass die Nachricht von meiner Schwangerschaft Pietro, obwohl er nun Doriana hatte, erneut aufregen würde, dass er zu seinen Eltern laufen und seine Mutter veranlassen würde, mir das Leben auf jede erdenkliche Weise schwerzumachen. Ich war mir auch sicher, dass Dede und Elsa wieder feindselig werden würden. Aber mein eigentliches Problem war Nino. Ich hoffte, die Geburt des Kindes würde ihn endgültig an mich binden.

Hoffte, Eleonora würde ihn verlassen, wenn sie von seiner neuen Vaterschaft erfuhr. Aber es war eine schwache Hoffnung, fast immer überwog meine Angst. Nino hatte es klar und deutlich gesagt: Er wollte lieber dieses Doppelleben – das uns zwar alle möglichen Unannehmlichkeiten, Ängste und Spannungen bescherte – als das Trauma eines definitiven Bruchs mit seiner Frau. Daher fürchtete ich, er könnte von mir verlangen, abzutreiben. Und so war ich jeden Tag kurz davor, ihm von meiner Schwangerschaft zu erzählen, und sagte mir doch jeden Tag: ›Nein, lieber morgen.‹

Trotzdem fügte sich allmählich alles. Eines Abends telefonierte ich mit Pietro und sagte: »Ich bin schwanger.« Es entstand eine lange Pause, er räusperte sich, sagte leise, er habe damit gerechnet. Dann fragte er:

»Hast du es den Mädchen schon gesagt?«

»Nein.«

»Soll ich es tun?«

»Nein.«

»Pass auf dich auf.«

»Mach ich.«

Das war alles. Er rief nun häufiger an. Sein Ton war zärtlich, er machte sich Sorgen, wie die Mädchen reagieren würden, bot jedes Mal an, mit ihnen darüber zu sprechen. Doch keiner von uns beiden musste es tun. Lila, die sich zwar geweigert hatte, mit ihrem Sohn zu reden, überzeugte nun aber Dede und Elsa davon, dass es wunderschön sein würde, sich zu gegebener Zeit um dieses lustige, lebendige Püppchen zu kümmern, das ich mit Nino und nicht mit ihrem Vater gemacht hatte. Sie nahmen es gut auf. Da Tante Lina das Baby als Püppchen bezeichnet hatte, nannten sie es nun auch so. Sie interessierten sich für meinen Bauch, fragten jeden Morgen gleich nach dem Aufwachen: »Mama, wie geht es dem Püppchen?«

Zwischen dem Gespräch mit Pietro und dem mit den Mädchen nahm ich endlich auch die Sache mit Nino in Angriff. Das ging so: Eines Nachmittags, als ich besonders ängstlich war, besuchte ich Lila, um ihr mein Herz auszuschütten. Ich fragte sie:

»Und wenn er nun will, dass ich abtreibe?«

»Tja«, sagte sie, »dann ist wohl alles klar.«

»Was soll denn klar sein?«

»Dass erst seine Frau und seine Kinder kommen und dann du.«

Direkt, brutal. Lila verheimlichte mir vieles, aber nicht ihre Abneigung gegen meine Verbindung mit Nino. Trotzdem machte es mir nichts aus, ich merkte sogar, dass mir die deutlichen Worte guttaten. Letztendlich hatte sie mir nur gesagt, was mir zu sagen ich selbst mich nicht traute, dass nämlich Ninos Reaktion ein Indiz für die Haltbarkeit unserer Beziehung sein würde. Ich stammelte etwas wie: »Kann sein, wir werden sehen.« Als kurz darauf Carmen mit ihren Kindern vorbeikam und Lila auch sie in das Gespräch einbezog, wurde dieser Nachmittag so, wie die Nachmittage unserer frühen Jugend gewesen waren. Wir zogen uns gegenseitig ins Vertrauen, schmiedeten Komplotte und Pläne. Carmen regte sich auf, sagte, falls Nino Schwierigkeiten machen sollte, wolle sie zu ihm gehen und persönlich ein Wörtchen mit ihm reden. Sie fügte hinzu: »Ich begreife nicht, wie es sein kann, Lenù, dass eine mit deinem Niveau sich derart herumschubsen lässt.« Ich versuchte, mich und auch meinen Freund zu rechtfertigen. Sagte, seine Schwiegereltern hätten ihn unterstützt und unterstützten ihn noch, und alles, was Nino und ich uns leisteten, sei nur möglich, weil er mit Hilfe der Familie seiner Frau sehr viel verdiene. »Meine Mädchen und ich«, räumte ich ein, »hätten Mühe, mit dem, was ich für meine Bücher und von Pietro erhalte, anständig über die Runden zu kommen.« Und ich sagte weiter: »Aber macht euch keine falschen Vorstellungen, Nino ist sehr liebevoll, er schläft wenigstens viermal in der Woche bei mir, er hat mir immer jede Art von Demütigung erspart, und wenn er kann, kümmert er sich um Dede und Elsa, als wären sie von ihm.« Sobald ich zu reden aufgehört hatte, sagte Lila fast schon befehlend:

»Dann sag es ihm noch heute Abend.«

Ich gehorchte. Ich ging nach Hause, und als er kam, aßen wir zu Abend, ich brachte die Mädchen ins Bett, und endlich sagte ich ihm, dass ich schwanger sei. Nach einem sehr langen Augenblick umarmte er mich, küsste er mich, freute er sich sehr. Ich flüsterte erleichtert: »Ich weiß es schon eine ganze Weile, aber ich hatte Angst, du würdest dich ärgern.« Er machte mir Vorwürfe, sagte etwas Sonderbares: »Wir müssen mit Dede und Elsa zu meinen Eltern gehen und auch ihnen diese schöne Nachricht mitteilen, meine Mutter wird sich freuen.« Er wollte so unsere Verbindung besiegeln, wollte seine neue Vaterschaft offiziell machen. Ich zog ein mäßig zustimmendes Gesicht, dann fragte ich leise:

»Aber sagst du es auch Eleonora?«

»Das geht sie nichts an.«

»Du bist immer noch ihr Mann.«

»Das ist eine reine Formsache.«

»Du musst unserem Kind deinen Namen geben.«

»Das mache ich.«

Ich regte mich auf:

»Nein, Nino, das wirst du nicht machen, du wirst so tun, als ob nichts wäre, wie du es immer getan hast.«

»Geht es dir nicht gut mit mir?«

»Es geht mir ausgezeichnet.«

»Vernachlässige ich dich?«

»Nein. Aber *ich* habe meinen Mann verlassen, *ich* bin nach Neapel gezogen, *ich* habe mein ganzes Leben umgekrempelt. *Du* dagegen hast deines unverändert beibehalten, und es ist intakt.«

»Mein Leben, das bist du, das sind deine Töchter und das Kind in deinem Bauch. Der Rest ist nur notwendiges Beiwerk.«

»Notwendig für wen? Für dich? Für mich ganz sicher nicht!«

Er schloss mich fest in die Arme, raunte:

»Vertrau mir.«

Tags darauf telefonierte ich mit Lila und sagte: »Alles gut, Nino hat sich sehr gefreut.«

40

Die folgenden Wochen waren schwierig, oft dachte ich, wenn mein Organismus nicht mit so viel freudiger Natürlichkeit auf die Schwangerschaft reagiert hätte, wenn ich wie Lila in einem Zustand ständigen körperlichen Leidens gewesen wäre, hätte ich das nicht durchgehalten. Mein Verlag veröffentlichte nach vielen Widerständen schließlich Ninos Essaysammlung, und ich übernahm die Aufgabe – noch immer dem Beispiel Adeles folgend, trotz unserer miserablen Beziehung –, mich sowohl um die wenigen, recht renommierten Persönlichkeiten, die ich kannte, zu kümmern, damit sie das Buch in den Zeitungen besprachen, als auch um die vielen, sehr vielen Leute, die er kannte, aber aus Stolz nicht anrief. Zu dieser Zeit erschien auch Pietros Buch, und er brachte es mir persönlich vorbei, sobald er nach Neapel kam, um die Mädchen zu besuchen. Gespannt wartete er darauf, dass ich die Widmung las (die mich in Verlegenheit brachte: *Für Elena, die mich gelehrt hat, mit Schmerzen zu lieben*), wir waren beide gerührt, er lud mich zu einem Fest ein, das ihm zu Ehren in Florenz stattfand. Ich musste dorthin, schon allein, um ihm die Mädchen zu bringen. Aber ich hatte deswegen nicht nur die offene Feindseligkeit meiner Schwiegereltern zu ertragen, sondern vorher und nachher auch die Gereiztheit Ninos, der bei jedem Kontakt, den ich mit Pietro hatte, eifersüchtig war, der sich über dessen Widmung aufregte, grollte, weil ich gesagt hatte, dass das Buch meines Exmannes hervorragend sei und man innerhalb und außerhalb der akademischen Welt mit großer Hochachtung darüber spreche, und sich ärgerte, weil seine eigene Publikation vollkommen unbeachtet blieb.

Wie sehr mich unsere Beziehung doch erschöpfte, und wie viele Fallen sich in jeder Geste, in jedem Satz von mir, von ihm verbargen. Nicht einmal Pietros Namen wollte er mehr hören, und wenn ich Franco erwähnte, verfinsterte sich sein Gesicht, er wurde eifersüchtig, wenn ich mit einem seiner Freunde zu laut lachte, fand es aber vollkommen normal, dass seine Frau und ich ihn uns teilen mussten. Einige Male traf ich ihn mit Eleonora und den zwei Kindern in der Via Filangieri. Beim ersten Mal taten sie so, als sähen sie mich nicht, und gingen weiter; beim zweiten Mal baute ich mich launig vor den beiden auf, wechselte ein paar Worte mit ihnen, wobei ich meine

Schwangerschaft erwähnte, die man noch nicht sah, und verzog mich wieder, mit Herzklopfen bis zum Hals und voller Wut. Da er mir danach wegen meines, wie er es nannte, überflüssigerweise provokatorischen Benehmens Vorhaltungen machte, stritten wir uns (*ich habe ihr doch gar nicht gesagt, dass du der Vater bist, ich habe doch nur gesagt, dass ich schwanger bin*), ich warf ihn aus der Wohnung, nahm ihn wieder auf.

In solchen Momenten sah ich plötzlich, was ich wirklich war: hörig, bereit, immer das zu tun, was er wollte, und sorgsam darauf bedacht, nicht zu übertreiben, um ihm keine Schwierigkeiten zu machen, nicht seinen Unmut zu erregen. Ich vergeudete meine Zeit, um für ihn zu kochen, die schmutzige Wäsche zu waschen, die er in der Wohnung zurückließ, und mir alle seine Probleme anzuhören, die er in der Universität und mit den vielen Lehraufträgen hatte, zu denen er dank der ihn umgebenden Atmosphäre des Wohlwollens und der kleinen Machtbefugnisse seines Schwiegervaters kam; ich empfing ihn immer freudig, wollte, dass er sich bei mir wohler fühlte als in dem anderen Haushalt, wollte, dass er sich ausruhte, dass er sich mir anvertraute, er rührte mich an, weil er von der vielen Verantwortung ständig überfordert war; es kam sogar so weit, dass ich mich fragte, ob Eleonora ihn nicht vielleicht mehr liebte als ich, weil sie jede Beleidigung wegsteckte, nur um das Gefühl zu haben, dass er noch ihr gehörte. Aber manchmal hielt ich es nicht mehr aus und schrie ihn an, auf die Gefahr hin, dass die Mädchen es hörten: »Wer bin ich denn für dich, erklär mir mal, warum ich in dieser Stadt bin, warum ich jeden Abend auf dich warte, warum ich mir diese Situation gefallen lasse!«

In solchen Augenblicken bekam er Angst und flehte mich an, mich zu beruhigen. Wahrscheinlich um mir zu beweisen, dass ich – nur ich – seine Frau war und Eleonora in seinem Leben keine Rolle spielte, wollte er mich eines Sonntags tatsächlich zum Mittagessen zu seinen Eltern in die Via Nazionale mitnehmen. Ich schaffte es nicht, nein zu sagen. Dieser Tag verging langsam und in einer herzlichen Atmosphäre. Ninos Mutter Lidia war alt geworden, erschöpft und abgehärmt, mit einem Entsetzen in den Augen, das nicht die Außenwelt auszulösen schien, sondern eine Bedrohung, die sie in ihrer Brust spürte. Pino, Clelia und Ciro, die ich als kleine Kinder gekannt hatte, waren erwachsen, studierten oder arbeiteten, Clelia hatte vor kurzem sogar geheiratet. Bald kamen auch Marisa und Alfonso mit den Kindern, und wir setzten uns zu Tisch. Es gab unzählige Gänge, von zwei Uhr nachmittags bis sechs Uhr abends, in einer Stimmung aufgesetzter Fröhlichkeit, doch auch ehrlicher Zuneigung. Besonders Lidia behandelte mich, als wäre ich ihre wahre Schwiegertochter, wollte mich dicht bei sich haben, machte mir große Komplimente zu meinen Töchtern und gratulierte mir zu dem Kind, das ich erwartete.

Der einzige Grund für Spannungen war natürlich Donato. Ihn nach zwanzig Jahren wiederzusehen, wühlte mich sehr auf. Er trug eine dunkelblaue Hausjacke und an den Füßen braune Pantoffeln. Er wirkte kleiner und breiter, in einem fort wedelte er mit seinen plumpen Händen, die dunkle Altersflecken und unter den Fingernägeln grauschwarze Schmutzränder aufwiesen. Seine Gesichtshaut schien über den Knochen zu weit zu sein, sein Blick war trübe. Über den kahlen Schädel hatte er seine wenigen, gefärbten Haare gekämmt, die einen Stich ins Rote hatten, und wenn er lächelte, zeigte er seine Zahnlücken. Anfangs versuchte er es mit seinem alten Getue eines Mannes von Welt, starrte mir wiederholt auf den Busen, redete in Anspielungen. Dann begann er sich zu beklagen: »Niemand bleibt mehr da, wo er hingehört, die zehn Gebote sind abgeschafft, und die Frauen, wer kann die denn noch bändigen, alles ist außer Rand und Band.« Aber seine Kinder brachten ihn zum Schweigen und grenzten ihn aus, er verstummte. Nach dem Essen hielt er sich an Alfonso, diesen feinen, zarten Mann, der in meinen Augen so schön war wie Lila oder noch schöner, und zog ihn in eine Ecke, um seine Geltungssucht bei ihm auszuleben. Hin und wieder sah ich diesen alten Mann ungläubig an, ich dachte: ›Unmöglich, dass ich, ich als junges Mädchen, am Maronti-Strand mit diesem schmierigen Kerl zusammen gewesen bin, das kann nicht wirklich passiert sein. Meine Güte, sieh ihn dir an: glatzköpfig, schlampig, mit obszönen Blicken neben meinem Schulkameraden vom Gymnasium, der so absichtlich feminin ist, eine junge Frau in Männersachen. Und ich im selben Raum mit ihm, nun vollkommen anders als mein Ich auf Ischia. Was für eine Zeit ist das *Heute*, was für eine Zeit war das *Damals*.‹

Irgendwann rief mich Donato, nannte mich liebenswürdig »Lenù«. Auch Alfonso ermunterte mich mit Gesten und Blicken, zu ihnen zu kommen. Mit Unbehagen ging ich in ihre Ecke. Donato fing an, mich mit lauter Stimme zu loben, als richtete er sich an ein unermesslich großes Publikum. »Diese Frau ist eine bedeutende Gelehrte, eine Schriftstellerin, wie es auf der ganzen Welt keine zweite gibt; ich bin stolz darauf, sie schon in ihrer Jugend gekannt zu haben; als sie damals als Kind in den

Ferien zu uns nach Ischia kam, hat sie durch ihre Lektüre meiner bescheidenen Verse zur Literatur gefunden, sie hat vor dem Einschlafen immer mein Buch gelesen, stimmt's, Lenù?«

Er sah mich unsicher und plötzlich flehend an. Seine Augen baten mich, ihm die Bedeutung seiner Worte für meine literarische Neigung zu bestätigen. Und ich sagte, ja, das stimmt, als Kind konnte ich es nicht fassen, dass ich jemanden persönlich kannte, der einen Gedichtband geschrieben hatte und dessen Gedanken sogar in der Zeitung abgedruckt wurden. Ich bedankte mich bei ihm für die Rezension, die er ein Dutzend Jahre zuvor meinem ersten Buch gewidmet hatte, sagte, sie sei sehr nützlich für mich gewesen. Donato wurde rot vor Freude, bekam Auftrieb, begann sich selbst zu rühmen und sich zugleich zu beklagen, dass der Neid der Mittelmäßigen ihn daran gehindert habe, so bekannt zu werden, wie er es verdient gehabt hätte. Nino musste einschreiten, und zwar grob. Er zog mich wieder zu seiner Mutter.

Auf der Straße machte er mir Vorwürfe, sagte: »Du weißt doch, wie mein Vater ist, da muss man ihn nicht auch noch anstacheln.« Ich nickte und betrachtete ihn aus den Augenwinkeln. Würde Nino eine Glatze bekommen? Würde er fett werden? Würde er missgünstig über jemanden reden, der mehr Glück gehabt hatte als er? Jetzt sah er sehr gut aus, ich wollte mir das nicht vorstellen. Er sagte über seinen Vater: »Er findet sich nicht mit seinem Leben ab, je älter er wird, desto schlimmer wird er.«

41

Zu dieser Zeit brachte meine Schwester mit vielen Ängsten und viel Geschrei einen Jungen zur Welt, den sie, nach Marcellos Vater, Silvio nannte. Da es unserer Mutter nach wie vor nicht gutging, bemühte nun ich mich, Elisa zu helfen. Sie war blass vor Erschöpfung und erschrocken über das Neugeborene. Ihren Sohn so mit Blut und anderen Körperflüssigkeiten verschmiert zu sehen, hatte ihr den Eindruck eines im Sterben liegenden Körperchens vermittelt und sie angewidert. Aber Silvio war quicklebendig, schrie mit geballten Fäusten. Und jetzt wusste sie nicht, wie sie ihn im Arm halten sollte, wie ihn baden, wie die Wunde der Nabelschnur verarzten, wie ihm die Fingernägel schneiden. Es stieß sie sogar ab, dass er ein Junge war. Ich versuchte, sie anzuleiten, aber das hielt nicht lange vor. Der immer etwas plumpe Marcello behandelte mich sofort mit einer Ehrfurcht, hinter der ich Ärger spürte, als machte meine Anwesenheit im Haus seinen Tag komplizierter. Auch Elisa war, anstatt mir dankbar zu sein, verärgert über alles, was ich sagte, und selbst über meine Aufopferung an sich. Jeden Tag dachte ich: ›Es reicht, ich habe selbst reichlich zu tun, morgen komme ich nicht mehr her.‹ Aber ich kam immer wieder, und schließlich entschieden die Ereignisse für mich.

Schlimme Ereignisse. Eines Morgens, als ich bei meiner Schwester war – es war sehr heiß, der Rione döste unter einer glühenden Staubschicht, einige Tage zuvor war der Bahnhof von Bologna in die Luft geflogen –, kam ein Anruf von Peppe: Unsere Mutter war im Bad ohnmächtig geworden. Ich hastete zu ihr, sie war in kalten

Schweiß gebadet, zitterte, hatte unerträgliche Bauchschmerzen. Ich konnte sie schließlich zu einem Arztbe-
such bewegen. Es folgten verschiedene Untersuchungen,
und nach kurzer Zeit diagnostizierte man etwas Ernstes,
in genau dieser ausweichenden Terminologie, die auch
ich sofort erlernte. Der Rione verwendete sie, wenn es
sich um Krebs handelte, und die Ärzte waren da auch
nicht besser. Sie übersetzten ihre Diagnose in eine ähn-
liche, vielleicht nur etwas gelehrtere Formulierung: Die
Krankheit war nicht nur ernst, sie war *unaufhaltsam*.

Mein Vater brach bei dieser Nachricht sofort zusammen, erwies sich als der Situation nicht gewachsen. Meine Brüder mit ihrem vage benebelten Blick und ihrer gelblichen Gesichtsfarbe liefen eine Weile aufgeregt und mit
hilfsbereiter Miene herum und machten sich dann, Tag
und Nacht ganz von ihrer undefinierbaren Arbeit in Anspruch genommen, aus dem Staub, nicht, ohne Geld dazu-
lassen, das für Medizin und Ärzte auch gebraucht wurde.
Und meine Schwester blieb entsetzt zu Hause, ungepflegt,
im Nachthemd und bereit, Silvio die Brustwarze in den
Mund zu stecken, sobald er ein Wimmern auch nur andeutete. So lastete die Krankheit meiner Mutter im vierten
Monat meiner Schwangerschaft ausschließlich auf mir.

Das bedauerte ich nicht, ich wollte meiner Mutter zeigen, dass ich sie liebte, obwohl sie mich oft verletzt hatte.
Ich wurde sehr aktiv, schaltete sowohl Nino als auch Pietro ein, damit sie mir hervorragende Ärzte empfahlen;
brachte meine Mutter zu verschiedenen Koryphäen; blieb
im Krankenhaus bei ihr, als man sie notoperierte, als man
sie entließ; half ihr bei allem, nachdem ich sie zurück
nach Hause gebracht hatte.

Die Hitze war unerträglich, ich war ständig in Sorge.

Während mein Bauch sich fröhlich vorwölbte und ein anderes Herz in ihm schlug als meines, sah ich jeden Tag voller Kummer dem Verfall meiner Mutter zu. Es berührte mich sehr, wenn sie sich an mich klammerte, um nicht verlorenzugehen, so wie ich mich an ihre Hand geklammert hatte, als ich klein gewesen war. Je zerbrechlicher und ängstlicher sie wurde, umso stolzer wurde ich, sie im Leben halten zu können.

Zunächst war sie mürrisch wie üblich. Egal, was ich sagte, sie widersprach mit groben Weigerungen, es gab nichts, von dem sie nicht glaubte, es ohne mich tun zu können. Der Arzt? Den wollte sie allein aufsuchen. Das Krankenhaus? Da wollte sie allein hin. Die Behandlungen? Darum wollte sie sich allein kümmern. »Ich brauche nichts«, knurrte sie, »hau ab, du machst mir nur Ärger.« Trotzdem regte sie sich auf, wenn ich auch nur eine Minute zu spät kam (*da du ja was Besseres zu tun hattest, war es unnötig, mir zu sagen, dass du kommst*); beschimpfte mich, wenn ich ihr nicht unverzüglich das brachte, worum sie mich bat, und stürzte mit ihrem hinkenden Bein sogar selbst los, um mir zu beweisen, dass ich schlimmer als das schlafende Dornröschen war und sie viel mehr Energie hatte als ich (*da, da, an wen denkst du denn, wo hast du bloß deinen Kopf, Lenù, wenn ich erst auf dich warte, bin ich verloren*); sie kritisierte mich scharf wegen meines guten Benehmens den Ärzten und Krankenschwestern gegenüber, zischte: *Wenn du denen nicht ins Gesicht spuckst, diesen Dreckschweinen, verarschen die dich nach Strich und Faden, die rennen bloß für den, der ihnen Feuer unterm Hintern macht.* Aber unterdessen änderte sich etwas in ihr. Oft erschrak sie über die eigene Unruhe. Sie bewegte sich, als fürchtete sie, der Boden unter ihren Füßen könnte sich auftun. Als ich sie einmal vor dem Spiegel überraschte – sie betrachtete sich häufig, mit einer Neugier, die sie früher nie gehabt hatte –, fragte sie mich verlegen: »Erinnerst du dich noch daran, als ich jung war?« Dann drängte sie mich, als gäbe es da einen Zusammenhang, ihr zu schwören, sie nie wieder ins Krankenhaus zu bringen, nicht zuzulassen, dass sie allein in einem Krankensaal starb. Sie sah mich mit Tränen in den Augen an.

Am meisten beunruhigte mich, dass sie so leicht zu erschüttern war, das hatte es nie gegeben. Sie war gerührt, wenn ich von Dede erzählte; oder wenn sie argwöhnte, mein Vater könnte ohne saubere Socken dastehen; wenn sie über Elisa sprach, die sich mit dem Kind herumplagte; wenn sie den Ansatz meines Bauches anschaute; wenn sie sich das Grün erinnerte, das sich früher rings um die Wohnblocks des Rione erstreckt hatte. Mit ihrer Krankheit hatte sich bei ihr eine Verletzbarkeit entwickelt, die sie bis dahin nicht gehabt hatte, und diese Verletzbarkeit schwächte ihre Neurose ab, verwandelte sie in ein bizarres Leiden, das ihr immer öfter feuchte Augen verursachte. Eines Nachmittags begann sie zu weinen, nur weil ihr Maestra Oliviero eingefallen war, die sie doch nie hatte ausstehen können. »Weißt du noch«, sagte sie, »wie sehr sie darauf bestanden hat, dass du die Aufnahmeprüfung für die Mittelschule machst?« Und schon kamen unaufhaltsam die Tränen. Ich sagte: »Ma', beruhige dich, was gibt es denn da zu weinen.« Es verstörte mich, sie wegen nichts so verzweifelt zu sehen, das war ich nicht gewohnt. Auch sie schüttelte ungläubig den Kopf, lachte und weinte, lachte, um mir zu zeigen, dass sie nicht wusste, was es zu weinen gab.

Ihre zunehmende Schwäche führte uns allmählich zu einer Vertrautheit, die wir nie gehabt hatten. Anfangs schämte sie sich dafür, dass es ihr schlechtging. Wenn mein Vater, meine Brüder oder Elisa mit Silvio bei ihren Schwächeanfällen dabei waren, versteckte sie sich im Bad, und wenn sie sie behutsam bedrängten (*Ma', wie geht es dir, mach die Tür auf*), öffnete sie nicht und antwortete unweigerlich: »Mir geht's bestens, was habt ihr denn, warum lasst ihr mich nicht mal auf dem Klo in Ruhe.« Doch mir vertraute sie sich unversehens an, sie entschloss sich, mir ihre Qualen offen zu zeigen, nun, ohne sich zu schämen.

Es begann eines Morgens bei ihr zu Hause, als sie mir erzählte, warum sie hinkte. Sie tat es spontan und ohne Vorreden. »Der Todesengel«, sagte sie stolz, »hat mich schon als Kind mit meinem heutigen Leiden geschlagen, aber ich habe ihn verarscht, obwohl ich noch klein war. Und du wirst sehen, ich werde ihn wieder verarschen, denn ich weiß, wie man leidet – ich habe es mit zehn Jahren gelernt und seitdem nicht mehr damit aufgehört –, und wenn du leiden kannst, hat der Engel Respekt vor dir, und nach einer Weile verschwindet er.« Während sie sprach, hob sie ihr Kleid und zeigte mir das schlimme Bein wie das Relikt aus einer alten Schlacht. Sie klatschte mit der Hand darauf und sah mich mit einem starren Lachen auf den Lippen und entsetzten Augen an.

Von nun an wurden die Phasen, in denen sie grollend schwieg, immer kürzer, während die Phasen, in denen sie sich ohne Hemmungen mitteilte, immer länger wurden. Manchmal sagte sie verstörende Dinge. Sie verriet mir, dass sie nie mit einem anderen Mann als meinem Vater zusammen gewesen war. Verriet mir mit derben Worten, dass mein Vater immer schnell fertig sei, sie erinnere sich nicht, ob es ihr je wirklich Spaß gemacht habe, mit ihm zu schlafen. Verriet mir, dass sie ihn immer geliebt habe und noch immer liebe, doch so wie einen Bruder. Verriet mir, das einzige Schöne in ihrem Leben sei der Moment gewesen, in dem ich aus ihrem Bauch gekommen sei, ich, ihr erstes Kind. Verriet mir, dass die schlimmste Sünde, die sie begangen habe – eine Sünde, für die sie in die Hölle kommen werde –, die gewesen sei, sich ihren anderen Kindern nie verbunden gefühlt zu haben, sie als Plage empfunden zu haben und noch zu empfinden. Und sie verriet mir schließlich unumwunden, dass ich ihr einziges wahres Kind sei. Als sie mir das sagte – ich weiß noch, dass wir zu einer Untersuchung im Krankenhaus waren –, war ihr Bedauern so groß, dass sie noch mehr als sonst weinte. Sie flüsterte: »Ich habe mich nur um dich gekümmert, immer, die anderen waren wie Stiefkinder für mich; darum habe ich die Enttäuschung verdient, die du mir bereitet hast, was für ein Schlag, Lenù, was für ein Schlag, du hättest Pietro nicht verlassen dürfen, hättest dich nicht mit dem Sohn von Sarratore einlassen dürfen, der ist schlimmer als sein Vater. Ein ehrlicher Mann, der verheiratet ist, der zwei Kinder hat, geht nicht los und angelt sich die Frau eines anderen.«

Ich nahm Nino in Schutz. Versuchte, sie zu beruhigen, sagte ihr, dass es ja jetzt die Scheidung gebe, dass wir uns beide scheiden lassen und dann heiraten würden. Sie hörte mir zu, ohne mich zu unterbrechen. Sie hatte fast alle Kraft aufgebraucht, mit der sie früher protestiert hatte und immer hatte recht haben wollen, jetzt begnügte sie sich mit einem Kopfschütteln. Sie war nur Haut und Knochen, blass, und wenn sie mir widersprach, so mit der langsamen Stimme der Verzagtheit.

»Wann? Wo? Muss ich mitansehen, dass du es noch schlechter haben wirst als ich?«

»Nein, Ma', keine Sorge, ich gehe meinen Weg.«

»Das glaube ich nicht, Lenù, du bist stehengeblieben.«

»Ich werde dir eine Freude sein, du wirst schon sehen, wir alle werden dir eine Freude sein, ich und auch meine Geschwister.«

»Deine Geschwister habe ich im Stich gelassen, und ich schäme mich dafür.«

»Das stimmt doch nicht. Elisa fehlt es an nichts, und Peppe und Gianni arbeiten, verdienen Geld, was willst du mehr?«

»Ich will die Dinge in Ordnung bringen. Ich habe alle drei Marcello gegeben, und das war ein Fehler.«

So redete sie, mit leiser Stimme. Sie war untröstlich und skizzierte ein Bild, das mich überraschte. »Marcello ist ein größerer Schuft als Michele«, sagte sie. »Er hat meine Kinder in den Sumpf gezogen, er sieht aus wie der bessere der beiden Brüder, aber das ist er nicht.« Er habe ihre Elisa verändert, die sich nun eher wie eine Solara fühle, nicht mehr wie eine Greco, und in allem auf seiner Seite stehe. Die ganze Zeit über flüsterte sie, als hätten wir nicht seit Stunden in dem schmutzigen, überfüllten Wartesaal eines der bekanntesten Krankenhäuser der Stadt gesessen, sondern an einem Ort, an dem Marcello nur wenige Schritte entfernt war. Ich versuchte abzuwiegeln, um sie zu beruhigen, durch Krankheit und Alter neigte sie zu Übertreibungen. »Du machst dir zu viele Sorgen«, sagte ich. Sie antwortete: »Ich mache mir Sorgen, weil ich Bescheid weiß und du nicht, frag Lina, wenn du mir nicht glaubst.«

Und auf der Welle schwermütiger Worte, die beschrieben, wie schlimm der Rione geworden war (*als Don Achille Carracci noch das Sagen hatte, ging es uns besser*), begann sie mir nun mit einer noch eindeutigeren Zustimmung als früher von Lila zu erzählen. Lila sei die Einzige, die die Dinge im Rione wieder in Ordnung bringen könne. Lila sei fähig, sich im Guten und noch mehr im Bösen durchzusetzen. Lila wisse von allem, auch von den schlimmsten Taten, aber sie verurteile einen nie, sie verstehe, dass jeder einen Fehler machen könne, sie zuallererst, und deshalb helfe sie einem. Lila komme ihr vor wie eine heilige Kriegerin, die ein rächendes Licht auf dem Stradone, im kleinen Park und zwischen den alten und neuen Wohnblocks verbreite.

Ich hörte ihr zu und hatte den Eindruck, ich zählte in ihren Augen jetzt nur noch etwas, weil ich gute Beziehungen zu dieser neuen Autorität im Rione unterhielt. Sie bezeichnete die Freundschaft zwischen Lila und mir als eine nützliche, die ich stets pflegen solle, und ich erfuhr sogleich, warum.

»Tu mir einen Gefallen«, bat sie mich, »sprich mit ihr und Enzo, sieh zu, dass sie deine Brüder von der Straße wegholen, sieh zu, dass sie sie zum Arbeiten zu sich nehmen.«

Ich lächelte sie an, zupfte eine Strähne ihrer grauen Haare zurecht. Sie behauptete, sich nicht um ihre anderen Kinder gekümmert zu haben, doch gleichzeitig sorgte sie sich, gebeugt, wie sie war, die zitternden Hände mit den weißen Fingernägeln fest an meinem Arm, vor allem um sie. Sie wollte sie den Solaras entreißen und Lila übergeben. Das war ihre Art, eine falsche Kalkulation im Krieg zwischen dem Bestreben, Schlechtes zu tun, und dem Bestreben, Gutes zu tun, in dem sie seit jeher geübt war, wiedergutzumachen. Lila, so verstand ich, war für sie die Inkarnation des Wunsches, Gutes zu tun.

Ich sagte: »Mama, ich tue alles, was du willst, aber Peppe und Gianni würden niemals, selbst wenn Lila sie nehmen würde – was ich nicht glaube, bei ihr muss man was lernen –, für ein paar lumpige Lire bei ihr arbeiten, bei den Solaras verdienen sie viel mehr.«

Sie nickte düster, ließ aber nicht locker:

»Versuch es trotzdem. Du warst weg und bist schlecht informiert, aber hier wissen alle, wie Lina Michele kleingekriegt hat. Und jetzt, wo sie schwanger ist, wird sie noch stärker werden, wart's ab. An dem Tag, an dem sie einen entsprechenden Beschluss fasst, haut sie beiden Solaras die Beine weg.«

43

Die Monate der Schwangerschaft vergingen trotz der Sorgen schnell für mich und ziemlich langsam für Lila. Wir stellten oft fest, dass sich unsere Empfindungen in dieser Zeit der Erwartung vollkommen unterschieden. Ich sagte Sätze wie: »Ich bin *schon* im vierten Monat« und sie Sätze wie: »Ich bin *erst* im vierten Monat.« Gewiss, Lilas Gesichtsfarbe wurde bald frischer, und ihre Züge wurden weicher. Aber obwohl unsere Körper dem gleichen Prozess der Reproduktion des Lebens unterworfen waren, durchliefen sie dessen Phasen weiterhin auf verschiedene Weise, meiner unter emsiger Mitwirkung, ihrer mit unwilliger Resignation. Und auch die Menschen, mit denen wir zu tun hatten, wunderten sich schließlich, wie schnell meine Zeit verrann und ihre sich dahinschleppte.

Ich erinnere mich, dass wir eines Sonntags mit meinen Mädchen durch Toledo schlenderten und zufällig Gigliola trafen. Diese Begegnung war bedeutsam, sie beunruhigte mich sehr und zeigte mir, dass Lila tatsächlich etwas mit Michele Solaras verrücktem Benehmen zu tun hatte. Gigliola war stark geschminkt, aber schlampig gekleidet und ungekämmt, sie stellte unbezähmbare Brüste und Hüften zur Schau und einen immer breiter werdenden Hintern. Offenbar freute sie sich, uns zu sehen, sie wich uns nicht von der Seite. Sie begrüßte Dede und Elsa sehr herzlich, schleppte uns ins Gambrinus, bestellte alles mögliche und aß es gierig, Herzhaftes und Süßes. Meine Töchter vergaß sie schon bald und diese übrigens auch sie. Als sie uns haarklein und lautstark alles erzählte, was Michele ihr angetan hatte, langweilten sie sich und gingen neugierig auf Entdeckungstour durch das Lokal.

Gigliola konnte nicht verwinden, wie sie behandelt worden war. »Er ist ein Vieh«, sagte sie. Es sei so weit gekommen, dass er sie angeschrien habe: »Hör auf, immer bloß zu drohen, bring dich wirklich um, spring vom Balkon, stirb doch!« Oder er habe versucht, alles wieder in Ordnung zu bringen, indem er ihr Hunderttausende Lire in den Ausschnitt und in die Tasche gesteckt habe, als hätte sie keine Gefühle. Sie war sehr wütend, war verzweifelt. Sie erzählte – wobei sie sich nur an mich wandte, da ich lange weg gewesen und nicht auf dem Laufenden war –, ihr Mann habe sie mit Fußtritten und Faustschlägen aus der Wohnung in Posillipo geworfen, habe sie in den Rione zurückgeschickt, in zwei kleine, dunkle Zimmer, in denen sie mit ihren Kindern nun lebe. Doch als sie anfing Michele alle schrecklichen Krankheiten, die ihr einfielen, an den Hals zu wünschen und auch einen der grausamsten Tode, wechselte sie die Gesprächspartnerin, sie redete ausschließlich mit Lila. Ich war sehr erstaunt, sie sprach mit ihr, als könnte Lila ihr helfen, ihren Verwünschungen Wirksamkeit zu verleihen, sie betrachtete sie als ihre Verbündete. »Das hast du richtig gemacht«, sagte sie begeistert, »dir deine Arbeit teuer bezahlen zu lassen und ihn dann abzuservieren. Und wenn du ihn auch noch um Geld beschissen hast, umso besser. Hast du ein Glück, dass du weißt, wie man ihn behandeln muss, lass ihn weiter bluten.« Sie kreischte: »Was der nicht verträgt, ist deine Gelassenheit, er kann nicht akzeptieren, dass es dir besser geht, je weniger du ihn siehst, bravo, gut so, sehr schön, mach, dass er komplett durchdreht, mach, dass der Teufel ihn holt!«

An diesem Punkt seufzte sie mit gespielter Erleichterung. Unsere beiden Babybäuche fielen ihr wieder ein, sie wollte sie anfassen. Mir legte sie ihre breite Hand fast auf die Scham und fragte mich, in welchem Monat ich sei. Als ich es ihr sagte, rief sie: »Du bist schon im vierten!« Zu Lila sagte sie dagegen, plötzlich abweisend: »Manche Frauen gebären nie, sie wollen das Kind für immer bei sich behalten, du bist auch so eine.« Es war zwecklos, sie daran zu erinnern, dass wir im gleichen Monat waren, dass wir laut Termin beide im Januar des kommenden Jahres entbinden würden. Sie schüttelte den Kopf, sagte zu Lila: »Stell dir vor, ich war mir sicher, dass du das Kind schon bekommen hast«, und mit einem unerwarteten Anflug von Schmerz fügte sie hinzu: »Je öfter

Michele dich mit diesem Bauch sieht, desto mehr wird er leiden; darum lass es lange dauern, du weißt ja, wie man das macht, halt ihn ihm unter die Nase, er soll vor Wut platzen.« Schließlich erklärte sie, dass sie was Dringendes zu erledigen habe, wiederholte aber gleichzeitig mehrfach, dass wir uns öfter sehen sollten (*lassen wir unsere Mädchengruppe wiederaufleben, ach, war das damals schön, wir hätten auf die ganzen Mistkerle pfeifen und nur an uns denken sollen*). Sie winkte nicht mal den Mädchen zum Abschied, die jetzt draußen spielten, und ging, nachdem sie zum Kellner lachend ein paar Anzüglichkeiten gesagt hatte.

»Sie ist eine dämliche Kuh«, sagte Lila mürrisch. »Was ist denn mit meinem Bauch?«

»Nichts.«

»Und mit mir?«

»Auch nichts, keine Sorge.«

44

Das stimmte, mit Lila war nichts: nichts Neues. Sie war der übliche Unruhegeist mit einer unwiderstehlichen Anziehungskraft, und diese Kraft machte sie zu etwas Besonderem. Jede ihrer Geschichten, im Guten wie im Bösen (wie sie auf ihre Schwangerschaft reagierte, was sie Michele angetan und wie sie ihn kleingekriegt hatte, wie sie sich gerade im Rione durchsetzte), war in unseren Augen intensiver als unsere eigenen Geschichten, und aus diesem Grund schien ihre Zeit langsamer zu laufen. Ich sah sie immer häufiger, vor allem, weil ich durch die Krankheit meiner Mutter in den Rione zurückgeholt wurde. Aber mit einem neuen Gleichgewicht. Vielleicht wegen meines Bildes in der Öffentlichkeit, vielleicht wegen all der privaten Schwierigkeiten, in denen ich steckte, fühlte ich mich nunmehr reifer als Lila, und ich war zunehmend davon überzeugt, dass ich sie wieder in mein Leben einlassen und die Faszination, die von ihr ausging, anerkennen konnte, ohne unter ihr zu leiden.

In diesen Monaten lief ich atemlos von hier nach da, doch die Tage verflogen, ich fühlte mich paradoxerweise sogar dann leicht, wenn ich die Stadt durchquerte, um meine Mutter zu den Ärzten im Krankenhaus zu bringen. Wenn ich nicht wusste, wohin mit den Mädchen, wandte ich mich an Carmen, manchmal griff ich sogar auf Alfonso zurück, der mich mehrfach angerufen hatte, um mir zu sagen, dass ich auf ihn zählen könne. Aber der Mensch, zu dem ich natürlich das größte Vertrauen hatte und zu dem insbesondere Dede und Elsa am liebsten gingen, war Lila, die allerdings stets mit Arbeit überhäuft und von der Schwangerschaft erschöpft war. Die Unterschiede zwischen meinem Bauch und ihrem wurden immer größer. Mein Bauch war dick und breit, er schien mehr in die Seiten zu wachsen als nach vorn; ihr Bauch war klein und schmal zwischen den schmalen Hüften, hervorstehend wie ein Ball, der kurz davor war, aus ihrem Becken zu rollen.

Kaum hatte ich Nino von meinem Zustand erzählt, hatte er mich zu einer Gynäkologin gebracht, die mit einem seiner Kollegen verheiratet war, und da mir die Ärztin gefallen hatte – sie war sehr erfahren, sehr hilfsbereit und durch ihre Umgangsformen und vielleicht auch durch ihre Kompetenz mit Abstand besser als die mürrischen Ärzte in Florenz –, hatte ich Lila begeistert von ihr erzählt und sie gedrängt, probehalber wenigstens einmal mitzukommen. Von nun an gingen wir gemeinsam zu den Untersuchungen, wir hatten uns abgesprochen, um gleichzeitig aufgerufen zu werden. Wenn ich dran war, blieb sie still in einer Ecke, und ich hielt, wenn sie dran war, ihre Hand, weil Ärzte sie noch immer nervös machten. Aber ideal war es im Wartezimmer. Für eine kurze Weile konnte ich den Leidensweg meiner Mutter vergessen, und wir wurden wieder zu Kindern. Es gefiel uns sehr, so nebeneinanderzusitzen, ich blond, sie dunkel, ich ruhig, sie nervös, ich nett, sie boshaft, und wir beide gegensätzlich und einträchtig, wir beide weit weg von den anderen Schwangeren, die wir mit Spott betrachteten.

Es war eine seltene Stunde der Fröhlichkeit. Als ich einmal an die kleinen Wesen dachte, die sich in unseren Körpern entwickelten, fiel mir wieder ein, wie wir – eine neben der anderen auf dem Hof sitzend wie jetzt im Warteraum – mit unseren Puppen gespielt hatten. Meine hieß Tina, ihre Nu. Sie hatte Tina in die Finsternis des Kellers geworfen, und ich hatte aus Trotz mit Nu das Gleiche getan. »Weißt du noch?«, fragte ich sie. Sie wirkte verblüfft, hatte das laue Lächeln eines Menschen, dem es schwerfiel, eine Erinnerung einzufangen. Als ich ihr belustigt ins Ohr flüsterte, mit welcher Angst und mit welchem Mut wir bis zur Tür des schrecklichen Don Achille Carracci hinaufgestiegen waren, des Vaters ihres damals künftigen Ehemanns, und ihm den Diebstahl unserer zwei Puppen zur Last gelegt hatten, begann sie sich zu amüsieren, wir lachten wie verrückt und störten so die bewohnten Bäuche der anderen, gesetzteren Patientinnen.

Wir hörten erst auf, als die Krankenschwester uns aufrief: Cerullo und Greco, wir hatten beide unsere Mädchennamen angegeben. Sie war ein fröhliches Riesenweib, nie ließ sie es sich nehmen, Lilas Bauch zu betasten und zu ihr zu sagen: »Hier ist ein Junge drin« und zu mir: »Hier ist es ein Mädchen.« Dann ging sie uns voraus, und ich raunte Lila zu: »Ich habe schon zwei Mädchen, wenn deins wirklich ein Junge wird, gibst du ihn dann mir?« Und sie antwortete: »Ja, dann tauschen wir, kein Problem.«

Die Ärztin bescheinigte uns jedes Mal eine gute Verfassung, ausgezeichnete Werte, alles lief glatt. Mehr noch, da sie vor allen Dingen auf unser Gewicht achtete und Lila wie üblich sehr dünn blieb, während ich dazu neigte, kräftig zuzunehmen, befand sie bei jeder Untersuchung, dass es ihr besser gehe als mir. Kurz, obwohl wir beide unzählige Sorgen hatten, waren wir bei diesen Gelegenheiten fast immer glücklich, dass wir, mit sechsunddreißig Jahren, in allem denkbar weit voneinander entfernt und uns doch nah, zu unserer Zuneigung zurückgefunden hatten.

Aber als ich wieder zur Via Tasso hinaufstieg und sie in den Rione zurückhastete, verdeutlichte mir der räumliche Abstand, den wir zwischen uns schufen, auch einen anderen Abstand. Unser neues Einvernehmen war zweifellos real. Wir waren gern zusammen, das machte unser Leben leichter. Aber etwas war unverkennbar: Ich offenbarte ihr fast alles von mir, sie von sich so gut wie nichts. Während ich gar nicht anders konnte, als ihr von meiner Mutter zu erzählen oder von einem Artikel, an dem ich gerade schrieb, oder von den Problemen mit Dede und Elsa oder sogar von meiner Situation als Geliebte und Ehefrau (ich präzisierte tunlichst nur nicht, wessen Geliebte und wessen Ehefrau, Ninos Namen erwähnte ich besser nur selten, ansonsten konnte ich mich ihr ungebremst anvertrauen), blieb sie dagegen vage, wenn sie über sich sprach, über ihre Eltern, über ihre Geschwister, über Rino, über die Sorgen, die Gennaro ihr machte, über unsere Freunde und Bekannten, über Enzo, über Michele und Marcello Solara, über den ganzen Rione, sie schien mir nicht bis ins Letzte zu trauen. Offensichtlich blieb ich die, die weggegangen war, und die, auch wenn sie zurückgekommen war, nun einen anderen Blick hatte, im vornehmeren Neapel wohnte und nicht ganz wiederaufgenommen werden konnte.

45

Dass ich so etwas wie eine doppelte Identität hatte, stimmte. Oben in der Via Tasso brachte Nino seine gebildeten Freunde mit zu mir, die mir mit Respekt begegneten, besonders mein zweites Buch liebten und wollten, dass ich einen Blick auf die Sachen warf, an denen sie gerade arbeiteten. Wir diskutierten mit klugen Mienen bis tief in die Nacht hinein. Wir fragten uns, ob es das Proletariat noch gebe, redeten wohlwollend über die sozialistische Linke und mit Schärfe über die Kommunisten (*das sind schlimmere Polizisten als die Polizisten und die Priester*) und gerieten uns in die Haare über die Regierbarkeit eines zunehmend zerrütteten Landes. Manche von ihnen konsumierten Unmengen von Drogen, und es fielen spöttische Bemerkungen über eine neue Krankheit, die wir alle für eine Übertreibung von Papst Johannes Paul II. hielten, mit der wohl das freie Ausleben von Sexualität in allen ihren möglichen Praktiken unterbunden werden sollte.

Aber ich beschränkte mich nicht auf die Via Tasso, ich war viel unterwegs, wollte nicht in Neapel gefangen sein. Häufig fuhr ich mit meinen Mädchen hinauf nach Florenz. Pietro, seit langem auch politisch mit seinem Vater zerstritten, war inzwischen – im Gegensatz zu dem immer dichter an die Sozialisten heranrückenden Nino – erklärter Kommunist. Ich blieb ein paar Stunden, hörte ihm schweigend zu. Er stimmte ein Loblied auf die kompetente Redlichkeit seiner Partei an, sprach über die Probleme an der Universität, berichtete mir von dem Zuspruch, den sein Buch von insbesondere angelsächsischen Akademikern erhielt. Dann setzte ich meine Reise fort. Ich ließ die Mädchen bei ihm und Doriana und fuhr nach Mailand zum Verlag, hauptsächlich um der Verleumdungskampagne entgegenzuwirken, die Adele beharrlich gegen mich fortsetzte. Meine Schwiegermutter – das hatte mir der Verlagschef eines Abends bei einer Einladung zum Essen selbst erzählt – ließ keine Gelegenheit aus, um schlecht über mich zu reden, und brandmarkte mich als einen unbeständigen und unzuverlässigen Menschen. Daher bemühte ich mich um ein gewinnendes Auftreten bei jedem, dem ich im Verlag begegnete. Ich plauderte klug daher, ging bereitwillig auf jede Anfrage aus der Presseabteilung ein, behauptete dem Verlagsleiter gegenüber, ich käme mit meinem neuen Buch gut voran, obwohl ich es noch nicht einmal angefangen hatte. Schließlich machte ich mich wieder auf den Weg, holte die Mädchen ab und fuhr wieder hinunter nach Neapel, gewöhnte mich wieder an den chaotischen Verkehr, an die endlosen Tauschgeschäfte für alles mögliche, was mir von

Rechts wegen ohnehin zugestanden hätte, an die zermürbenden, streitsüchtigen Menschenschlangen, an die große Mühe, mich durchzusetzen, an die ständigen Sorgen, wenn ich mit meiner Mutter die Runde durch Arztpraxen, Krankenhäuser und Labors machte. Das Ergebnis war, dass ich mich in der Via Tasso und in ganz Italien wie eine Signora mit einem gewissen Prestige fühlte, aber im unteren Neapel und besonders im Rione meine Vornehmheit verlor, niemand dort je von meinem zweiten Buch gehört hatte und ich in den Dialekt mit den dreckigsten Schimpfwörtern verfiel, wenn ich mich über Übergriffe aufregte.

Die einzige Verbindung zwischen Norden und Süden schien mir das viele Blut zu sein. Immer öfter wurde getötet, im Veneto, in der Lombardei, in der Emilia, im Latium, in Kampanien. Morgens warf ich einen Blick in die Zeitung, und manchmal kam mir der Rione ruhiger vor als das restliche Italien. So war es natürlich nicht, die Gewalt war immer noch dieselbe. Man prügelte sich unter Männern, man verprügelte die Frauen, Leute wurden aus ungeklärten Gründen umgebracht. Selbst zwischen Menschen, die ich gernhatte, entwickelten sich manchmal große Spannungen, und der Ton wurde bedrohlich. Ich aber wurde mit Rücksicht behandelt. Mir gegenüber herrschte ein Wohlwollen, das man einem willkommenen Gast entgegenbringt, der sich aber nicht in Angelegenheiten einmischen darf, von denen er keine Ahnung hat. Und tatsächlich fühlte ich mich wie eine außenstehende, nur mangelhaft informierte Beobachterin. Ständig hatte ich den Eindruck, dass Carmen oder Enzo oder andere wesentlich mehr wussten als ich, dass Lila ihnen Geheimnisse anvertraute, die sie mir vorenthielt.

Eines Nachmittags war ich mit meinen Mädchen im Büro der Basic Sight – drei kleinen Räumen, deren Fenster zum Eingang unserer Grundschule zeigten –, und auch Carmen schaute vorbei, nachdem sie erfahren hatte, dass ich im Rione war. Ich brachte das Gespräch aus Sympathie, aus Zuneigung, auf Pasquale, auch wenn ich ihn mir jetzt als einen versprengten Kämpfer vorstellte, der zunehmend in abscheuliche Verbrechen verwickelt war. Ich wollte wissen, ob es Neuigkeiten gab, hatte aber den Eindruck, dass sowohl Carmen als auch Lila sich verhärteten, als hätte ich etwas Leichtsinniges gesagt. Sie wechselten nicht das Thema, ganz im Gegenteil, wir sprachen lange über ihn oder, besser gesagt, wir gaben der besorgten Carmen die Gelegenheit, uns ihr Herz auszuschütten. Trotzdem wurde ich das Gefühl nicht los, dass sie aus irgendeinem Grund entschieden hatten, mehr könne man mit mir nicht bereden.

Zwei-, dreimal traf ich auch auf Antonio. Einmal war er mit Lila zusammen, ein anderes Mal offenbar mit Lila, Carmen und Enzo. Mir fiel auf, wie eng die Freundschaft zwischen ihnen wieder geworden war, und ich wunderte mich, dass er, ein Scherge der Solara-Brüder, sich benahm, als hätte er seinen Herren gewechselt, er schien in Lilas und Enzos Diensten zu stehen. Gewiss, wir kannten uns alle seit unserer Kindheit, doch ich spürte, dass es sich hier nicht um alte Gewohnheiten handelte. Als die vier mich sahen, benahmen sie sich, als hätten sie sich zufällig getroffen, aber so war es nicht, ich bemerkte eine Art geheimen Pakt, in den sie mich nicht einweihen wollten. Ging es um Pasquale? Um die Geschäfte der Firma? Um die Solaras? Ich weiß es nicht. Antonio sagte bei einer dieser Begegnungen nur zerstreut zu mir: »Du bist sehr schön mit diesem Bauch.« Zumindest ist das der einzige Satz von ihm, an den ich mich erinnere.

War es Misstrauen? Das glaube ich nicht. Manchmal dachte ich, dass ich durch meine *anständige* Identität vor allem in Lilas Augen die Fähigkeit eingebüßt hatte, zu verstehen, und sie mich folglich davor bewahren wollte, aus Unwissenheit falsche Schritte zu unternehmen.

46

Jedenfalls war etwas nicht in Ordnung. Es war ein Gefühl der Unbestimmtheit, ich hatte es, auch wenn alles klar zu sein schien und es sich offenbar nur um eines von Lilas kindlichen Vergnügen handelte: Situationen zu arrangieren, in denen sie durchblicken ließ, dass es unter dem Offensichtlichen noch etwas anderes gab.

Eines Morgens – ebenfalls in der Basic Sight – wechselte ich ein paar Worte mit Rino, den ich seit vielen Jahren nicht gesehen hatte. Ich erkannte ihn kaum wieder. Er war abgemagert, hatte einen benebelten Blick, begrüßte mich überschwenglich und tätschelte mich sogar, als wäre ich aus Gummi. Er erzählte aufs Geratewohl irgendetwas von Rechnern und von großen Umsätzen, die er verwaltete. Dann veränderte er sich plötzlich, er bekam eine Art Asthmaanfall und wetterte ohne erkennbaren Grund nun leise gegen seine Schwester. Ich sagte: »Immer mit der Ruhe« und wollte ihm ein Glas Wasser holen, doch er ließ mich vor der Tür zu Lilas Zimmer stehen und verschwand, als hätte er Angst, sie könnte ihm Vorhaltungen machen.

Ich klopfte, trat ein. Fragte sie vorsichtig, ob ihr Bruder krank sei. Sie verzog ärgerlich das Gesicht, sagte: »Du weißt doch, was für einer er ist.« Ich nickte, dachte an Elisa, murmelte, dass mit Geschwistern nicht immer alles glattgehe. Dabei fielen mir Peppe und Gianni ein, ich erwähnte beiläufig, dass meine Mutter sich Sorgen um sie mache, dass sie sie gern von Marcello Solara wegholen würde und mich gebeten habe, sie, Lila, zu fragen, ob es ihr möglich sei, ihnen einen Job zu geben. Aber bei diesen Worten – *sie von Marcello Solara wegholen, ihnen einen Job geben* – verengten sich ihre Augen, sie sah mich an, wie um zu ergründen, inwieweit ich die Bedeutung dieser von mir geäußerten Sätze kannte. Nachdem sie sich wohl davon überzeugt hatte, dass ich ihre Bedeutung nicht bis ins Letzte kannte, sagte sie schroff: »Ich kann sie hier nicht gebrauchen, Lenù; Rino ist schon genug, ganz zu schweigen davon, wie sehr Gennaro gefährdet ist.« Ich wusste nicht gleich, was ich darauf antworten sollte. *Gennaro, meine Brüder, ihr Bruder, Marcello Solara.* Ich kam darauf zurück, doch sie entzog sich, wechselte das Thema.

Dieses Sichwinden und Entgleiten wiederholten sich danach auch in Bezug auf Alfonso. Er arbeitete inzwischen für Lila und Enzo, aber nicht so wie Rino, der ohne Beruf dort herumlungerte. Alfonso war nun eine versierte Kraft, sie nahmen ihn zur Datenerfassung mit in die Betriebe. Die Beziehung zwischen ihm und Lila schien mir allerdings sofort viel enger als ein beliebiges Arbeitsverhältnis zu sein. Das war nicht die Anziehung – Abstoßung, die Alfonso mir früher einmal gestanden hatte, diesmal schien es mehr zu sein. Von seiner Seite gab es das Bedürfnis – wie soll ich sagen –, sie nie aus den Augen zu verlieren. Es war eine sonderbare Verbindung, sie beruhte offenbar auf einem verborgenen Fließen, das ihn, von ihr ausgehend, formte. Ich begriff schnell, dass die Schließung des Geschäfts an der Piazza dei Martiri und die daraus folgende Entlassung Alfonsos mit diesem Fließen zu tun hatten. Aber wenn ich versuchte, Fragen zu stellen – was ist mit Michele passiert, wie hast du es nur geschafft, ihn loszuwerden, warum hat er Alfonso entlassen –, lachte Lila auf und sagte: »Was soll ich sagen, Michele weiß nicht mehr, was er will, er schließt, eröffnet, baut auf, reißt ein, und dann regt er sich über die anderen auf.«

Ihr Auflachen war nicht höhnisch, freudig oder zufrieden. Ihr Auflachen sollte mir verbieten, weiter nachzufragen. Eines Nachmittags gingen wir in der Via dei Mille einkaufen, und da diese Gegend seit Jahren Alfonsos Reich war, bot er sich an, uns zu begleiten, er hatte einen Freund mit einem Geschäft, das zu uns passte. Seine Homosexualität war inzwischen bekannt. Alfonso lebte der Form halber weiter mit Marisa zusammen, aber Carmen hatte mir bestätigt, dass ihre Kinder von Michele waren, und sie hatte mir auch zugeflüstert: »Marisa ist jetzt die Geliebte von Stefano« – ja, von Stefano, Alfonsos Bruder und Lilas Exmann, das sei das neueste Gerücht, das kursierte. »Aber«, hatte sie mit deutlicher Sympathie hinzugefügt, »das ist Alfonso scheißegal, er und seine Frau führen getrennte Leben, und sie kommen klar.« So erstaunte es mich nicht, dass der befreundete Händler eine – wie Alfonso selbst ihn uns amüsiert vorstellte – Tunte war. Dagegen erstaunte mich das Spiel, zu dem Lila ihn verleitete.

Wir probierten Umstandskleider an. Kamen aus unseren Kabinen, betrachteten uns im Spiegel, und Alfonso und sein Freund bewunderten uns, rieten uns zu, rieten uns ab, und das in einer insgesamt angenehmen Atmosphäre. Dann brauste Lila mit gerunzelter Stirn grundlos auf. Sie gefiel sich nicht, betastete ihren spitzen Bauch, war müde, sagte zu Alfonso Sätze wie: »Was erzählst du denn da, empfiehl mir doch nicht solches Zeug, würdest du etwa so eine Farbe tragen?«

Ich bemerkte in dem, was um mich her geschah, das übliche Hin und Her zwischen dem Sichtbaren und dem Verborgenen. Irgendwann griff Lila sich ein schönes, dunkles Kleid, und als wäre der Spiegel im Laden zerbrochen, sagte sie zu ihrem Exschwager: »Zeig du mir mal, wie es *mir* steht.« Sie äußerte diese nicht zusammenpassenden Worte wie einen gewöhnlichen Wunsch, so dass sich Alfonso nicht lange bitten ließ, das Kleid nahm und sich eine lange Weile in eine Kabine zurückzog.

Ich probierte weiter Kleider an. Lila sah mir zerstreut zu, der Ladenbesitzer bejubelte mich bei jedem Stück, das ich anzog, und unterdessen wartete ich perplex darauf, dass Alfonso wiederauftauchte. Als es so weit war, blieb mir der Mund offen stehen. Mein früherer Banknachbar war, mit offenem Haar und in einem eleganten Kleid, das Ebenbild Lilas. Aus seiner Tendenz, ihr zu ähneln, die mir schon vor langer Zeit aufgefallen war, war plötzlich ein Prinzip geworden, und vielleicht war er, war sie, in diesem Moment sogar schöner als Lila, ein weiblicher Mann wie die, über die ich in meinem Buch geschrieben hatte, und der oder die bereit war, zur Schwarzen Madonna von Montevergine zu pilgern.

Etwas beunruhigt fragte ich Lila: »Gefällst du dir so?« Und der Ladenbesitzer applaudierte begeistert, er sagte verschwörerisch: »Ich weiß schon, wem du gefallen würdest, Süße, du bist wunderschön.« Anspielungen. Dinge, die ich nicht wusste, aber sie. Lila grinste bösartig, brummte: »Ich schenke es dir.« Weiter nichts. Alfonso nahm das fröhlich an, doch es fielen keine weiteren Worte, als hätte Lila ihm und seinem Freund stumm befohlen, dass es nun reichte, dass ich genug gesehen und gehört hatte.

47

Lilas gezieltes Hin und Her zwischen dem Offensichtlichen und dem Undurchsichtigen verstörte mich einmal – ein einziges Mal – besonders stark, als die Dinge während eines unserer Besuche bei der Gynäkologin eine schlechte Wendung nahmen. Es war November, und trotzdem strahlte die Stadt eine Hitze aus, als wollte der Sommer nie vergehen. Unterwegs fühlte Lila sich nicht wohl, wir setzten uns für ein paar Minuten in eine Bar, dann gingen wir leicht alarmiert zur Ärztin. Lila erklärte ihr in einem selbstironischen Ton, dass das nunmehr große Etwas, das sie in sich trug, an ihr zerrte, sie stieß, sie festhielt, sie störte, sie schwächte. Die Frauenärztin hörte ihr amüsiert zu, beruhigte sie, sagte: »Ihr Kind wird so werden wie Sie, sehr lebhaft und mit einer blühenden Phantasie. Also alles gut, sehr gut sogar.« Aber bevor wir uns verabschiedeten, hakte ich noch einmal nach:

»Ist wirklich alles in Ordnung?«

»Hundertprozentig.«

»Und was habe ich dann?«, begehrte Lila auf.

»Nichts, was mit Ihrer Schwangerschaft zu tun hat.«

»Und womit hat es sonst zu tun?«

»Mit Ihrem Kopf.«

»Was wissen Sie denn von meinem Kopf?«

»Ihr Freund Nino hat in den höchsten Tönen von ihm gesprochen.«

Nino? Freund? Schweigen.

Als wir hinausgingen, hatte ich alle Mühe, Lila von einem Arztwechsel abzuhalten. Bevor sie ging, sagte sie in ihrem bissigsten Ton zu mir: »Dein Liebhaber ist garantiert nicht mein Freund, aber auch dein Freund ist er meiner Meinung nach nicht.«

Da war ich also brutal auf den Kern meiner Probleme gestoßen worden: Ninos Unzuverlässigkeit. Lila hatte mir bereits früher bewiesen, dass sie Dinge über ihn wusste, die ich nicht wusste. Suggerierte sie mir jetzt, dass es da noch weitere ihr bekannte und mir unbekannte Tatsachen gab? Es war zwecklos, sie um Erklärungen zu bitten, sie ging weg und schnitt so jedes weitere Gespräch ab.

48

Danach stritt ich mich mit Nino wegen seiner Taktlosigkeit, wegen der vertraulichen Informationen, die er, was er entrüstet bestritt, der Frau seines Kollegen gegeben haben musste, und wegen allem, was ich für mich behielt und was ich am Ende auch diesmal unterdrückte.

Ich sagte ihm nicht: Für Lila bist du ein verräterischer Lügner. Das hatte keinen Sinn, er hätte mich ausgelacht. Doch mein Verdacht blieb, dass die Anspielung auf seine Unzuverlässigkeit sich auf etwas Konkretes bezog. Es war ein langsamer, träger Verdacht, und ich hatte nicht die geringste Absicht, ihn in eine unerträgliche Gewissheit zu verwandeln. Aber er blieb. Darum ging ich an einem Sonntag im November zunächst zu meiner Mutter und dann, gegen sechs Uhr abends, zu Lila nach Hause. Meine Töchter waren in Florenz bei ihrem Vater, und Nino war damit beschäftigt, mit seiner Familie (so redete ich nun: *deine* Familie) den Geburtstag seines Schwiegervaters zu feiern. Lila war, wie ich wusste, allein, Enzo hatte zu Verwandten nach Avellino fahren müssen und hatte Gennaro mitgenommen.

Das Kind in meinem Bauch war unruhig, ich gab dem drückenden Wetter die Schuld. Auch Lila klagte, dass sich ihr Kind zu stark bewegte, sie sagte, es versetze ihren Bauch in eine ständige Spannung. Sie wollte spazieren gehen, um es zu beruhigen, doch ich hatte Gebäck mitgebracht, kochte Kaffee, suchte ein vertrauliches Gespräch in der Intimität dieser kahlen Wohnung, deren Fenster auf den Stradone gingen.

Ich tat so, als wäre ich zum Plaudern aufgelegt. Sprach Probleme an, die mich eigentlich wenig interessierten – *warum behauptet Marcello, dass du seinen Bruder ruiniert hast, was hast du Michele denn angetan* –, und schlug einen halb amüsierten Ton an, als dienten diese Themen nur dazu, ein wenig zu lachen. Ich wollte allmählich, so unter uns, zu der Frage gelangen, die mir wirklich am Herzen lag: »Was weißt du über Nino, was ich nicht weiß.«

Lila antwortete mir lustlos. Sie setzte sich, stand wieder auf, sagte, ihr Bauch fühle sich an, als hätte sie literweise Sprudelwasser getrunken, beschwerte sich über den Geruch der Cannoli, die sie sonst immer gern aß und die sie nun für verdorben hielt. »Du weißt doch, wie Marcello ist«, sagte sie, »er hat nie vergessen, was ich ihm als kleines Mädchen angetan habe, und weil er feige ist, sagt er dir die Dinge nicht offen ins Gesicht, er spielt den netten, harmlosen Mann, setzt aber Gerüchte in die Welt.«

Dann wechselte sie zu dem Ton, den sie in dieser Zeit ständig hatte, liebenswürdig und zugleich etwas spöttisch: »Aber du bist ja eine Dame, vergiss meine Scherereien, erzähl mir lieber, wie es deiner Mutter geht.« Wie üblich wollte sie, dass ich über mich sprach, aber ich gab nicht auf. Ich begann auch wirklich mit meiner Mutter, mit den Sorgen um Elisa und meine Brüder und kam dann wieder auf die Solaras zurück. Sie schnaufte, sagte sarkastisch, dass Männer einen Riesenwirbel ums Ficken machten, und präzisierte lachend: »Marcello nicht – obwohl mit dem auch nicht zu spaßen ist –, aber Michele, der ist verrückt geworden, ist schon lange besessen von mir und rennt dabei dem Schatten meines Schattens hinterher.« Sie betonte diese Formulierung vielsagend – *Schatten meines Schattens* –, sagte, deswegen sei Marcello sauer auf sie und bedrohe sie, er könne es nicht ertragen, dass sie seinen Bruder an die Leine genommen habe und ihn auf seines Erachtens erniedrigende Wege führe. Sie lachte erneut, knurrte: »Marcello glaubt, er macht mir Angst, aber von wegen, die Einzige, die einem wirklich Angst einjagen konnte, war seine Mutter, und du weißt ja, was die für ein Ende genommen hat.«

Sie redete und griff sich an die Stirn, klagte über die Hitze, darüber, dass sie seit dem Morgen leichte Kopfschmerzen hatte. Ich verstand, dass sie mich beruhigen, mir aber umgekehrt auch ein wenig von dem zeigen wollte, was dort geschah, wo sie jeden Tag lebte und arbeitete, hinter den Fassaden der Häuser, auf den Straßen des neuen Viertels und des alten Rione. So bestritt sie einerseits mehrmals die Gefahr und vermittelte mir andererseits das Bild von einer grassierenden Kriminalität, von Erpressungen, Überfällen, Diebstählen, Wucher und von

Rache, auf die Rache folgte. Das geheime rote Buch, das Manuela geführt hatte und das nach ihrem Tod auf Michele übergegangen war, hatte nun Marcello unter Verschluss, der seinem Bruder – aus Misstrauen – auch die Führung sämtlicher legaler und illegaler Geschäfte und der politischen Freundschaften entzog. Plötzlich sagte sie: »Marcello hat vor ein paar Jahren die Drogen in den Rione gebracht, und ich will doch wirklich mal sehen, wie das ausgeht.« Ein Satz einfach so. Sie war sehr blass, fächelte sich mit dem Rockzipfel Luft zu.

Von allen ihren Andeutungen beeindruckte mich nur die über die Drogen, und das vor allem wegen ihres angewiderten, verurteilenden Tonfalls. Für mich waren Drogen zu dieser Zeit mit Mariarosa verbunden, auch mit der Wohnung in der Via Tasso an manchen Abenden. Ich hatte nie welche genommen, abgesehen von ein bisschen Kiffen aus Neugier, störte mich aber nicht daran, wenn andere sie konsumierten; in den Kreisen, in denen ich verkehrt hatte und verkehrte, störte sich niemand daran. Daher redete ich, um das Gespräch nicht einschlafen zu lassen, hauptsächlich über meine Zeit in Mailand und über Mariarosa, für die der Rauschgiftkonsum einer der vielen Kanäle individuellen Wohlseins war, ein Weg, um sich von Tabus zu befreien, eine kultivierte Form der Entfesselung. Doch Lila schüttelte ärgerlich den Kopf: »Was denn für eine Entfesselung, Lenù, vor zwei Wochen ist der Sohn von Signora Palmieri daran gestorben, sie haben ihn in unserem kleinen Park gefunden.« Ich bemerkte den Verdruss, den sie bei dem Wort *Entfesselung* empfunden hatte, weil ich ihm mit meiner Art, es auszusprechen, eine sehr positive Bedeutung gegeben hatte. Ich erstarrte, wagte die Bemerkung: »Er wird herzkrank gewesen sein.« Sie antwortete: »Er war heroinkrank«, und fügte rasch hinzu: »Aber genug jetzt, mir reicht's, ich habe keine Lust, den ganzen Sonntag über die Schweinereien der Solaras zu reden.«

Doch sie hatte es getan, und ausführlicher als bei anderen Gelegenheiten. Ein langer Augenblick glitt vorbei. Lila hatte aus Sorge, aus Erschöpfung oder aus einer bewussten Entscheidung heraus – ich weiß es nicht – die Maschen ihrer Reden ein wenig gelockert, und ich merkte, dass sie, obwohl sie nicht viel gesagt hatte, meinen Kopf mit neuen Bildern gefüllt hatte. Ich wusste seit langem, dass Michele sie begehrte – sie auf diese abstrakte, zwanghafte Art begehrte, die ihm nicht guttat –, und es war klar, dass sie das ausgenutzt hatte, um ihn in die Knie zu zwingen. Aber nun hatte sie den *Schatten ihres Schattens* erwähnt und mit dieser Formulierung Alfonso vor meine Augen gestoßen, einen Alfonso, der sich in einem Umstandskleid im Geschäft der Via dei Mille wie ihr Spiegelbild verhielt, und ich hatte Michele vor mir gesehen, einen geblendeten Michele, der das Kleid hochhob und ihn an sich presste. Was Marcello anging, hatte das Rauschgift schlagartig aufgehört, das zu sein, wofür ich es gehalten hatte, ein befreiendes Spiel für wohlhabende Leute, es hatte seinen Schauplatz an den kleinen Park neben der Kirche verlagert, war eine Viper, ein Gift, das sich durch das Blut meiner Brüder, Rinos und vielleicht auch Gennaros schlängelte, das tötete und Geld in das rote Buch brachte, das früher von Manuela Solara verwahrt worden war und nun, nachdem es von Michele auf Marcello übergegangen war, von meiner Schwester verwahrt wurde, in ihrem Haus. Ich spürte die ganze Faszination von Lilas Art, mit wenigen Worten die Phantasie der anderen nach Belieben zu leiten und fehlzuleiten: dieses Reden, Abbrechen, In-Gang-Setzen von Bildern und Gefühlen, ohne noch etwas hinzuzufügen. ›Es ist falsch‹, dachte ich verwirrt, ›so zu schreiben, wie ich es bisher getan habe, indem ich alles aufzeichne, was ich weiß. Ich sollte so schreiben, wie sie spricht, Abgründe stehenlassen, Brücken bauen und sie nicht vollenden, den Leser zwingen, den Blick auf die Strömung zu heften: auf Marcello Solara, der schnell mit meiner Schwester Elisa weggleitet, mit Silvio, Peppe, Gianni, Rino, Gennaro und mit Michele, hingerissen vom Schatten von Lilas Schatten; suggerieren, dass sie alle durch die Adern von Signora Palmieris Sohn gleiten, einem Jungen, den ich gar nicht kenne und der mir jetzt leidtut; durch Adern, die ganz anders sind als die der Menschen, die Nino zu mir in die Via Tasso mitbringt, als die von Mariarosa, als die von einer ihrer Freundinnen, der es – wie mir jetzt wieder einfällt – schlechtging, sie musste eine Entziehungskur machen, und auch meine Schwägerin, wer weiß, wo sie steckt, ich habe lange nichts von ihr gehört, die einen werden immer gerettet, und die anderen gehen unter.‹

Ich zwang mich, die Bilder von lustvollen Penetrationen unter Männern wegzuschieben, von Nadeln in Venen, von Verlangen und Tod. Ich versuchte, das Gespräch wieder in Gang zu bringen, aber irgendetwas stimmte nicht, die Hitze dieses Abends saß mir in der Kehle, ich erinnere mich noch, wie schwer meine Beine waren und wie verschwitzt mein Nacken. Ich sah auf die Küchenuhr, es war kurz nach halb acht. Ich merkte, dass ich keine Lust mehr hatte, über Nino zu reden und Lila, die unter einem gelblichen Licht von nur wenigen Watt vor mir saß, zu fragen, was sie im Gegensatz zu mir über ihn wusste. Sie wusste viel über ihn, zu viel, sie hätte alle Vorstellungen, die sie wollte, in mir wecken können, und ich hätte diese Bilder nie mehr aus meinem Kopf bekommen. Die beiden hatten zusammen geschlafen, hatten zusammen gelernt, sie hatte ihm geholfen, seine Artikel zu schreiben, so wie ich ihm bei seinen Essays geholfen hatte. Für einen Augenblick kehrten Eifersucht und Neid wieder. Beide Gefühle taten mir weh, und ich verdrängte sie.

Aber wahrscheinlich war es eher das Donnern unter dem Haus und dem Stradone, das sie verdrängte, so als wäre einer der ständig vorbeifahrenden Lastwagen zu uns abgebogen, wäre auf vollen Touren unter die Erde und in die Fundamente gerast und hätte dabei alles gerammt und zerstört.

49

Mir blieb der Atem weg, für den Bruchteil einer Sekunde begriff ich nicht, was vor sich ging. Die Kaffeetasse zitterte auf der Untertasse, das Tischbein stieß gegen mein Knie. Ich sprang auf, sah, dass auch Lila erschrocken war und aufstehen wollte. Ihr Stuhl kippte nach hinten, sie versuchte, ihn festzuhalten, tat es aber langsam, nach vorn gebeugt, eine Hand zu mir ausgestreckt, die andere zur Lehne, die Augen zusammengekniffen, wie wenn sie sich konzentrierte, bevor sie reagierte. Unterdessen ging das Donnergrollen unter dem Haus weiter, ein unterirdischer Wind peitschte unter dem Fußboden die Wellen eines verborgenen Meeres auf. Ich schaute zur Decke, die Lampe mitsamt ihrem Schirm aus rosarotem Glas pendelte.

»Ein Erdbeben!«, schrie ich. Die Erde schwankte, ein

unsichtbarer Sturm brach unter meinen Füßen los, schüttelte den Raum mit dem Heulen eines von Windböen gebogenen Waldes. Die Wände bekamen Risse, schienen sich zu dehnen, gerieten in den Ecken aus den Fugen und fügten sich wieder zusammen. Von der Decke ging eine Staubwolke nieder, die sich mit der von den Wänden vermischte. Ich stürzte zur Tür, schrie erneut: »Ein Erdbeben!« Doch meine Bewegung war nicht mehr als eine Absicht, ich konnte nicht einen Schritt tun. Meine Füße waren schwer, alles war schwer, mein Kopf, meine Brust, vor allem mein Bauch. Der Boden, auf dem ich Halt suchte, entzog sich, war für einen kurzen Moment da und entfernte sich gleich darauf wieder.

Meine Gedanken kehrten zu Lila zurück, ich suchte sie mit meinen Blicken. Der Stuhl war schließlich umgefallen, die Möbel – besonders eine alte Vitrine mit Nippes, Gläsern, Besteck, Chinoiserien – vibrierten zusammen mit den Fensterscheiben wie Zittergras in einer Brise auf einem Dachgesims. Lila stand mitten im Raum, gebeugt, mit gesenktem Kopf, die Augen schmal, die Stirn gerunzelt, die Hände zur Stütze an ihrem Bauch, als fürchtete sie, er könnte ihr wegspringen und im aufstäubenden Putz verlorengehen. Die Sekunden vergingen, aber nichts deutete darauf hin, dass alles wieder ins Lot kam, ich rief sie. Lila reagierte nicht, sie wirkte kompakt, die einzige aller vorhandenen Formen, die keinen Erschütterungen und Beben ausgesetzt war. Sie schien jedes Gefühl ausgelöscht zu haben: Die Ohren hörten nicht, die Kehle sog keine Luft ein, der Mund war zusammengepresst, die Augenlider tilgten den Blick. Sie war ein regloser, fester Körper, lebendig nur in den Händen, die mit gespreizten Fingern den Bauch umklammerten.

»Lila!«, rief ich. Ich machte eine Bewegung, um sie zu packen, sie wegzuziehen, das war das Allerwichtigste. Aber eine schwache Stimme in mir, die ich für verkümmert gehalten hatte, flüsterte mir zu: ›Vielleicht musst du es machen wie sie, musst stillstehen, dich vorbeugen, um dein Kind zu schützen, lauf nicht weg.‹ Ich konnte mich nicht entscheiden. Zu ihr zu gelangen, war schwierig, dabei handelte es sich nur um einen Schritt. Am Ende packte ich sie am Arm und schüttelte sie, Lila riss die Augen auf, sie schienen weiß zu sein. Der Lärm war unerträglich, die ganze Stadt lärmte, der Vesuv, die Straßen, das Meer, die alten Häuser in der Tribunali und im Spanischen Viertel und die neuen in Posillipo. Lila riss sich los, schrie: »Fass mich nicht an!« Es war ein wütender Schrei, er ist mir stärker im Gedächtnis geblieben als die schier endlosen Sekunden des Bebens. Ich sah, dass ich mich geirrt hatte: Sie, die stets alles unter Kontrolle hatte, kontrollierte in diesem Augenblick gar nichts. Sie war starr vor Schreck, hatte Angst, zu zerbrechen, falls ich sie auch nur sacht berührte.

50

Ich zog sie ins Freie, zerrte an ihr, stieß sie vorwärts, flehte sie an. Ich fürchtete, dass auf den Erdstoß, der uns gelähmt hatte, ein weiterer, schrecklicherer, endgültiger folgen würde und alles über uns einstürzen könnte. Ich schimpfte mit ihr, beschwor sie, erinnerte sie daran, dass wir unsere ungeborenen Kinder in Sicherheit bringen mussten. So stürzten wir in das Durcheinander der Entsetzensschreie, in eine wachsende Aufregung verbunden mit ziellosen Bewegungen, das Herz des Rione und der Stadt schien kurz vor dem Zerspringen zu sein. Kaum waren wir auf dem Hof, übergab sich Lila, auch ich kämpfte mit der Übelkeit, die mir den Magen umdrehte.

Das Erdbeben – das Erdbeben vom 23. November 1980 mit seinem endlosen Zerbersten – drang uns in die Knochen. Es löschte die Gewöhnung an Beständigkeit und Stabilität aus, die Gewissheit, dass jeder Augenblick genauso sein würde wie der vorhergehende, die Vertrautheit von Geräuschen und Gesten, ihre unzweifelhafte Erkennbarkeit. Stattdessen setzte ein Misstrauen gegen jede Garantie ein, eine Neigung, jeder Unglücksprophezeiung zu glauben, ein ängstliches Beobachten von Anzeichen für die Brüchigkeit der Welt, und es war schwierig, die Kontrolle wiederzuerlangen. Sekunden und Sekunden und Sekunden, die nicht aufhörten.

Draußen war es schlimmer als drinnen, alles war in Bewegung und lärmte; Gerüchte, die das Entsetzen vervielfachten, stürmten auf uns ein. Man habe mehrfach ein rotes Leuchten in Richtung Eisenbahn gesehen. Der Vesuv sei wiedererwacht. Das Meer habe gegen Mergellina gewütet, gegen den Stadtpark, gegen Chiatamone. In Ponti Rossi habe es Einstürze gegeben, der Cimitero del Pianto sei zusammen mit seinen Toten versunken, ganz Poggioreale sei zerstört. Die Gefangenen lägen entweder unter den Trümmern oder seien geflohen und brächten nun einfach so Leute um. Der Tunnel zur Marina sei eingestürzt und habe den halben flüchtenden Rione unter sich begraben. Diese Phantasien nährten sich gegenseitig, Lila glaubte – wie ich sah – alles, sie zitterte, eng an meinen Arm geschmiegt. »Die Stadt ist gefährlich«, flüsterte sie, »wir müssen hier weg, die Häuser bekommen Risse, alles geht auf uns nieder, aus den Abwasserkanälen spritzt es in die Höhe, sieh mal, wie die Ratten rennen.« Da die Leute zu ihren Autos hasteten und sich Staus auf den Straßen bildeten, zerrte sie an mir und stammelte: »Alle fahren raus ins Umland, dort ist es sicherer.« Sie wollte schnell zu ihrem Auto, wollte eine freie Fläche finden, auf der uns nur der leicht wirkende Himmel auf den Kopf fallen konnte. Es gelang mir nicht, sie zu beruhigen.

Wir erreichten das Auto, aber Lila hatte die Schlüssel nicht dabei. Wir waren losgerannt, ohne irgendetwas mitzunehmen, hatten die Tür hinter uns zugeworfen und hätten, falls wir den Mut gefunden hätten zurückzukehren, nicht mehr in die Wohnung gekonnt. Mit aller Kraft packte ich einen Griff, zog daran, rüttelte daran, aber Lila schrie. Sie hielt sich die Ohren zu, als hätte mein Zerren unerträgliche Geräusche und Schwingungen erzeugt. Ich warf einen Blick in die Runde, entdeckte einen dicken Stein, der sich aus einer kleinen Mauer gelöst hatte, und schlug damit das Autofenster ein. »Das lasse ich später reparieren«, sagte ich, »komm, wir bleiben jetzt hier, es geht vorbei.« Wir setzten uns ins Auto, aber gar nichts ging vorbei, die Erde schien unablässig zu beben. Durch die staubige Windschutzscheibe beobachteten wir die Leute aus dem Rione, die sich in Gruppen zusammendrängten und redeten. Doch als sich endlich alles beruhigt zu haben schien, rannte jemand schreiend vorbei, was eine allgemeine Flucht in wildem Durcheinander und heftige Stöße gegen unser Auto auslöste, bei denen mir das Herz stehenblieb.

51

Ich hatte Angst, o ja, ich war entsetzt. Aber zu meiner großen Überraschung war ich nicht so entsetzt wie Lila. In den Sekunden während des Erdbebens hatte sie sich schlagartig der Frau entledigt, die sie noch eine Minute zuvor gewesen war – einer Frau, die Gedanken, Worte, Handlungen, Taktiken, Strategien präzise abwägen konnte –, als wäre sie unter diesen Umständen eine unnütze Rüstung. Nun war sie eine andere. War der Mensch, den ich in der Silvesternacht 1958 gesehen hatte, als der Feuerwerkskrieg zwischen den Carraccis und den Solaras ausgebrochen war; oder der Mensch, der mich nach San Giovanni a Teduccio gerufen hatte, als sie noch in der Fabrik von Bruno Soccavo gearbeitet und geglaubt hatte, sie wäre herzkrank, weshalb sie Gennaro in meine Obhut hatte geben wollen, überzeugt davon, dass sie sterben würde. Während allerdings in der Vergangenheit Berührungspunkte zwischen den beiden Lilas erhalten geblieben waren, schien diese andere Frau nun aber direkt aus dem Erdinneren gekommen zu sein, sie ähnelte nicht einmal entfernt meiner Freundin, die ich wenige Minuten zuvor darum beneidet hatte, wie zielsicher sie ihre Worte wählen konnte, ähnelte ihr nicht einmal in ihren von Angst entstellten Gesichtszügen.

Niemals hätte ich mich so abrupt verwandeln können, meine Selbstdisziplin war stabil, auch in den schrecklichsten Momenten blieb die Welt wie selbstverständlich um mich her bestehen. Ich wusste, dass Dede und Elsa bei ihrem Vater in Florenz waren, und Florenz war ein sicheres Anderswo, was mich an sich schon beruhigte. Ich wünschte mir, dass das Schlimmste vorbei war, dass kein einziger Wohnblock im Rione eingestürzt war, dass Nino, meine Mutter, mein Vater, Elisa, meine Brüder sich zwar gewiss erschreckt hatten wie wir, aber wie wir am Leben waren. Sie dagegen, nein, sie konnte so nicht denken. Sie krümmte sich, zitterte, streichelte ihren Bauch, schien nicht mehr an feste Verknüpfungen zu glauben. Für sie hatten Gennaro und Enzo jede Verbindung untereinander und auch zu uns verloren, sie hatten sich abgelöst. Sie stieß ein Röcheln aus, mit weit aufgerissenen Augen, klammerte sich an sich selbst, hielt sich fest. Und wiederholte zwanghaft Worte, die überhaupt nicht zu unserer Situation passten, formulierte Sätze ohne Sinn und sagte sie trotzdem voller Überzeugung, wobei sie mir heftige Stöße versetzte.

Lange war es zwecklos, dass ich sie auf Bekannte hinwies, die Autotür öffnete, mit den Händen fuchtelte und sie rief, um Lila an Namen und an Stimmen zu binden, die dieses schlimme Erlebnis kommentieren und sie so in ein geordnetes Gespräch ziehen könnten. Ich zeigte ihr Carmen mit ihrem Mann und den Kindern, die ihren Kopf auf komische Weise mit Kissen bedeckten, und einen Mann, vielleicht ihr Schwager, der sogar eine Matratze auf dem Rücken hatte, sie hasteten zusammen mit anderen zu Fuß Richtung Bahnhof und trugen nutzlose Sachen, eine Frau hatte eine Bratpfanne in der Hand. Ich zeigte Lila Antonio mit Frau und Kindern und staunte mit offenem Mund, weil sie allesamt so schön waren, wie aus einem Film, während sie ruhig in einen grünen Kleintransporter stiegen und wegfuhren. Ich zeigte ihr Familie Carracci und Anhang, Ehemänner, Ehefrauen, Väter, Mütter, Lebensgefährten, Geliebte – soll heißen Stefano, Ada, Melina, Maria, Pinuccia, Rino, Alfonso, Marisa und alle ihre Kinder –, die sich aus Angst, sich zu verlieren, in dem Gedränge fortwährend riefen. Ich zeigte ihr den Luxusschlitten von Marcello Solara, der mit heulendem Motor versuchte, aus dem Fahrzeugstau auszubrechen. Neben ihm saß meine Schwester Elisa mit dem Kind und auf den Rücksitzen die blassen Schatten meiner Mutter und meines Vaters. Ich schrie Namen an der offenen Autotür, versuchte, auch Lila einzubeziehen. Aber sie rührte sich nicht. Ich sah, dass die Menschen – besonders alle, die wir gut kannten – ihr im Gegenteil noch mehr Angst machten, vor allem wenn sie aufgeregt waren, wenn sie riefen und rannten. Sie umklammerte meine Hand und schloss die Augen, als Marcellos Auto hupend auf den Gehsteig fuhr und zwischen den Leuten davonraste, die in Gespräche vertieft herumstanden. Sie rief: »O Madonna!«, ein Ausdruck, den ich noch nie aus ihrem Mund gehört hatte. »Was ist los?«, fragte ich. Sie schrie schwer atmend, die Konturen des Autos hätten sich aufgelöst, auch die Konturen von Marcello am Steuer lösten sich auf, Fahrzeug und Mensch spritzten in einer Mischung aus flüssigem Metall und Fleisch aus sich heraus.

Sie sagte wirklich *die Konturen auflösen*. Verwendete bei dieser Gelegenheit erstmals diesen Begriff, strengte sich sehr an, um seinen Sinn zu verdeutlichen, wollte, dass ich genau verstand, was diese Auflösung war und wie sehr sie sie erschreckte. Sie umklammerte meine Hand noch fester, gestikulierte. Sagte, die Konturen von Dingen und Menschen seien sehr schwach, sie könnten zerreißen wie ein Bindfaden. Flüsterte, für sie sei es schon immer so gewesen, etwas verliere seine Konturen und regne auf etwas anderes nieder, alles sei ein einziges Sichauflösen verschiedenartiger Stoffe, ein Sichvermischen und

-vermengen. Sie schrie, es sei ihr immer schwergefallen, zu glauben, dass das Leben feste Ränder habe, denn sie habe von klein auf gewusst, dass das nicht stimme – *es stimmte absolut nicht* –, und daher könne sie nicht auf deren Reiß- und Stoßfestigkeit vertrauen. Im Unterschied zu ihrem Verhalten kurz zuvor begann sie nun fieberhafte, ausschweifende Sätze zu skandieren, indem sie sie mal mit einem dialektalen Wortschatz mischte und mal aus den unzähligen Büchern schöpfte, die sie seit ihrer Kindheit gelesen hatte. Sie murmelte, sie dürfe sich nie ablenken lassen, wenn sie das täte, würden die wahren Dinge, die sie mit ihren brutalen, schmerzhaften Verrenkungen erschreckten, die Oberhand über die unwahren gewinnen, die sie, Lila, mit ihrer physischen und moralischen Ordnung beruhigten, und sie würde in einer verpfuschten, klebrigen Realität versinken, ohne ihren Empfindungen noch klare Konturen geben zu können. Ein taktiles Gefühl würde sich in einem visuellen auflösen, ein visuelles in einem olfaktorischen, »ach, was ist denn die wahre Welt, Lenù, das haben wir ja gerade gesehen, nichts, nichts, nichts, von dem man definitiv sagen könnte: So ist es.« Darum würde, wenn sie nicht aufpasste, wenn sie nicht auf die Konturen achtete, alles in Gerinnseln von Menstruationsblut, in sarkomartigen Polypen, in gelblichen Faserstücken davonfließen.

52

Sie redete lange. Es war das erste und das letzte Mal, dass sie versucht hat, mir das Gefühl für die Welt zu erklären, in der sie sich bewegte. »Bisher«, sagte sie – und ich gebe das hier mit meinen heutigen Worten wieder – »habe ich geglaubt, dass es sich um schlimme Zustände handelte, die kamen und vorübergingen wie eine Kinderkrankheit. Erinnerst du dich noch, wie ich dir erzählt habe, dass der Kupfertopf zersprungen war? Und an das Silvesterfest 1958, als die Solaras auf uns geschossen haben, erinnerst du dich? Vor den Schüssen fürchtete ich mich nicht so sehr. Aber ich hatte Angst, dass die Farben des Feuerwerks scharf sein könnten, vor allem das Grün und das Violett waren messerscharf, dass sie uns zerschneiden könnten, dass die Raketenschweife meinen Bruder Rino wie Feilen, wie Raspeln streifen und sein Fleisch aufreißen könnten, dass sie einen anderen, abstoßenden Bruder aus ihm heraussickern lassen könnten, den ich sofort wieder zurückbefördern musste – in seine alte Form –, damit er sich nicht gegen mich wandte und mir nicht wehtat. Mein ganzes Leben habe ich nichts anderes getan, Lenù, als Momente wie diesen einzudämmen. Marcello machte mir Angst, und ich schützte mich mit Stefano. Stefano machte mir Angst, und ich schützte mich mit Michele. Michele machte mir Angst, und ich schützte mich mit Nino. Nino machte mir Angst, und ich schützte mich mit Enzo. Aber was heißt schon schützen, das ist bloß ein Wort. Ich könnte dir jetzt genauestens alle großen und kleinen Schutzmäntel aufzählen, die ich mir zugelegt habe, um mich zu verstecken, doch sie haben mir nichts genützt. Weißt du noch, als mir der Nachthimmel auf Ischia Angst machte? Ihr habt gesagt, wie schön er ist, aber ich konnte das nicht. Ich spürte den Geschmack von einem faulen Ei mit einem grünlich gelben Dotter im Eiweiß und in der Schale, ein aufplatzendes hartes Ei. Ich hatte giftige Eiersterne im Mund, ihr Licht war von einer weißen, gummiartigen Konsistenz, zusammen mit der gallertartigen Schwärze des Himmels klebte es an den Zähnen, ich zerkaute es voller Ekel, spürte das Knirschen der Stückchen. Verstehst du? Weißt du, was ich meine? Dabei war ich fröhlich auf Ischia, voller Liebe. Aber es half nichts, der Kopf findet immer einen Spalt, um hinauszuschauen – nach oben, nach unten, zur Seite –, dorthin, wo das Entsetzen ist. In Brunos Fabrik, zum Beispiel, zerbrachen mir die Knochen der Tiere unter den Fingern schon allein, wenn ich sie nur antippte, und ranziges Mark trat aus, ich ekelte mich so sehr, dass ich mir einbildete, ich sei krank. Aber war ich krank, hatte ich wirklich einen Herzfehler? Nein. Das Problem ist immer nur die Unruhe im Kopf gewesen. Ich kann sie nicht abstellen, immer muss ich arbeiten, überarbeiten, zudecken, aufdecken, verstärken, und dann plötzlich wieder niederreißen, zerschlagen. Nimm nur mal Alfonso, er hat mir von klein auf Angst gemacht, ich spürte, dass der Faden, der ihn zusammenhielt, kurz vor dem Zerreißen war. Und Michele? Michele glaubte, wer weiß wer zu sein, dabei brauchte man nur seine Umrisslinie zu finden und daran zu ziehen, hahaha, ich habe sie zerrissen, habe seinen Faden zerrissen und ihn mit dem von Alfonso verknüpft, männliche Materie mit männlicher Materie, was du tagsüber webst, wird nachts wieder aufgetrennt, der Kopf findet schon einen Weg. Aber es nützt nicht viel, das Entsetzen bleibt, es steckt immer in dem Spalt zwischen zwei normalen Dingen. Es lauert dort, das habe ich schon immer geargwöhnt, und seit heute Abend habe ich die Gewissheit: Nichts hält, Lenù, auch das Kind hier in meinem Bauch scheint zu bleiben, aber es bleibt nicht. Weißt du noch, wie ich Stefano geheiratet habe und wollte, dass der Rione noch mal ganz von vorn anfängt, nur noch Schönes, alles Hässliche von früher sollte nicht mehr sein? Wie lange hat es gehalten? Gute Gefühle sind zerbrechlich, bei mir hält die Liebe nicht. Die Liebe zu einem Mann nicht und auch die Liebe zu den Kindern nicht, sie wird schnell löchrig. Du schaust in das Loch und siehst, wie sich der Nebel der guten Absichten mit dem der schlechten vermischt. Gennaro verursacht mir ein schlechtes Gewissen, und das Kleine hier in meinem Bauch ist eine Verantwortung, die mir Schnitte und Kratzer zufügt. Jemanden zu mögen, geht einher mit jemanden nicht zu mögen, und ich schaffe es nicht, schaffe es nicht, mich rings um einen guten Willen zu verfestigen. Maestra Oliviero hat immer recht gehabt, ich bin ein schlechter Mensch. Nicht mal eine Freundschaft kann ich am Leben erhalten. Du bist freundlich, Lenù, du hast viel Geduld mit mir gehabt. Aber heute Abend ist es mir endgültig klar geworden: Da ist immer ein Lösungsmittel, das langsam wirkt, mit sanfter Wärme, und es zersetzt alles, auch wenn es gerade kein Erdbeben gibt. Darum, bitte, wenn ich dich kränke, wenn ich Gemeinheiten zu dir sage, halte dir die Ohren zu, ich will es nicht, aber ich tue es trotzdem. Bitte, bitte, lass mich jetzt nicht allein, sonst gehe ich zugrunde.«

53

»Ja« – sagte ich immer wieder –, »ist gut, aber jetzt ruh dich aus.« Ich drückte sie fest an meine Seite, endlich schlief sie ein. Ich blieb wach und schaute sie an, wie früher einmal, als sie mich darum gebeten hatte. Hin und wieder spürte ich weitere, kleine Erdstöße, jemand in einem der Autos schrie vor Entsetzen auf. Der Stradone war nun menschenleer. Das Kind in meinem Bauch bewegte sich wie ein Schwappen, ich berührte Lilas Bauch, auch ihres bewegte sich. Alles bewegte sich: das Feuermeer unter der Erdkruste und die Brennöfen der Sterne und die Planeten und die Universen und das Licht in der Dunkelheit und die Stille in der Eiseskälte. Aber auch jetzt, da ich über den Schwall von Lilas erschütterten Worten nachdachte, spürte ich, dass der Schrecken in mir nicht Fuß fassen konnte, und sogar die Lava, all die geschmolzene Materie, die ich mir als glühenden Strom im Innern der Erdkugel vorstellte, und all die Angst, die sie mir machte, sortierten sich in meinem Kopf zu geordneten Sätzen und harmonischen Bildern, wurden zu einem Pflaster aus schwarzen Steinen wie das von Neapels Straßen, einem Pflaster, dessen Zentrum immer und auf jeden Fall ich war. Kurz, ich verlieh mir Gewicht, ich war dazu imstande, egal was passierte. Alles, was mich bestürmte – meine Studien, die Bücher, Franco, Pietro, meine Mädchen, Nino, das Erdbeben –, würde vergehen, und ich, irgendein *Ich* von denen, die ich angehäuft hatte, würde fest stehen bleiben, ich war die Zirkelspitze, die immer still steht, während die Mine umherfährt und Kreise zieht. Lila dagegen – das schien mir nun offensichtlich zu sein, und es machte mich stolz, beruhigte mich, rührte mich an – fiel es schwer, sich stabil zu fühlen. Sie konnte es nicht, glaubte nicht daran. Sosehr sie uns auch immer alle beherrscht hatte und bei Strafe ihres Unwillens oder ihres Zorns allen eine Daseinsform aufgezwungen hatte und noch aufzwang, so nahm sie sich doch selbst als etwas Fließendes wahr, und alle ihre Kräfte waren letztlich darauf gerichtet, nicht auszuströmen. Wenn trotz ihrer

vorbeugenden Manipulation von Menschen und Dingen
das Fließende siegte, verlor Lila Lila, schien das Chaos
die einzige Wahrheit zu sein, und sie – die Aktive, die
Mutige – löschte sich entsetzt aus, wurde zu einem
Nichts.

54

Der Rione leerte sich, der Stradone wurde vollends still,
eisige Kälte sank herab. In den zu dunklen Felsen gewor-
denen Wohnblocks war nicht ein Licht, nicht ein buntes
Fernsehflimmern. Auch ich schlief ein. Dann schreckte
ich hoch, es war noch dunkel. Lila hatte das Auto verlassen, die Tür auf ihrer Seite war angelehnt. Ich öffnete meine Tür, warf einen Blick in die Runde. Die parkenden Autos waren alle bewohnt, jemand hustete, jemand jammerte
im Schlaf. Lila war nicht zu sehen, ich wurde unruhig,
ging Richtung Tunnel. Ich fand sie unweit von Carmens
Tanksäule. Sie bewegte sich zwischen Gesimstrümmern
und anderem Schutt, schaute zu den Fenstern ihrer Wohnung hinauf. Als sie mich sah, zog sie ein verlegenes Gesicht. »Es ging mir nicht gut«, sagte sie, »tut mir leid, ich
habe dich mit Blödsinn vollgequatscht, zum Glück waren wir zusammen.« Sie deutete ein missmutiges Lächeln
an und sagte einen der vielen nahezu unverständlichen Sätze dieser Nacht – »*Zum Glück« ist ein Hauch von Parfüm, der ausströmt, wenn du den Zerstäuber drückst* –,
sie schauderte. Es ging ihr immer noch nicht gut, ich konnte sie überreden, zum Auto zurückzukehren. Nach wenigen Minuten war sie wieder eingeschlafen.

Sobald es Tag wurde, weckte ich sie. Sie war ruhig,

wollte sich rechtfertigen. Abwiegelnd murmelte sie: »Du weißt ja, dass ich so bin, manchmal packt mich was hier in der Brust.« Ich sagte: »Das ist nichts weiter, nur die Erschöpfung, du hast zu viel um die Ohren, außerdem war es für alle schlimm, es hörte ja gar nicht mehr auf.« Sie schüttelte den Kopf: »Ich weiß doch, wie ich bin.«

Wir sortierten uns wieder, fanden einen Weg, in ihre Wohnung zu kommen. Wir starteten viele Anrufe, aber entweder bekamen wir keine freie Leitung oder das Telefon klingelte vergeblich. Lilas Eltern antworteten nicht und auch die Verwandten aus Avellino nicht, die uns Nachricht von Enzo und Gennaro hätten geben können, bei Nino nahm niemand ab, und auch seine Freunde reagierten nicht. Doch mit Pietro konnte ich sprechen, er hatte gerade von dem Erdbeben erfahren. Ich bat ihn, die Mädchen noch ein paar Tage zu behalten, so lange, bis man sicher sein konnte, dass die Gefahr vorüber war. Je mehr Stunden vergingen, umso sichtbarer wurden die Ausmaße der Katastrophe. Wir hatten uns nicht umsonst erschrocken. Lila sagte leise, wie um sich zu entschuldigen: »Hast du gesehen, die Erde war kurz davor, auseinanderzubrechen.«

Wir waren benommen von den Aufregungen und der Erschöpfung, wanderten aber trotzdem durch den Rione und durch eine unheilvolle Stadt, die mal still dalag und mal von unangenehmem Sirenengeheul zerschnitten wurde. Wir redeten viel, um uns zu beruhigen: Wo war Nino, wo war Enzo, wo war Gennaro, wie ging es meiner Mutter, wohin hatte Marcello Solara sie gebracht, wo waren Lilas Eltern. Ich merkte, dass sie das Bedürfnis hatte, noch einmal auf die Augenblicke des Erdbebens zurückzukommen, und dies nicht so sehr, um erneut deren traumatische Wirkung zu schildern, sondern vielmehr um sie wie ein neues Herz zu spüren, um das man seine Empfindsamkeit neu anordnen konnte. Ich ermutigte sie jedes Mal dazu, wenn es geschah, und hatte den Eindruck, dass sie umso mehr ihre Selbstbeherrschung wiedergewann, je deutlicher sichtbar die Zerstörung und der Tod ganzer Dörfer im Süden wurden. Schon bald redete sie über ihr Entsetzen, ohne sich zu schämen, und ich beruhigte mich wieder. Aber etwas Unerklärliches blieb ihr trotzdem: ihr vorsichtiger Gang, eine ängstliche Trübung ihrer Stimme. Die Erinnerung an das Erdbeben hielt an, Neapel bewahrte sie. Nur die Hitze verschwand, wie ein nebliger Hauch, der vom Körper der Stadt und von ihrem langsamen, klanglosen Leben aufstieg.

Wir gelangten zum Haus, in dem Nino und Eleonora wohnten. Ich klingelte lange, rief, keine Antwort. Lila beobachtete mich aus hundert Metern Entfernung, ihr Bauch prall und spitz, ihre Miene finster. Ich sprach mit einem Mann, der mit zwei Koffern herauskam, er sagte, das ganze Gebäude sei leer. Ich blieb noch einen Moment dort, konnte mich nicht entschließen zu gehen. Ich spähte zu Lilas Gestalt hinüber. Erinnerte mich an das, was sie mir kurz vor dem Erdbeben erzählt und eingeredet hatte, und ich hatte den Eindruck, ihr setzte ein ganzes Heer von Dämonen zu. Sie benutzte Enzo, benutzte Pasquale, benutzte Antonio. Formte Alfonso um. Bezwang Michele Solara, indem sie ihn in eine närrische Liebe zu ihr zog. Und Michele wand sich, um sich zu befreien, entließ Alfonso, schloss das Geschäft an der Piazza dei Martiri, doch vergebens. Lila erniedrigte ihn, erniedrigte ihn immer weiter, versklavte ihn. Wer weiß, wie viel sie inzwischen von den Machenschaften der beiden Brüder wusste. Sie hatte Einblick in ihre Geschäfte erhalten, als sie die Daten für den Rechner erhoben hatte, auch über das Geld aus dem Drogenhandel wusste sie Bescheid. Darum hasste Marcello sie, darum hasste meine Schwester Elisa sie. Lila wusste alles, aus einfacher, purer Angst vor allem und jedem wusste sie alles. Sie wusste wer weiß wie viele schlimme Dinge über Nino. Und sie schien mir aus der Ferne zu sagen: Vergiss ihn, wir wissen doch beide, dass er sich mit seiner Familie in Sicherheit gebracht hat und du ihm scheißegal gewesen bist.

55

Was sich im Wesentlichen als wahr erwies. Enzo und Gennaro kamen am Abend in den Rione zurück, bedrückt und verstört, wie Heimkehrer aus einem furchtbaren Krieg und mit nur einer Sorge: Wie ging es Lila. Nino dagegen tauchte etliche Tage später wieder auf, er sah aus, als käme er aus dem Urlaub. »Ich wusste nicht, was los war«, sagte er zu mir, »ich habe meine Kinder genommen und bin abgehauen.«

Seine Kinder. Was für ein verantwortungsbewusster Vater. Und was war mit dem, das ich im Bauch hatte?

Er erzählte in seinem typischen unbefangenen Ton, dass er mit den Kindern, Eleonora und seinen Schwiegereltern in einer Familienvilla in Minturno Zuflucht gesucht hatte. Das nahm ich ihm übel. Hielt ihn tagelang auf Abstand, wollte ihn nicht sehen, machte mir Sorgen um meine Eltern. Von Marcello, der allein in den Rione zurückgekehrt war, erfuhr ich, dass er sie zusammen mit Elisa und Silvio auf einem Grundstück, das er in Gaeta besaß, in Sicherheit gebracht hatte. Noch so ein Retter *seiner* Familie.

Ich kehrte, allein, in die Via Tasso zurück. Es herrschte eine große Kälte, die Wohnung war eisig. Ich untersuchte eine Wand nach der anderen, sie schienen keine Risse zu haben. Doch am Abend hatte ich Angst einzuschlafen, ich fürchtete, das Erdbeben könnte zurückkommen, und ich war froh, dass Pietro und Doriana eingewilligt hatten, die Mädchen noch ein wenig bei sich zu behalten.

Dann kam Weihnachten, ich konnte nicht anders, ich versöhnte mich mit Nino. Ich fuhr nach Florenz, um Dede und Elsa abzuholen. Das Leben ging weiter, aber wie eine Rekonvaleszenz, deren Ende ich nicht sah. Ich spürte nun, jedes Mal wenn ich Lila traf, eine Stimmungsunsicherheit bei ihr, besonders wenn sie aggressive Töne anschlug. Dann sah sie mich an, wie um zu sagen: Du weißt doch, was hinter jedem meiner Worte steckt.

Aber wusste ich das wirklich? Ich ging durch abgesperrte Straßen und an unzähligen unbewohnbaren, mit schweren Pfosten abgestützten Häusern vorbei. Häufig geriet ich mitten hinein in die Schäden der schamlosesten, kriminellen Schluderei. Und ich dachte an Lila, daran, wie schnell sie wieder zu arbeiten begonnen hatte, zu manipulieren, anzutreiben, zu spotten, anzugreifen. Mir fiel das Entsetzen wieder ein, das sie in wenigen Sekunden niedergeworfen, niedergerungen hatte, sah die Spuren dieses Entsetzens in ihrer neuen Angewohnheit, sich mit beiden Händen und gespreizten Fingern den Bauch zu halten. Und ich fragte mich besorgt: Wer ist sie jetzt, zu was kann sie werden, zu welchen Reaktionen ist sie fähig? Um zu bekräftigen, dass das schlimme Erlebnis vorüber war, sagte ich einmal zu ihr:

»Jetzt ist die Welt wieder in Ordnung.«
Sie gab spöttisch zurück:
»In welcher Ordnung?«

56

Im letzten Schwangerschaftsmonat wurde alles sehr mühsam. Nino ließ sich selten blicken, er musste arbeiten,
und das regte mich auf. Die wenigen Male, da er auftauchte, war ich nicht nett, ich dachte: ›Ich bin hässlich,
er begehrt mich nicht mehr.‹ Und das stimmte, ich konnte mich selbst nur noch mit Unbehagen im Spiegel betrachten. Ich hatte aufgedunsene Wangen und eine riesige Nase. Meine Brüste und mein Bauch schienen den
restlichen Körper verschlungen zu haben, ich sah mich
ohne Hals, mit kurzen Beinen und geschwollenen Fuß-
knöcheln. Ich war wie meine Mutter geworden, aber nicht
wie die, die sie jetzt war, ein zartes, verängstigtes Weiblein. Ich ähnelte vielmehr der missgünstigen Gestalt, vor
der ich mich immer gefürchtet hatte und die jetzt nur
noch in meiner Erinnerung existierte.

Diese mich verfolgende Mutter war nun entfesselt. Sie
begann durch mich zu handeln und klagte über die Mühen, die Sorgen, den Kummer, den meine sterbende Mutter mir mit ihrer Gebrechlichkeit bereitete, mit ihrem
Blick eines Menschen, der kurz vor dem Ertrinken ist. Ich
wurde unausstehlich, jeder Zwischenfall kam mir vor
wie ein Komplott gegen mich, häufig begann ich herum-
zuschreien. In den Momenten größter Unzufriedenheit
war mir, als hätten sich Neapels Schäden auch in meinem
Körper eingenistet, als ginge mir nun die Fähigkeit ver-

loren, sympathisch und liebenswürdig zu sein. Pietro rief mich an, um mit den Mädchen zu sprechen, und ich war abweisend. Der Verlag oder irgendeine Zeitung meldeten sich telefonisch, und ich protestierte, sagte: »Ich bin im neunten Monat, ich kriege keine Luft mehr, lasst mich in Frieden.«

Auch meine Mädchen behandelte ich schlechter. Nicht so sehr Dede, deren Mischung aus Intelligenz, Zuneigung und quälender Logik mir vertraut war, ähnelte sie doch ihrem Vater. Aber Elsa ging mir zunehmend auf die Nerven, denn sie entwickelte sich von einem sanften Püppchen zu einem Wesen mit unscharfen Konturen, über das sich ihre Lehrerin fortwährend beschwerte, wobei sie sie als gerissen und brutal bezeichnete, während ich selbst sie zu Hause oder auf der Straße ständig zurechtwies, weil sie Streit suchte, anderen ihre Sachen wegnahm und sie kaputtmachte, wenn sie sie zurückgeben sollte. ›Ein schönes Weiber-Trio sind wir‹, dachte ich bei mir, ›kein Wunder, dass Nino uns meidet, dass er Eleonora, Albertino und Lidia vorzieht.‹ Wenn ich nachts nicht schlafen konnte, weil das Baby in meinem Bauch sich bewegte, als wäre es aus rastlosen Luftblasen, wünschte ich mir, dass dieses neue Kind entgegen aller Voraussicht ein Junge werden würde, dass es Nino ähneln würde, dass es ihm gefallen würde und dass er es mehr lieben würde als seine anderen Kinder.

Aber sosehr ich mich auch bemühte, zu dem Bild von mir zurückzukehren, das ich bevorzugte – ich wollte immer ein ausgeglichener Mensch sein, der jämmerliche oder auch ungestüme Gefühle klug im Zaum hielt –, gelang es mir in diesen letzten Tagen nicht, mich zu stabilisieren. Ich gab dem Erdbeben die Schuld, das mir zunächst kaum zugesetzt zu haben schien, aber vielleicht doch tief in mein Inneres gedrungen war, bis in den Bauch hinein. Wenn ich im Auto durch den Tunnel von Capodimonte fuhr, bekam ich Panik, ich fürchtete, ein neuer Erdstoß könnte ihn zum Einsturz bringen. Wenn ich die Brücke vom Corso Malta überquerte, die schon von sich aus vibrierte, beschleunigte ich, um dem Erdstoß zu entkommen, der sie von einem Augenblick zum anderen zerstören konnte. In dieser Zeit hörte ich sogar auf, die Ameisen zu bekämpfen, die oft und gern in meinem Badezimmer auftauchten. Ich ließ sie lieber am Leben und beobachtete sie manchmal, Alfonso versicherte, sie spürten die Katastrophe im Voraus.

Aber nicht nur die Nachwirkungen des Erdbebens brachten mich durcheinander, auch Lilas bildhafte Andeutungen trugen dazu bei. Auf der Straße achtete ich nun darauf, ob dort Spritzen lagen wie die, die ich in meiner Zeit in Mailand zufällig und flüchtig gesehen hatte. Und wenn ich sie in unserem kleinen Park im Rione entdeckte, ergriff mich eine blinde Streitsucht, ich wollte mich mit Marcello und mit meinen Brüdern anlegen, auch wenn mir nicht klar war, welche Argumente ich anführen sollte. So kam es, dass ich gehässige Dinge sagte und tat. Meiner Mutter, die mich mit der Frage bedrängte, ob ich mit Lila über Peppe und Gianni gesprochen hätte, antwortete ich eines Tages grob: »Ma', Lina kann sie nicht nehmen, sie hat schon mit ihrem drogensüchtigen Bruder zu tun, und außerdem hat sie Angst um Gennaro, bürdet ihr doch nicht alle Probleme auf, mit denen ihr nicht zurande kommt.« Sie starrte mich bestürzt an, von Drogen hatte sie nie etwas gesagt, ich hatte etwas angesprochen, was nicht laut geäußert werden durfte. Aber während sie früher losgezetert hätte, um meine Brüder zu verteidigen und mir Gefühlskälte vorzuwerfen, zog sie sich nun in eine dunkle Ecke der Küche zurück und tat keinen Mucks mehr, so dass schließlich ich reumütig murmelte:»Mach dir keine Sorgen, na komm, wir finden schon eine Lösung.«

Was für eine Lösung? Ich machte die Dinge nur noch komplizierter. Ich spürte Peppe im kleinen Park auf – Gianni war sonst wo – und hielt ihm eine Standpauke darüber, wie mies es sei, aus den Schwächen anderer Geld zu schlagen. Ich sagte zu ihm:»Such dir irgendeine Arbeit, aber nicht das hier, das macht dich kaputt, und unsere Mutter stirbt deinetwegen vor Sorgen.« Die ganze Zeit über säuberte er sich mit dem Daumennagel seiner Linken die Fingernägel seiner rechten Hand und hörte mir mit gesenktem Blick zu, unterwürfig. Er war drei Jahre jünger als ich und fühlte sich wie der kleine Bruder vor der großen Schwester, die eine wichtige Persönlichkeit war. Aber das hinderte ihn nicht, am Ende grinsend zu mir zu sagen:»Ohne mein Geld wäre Mama längst tot.« Er nickte zum Abschied schwach mit dem Kopf und ging.

Diese Antwort machte mich noch gereizter. Ich ließ ein, zwei Tage verstreichen, dann fand ich mich bei Elisa ein und hoffte, auch Marcello anzutreffen. Es war sehr kalt, die Straßen des neuen Viertels waren so kaputt und dreckig wie die des alten Rione. Marcello war nicht da, die Wohnung war unaufgeräumt, die Schlamperei meiner Schwester ärgerte mich, sie hatte sich weder gewaschen noch angezogen, kümmerte sich nur um das Kind. Ich schrie sie geradezu an:»Sag deinem Ehemann« – und ich betonte das Wort *Ehemann*, obwohl sie nicht verheiratet waren –, »dass er unsere Brüder zugrunde richtet. Wenn er unbedingt Drogen verkaufen muss, soll er das gefälligst selbst tun!« Genau das sagte ich, auf Italienisch, sie wurde blass, antwortete: »Lenù, verlass auf der Stelle meine Wohnung, was glaubst du denn, mit wem du hier redest, mit den feinen Leuten aus deinem Bekanntenkreis? Hau ab, du bist so was von eingebildet, das bist du schon immer gewesen.« Als ich zu einer Antwort ansetzte, kreischte sie: »Und komm ja nicht noch mal her, um bei meinem Marcello die Neunmalkluge zu spielen! Er ist ein guter Mensch, wir verdanken ihm alles. Wenn ich will, kaufe ich dich, diese Schlampe von Lina und alle Arschlöcher, die du so bewunderst!«

57

Ich ließ mich immer mehr auf den Rione ein, in den Lila mir einen kleinen Einblick gegeben hatte, und merkte spät, dass ich Dinge aufwühlte, die schwer in Ordnung zu bringen waren, und dabei auch gegen eine Regel verstieß, die ich mir auferlegt hatte, als ich nach Neapel zurückgekehrt war: mich von dem Ort, an dem ich geboren war, nicht wieder vereinnahmen zu lassen. Eines Nachmittags, ich hatte die Mädchen bei Mirella gelassen, besuchte ich zunächst meine Mutter und schaute dann, ich weiß nicht, ob mit dem Ziel, meine Erregung zu dämpfen oder sie abzureagieren, in Lilas Büro vorbei. Ada öffnete mir, hocherfreut. Lila war in ihrem Zimmer und stritt sich laut mit einem Kunden, Enzo war mit Rino in irgendeinem Betrieb, und so fühlte sie sich verpflichtet, mir Gesellschaft zu leisten. Sie unterhielt mich, indem sie mir von ihrer Tochter Maria erzählte, davon, wie groß sie geworden war, wie gut sie in der Schule war. Dann klingel-

te das Telefon, sie lief hin, um zu antworten, und rief
währenddessen nach Alfonso: »Lenuccia ist da, komm!«
Einigermaßen verlegen bat mich mein früherer Schulka-
merad, der in seinen Umgangsformen, mit seiner Frisur
und mit den Farben seiner Kleidung weiblicher denn je
wirkte, in einen kleinen, kahlen Raum. Dort stieß ich zu
meiner Überraschung auf Michele Solara.

Ich hatte ihn lange nicht gesehen, es entstand ein Unbehagen, das uns alle drei erfasste. Michele hatte sich sehr
verändert. Er war grau geworden und sah mitgenommen
aus, obwohl sein Körper noch jung und athletisch war.
Doch vor allem – das war vollkommen ungewöhnlich –
machte ihn meine Anwesenheit verlegen, er war weit entfernt von seinem üblichen Auftreten. Erstens stand er
auf, als ich hereinkam. Und zweitens war er höflich, sagte aber fast nichts; das seit jeher für ihn typische, höh-
nische Mundwerk war ihm abhandengekommen. Er schaute oft wie hilfesuchend zu Alfonso, wandte aber den Blick
sogleich wieder ab, als könnte allein schon ihn anzusehen kompromittierend sein. Alfonso war nicht weniger
unbehaglich zumute. In einem fort ordnete er seine schönen, schwarzen Haare und machte auf der Suche nach
einem Gesprächsthema schnalzende Geräusche mit den
Lippen, die Unterhaltung schlief schnell ein. Die Sekunden schienen mir zerbrechlich zu sein. Ich wurde nervös,
wusste aber nicht, warum. Vielleicht ärgerte es mich, dass
sie sich verstellten – wohlbemerkt *vor mir*, als könnte ich
das nicht verstehen, *vor mir*, die in wesentlich fortschritt-
licheren Kreisen als in diesem kleinen Zimmer des Rione
verkehrt hatte und verkehrte und die ein auch im Ausland gelobtes Buch darüber geschrieben hatte, wie brü-
chig sexuelle Identitäten waren. Es lag mir auf der Zun-

ge, zu sagen: »Wenn ich das richtig sehe, dann seid ihr ein Paar«, und nur aus Angst, ich könnte Lilas Andeutungen missverstanden haben, tat ich es nicht. Auf jeden Fall war mir die Stille unerträglich, ich redete viel und lenkte das Gespräch in diese Richtung.

Ich sagte zu Michele:

»Gigliola hat mir erzählt, dass ihr euch getrennt habt.«

»Ja.«

»Ich habe mich auch getrennt.«

»Ich weiß, und ich weiß auch, mit wem du dich jetzt eingelassen hast.«

»Du konntest Nino noch nie leiden.«

»Nein. Aber die Leute müssen tun, wonach ihnen ist, sonst werden sie krank.«

»Wohnst du noch in Posillipo?«

Alfonso schaltete sich begeistert ein:

»Ja, und der Ausblick ist zauberhaft.«

Michele sah ihn verdrießlich an, sagte:

»Es geht mir gut dort.«

Ich erwiderte:

»Allein geht es einem nie gut.«

»Lieber allein als in schlechter Gesellschaft«, antwortete er.

Alfonso ahnte offenbar, dass ich nach einer Gelegenheit suchte, um Michele etwas Unangenehmes zu sagen, und er versuchte, meine Aufmerksamkeit auf sich zu lenken.

Er rief:

»Mit Marisa bin ich auch kurz vor der Trennung«, und er erzählte bis ins Kleinste von Streitereien mit seiner Frau, in denen es um Geld gegangen war. Mit keinem Wort erwähnte er Liebe, Sex oder Marisas Seitensprünge. Stattdessen blieb er noch ein bisschen beim Geld, redete in dunklen Andeutungen über Stefano und spielte darauf an, dass Marisa Ada ausgestochen hatte (*ohne jeden Skrupel, ja sogar mit der größten Genugtuung, nehmen die Frauen anderen Frauen ihre Männer weg*). Seine Frau schien ihm zufolge nicht mehr als eine Bekannte zu sein, über deren Affären man mit Ironie sprechen konnte. »Denk nur, was für ein Reigen«, sagte er lachend. »Ada hat Lila Stefano weggenommen, und jetzt nimmt Marisa ihn wiederum Ada weg, hahaha.«

Ich hörte ihm zu und entdeckte allmählich – aber so, als holte ich sie aus einem tiefen Brunnen herauf – unsere alte, solidarische Verbundenheit aus der Zeit wieder, als wir Banknachbarn gewesen waren. Erst jetzt wurde mir klar, dass ich ihn, auch ohne von seiner Andersartigkeit gewusst zu haben, ins Herz geschlossen hatte, gerade weil er nicht wie die anderen Jungen war, gerade weil er sonderbarerweise nichts mit dem Männerverhalten im Rione zu tun hatte. Und nun sah ich, während er redete, dass dieses Band noch da war. Dagegen verärgerte mich Michele auch bei dieser Begegnung zunehmend. Er brummte ein paar vulgäre Bemerkungen über Marisa, verlor die Geduld bei Alfonsos Geplapper, unterbrach ihn fast schon wütend irgendwann mitten im Satz (*könnte ich wohl mal ein paar Worte mit Lenuccia wechseln?*) und erkundigte sich nach meiner Mutter, es war bekannt, dass sie krank war. Alfonso wurde rot und verstummte auf der Stelle, ich redete nun über meine Mutter und betonte bei der Gelegenheit, wie sehr sie in Sorge um meine Brüder sei. Ich sagte:

»Sie ist nicht erbaut davon, dass Peppe und Gianni für deinen Bruder arbeiten.«

»Was stimmt denn nicht mit Marcello?«

»Das weiß ich nicht, sag du es mir. Ich habe gehört, ihr vertragt euch nicht mehr.«

Er sah mich beinahe verlegen an.

»Da hast du was Falsches gehört. Und außerdem, wenn deiner Mutter Marcellos Geld nicht gefällt, kann sie deine Brüder ja unter jemand anderem arbeiten lassen.«

Ich war drauf und dran, ihm dieses *unter* vorzuwerfen: *meine* Brüder *unter* Marcello, *unter Michele, unter* irgendeinem anderen; *meine* Brüder, denen ich nicht beim Lernen geholfen hatte und die nun meinetwegen *unten* waren. Unten? Kein Mensch durfte unten sein, schon gar nicht unter den Solaras. Ich war nun noch missmutiger und streitlustiger. Aber da schaute Lila herein.

»So viele Leute«, sagte sie und wandte sich an Michele: »Willst du zu mir?«

»Ja.«

»Dauert es länger?«

»Ja.«

»Dann rede ich zuerst mit Lenuccia.«

Er nickte schüchtern. Ich stand auf und sagte zu Michele, wobei ich aber Alfonsos Arm nahm, als wollte ich ihn zu ihm schieben:

»Ladet mich doch an einem der nächsten Abende mal nach Posillipo ein, ich bin so viel allein. Das Kochen kann ich übernehmen.«

Michele öffnete den Mund, brachte aber keinen Ton heraus, Alfonso ging beunruhigt dazwischen:

»Das ist nicht nötig, ich kann gut kochen. Wenn Michele uns einlädt, kümmere ich mich um alles.«

Lila zog mich weg.

Sie sprach in ihrem Zimmer lange mit mir, wir redeten über Gott und die Welt. Auch sie stand kurz vor dem Entbindungstermin, aber die Schwangerschaft schien ihr nichts mehr auszumachen. Sie legte ihre gewölbte Hand auf die Unterseite ihres Bauches und sagte vergnügt: »Endlich habe ich mich daran gewöhnt, es geht mir gut, am liebsten würde ich es für immer drinbehalten.« Mit einer Eitelkeit, wie sie sie selten gezeigt hatte, drehte sie sich ins Profil, um sich bewundern zu lassen. Sie war groß, ihre magere Gestalt hatte schöne Kurven: der kleine Busen, der Bauch, der Rücken, die Fesseln. »Enzo«, sagte sie lachend mit einer Spur von Vulgarität, »gefalle ich schwanger noch mehr, wie ärgerlich, dass das aufhört.« Ich dachte: ›Für sie ist das Erdbeben so schrecklich gewesen, dass in ihren Augen jetzt jeder Moment etwas Unbekanntes ist und sie gern alles anhalten würde, auch die Schwangerschaft.‹ Hin und wieder sah ich auf die Uhr, aber sie kümmerte sich nicht um den wartenden Michele, sie schien die Zeit mit mir sogar absichtlich zu vertrödeln.

»Er ist nicht wegen der Arbeit hier«, sagte sie, als ich sie daran erinnerte, dass er wartete. »Er tut bloß so, denkt sich Vorwände aus.«

»Vorwände wofür?«

»Vorwände eben. Aber halte dich da raus. Entweder du machst deinen eigenen Kram und damit genug, oder du nimmst das alles wirklich ernst. Auch die Bemerkung über das Abendessen in Posillipo hättest du dir vielleicht lieber sparen sollen.«

Ich wurde verlegen. Murmelte, dies sei eine Zeit ständiger Spannungen, erzählte ihr von meinen Auseinandersetzungen mit Elisa und mit Peppe und sagte, dass ich die Absicht hätte, Marcello zur Rede zu stellen. Sie schüttelte den Kopf, betonte erneut:

»In so was darfst du dich nicht einmischen und dann wieder nach oben, in die Via Tasso, zurückkehren.«

»Ich will nicht, dass meine Mutter mit der Sorge um ihre Kinder die Augen schließt.«

»Beruhige sie.«

»Wie denn.«

Sie lächelte.

»Mit Lügen. Lügen sind besser als jede Beruhigungspille.«

58

Aber in diesen Tagen der Verdrossenheit war ich nicht einmal fähig, für einen guten Zweck zu lügen. Nur weil Elisa zu unserer Mutter ging und ihr erzählte, ich hätte sie beleidigt, weshalb sie keinen Kontakt mehr mit mir wolle, und nur weil Peppe und Gianni sie anschrien, sie solle es ja nicht noch einmal wagen, mich zu ihnen zu schicken, damit ich Polizistenreden schwang, entschloss ich mich am Ende, sie anzulügen. Ich behauptete, ich hätte mit Lila geredet und sie hätte versprochen, sich um Peppe und Gianni zu kümmern. Doch meine Mutter merkte mir meine Unsicherheit an und sagte düster: »Ja, schön, geh nach Hause, geh, deine Mädchen warten.« Ich ärgerte mich über mich selbst, sie war in den folgenden Tagen noch unruhiger, brummte, sie wolle schnell sterben. Aber als ich sie einmal ins Krankenhaus brachte, schien sie mehr Vertrauen zu haben.

»Sie hat mich angerufen«, sagte sie mit ihrer heiseren, leidenden Stimme.

»Wer?«

»Lina.«

Vor Überraschung blieb mir der Mund offen stehen.

»Was hat sie gesagt?«

»Dass ich mir keine Sorgen zu machen brauche, um Peppe und Gianni kümmert sie sich.«

»Und wie?«

»Keine Ahnung, aber wenn sie es mir versprochen hat, heißt das doch, dass sie schon eine Lösung finden wird.«

»Ganz bestimmt.«

»Auf sie kann ich mich verlassen, sie weiß, was zu tun ist.«

»Ja.«

»Hast du gesehen, wie schön sie ist?«

»Ja.«

»Sie hat mir erzählt, wenn es ein Mädchen wird, soll es Nunzia heißen, wie ihre Mutter.«

»Es wird ein Junge.«

»Aber wenn es ein Mädchen wird, nennt sie es Nunzia«, wiederholte sie und sah dabei nicht mich an, sondern die anderen leidvollen Gesichter im Wartezimmer. Ich sagte:

»Bei mir wird es garantiert ein Mädchen, man braucht sich bloß meinen Bauch anzusehen.«

»Ja und?«

Ich zwang mich, ihr zu versprechen:

»Und dann bekommt es deinen Namen, sei unbesorgt.«

Sie brummte:

»Sarratores Sohn will bestimmt, dass es so heißt wie seine Mutter.«

59

Ich bestritt, dass Nino ein Wort mitzureden hatte, damals regte mich schon allein sein Name auf. Er war verschwunden, hatte immer zu tun. Aber an dem Tag, an dem ich meiner Mutter dieses Versprechen gegeben hatte, tauchte er überraschend auf, als ich mit meinen Mädchen beim Abendessen saß. Er gab sich fröhlich, tat so, als bemerkte er meine Verbitterung nicht. Er aß mit uns, brachte Dede und Elsa mit Späßen und kleinen Geschichten ins Bett, wartete, bis sie eingeschlafen waren. Seine unbefangene Oberflächlichkeit verdarb mir die Laune noch mehr. Jetzt schaute er kurz herein, aber dann würde er sich wieder für wer weiß wie lange verziehen. Wovor hatte er Angst, dass bei mir die Wehen einsetzten, während er da war, während er mit mir schlief? Dass er genötigt sein würde, mich in die Klinik zu bringen? Dass er Eleonora dann sagen müsste: Ich muss bei Elena bleiben, weil sie gerade mein Kind zur Welt bringt?

Die Mädchen schliefen, er erschien wieder im Wohnzimmer. Er raspelte viel Süßholz, kniete vor mir nieder, küsste meinen Bauch. Da plötzlich fiel mir Mirko ein, wie alt mochte er jetzt sein, ungefähr zwölf?

»Was weißt du von deinem Kind?«, fragte ich ihn unvermittelt.

Er verstand natürlich nicht, dachte, ich meinte das Baby in meinem Bauch, und lächelte verwirrt. Also wurde ich deutlicher, wobei ich mit Vergnügen ein Versprechen brach, das ich mir selbst vor einer Weile gegeben hatte.

»Ich meine Silvias Sohn Mirko. Ich habe ihn gesehen, er ist dir wie aus dem Gesicht geschnitten. Und du? Hast du ihn anerkannt? Hast du dich je um ihn gekümmert?«

Er runzelte die Stirn, stand auf.

»Manchmal weiß ich nicht, was ich mit dir machen soll«, sagte er.

»Was denn machen? Erklär mir das.«

»Du bist eine intelligente Frau, aber manchmal wirst du so anders.«

»Soll heißen? Unvernünftig? Dumm?«

Er grinste und machte eine Geste, wie um eine lästige Fliege zu verscheuchen.

»Du hörst zu sehr auf Lina.«

»Was hat denn Lina damit zu tun?«

»Sie vergiftet dir den Kopf, deine Gefühle, alles.«

Nach diesen Worten verlor ich endgültig die Geduld. Ich sagte:

»Heute Nacht will ich allein schlafen.«

Er protestierte nicht. Mit der Miene eines Menschen, der sich um des lieben Friedens willen einer schweren Ungerechtigkeit beugt, schloss er leise die Tür hinter sich.

Zwei Stunden später, als ich ohne Lust, schlafen zu gehen, durch die Wohnung geisterte, spürte ich ein Ziehen, so ähnlich wie Menstruationsschmerzen. Ich rief Pietro an, ich wusste, dass er seine Nächte immer noch am Schreibtisch verbrachte. Ich sagte: »Es geht los, komm morgen her und hol Dede und Elsa ab.« Noch bevor ich den Hörer auflegen konnte, lief mir eine warme Flüssigkeit an den Beinen herunter. Ich schnappte mir die Tasche, die ich schon vor einer Weile mit dem Wichtigsten gepackt hatte, und nahm dann den Finger nicht mehr von der Klingel meiner Nachbarn, bis sie mir öffneten. Ich hatte mit Antonella einen Notfallplan abgesprochen, und so war sie trotz ihrer Verschlafenheit nicht überrascht. Ich sagte:

»Es ist so weit, ich lasse meine Töchter bei Ihnen.«
Schlagartig vergingen meine Wut und auch jede Angst.

60

Es war der 22. Januar 1981, der Tag meiner dritten Entbindung. Die ersten beiden Geburten waren mir nicht als besonders schmerzhaft im Gedächtnis geblieben, aber diese war entschieden die leichteste, so dass ich sie als glückliche Befreiung empfand. Die Frauenärztin lobte mich für meine Selbstbeherrschung, sie war froh, dass ich ihr keine Schwierigkeiten gemacht hatte. »Wären doch alle so wie Sie«, sagte sie. »Sie sind wie geschaffen fürs Kinderkriegen.« Sie flüsterte mir ins Ohr: »Nino wartet draußen, ich habe ihm Bescheid gesagt.«

Diese Nachricht machte mich froh, aber noch mehr freute ich mich, als ich merkte, dass ich plötzlich keinen Groll mehr empfand. Mit der Entbindung hatte ich mich auch von der Schroffheit des letzten Monats entbunden, und ich war froh darüber, ich fühlte mich wieder zu einer verharmlosenden Gutmütigkeit imstande. Zärtlich begrüßte ich den kleinen Neuankömmling, ein Mädchen, 3200 Gramm schwer, dunkelrot und ohne Haare. Nachdem ich mich ein wenig zurechtgemacht hatte, um die Schäden der Anstrengung zu verbergen, erlaubte ich Nino, ins Zimmer zu kommen, und sagte zu ihm: »Jetzt sind wir vier Frauen, wenn du mich also verlässt, verstehe ich das.« Er ging mit keinem Wort auf unseren letzten Streit ein. Er umarmte mich, küsste mich, beteuerte, ohne mich nicht leben zu können. Er schenkte mir ein Goldkettchen mit Anhänger. Ich fand es wunderschön.

Als ich mich besser fühlte, rief ich meine Nachbarin an. Ich erfuhr, dass Pietro gekommen war, gewissenhaft wie immer. Ich sprach auch mit ihm, er wollte mich mit den Mädchen in der Klinik besuchen. Er reichte den Hörer an sie weiter, beide antworteten einsilbig, von der Freude abgelenkt, mit ihrem Vater zusammen zu sein. Ich sagte meinem Exmann, dass es mir lieber wäre, wenn er sie für einige Tage mit nach Florenz nähme. Er war sehr liebevoll, ich hätte mich gern für seine Fürsorge bedankt, ihm gesagt, dass ich ihn gernhatte. Doch ich spürte Ninos forschenden Blick auf mir und ließ es sein.

Gleich anschließend telefonierte ich mit meinen Eltern. Mein Vater blieb kühl, vielleicht aus Schüchternheit, vielleicht weil ihm mein Leben wie ein einziges Fiasko erschien, vielleicht weil er sich wie meine Brüder darüber ärgerte, dass ich mich neuerdings gern in ihre Angelegenheiten mischte, während ich ihnen nie erlaubt hatte, sich in meine einzumischen. Meine Mutter sagte, sie wolle die Kleine sofort sehen, und ich hatte Mühe, sie zu beruhigen. Dann wählte ich Lilas Nummer, vergnügt kommentierte sie: »Bei dir geht immer alles glatt, bei mir rührt sich noch gar nichts.« Vermutlich weil sie zu viel Arbeit hatte, war sie kurz angebunden, sagte nichts von einem Besuch in der Klinik. ›Alles wie immer‹, dachte ich gutgelaunt und schlief ein.

Als ich aufwachte, hätte ich es für selbstverständlich gehalten, dass Nino sich verzogen hatte, aber er war noch da. Er unterhielt sich lange mit der mit ihm befreundeten Gynäkologin, erkundigte sich nach der Anerkennung der Vaterschaft und ließ keinerlei Besorgnis über Eleonoras mögliche Reaktionen erkennen. Als ich ihm sagte, dass ich dem Kind den Namen meiner Mutter geben wollte, zeigte er sich erfreut. Und sobald ich wieder auf den Beinen war, fanden wir uns bei einem Standesbeamten ein, um offiziell zu bestätigen, dass das Kind aus meinem Bauch Immacolata Sarratore hieß.

Auch bei dieser Gelegenheit war Nino kein Unbehagen anzumerken. Dafür war ich konfus, erklärte, ich sei verheiratet mit Giovanni Sarratore, korrigierte mich, flüsterte *getrennt* von Pietro Airota, brachte Vornamen, Nachnamen und unkorrekte Angaben durcheinander. Aber es war ein schöner Augenblick für mich, und ich glaubte wieder, um mein Privatleben in Ordnung zu bringen, genügte ein bisschen Geduld.

In diesen ersten Tagen vernachlässigte Nino seine zahllosen Verpflichtungen und bewies mir auf jede Weise, wie wichtig ich für ihn war. Seine Laune verschlechterte sich erst, als er hörte, dass ich das Kind nicht taufen lassen wollte.

»Kinder müssen getauft werden«, sagte er.

»Sind Albertino und Lidia denn getauft?«

»Selbstverständlich.«

So erfuhr ich, dass ihm die Taufe trotz des von ihm zur Schau gestellten Antiklerikalismus notwendig erschien. Das führte zu einiger Verwirrung. Ich hatte seit unserer Zeit am Gymnasium stets gedacht, er sei nicht gläubig, während er mir dagegen sagte, er sei gerade wegen meiner Auseinandersetzung mit dem Religionslehrer am Gymnasium davon überzeugt gewesen, dass ich gläubig sei.

»Aber wie dem auch sei«, sagte er konsterniert, »ob gläubig oder nicht, Kinder müssen getauft werden.«

»Was ist denn das für eine Logik.«

»Das ist keine Logik, das ist ein Gefühl.«

Ich schlug einen heiteren Ton an.

»Lass mich konsequent sein, ich habe Dede und Elsa nicht taufen lassen, und ich werde auch Immacolata nicht taufen lassen. Das können sie selbst entscheiden, wenn sie groß sind.«

Er dachte einen Moment nach, dann lachte er auf:

»Aber ja doch, wen kümmert's, das war nur, um ein Fest feiern zu können.«

»Das machen wir trotzdem.«

Ich versprach ihm, etwas für alle seine Freunde zu organisieren. In diesen ersten Lebensstunden unserer Tochter beobachtete ich jede seiner Gesten, jeden seiner verdrießlichen und seiner zustimmenden Gesichtsausdrücke. Ich war froh und verwirrt zugleich. War das er? War das der Mann, den ich schon immer geliebt hatte? Oder war das ein Unbekannter, den ich gerade zwang, eine klare, endgültige Gestalt anzunehmen?

61

Keiner meiner Verwandten, keiner meiner Freunde aus dem Rione ließ sich in der Klinik blicken. ›Vielleicht‹, dachte ich, als ich wieder zu Hause war, ›sollte ich auch für sie ein kleines Fest geben.‹ Ich hatte meine Herkunft so sehr von mir abgetrennt, dass ich, obwohl ich nicht wenig Zeit im Rione verbrachte, nie jemanden aus meiner Kindheit und Jugend in die Via Tasso eingeladen hatte. Ich bereute das, empfand diese strikte Trennung als ein Überbleibsel aus labileren Phasen meines Lebens, fast schon als Zeichen der Unreife. Während ich noch diesen Gedanken wälzte, klingelte das Telefon. Es war Lila.

»Wir sind gleich bei dir.«

»Wer?«

»Deine Mutter und ich.«

Es war ein eisiger Nachmittag, der Gipfel des Vesuvs war schneebestäubt, dieser Besuch schien mir nicht angebracht zu sein.

»Bei dieser Kälte? Das tut ihr nicht gut.«

»Das habe ich ihr auch gesagt, aber sie hört nicht auf mich.«

»In ein paar Tagen gebe ich ein Fest, ich lade euch alle ein, sag ihr, dann kann sie die Kleine sehen.«

»Sag du es ihr.«

Ich hörte auf zu diskutieren, doch mir verging jeder Gedanke an ein Fest, ich empfand diesen Besuch als einen Überfall. Ich war erst seit kurzem wieder zu Hause. War erschöpft vom Stillen, Baden und einigen Nahtstichen, die mich quälten. Und vor allem war Nino gerade bei mir. Ich wollte nicht, dass meine Mutter sich ärgerte, und es bereitete mir Unbehagen, dass er und Lila sich zu einem Zeitpunkt begegneten, da ich noch nicht wieder in Form war. Ich versuchte, Nino loszuwerden, aber er schien nicht zu verstehen, ja er freute sich sogar auf die Ankunft meiner Mutter und blieb.

Ich stürzte ins Bad, um mich zurechtzumachen. Als sie klingelten, lief ich schnell, um ihnen zu öffnen. Ich hatte meine Mutter etwa zehn Tage nicht gesehen. Und gewaltig schien mir der Gegensatz zwischen der noch mit zwei Leben beladenen, bildschönen, energischen Lila zu sein und ihr, die sich an ihren Arm klammerte wie an einen Rettungsring während einer Sturmflut, verkrampfter denn je, am Ende ihrer Kräfte und kurz davor, unterzugehen. Ich stützte sie, setzte sie in einen Sessel vor die Fensterfront. Sie flüsterte: »Wie schön der Golf ist.« Und sie schaute unverwandt aus dem Balkonfenster, vielleicht um Nino nicht sehen zu müssen. Aber er ging zu ihr und begann in seiner einschmeichelnden Art, ihr die nebligen Konturen zwischen Meer und Himmel zu erläutern: »Das da ist Ischia, und dort ist Capri, kommen Sie, von hier aus hat man einen besseren Ausblick, stützen Sie sich auf mich.« Er wandte sich kein einziges Mal an Lila, er begrüßte sie nicht einmal. Dafür kümmerte ich mich um sie.

»Du hast dich schnell erholt«, sagte sie.

»Ich bin ein bisschen erschöpft, aber es geht mir gut.«

»Du willst ja unbedingt hier oben bleiben, es ist anstrengend, hier hochzukommen.«

»Aber es ist schön.«

»Tja.«

»Komm, wir holen die Kleine.«

Ich ging mit ihr in Immacolatas Zimmer.

»Du siehst schon wieder so aus wie vorher«, sagte sie anerkennend, »was für schöne Haare. Und diese Kette?«

»Die hat Nino mir geschenkt.«

Ich nahm die Kleine aus der Wiege. Lila beschnupperte sie, vergrub die Nase an ihrem Hals, sagte, man spüre ihren Geruch schon, wenn man in die Wohnung komme.

»Was für einen Geruch?«

»Nach Puder, nach Milch, nach Desinfektionsmittel, nach Baby.«

»Gefällt sie dir?«

»Ja.«

»Ich dachte, dass sie mehr wiegen würde. Offensichtlich war nur ich dick.«

»Wer weiß, wie meiner wird.«

Sie sprach nun immer in der männlichen Form von ihrem Kind.

»Er wird wunderschön und lieb sein.«

Sie nickte, doch so, als hätte sie nicht zugehört, aufmerksam betrachtete sie die Kleine. Fuhr mit ihrem Zeigefinger über deren Stirn, über ein Ohr. Sie wiederholte die Abmachung, die wir zum Spaß getroffen hatten:

»Im Fall der Fälle tauschen wir.«

Ich lachte, trug die Kleine zu meiner Mutter, die sich nun auf Ninos Arm stützte. Sie schaute ihn mit Sympathie von unten herauf an und lächelte ihm zu, es war, als hätte sie sich vergessen und hielte sich wieder für jung.

»Das ist Immacolata«, sagte ich.

Sie sah zu Nino. Der rief prompt:

»Das ist ein wunderschöner Name!«

Meine Mutter sagte leise:

»Das ist nicht wahr. Aber ihr könnt sie ja Imma nennen, das ist moderner.«

Sie ließ Ninos Arm los und bedeutete mir, ihr ihre Enkeltochter zu geben. Ich tat es, allerdings mit der Sorge, sie könnte nicht genügend Kraft haben, um sie zu halten.

»Madonna, wie schön du bist«, flüsterte sie ihr zu und wandte sich dann an Lila:

»Gefällt sie dir?«

Lila war abgelenkt, sie starrte auf die Füße meiner Mutter.

»Ja«, sagte sie, ohne aufzuschauen, »aber setzen Sie sich doch lieber.«

Ich folgte ihrem Blick. Unter dem schwarzen Kleid meiner Mutter sickerte Blut hervor.

62

Unwillkürlich entriss ich ihr das Kind. Sie bemerkte, was mit ihr geschah, und ich las in ihrem Gesicht Ekel vor sich selbst und Scham. Nino fing sie auf, kurz bevor sie ohnmächtig wurde. »Mama, Mama!«, rief ich, während er ihr mit den Fingerspitzen leicht auf die Wange schlug. Ich war in höchster Aufregung, sie kam nicht wieder zu sich, und nun begann auch noch das Baby zu wimmern. ›Sie stirbt‹, dachte ich entsetzt, ›sie hat durchgehalten, bis sie Immacolata gesehen hat, und dann hat sie losgelassen.‹ »Mama«, wiederholte ich in einem fort mit lauter werdender Stimme.

»Ruf einen Krankenwagen«, sagte Lila.

Ich lief zum Telefon, blieb konfus stehen, wollte Nino die Kleine geben. Aber er schob mich zur Seite, wandte sich an Lila statt an mich und sagte, es gehe schneller, wenn wir sie selbst mit dem Auto zum Krankenhaus brächten. Meine Kehle war wie zugeschnürt, das Baby schrie, meine Mutter wachte wieder auf und begann zu jammern. Weinend flüsterte sie, ins Krankenhaus wolle sie keinen Fuß mehr setzen, zog an meinem Rock und erinnerte mich daran, dass man sie schon einmal dabehalten hatte, sie wollte nicht in dieser Verlassenheit sterben. Sie zitterte, sagte: »Ich will die Kleine heranwachsen sehen.«

Da schlug Nino den entschiedenen Ton an, den er schon als Schüler gehabt hatte, wenn es schwierige Situationen zu meistern galt. »Gehen wir«, sagte er und hob meine Mutter hoch. Als sie schwach protestierte, beruhigte er sie, sagte, er werde alles regeln. Lila sah mich verblüfft an, ich dachte: ›Der Professor, der meine Mutter im Krankenhaus betreut, ist ein Freund von Eleonoras Familie, Nino ist dort jetzt unentbehrlich, zum Glück ist er da.‹ Lila sagte: »Gib mir das Baby, und fahr du mit.« Ich willigte ein und machte Anstalten, ihr Immacolata zu überlassen, aber mit einer unsicheren Geste, ich fühlte mich mit der Kleinen verbunden, als hätte ich sie noch in mir. Und ich konnte mich jetzt ohnehin nicht von ihr trennen, ich musste sie stillen, sie baden. Doch auch meiner Mutter fühlte ich mich verbunden wie nie zuvor, ich war in Sorge, was war das für Blut, was bedeutete es.

»Na los«, sagte Nino ungeduldig zu Lila, »beeilen wir uns.«

»Ja«, murmelte ich, »fahrt ruhig, und gebt mir Bescheid.«

Erst als die Tür sich schloss, spürte ich das Verletzende dieser Situation: Lila und Nino brachten zusammen meine Mutter weg und kümmerten sich um sie, obwohl doch ich das hätte tun müssen.

Ich war kraftlos und verwirrt. Setzte mich aufs Sofa, gab Immacolata die Brust, um sie zu beruhigen. Ich konnte den Blick nicht vom Blut auf dem Fußboden wenden und stellte mir vor, wie das Auto durch die Straßen der eisigen Stadt raste, dazu das aus dem Fenster gehaltene Taschentuch, um den Notfall zu signalisieren, eine Hand fest auf der Hupe und meine sterbende Mutter auf dem Rücksitz. Es war Lilas Auto, fuhr sie, oder hatte er sich ans Steuer gesetzt? ›Ich muss Ruhe bewahren‹, sagte ich mir.

Ich legte die Kleine in die Wiege, entschloss mich, Elisa anzurufen. Ich spielte das, was geschehen war, herunter, sagte nichts von Nino, erwähnte aber Lila. Meine Schwester regte sich sofort auf, brach in Tränen aus, beschimpfte mich. Sie schrie, ich hätte unsere Mutter mit einer Fremden wer weiß wohin geschickt, hätte einen Krankenwagen rufen müssen, hätte nur meine Angelegenheiten und meine Bequemlichkeit im Sinn, und wenn unsere Mutter sterben sollte, sei ich schuld daran. Schließlich hörte ich sie mehrmals Marcello rufen, in einem Befehlston, den ich an ihr nicht kannte, es waren gereizte und zugleich angstvolle Rufe. Ich sagte: »Was soll das heißen, wer weiß wohin, Lina hat sie ins Krankenhaus gebracht, wieso musst du so reden.« Sie knallte den Hörer auf.

Trotzdem hatte Elisa recht. Ich hatte den Kopf verloren, hätte wirklich einen Krankenwagen rufen sollen. Oder mich von der Kleinen losreißen und sie Lila überlassen sollen. Ich hatte mich Ninos Autorität gebeugt, dieser Manie der Männer, Eindruck zu machen, indem sie als entschlossene Retter auftraten. Ich wartete neben dem Telefon darauf, dass sie mich anriefen.

Eine Stunde verging, anderthalb Stunden, endlich klingelte das Telefon. Lila sagte ruhig:

»Sie haben sie aufgenommen. Nino ist gut mit denen bekannt, die sie betreuen, sie haben ihm gesagt, dass alles unter Kontrolle ist. Sei unbesorgt.«

Ich fragte:

»Ist sie allein?«

»Ja, sie lassen niemanden rein.«

»Sie will nicht allein sterben.«

»Sie wird nicht sterben.«

»Sie hat Angst, tu was, sie ist nicht mehr so wie früher.«

»Das Krankenhaus funktioniert nun mal so.«

»Hat sie nach mir gefragt?«

»Sie hat gesagt, du sollst ihr die Kleine bringen.«

»Und was macht ihr jetzt?«

»Nino bleibt noch ein bisschen bei den Ärzten, ich geh nach Hause.«

»Ja, geh, danke, du darfst dich nicht anstrengen.«

»Er ruft dich an, sobald er kann.«

»Ist gut.«

»Und reg dich nicht auf, sonst bleibt dir die Milch weg.«

Der Hinweis auf die Milch tat seine Wirkung. Ich setzte mich neben Immacolatas Wiege, als könnte ihre Nähe dafür sorgen, dass meine Brüste prall blieben. Was war der Körper einer Frau, ich hatte meine Tochter in meinem Bauch genährt, und jetzt, da sie draußen war, trank sie von meiner Brust. Ich dachte daran, dass es eine Zeit gegeben hatte, in der auch ich im Bauch meiner Mutter gewesen war, von ihrer Brust getrunken hatte. Einer Brust, so groß wie meine oder vielleicht noch größer. Bis zu der Zeit, als meine Mutter krank geworden war, hatte mein Vater oft unflätig auf ihren Busen angespielt. Ich hatte sie nie ohne BH gesehen, in keiner Phase ihres Lebens. Sie hatte sich stets versteckt, hatte wegen ihres Beines kein Vertrauen zu ihrem Körper. Trotzdem konterte sie die Obszönitäten meines Vaters beim ersten Glas Wein mit nicht minder derben Worten, indem sie mit ihren Reizen prahlte, eine Vorführung von Schamlosigkeit, die wirklich nur Theater war. Wieder klingelte das Telefon, ich hastete hin. Es war noch einmal Lila, jetzt war ihr Ton schroff.

»Lenù, hier gibt's Ärger.«

»Geht es ihr schlechter?«

»Nein, die Ärzte sind unbesorgt. Aber Marcello ist gekommen und spielt verrückt.«

»Marcello? Was hat denn Marcello da zu suchen?«

»Keine Ahnung.«

»Gib ihn mir mal.«

»Warte, er streitet sich gerade mit Nino.«

Im Hintergrund erkannte ich Marcellos volle, dialekt-
beschwerte Stimme und dazu Ninos mit einem guten Italienisch, die aber schrill war wie immer, wenn er die Ruhe verlor. Ängstlich sagte ich:

»Sag Nino, er soll aufhören, und schick ihn sofort
weg.«

Lila antwortete nicht, ich hörte, dass sie sich nun an
dem Streit beteiligte, von dem ich nichts verstand, und
plötzlich im Dialekt losschrie: »Verdammt noch mal, was
erzählst du denn da, Marcè, verpiss dich, na los!« Dann
fuhr sie mich an: »Red du mal bitte mit diesem Arschloch, einigt euch untereinander, ich will nichts damit zu
tun haben!« Ferne Stimmen. Nach ein paar Sekunden kam
Marcello an den Apparat. Er sagte, sich zu einem höflichen Ton zwingend, Elisa habe darum gebeten, unsere
Mutter nicht im Krankenhaus zu lassen, und er sei extra
gekommen, um sie abzuholen und in eine schöne Klinik
nach Capodimonte zu bringen. Er fragte, als wollte er tatsächlich meine Zustimmung einholen:

»Ist das etwa nicht richtig? Sag mir, dass das richtig
ist.«

»Beruhige dich.«

»Ich bin ruhig, Lenù. Aber du hast in der Klinik entbunden, Elisa hat in der Klinik entbunden. Warum also
soll deine Mutter hier im Krankenhaus sterben?«

Voller Unbehagen sagte ich:

»Die Ärzte, die sie behandeln, arbeiten dort.«

Er wurde aggressiv, wie er es mir gegenüber noch nie
gewesen war:

»Ärzte sind da, wo das Geld ist. Wer hat hier das Sagen,
du, Lina oder dieser Scheißkerl da?«

»Es geht doch nicht darum, wer das Sagen hat.«

»Na und ob. Entweder, du sagst deinen Freunden, dass ich sie nach Capodimonte mitnehmen darf, oder ich schlag' irgendwem die Fresse ein und nehm' sie dann trotzdem mit.«

»Gib mir mal Lina«, sagte ich.

Ich hatte Mühe, mich auf den Beinen zu halten, in meinen Schläfen pochte es. Ich sagte zu ihr: »Frag Nino, ob meine Mutter transportfähig ist, sag ihm, er soll mit den Ärzten sprechen, und dann ruf mich wieder an.« Ich legte auf, rang die Hände, wusste nicht, was tun.

Einige Minuten vergingen, das Telefon klingelte erneut. Es war Nino.

»Lenù, stell diese Bestie ruhig, sonst ruf' ich die Polizei!«

»Hast du die Ärzte gefragt, ob meine Mutter transportiert werden kann?«

»Nein, sie kann nicht transportiert werden.«

»Nino, hast du sie gefragt oder nicht? Sie will nicht im Krankenhaus bleiben.«

»Die Privatkliniken sind noch ekelhafter.«

»Ich weiß, aber jetzt beruhige dich.«

»Ich bin die Ruhe selbst.«

»Ist gut, aber komm jetzt sofort nach Hause.«

»Und was wird hier?«

»Darum kümmert sich Lina.«

»Ich kann Lina nicht allein mit diesem Typen lassen.«

Ich wurde laut:

»Lina kann auf sich selbst aufpassen. Ich kann mich nicht auf den Beinen halten, die Kleine schreit, ich muss sie baden. Ich hab gesagt, du sollst sofort nach Hause kommen!«

Ich legte auf.

63

Es waren sehr schwere Stunden. Nino kam verstört nach Hause, redete Dialekt, war extrem nervös, wiederholte immer wieder: »Wir werden ja sehen, wer hier das letzte Wort hat.« Ich merkte, dass der Krankenhausaufenthalt meiner Mutter für ihn zu einer Frage des Prinzips geworden war. Er fürchtete, Marcello Solara könnte sie wirklich an einen ungeeigneten Ort bringen, einen von denen, die nur dazu gedacht waren, Geld zu scheffeln. »Im Krankenhaus«, rief er, nun wieder auf Italienisch, »hat deine Mutter hochkarätige Spezialisten zur Verfügung, Professoren, die sie trotz des fortgeschrittenen Stadiums ihrer Krankheit bis jetzt würdevoll am Leben gehalten haben!«

Ich teilte seine Sorgen, und er nahm sich die Sache immer mehr zu Herzen. Obwohl es Zeit fürs Abendessen war, rief er wichtige Leute an, Namen, die in Neapel damals allseits bekannt waren, und ich weiß nicht, ob er es tat, um sich abzureagieren oder um Unterstützung in einem möglichen Kampf gegen Marcellos Gewalttätigkeit zu erhalten. Ich ahnte allerdings, dass das Gespräch, sobald er Solara erwähnte, schwieriger wurde, er verstummte und hörte nur noch zu. Erst gegen zehn Uhr kam er zur Ruhe. Ich war aufs Äußerste besorgt, versuchte aber, es ihm nicht zu zeigen, um zu vermeiden, dass er sich entschloss, wieder zum Krankenhaus zu fahren. Meine Aufregung übertrug sich auf Immacolata. Sie schrie, ich stillte sie, sie beruhigte sich, sie schrie.

Ich tat kein Auge zu. Morgens um sechs klingelte das Telefon, ich rannte hin und nahm ab, damit weder das Baby noch Nino aufwachten. Lila war dran, sie hatte die Nacht im Krankenhaus verbracht. Mit müder Stimme erstattete sie mir Bericht. Marcello hatte dem Anschein nach aufgegeben und war gegangen, ohne sich von ihr zu verabschieden. Sie war über Treppen und Flure geschlichen, hatte den Krankensaal gefunden, in den man meine Mutter gebracht hatte. Es war ein Sterbezimmer, mit weiteren fünf leidenden Frauen, sie hatten gestöhnt, geschrien, jede ihrem Elend überlassen. Sie hatte meine Mutter gefunden, die reglos mit aufgerissenen Augen in Richtung Zimmerdecke geflüstert hatte: »Madonna, lass mich sofort sterben«, und vor Schmerzen am ganzen Leib gezittert hatte. Lila hatte sich zu ihr gelegt, hatte sie beruhigt. Jetzt hatte sie verschwinden müssen, weil es Tag wurde und die ersten Krankenschwestern auftauchten. Sie freute sich darüber, dass sie alle Regeln übertreten hatte, Ungehorsam bereitete ihr stets Vergnügen. Aber diesmal war mir, als machte sie mir etwas vor, damit ich nicht merkte, wie groß die Anstrengung gewesen war, der sie sich für mich unterzogen hatte. Sie stand kurz vor der Entbindung, ich stellte sie mir völlig erschöpft und von ihren eigenen Nöten geplagt vor. Um sie machte ich mir mindestens genauso viel Sorgen wie um meine Mutter.

»Wie fühlst du dich?«

»Gut.«

»Sicher?«

»Absolut.«

»Geh nach Hause und ruh dich aus.«

»Sobald Marcello mit deiner Schwester herkommt.«

»Glaubst du wirklich, sie kommen wieder?«

»Unvorstellbar, dass sie darauf verzichten könnten, Krach zu schlagen.«

Während ich telefonierte, erschien, verschlafen, Nino. Er hörte eine Weile zu, sagte:

»Gib sie mir mal.«

Ich gab sie ihm nicht, brummte: »Sie hat schon aufgelegt.« Er beschwerte sich, sagte, er habe eine ganze Reihe von Leuten mobilisiert, damit meine Mutter die bestmögliche Betreuung erhalte, und wolle wissen, ob seine Fürsprache schon Ergebnisse zeige. »Im Moment noch nicht«, antwortete ich. Wir vereinbarten, dass er mich, obwohl ein starker, kalter Wind wehte, zusammen mit dem Baby ins Krankenhaus bringen würde. Er würde mit Immacolata im Auto bleiben, und ich könnte zwischen zwei Stillzeiten meine Mutter besuchen. Er sagte »ist gut«, und ich war gerührt, weil er so bereitwillig war, ärgerte mich dann aber, weil er sich um alles gekümmert hatte, nur nicht um etwas so Praktisches wie das Notieren der Besuchszeiten. Ich erfragte sie telefonisch, wir packten das Baby warm ein und gingen los. Lila hatte sich nicht mehr gemeldet, ich vermutete, wir würden sie im Krankenhaus treffen. Doch als wir ankamen, stellten wir fest, dass nicht nur sie nicht mehr da war, sondern auch meine Mutter nicht. Man hatte sie entlassen.

64

Ich erfuhr später von meiner Schwester, was geschehen war. Sie erzählte es mir wie jemand, der sagt: »Ihr spielt euch sonst wie auf, aber ohne uns seid ihr gar nichts.« Um Punkt neun Uhr sei Marcello mit irgendeinem Chefarzt ins Krankenhaus gekommen, den er persönlich mit dem Auto von zu Hause abgeholt habe. Unsere Mutter sei unverzüglich mit dem Krankenwagen in die Klinik von Capodimonte gebracht worden. »Dort«, sagte Elisa, »geht es ihr wie einer Königin, wir Angehörigen können sie so lange besuchen, wie wir wollen, und es gibt ein Bett für unseren Vater, so dass er nachts bei ihr bleiben kann.« Verächtlich stellte sie klar: »Und keine Sorge, das bezahlen alles wir.« Was dann folgte, war eine offene Drohung. Sie sagte: »Vielleicht hat dein feiner Professor nicht kapiert, mit wem er es hier zu tun hat, besser, du erklärst es ihm. Und sag diesem Miststück Lina, sie mag ja recht schlau sein, aber Marcello hat sich verändert, Marcello ist nicht mehr ihr kleiner Verehrer von damals, und er ist auch nicht wie Michele, den sie ja inzwischen um den kleinen Finger wickelt, wie es ihr passt. Marcello hat gesagt, wenn sie mir gegenüber noch einmal laut wird, wenn sie mich noch einmal so beleidigt, wie sie es im Krankenhaus vor allen Leuten gemacht hat, bringt er sie um.«

Ich erzählte Lila nichts davon und wollte auch nicht wissen, wie sie sich mit meiner Schwester angelegt hatte. Aber ich war in den folgenden Tagen herzlicher zu ihr, rief sie oft an, um ihr zu zeigen, dass ich mich ihr zu Dank verpflichtet fühlte, dass ich sie sehr gernhatte und ich es kaum erwarten konnte, dass auch sie ihr Kind bekam.

»Alles in Ordnung?«, fragte ich.

»Ja.«

»Rührt sich nichts?«

»Nicht die Spur. Brauchst du heute Hilfe?«

»Nein, aber morgen, wenn du kannst.«

Es waren intensive Tage, mit einer komplizierten Summierung alter und neuer Bindungen. Mein ganzer Körper war noch in Symbiose mit Immas winzigem Organismus, ich konnte mich nicht von ihr trennen. Aber ich hatte auch Sehnsucht nach Dede und Elsa, so dass ich Pietro anrief und er sie mir schließlich zurückbrachte. Elsa tat sofort so, als hätte sie ihr neues Schwesterchen furchtbar lieb, aber sie hielt das nicht lange durch, nach wenigen Stunden schnitt sie ihr bereits verächtliche Grimassen und sagte zu mir: »Die hast du aber hässlich gemacht.« Dede wollte mir dagegen sogleich beweisen, dass sie eine viel bessere Mama sein konnte als ich, und das Baby war ständig in Gefahr, von ihr fallen gelassen oder beim Baden ertränkt zu werden.

Ich hätte viel Hilfe gebrauchen können, zumindest in diesen ersten Tagen, und ich muss sagen, dass Pietro sie mir gewährte. Er, der sich als Ehemann stets nur wenig bemüht hatte, mir das Leben zu erleichtern, wollte mich nun, da wir offiziell getrennt waren, nicht mit drei Kindern alleinlassen, von denen eines zudem ein Neugeborenes war, und erbot sich, ein paar Tage zu bleiben. Aber ich musste ihn wegschicken, und das nicht, weil ich seine Unterstützung nicht gewollt hätte, sondern weil Nino mich in den wenigen Stunden bedrängte, in denen Pietro in der Via Tasso war, er rief unaufhörlich an, um zu hören, ob er schon weg sei und ob er *in seine Wohnung* kommen könne, ohne gezwungen zu sein, ihm zu begegnen. Und natürlich wurde Nino, als mein Exmann abgereist war, wieder von so vielen beruflichen und politischen Verpflichtungen vereinnahmt, dass ich allein blieb. Um einkaufen zu gehen, die Mädchen zur Schule zu bringen, sie wieder abzuholen, ein bisschen zu lesen oder ein paar Zeilen zu schreiben, musste ich Imma zur Nachbarin bringen.

Aber das war noch das geringste Problem. Viel komplizierter war es für mich, die Besuche bei meiner Mutter in der Klinik zu organisieren. Ich wollte mich nicht auf Mirella verlassen, zwei Kinder und ein Baby schienen mir zu viel für sie zu sein. Daher nahm ich Imma mit. Ich zog sie warm an, rief ein Taxi und ließ mich, als Dede und Elsa in der Schule waren, nach Capodimonte fahren.

Meine Mutter hatte sich erholt. Gewiss, sie war schwach, und wenn sie uns Kinder nicht jeden Tag sah, befürchtete sie gleich ein Unglück und begann zu weinen. Auch war sie bettlägerig, während sie vorher, wenn auch mit Mühe, herumgelaufen und aus dem Haus gegangen war. Trotzdem war es für mich unbestreitbar, dass ihr der Luxus in der Klinik guttat. Wie eine vornehme Dame behandelt zu werden, wurde schnell zu einem Spiel, das sie von der Krankheit ablenkte und sie, unterstützt von schmerzstillenden Mitteln, zeitweilig euphorisch machte. Ihr gefiel der große, helle Raum, sie fand ihre Matratze bequem, und sie war stolz darauf, ein Bad für sich allein und noch dazu im Zimmer zu haben. »Ein richtiges Bad, nicht nur ein Klo«, betonte sie und wollte aufstehen, um es mir zu zeigen. Und dann war da noch ihre neue Enkeltochter. Wenn ich mit Imma zu ihr kam, behielt sie sie neben sich, redete in einer Art Kindersprache mit ihr und war entzückt, weil – was sehr unwahrscheinlich war – die Kleine sie, wie sie behauptete, angelächelt habe.

Doch meistens hielt ihre Aufmerksamkeit für das Baby nicht lange an. Sie begann über ihre Kindheit zu sprechen, über ihre Jugend. Sie kehrte in die Zeit zurück, als sie fünf Jahre alt gewesen war, dann glitt sie ins Alter von zwölf, dann von vierzehn, und von diesen Altersstufen aus erzählte sie mir von sich und ihren damaligen Gefährtinnen. Eines Morgens sagte sie im Dialekt zu mir: »Als Kind wusste ich, dass man sterben muss, ich habe es immer gewusst, aber ich habe nie gedacht, dass es mich treffen könnte, und auch jetzt kann ich es nicht glauben.« Ein andermal lachte sie gedankenversunken auf und flüsterte: »Du tust gut daran, die Kleine nicht taufen zu lassen, das ist alles Blödsinn, ich weiß, dass ich jetzt, wo ich sterbe, zu lauter winzigen Teilchen werde.« Vor allem in diesen langsamen Stunden hatte ich wirklich das Gefühl, ihr Lieblingskind zu sein. Wenn sie mich umarmte, bevor ich ging, schien sie in mich hineinschlüpfen und dort bleiben zu wollen, so wie ich einst in ihr gewesen war. Die Berührung mit ihrem Körper, die ich, als sie gesund gewesen war, als abstoßend empfunden hatte, war mir nun angenehm.

65

Es war kurios, wie die Klinik in kurzer Zeit zu einem Treffpunkt für Alt und Jung aus dem Rione wurde.

Mein Vater schlief bei meiner Mutter. Wenn ich ihn morgens antraf, war er unrasiert und hatte erschreckte Augen. Wir begrüßten uns nur beiläufig, aber das war für mich normal. Ich hatte stets nur wenig Berührung mit ihm gehabt, manchmal herzlich, meistens flüchtig und vereinzelt als Unterstützung gegen meine Mutter. Aber fast immer war sie oberflächlich gewesen. Meine Mutter hatte ihm je nach Bedarf eine Rolle entweder zugewiesen oder abgesprochen, und besonders wenn es um mich ging – mein Leben nach Gutdünken bestimmen durfte nur sie –, hatte sie ihn in die zweite Reihe verwiesen. Nun, da die Kraft seiner Frau fast völlig versiegt war, wusste er nicht, wie er mit mir reden sollte, und ich wusste es auch nicht. Ich sagte ciao, er sagte ciao, dann fügte er hinzu: »Solange du ihr Gesellschaft leistest, gehe ich mal eine rauchen.« Manchmal fragte ich mich, wie er es mit seiner Mittelmäßigkeit geschafft hatte, in der brutalen Welt zu überleben, in der er sich bewegte, in Neapel, auf der Arbeit, im Rione und auch zu Hause.

Wenn Elisa mit ihrem Kind kam, sah ich, dass zwischen ihr und unserem Vater mehr Vertrautheit herrschte. Elisa behandelte ihn mit zärtlicher Autorität. Oft blieb sie den ganzen Tag über und manchmal, nachdem sie ihn zum Schlafen nach Hause in sein Bett geschickt hatte, auch nachts. Sobald meine Schwester auftauchte, hatte sie an allem etwas auszusetzen, am Staub, an den Fensterscheiben, am Essen. Sie tat es, um sich Respekt zu verschaffen, wollte klarstellen, dass sie das Sagen hatte. Und Peppe und Gianni waren auch nicht besser. Wenn sie das Gefühl hatten, dass es meiner Mutter nicht so gutging und mein Vater verzweifelte, gerieten sie in Aufregung, klingelten und riefen immer wieder nach der Krankenschwester. Brauchte die Schwester zu lange, machten meine Brüder ihr heftige Vorwürfe und gaben ihr danach paradoxerweise üppige Trinkgelder. Vor allem Gianni steckte ihr, bevor er ging, Geld zu und sagte: »Bleib vor der Tür und spring, sobald meine Mutter dich ruft, und Kaffee trinkst du nach dem Dienst, ist das klar?« Um zu verstehen zu geben, dass unsere Mutter eine bedeutende Persönlichkeit war, erwähnte er dann drei-, viermal den Namen der Solaras. »Signora Greco«, sagte er, »ist Sache der Solaras.«

Sache der Solaras. Bei diesen Worten wurde ich wütend, schämte ich mich. Aber gleichzeitig dachte ich: ›Entweder so oder das Krankenhaus‹, und ich sagte mir: ›Aber *danach*‹ (was ich mit diesem *Danach* meinte, gestand ich mir nicht ein) ›muss ich einiges mit meinen Brüdern und mit Marcello klären.‹ Vorläufig freute ich mich, wenn ich ins Zimmer kam und meine Mutter in der Gesellschaft ihrer Freundinnen aus dem Rione antraf, alle in ihrem Alter, und sie sich mit schwacher Stimme vor ihnen brüstete, indem sie Dinge sagte wie: »Meine Söhne wollten das so«, oder auf mich zeigend: »Elena ist eine berühmte Schriftstellerin, sie hat eine Wohnung in der Via Tasso, von wo aus man einen Blick aufs Meer hat, und seht euch ihr hübsches Mädchen an, sie heißt Immacolata, so wie ich.« Wenn ihre Freundinnen aufbrachen und mir zuflüsterten: »Sie schläft«, ging ich sofort ins Zimmer und schaute nach, dann kehrte ich mit Imma auf den Flur zurück, wo mir die Luft sauberer zu sein schien. Ich ließ die Tür offen, um die schwere Atmung meiner Mutter zu überwachen, die nach den anstrengenden Besuchen häufig einnickte und im Schlaf stöhnte.

Hin und wieder wurden meine Tage etwas leichter. Carmen, zum Beispiel, die behauptete, meiner Mutter kurz guten Tag sagen zu wollen, holte mich manchmal mit dem Auto ab. Das Gleiche tat auch Alfonso. Natürlich war das ein Beweis ihrer Zuneigung zu mir. An meine Mutter wandten sie sich mit respektvollen Worten und machten ihr höchstens die Freude, die Gemütlichkeit ihres Zimmers und ihre Enkeltochter zu loben. Die restliche Zeit verbrachten sie entweder plaudernd mit mir auf dem Flur oder unten im Auto wartend, um mich rechtzeitig zur Schule meiner Mädchen zu fahren. Die Vormittage mit ihnen waren stets intensiv und hatten eine sonderbare Wirkung. Sie rückten den alten Rione meiner Mutter, dessen Ende nicht mehr fern war, und den nun unter Lilas Einfluss entstehenden Rione dicht zusammen.

Ich erzählte Carmen, was unsere Freundin für meine

Mutter getan hatte. Sie sagte zufrieden: »Lina kann niemand aufhalten, das weiß man ja«, und sie redete von ihr, als schriebe sie ihr magische Kräfte zu. Aber noch eindrücklicher für mich war eine Viertelstunde, die ich mit Alfonso auf dem blitzsauberen Flur der Klinik verbrachte, während der Arzt bei meiner Mutter war. Wie üblich äußerte auch er glühende Dankbarkeit für Lila, aber besonders berührte mich, dass er erstmals ausdrücklich über sich sprach. Er sagte: »Lina hat mich in einer Arbeit unterwiesen, die eine große Zukunft hat.« Er rief aus: »Was wäre ich ohne sie gewesen, nichts, für immer nur ein lebendes Stück Fleisch ohne jede Erfüllung.« Er stellte Lilas Verhalten dem seiner Frau gegenüber: »Ich habe es Marisa immer freigestellt, mir so oft Hörner aufzusetzen, wie sie wollte, und habe ihren Kindern meinen Namen gegeben, aber sie ist trotzdem sauer auf mich, sie hat mich gequält und quält mich noch, sie hat mir tausendmal ins Gesicht gespuckt und sagt, ich hätte sie betrogen.« Er verteidigte sich: »Wie denn betrogen, Lenù, du bist gebildet und kannst mich verstehen, am meisten betrogen war doch ich, betrogen von mir selbst, und hätte Lina mir nicht geholfen, wäre ich so betrogen gestorben.« Seine Augen wurden feucht. »Das Schönste, was sie für mich getan hat, war, dass sie mich zu Klarheit zwang, mich lehrte zu sagen: ›Wenn ich den nackten Fuß dieser Frau berühre, empfinde ich nichts, aber ich vergehe vor Verlangen, den Fuß jenes Mannes da zu berühren, genau den, und seine Hände zu streicheln, ihm die Fingernägel zu schneiden, ihm die Mitesser auszudrücken, mit ihm in einem Tanzsaal zu sein und zu ihm zu sagen: Wenn du Walzer tanzen kannst, dann führe du mich, lass mich spüren, wie gut du mich führst.‹« Er rief ferne

Erinnerungen wach: »Weißt du noch, wie du und Lina zu uns nach Hause gekommen seid und von meinem Vater verlangt habt, euch eure Puppen zurückzugeben, und er mich gerufen und höhnisch gefragt hat: Alfò, hast du sie genommen? Denn ich war die Schande der Familie, ich spielte mit den Puppen meiner Schwester und trug die Halsketten meiner Mutter.« Er erklärte mir, aber so, als wüsste ich schon alles und diente ihm nur dazu, seine wahre Natur zu benennen: »Schon als Kind wusste ich, dass ich nicht nur nicht der war, für den die anderen mich hielten, sondern auch nicht der, für den ich selbst mich hielt. Ich sagte mir: ›Ich bin etwas anderes, etwas, was in meinen Adern verborgen ist, keinen Namen hat und wartet.‹ Aber ich wusste nicht, was dieses Etwas war, und vor allem wusste ich nicht, wie es ich sein konnte, bis Lina mich gezwungen hat – wie soll ich sagen –, ein bisschen von ihr anzunehmen. Du weißt ja, wie sie ist, sie hat gesagt: ›Fang so an und sieh, was passiert‹, und so haben wir uns vermischt – es war sehr amüsant –, und jetzt bin ich nicht mehr der, der ich war, und ich bin auch nicht Lina, sondern ein anderer Mensch, der allmählich immer deutlicher hervortritt.«

Er war froh, mir das anvertrauen zu können, und ich war froh, dass er es tat. Dabei entstand ein neues Vertrauensverhältnis zwischen uns, anders als das, welches wir auf unserem gemeinsamen Fußweg von der Schule nach Hause gehabt hatten. Und auch mit Carmen hatte ich den Eindruck, dass unsere Beziehung vertrauter wurde. Dann bemerkte ich, dass die beiden, wenn auch auf unterschiedliche Art, sich noch mehr von mir erhofften. Das geschah bei zwei Gelegenheiten, die beide mit Marcellos Anwesenheit in der Klinik verbunden waren.

Meine Schwester Elisa und ihr Kind wurden für gewöhnlich von einem alten Mann namens Domenico chauf-
fiert. Domenico setzte sie an der Klinik ab und brachte
dann meinen Vater zurück in den Rione. Aber manchmal
wurden Elisa und Silvio auch von Marcello selbst gefahren. Als er eines Morgens höchstpersönlich auftauchte,
war Carmen gerade bei mir. Ich war mir sicher, dass es
Spannungen zwischen den beiden geben würde, doch
sie wechselten einen zwar nicht begeisterten, aber auch
nicht konfliktträchtigen Gruß, und sie strich um ihn herum wie ein Tier, das bereit war, bei der ersten Gunst-
bezeigung angelaufen zu kommen. Als wir wieder allein
waren, vertraute sie mir leise und extrem nervös an, dass
sie sich bemühe, freundlich zu den Solaras zu sein, auch
wenn die sie nicht ausstehen konnten, sie tue es für Pasquale. »Aber ich kann nicht mehr, Lenù«, rief sie, »ich
hasse sie, ich würde sie am liebsten erwürgen, ich mache
das bloß, weil ich muss.« Schließlich fragte sie mich:
»Was würdest du an meiner Stelle tun?«

Etwas Ähnliches erlebte ich auch mit Alfonso. Eines
Morgens, als er mit mir bei meiner Mutter war, erschien
irgendwann Marcello, und schon bei dessen bloßem Anblick erschrak er. Doch der Solara-Bruder benahm sich
nicht anders als sonst, er begrüßte mich mit plumper
Freundlichkeit, während er Alfonso nur zunickte und so
tat, als sähe er die Hand nicht, die dieser ihm unwillkürlich hingestreckt hatte. Um Reibungen zu vermeiden,
schob ich meinen Freund unter dem Vorwand, ich müsse
Imma stillen, auf den Flur hinaus. Draußen sagte Alfonso
leise: »Wenn sie mich umbringen, sollst du wissen, dass
Marcello es war.« Ich sagte: »Nun übertreib mal nicht.«
Aber er war angespannt, fing an, mit Sarkasmus alle

Leute im Rione aufzuzählen, die ihn gern töten würden, Leute, die ich nicht kannte, und Leute, die ich kannte. Auf der Liste stand sein Bruder Stefano (er lachte: *Er vögelt meine Frau nur, um zu beweisen, dass wir in unserer Familie nicht alle Schwuchteln sind*) und auch Rino (er lachte: *Seit er gemerkt hat, dass ich so aussehen kann wie seine Schwester, würde er mir gern das antun, was er ihr nicht antun kann*). Aber ganz oben stand immer Marcello, Alfonso zufolge hasste er ihn am meisten. Mit Genugtuung und zugleich Angst sagte er: »Er glaubt, Michele ist meinetwegen verrückt geworden.« Grinsend fügte er hinzu: »Lina hat mich ermutigt, ihr ähnlich zu sein, ihr gefällt, wie viel Mühe ich mir gebe, ihr gefällt zu sehen, wie ich sie entstelle, sie freut sich über die Wirkung, die diese Entstellung auf Michele hat, und ich freue mich auch.« Er stockte, fragte mich: »Und was denkst du?«

Ich hörte ihm zu und stillte dabei die Kleine. Ihm und Carmen genügte es nicht, dass ich wieder in Neapel wohnte und wir uns von Zeit zu Zeit trafen. Sie wollten mich wieder ganz in den Rione eingliedern, verlangten, dass ich Lila als Schutzgöttin zur Seite stand, und drängten darauf, dass wir zwei als Gottheiten agierten, die mal einträchtig und mal zerstritten waren, aber doch immer ihre Schwierigkeiten im Blick hatten. Diese Bitte um eine größere Einmischung in ihre Angelegenheiten, die auch Lila auf ihre Art mir gegenüber häufig äußerte und die mir meistens wie eine Art Nötigung vorkam, rührte mich diesmal an, ich hatte das Gefühl, dass sie sich mit der erschöpften Stimme meiner Mutter verband, wenn diese vor ihren Freundinnen aus dem Rione stolz auf mich zeigte wie auf einen wichtigen Teil ihrer selbst. Ich drückte

Imma an meine Brust und zog ihre Decke zurecht, um sie vor der Zugluft zu schützen.

66

Nur Nino und Lila kamen nie in die Klinik. Nino war deutlich: »Ich habe nicht die geringste Lust, diesem Camorrista zu begegnen«, sagte er. »Es tut mir leid für deine Mutter, grüß sie von mir, aber ich kann dich nicht begleiten.« Manchmal war mir klar, dass das eine Ausrede zur Rechtfertigung seines wiederholten Verschwindens war, doch meistens schien er mir wirklich verbittert zu sein, weil er sich sehr für meine Mutter eingesetzt hatte, aber ich und meine ganze Familie schließlich auf die Solaras gehört hatten. Ich erklärte ihm, dass es sich um ein kompliziertes Gefüge handele, sagte: »Marcello spielt keine Rolle, wir haben bloß die Wünsche unserer Mutter akzeptiert.« Aber er brummte: »So wird sich Neapel nie verändern.«

Lila dagegen verlor kein Wort über die Verlegung in die Klinik. Aber sie half mir auch weiterhin, obwohl jeden Moment die Wehen bei ihr einsetzen konnten. Ich hatte ein schlechtes Gewissen, sagte: »Kümmere dich nicht um mich, du musst dich schonen.« »Ach was«, antwortete sie und zeigte mit einer teils spöttischen, teils besorgten Miene auf ihren Bauch, »er lässt sich noch Zeit, ich habe keine Lust, und er hat auch keine.« Und sobald ich etwas brauchte, lief sie los. Zwar bot sie sich nie an, mich mit dem Auto nach Capodimonte zu bringen, so wie Carmen und Alfonso es taten. Aber wenn die Mädchen etwas Fieber hatten und ich sie nicht zur Schule schicken konnte – was in Immacolatas ersten drei Lebenswochen mehrmals vorkam, weil sie kalt und regnerisch waren –, nahm sie sich frei, überließ Enzo und Alfonso die Arbeit und kam zur Via Tasso hinauf, um mir alle drei Kinder abzunehmen.

Ich freute mich darüber. Die Zeit, die Dede und Elsa mit Lila verbrachten, erwies sich stets als nützlich. Sie konnte die zwei Schwestern an die dritte heranführen, konnte bei Dede Verantwortungsbewusstsein wecken, konnte Elsa unter Kontrolle halten, konnte Imma beruhigen, ohne ihr den Schnuller in den Mund zu stecken, wie Mirella es tat. Das einzige Problem war Nino. Ich hatte Angst, entdecken zu müssen, dass er – der immer viel beschäftigt war, wenn ich allein war – wie durch ein Wunder die Zeit finden würde, Lila zu helfen, wenn sie bei meinen Kindern war. Daher war ich in einem verborgenen Winkel meiner selbst nie wirklich unbeschwert. Lila kam, ich gab ihr unzählige Ratschläge, schrieb ihr die Telefonnummer der Klinik auf einen Zettel, versetzte meine Nachbarin für alle Fälle in Alarmbereitschaft und hastete nach Capodimonte. Ich blieb nicht länger als eine Stunde bei meiner Mutter, dann machte ich mich eilig wieder auf den Weg, um rechtzeitig zum Stillen und zum Kochen zurück zu sein. Aber manchmal blitzte auf dem Rückweg die Vorstellung in mir auf, ich könnte nach Hause kommen und Nino und Lila zusammen antreffen, die sich über Gott und die Welt unterhielten, wie sie es auf Ischia getan hatten. Mir kamen, natürlich, auch noch unerträglichere Phantasien, doch die verdrängte ich entsetzt sofort wieder. Die hartnäckigste Befürchtung war allerdings eine andere, und sie schien mir, während ich im Auto nach Hause raste, die plausibelste zu sein. Ich malte mir aus, dass Lilas Wehen einsetzten, während Nino da war, und er sie schleunigst in die Klinik bringen musste, weshalb er Dede allein ließ, die entsetzt die Rolle der vernünftigen Frau übernehmen musste, und Elsa, die Lilas Handtasche durchwühlte, um etwas zu stehlen, und Imma, die in der Wiege schrie, weil sie Hunger hatte und wund war.

Es passierte wirklich etwas in dieser Art, doch ohne dass Nino etwas damit zu tun hatte. Einmal kam ich pünktlich gegen Mittag nach Hause und sah, dass Lila nicht da war, die Wehen hatten begonnen. Mich überkam eine unerträgliche Angst. Lila fürchtete nichts mehr als das Sichschütteln und Sichkrümmen der Materie, hasste Unwohlsein jeder Art, verabscheute die Hohlheit der Worte, wenn sie sich jedes möglichen Sinnes entleerten. Darum betete ich, dass sie durchhielt.

67

Von ihrer Entbindung weiß ich aus zwei Quellen, die eine war sie, die andere unsere Frauenärztin. Ich gebe die beiden Berichte hier nacheinander wieder und fasse das Ganze mit meinen eigenen Worten zusammen. Es regnete. Ich hatte etwa zwanzig Tage zuvor entbunden. Meine Mutter war seit ein paar Wochen in der Klinik, und wenn ich nicht zu ihr kam, weinte sie wie ein ängstliches Kind. Dede hatte etwas Fieber, Elsa weigerte sich, zur Schule zu gehen, und behauptete, sie wolle sich um ihre Schwester kümmern. Carmen hatte keine Zeit, Alfonso auch nicht. Ich rief Lila an, begann mit den üblichen Vorreden: »Wenn es dir nicht gut geht, wenn du arbeiten musst, dann lass es, ich finde auch eine andere Lösung.« Sie erwiderte auf ihre spöttische Art, es gehe ihr ausgezeichnet und als Chef teile man anderen die Arbeit zu und nehme sich so viel frei, wie man wolle. Sie liebte meine beiden Mädchen, aber besonders gern kümmerte sie sich gemeinsam mit ihnen um Imma, es war ein Spiel, bei dem sich alle vier wohlfühlten. »Ich komme sofort«, sagte sie. Ich rechnete damit, dass sie nach maximal einer Stunde da sein würde, aber sie verspätete sich. Ich wartete noch ein bisschen, doch da ich wusste, dass sie ihre Versprechen für gewöhnlich hielt, sagte ich der Nachbarin: »Es kann sich nur um ein paar Minuten handeln«, und ließ die Mädchen bei ihr, um schnell zu meiner Mutter zu kommen.

Aber Lila war wegen einer Art körperlicher Vorahnung zu spät. Sie hatte zwar keine Wehen, fühlte sich aber trotzdem nicht wohl und ließ sich vorsichtshalber von Enzo zu meiner Wohnung fahren. Sie war noch nicht zur Tür herein, als sie die ersten Schmerzen hatte. Unverzüglich rief sie Carmen an und trug ihr auf, meiner Nachbarin zur Hand zu gehen, dann brachte Enzo sie in die Klinik, in der unsere Gynäkologin arbeitete. Die Wehen waren sofort heftig, bewirkten aber zunächst nichts, die Geburt dauerte sechzehn Stunden.

Die Zusammenfassung, die Lila mir gab, klang fast schon belustigt. »Es stimmt nicht«, sagte sie, »dass man sich bloß beim ersten Kind quält und danach alles leichter geht, man quält sich immer.« Und sie führte ebenso düstere wie spöttische Argumente an. Für sie ergab es keinen Sinn, das Kind schützend im Bauch zu halten und gleichzeitig ausstoßen zu wollen. »Es ist lächerlich«, sagte sie, »dass diese vorzügliche, ganze neun Monate dauernde Gastfreundschaft mit dem Drang einhergeht, den Gast auf die denkbar brutalste Art hinauszuwerfen.« Entrüstet über die Widersprüchlichkeit dieses Systems, schüttelte sie den Kopf. »Das ist doch ein Unding«, rief sie nun wieder auf Italienisch. »Dein eigener Körper ist sauer auf dich und rebelliert sogar gegen dich, bis er sich selbst zum schlimmsten Feind wird und sich den schrecklichsten Schmerz einhandelt, den es gibt.« Sie hatte über viele Stunden kalte, schneidende Flammen im Unterleib gespürt, ein unerträgliches Auf und Ab heftigster Schmerzen tief unten im Bauch, die dann wieder in den Rücken zogen und ihr das Kreuz durchschlugen. »Hör bloß auf«, sagte sie ironisch, »du bist eine Lügnerin, wo soll denn da die schöne Erfahrung sein.« Und sie schwor – nun wieder ernst –, nie wieder schwanger zu werden.

Doch nach den Worten der Gynäkologin, die Nino eines Abends zusammen mit ihrem Mann zum Essen eingeladen hatte, sei die Entbindung normal verlaufen, eine andere Frau hätte das ohne großes Aufhebens erledigt. Kompliziert sei es nur durch Lilas vollgestopften Kopf geworden. Die Ärztin war sehr gereizt gewesen. »Du machst das Gegenteil von dem, was du tun müsstest«, hatte sie ihr vorgeworfen, »du hältst dich zurück, wenn du eigentlich pressen müsstest: Na los, komm schon, du musst pressen!« Ihr – die nun eine offenkundige Aversion gegen ihre Patientin hegte und sie hier, bei mir zu Hause, beim Abendessen, nicht nur nicht verhehlte, sondern sie besonders Nino gegenüber sogar verschwörerisch betonte – zufolge habe Lila alles getan, um ihr Kind nicht zur Welt zu bringen. Sie habe es mit aller Kraft zurückgehalten und dabei gestöhnt: »Schneid mir den Bauch auf, hol du es raus, ich schaff' das nicht.« Sie habe sie aber weiter ermutigt, weshalb Lila sie auf das Übelste beschimpft habe. Sie sei schweißüberströmt gewesen, erzählte uns die Ärztin, ihre Augen unter der riesigen Stirn seien blutunterlaufen gewesen, und sie habe sie angeschrien: »Du redest und kommandierst, aber komm her und tausch mit mir, du Arschkuh, treib du das Kind raus, wenn du kannst, es bringt mich um!«

Ich wurde ärgerlich und sagte: »Das hättest du uns nicht erzählen dürfen.« Sie wurde noch ärgerlicher, rief: »Ich erzähle das, weil wir doch unter uns sind.« Aber dann schlug sie, an einem wunden Punkt getroffen, einen Arztton an und sagte mit gespielter Seriosität, wir müssten, wenn wir (sie meinte natürlich Nino und mich) Lila gernhätten, ihr helfen, sich auf etwas zu konzentrieren, was sie wirklich befriedige, sonst würde sie mit ihrem wackligen Verstand (das formulierte sie wirklich so) sich und die Menschen in ihrer Umgebung in Schwierigkeiten bringen. Schließlich betonte sie erneut, sie habe im Kreiß-saal einen widernatürlichen Kampf gesehen, ein schreck-liches Ringen zwischen einer Mutter und ihrem Kind. »Es war«, sagte sie, »ein wirklich unangenehmes Erlebnis.«

Das Kind war ein Mädchen, ein Mädchen und kein Jun-ge, wie es doch alle prophezeit hatten. Als ich Lila in der Klinik besuchte, zeigte sie mir, obwohl völlig erschöpft, ihre Tochter mit Stolz. Sie fragte:

»Wie viel hat Imma gewogen?«

»Dreitausendzweihundert Gramm.«

»Nunzia wiegt fast vier Kilo. Mein Bauch war klein, aber sie ist groß.«

Sie hatte sie wirklich nach ihrer Mutter benannt. Und um ihren Vater Fernando nicht zu verärgern, der mit zu-nehmendem Alter immer jähzorniger wurde, und auch

Enzos Verwandte nicht, ließ sie sie später in der Kirche des Rione taufen und gab ein großes Fest im Sitz der Basic Sight.

68

Die Mädchen waren sofort ein Anlass für uns, häufiger zusammen zu sein. Lila und ich telefonierten miteinander, trafen uns, um die Babys auszufahren, redeten nicht mehr ununterbrochen über uns, sondern über die Kleinen. So kam es uns zumindest vor. In Wahrheit zeigten sich durch die wechselseitige Aufmerksamkeit für unsere beiden Töchter nun der neue Reichtum und die neue Komplexität unserer Beziehung. Wir verglichen die zwei in allen Einzelheiten, wie um uns zu versichern, dass die Freude oder das Leid der einen der Spiegel der Freude oder des Leids der anderen war und wir folglich unverzüglich eingreifen konnten, um die Freude zu verstärken und das Leid abzuwenden. Wir erzählten uns alles, was uns für ein gesundes Heranwachsen gut und nützlich zu sein schien, und führten so etwas wie einen virtuosen Wettstreit darin, wer die beste Ernährung, die saugfähigste Windel und die wirksamste Wundcreme ausfindig machte. Es gab nicht ein für Nunzia gekauftes niedliches Kleidungsstück – aber Lila nannte sie jetzt Tina, in der Kurzform von Nunziatina –, das Lila nicht auch für Imma gekauft hätte, und ich tat im Rahmen meiner finanziellen Möglichkeiten das Gleiche. »Tina stand dieser Strampler so gut, darum habe ich ihn Imma auch gekauft«, sagte sie, »Tina standen diese Schühchen so gut, da habe ich sie auch für Imma gekauft.«

»Weißt du«, fragte ich sie eines Tages amüsiert, »dass du ihr den Namen meiner Puppe gegeben hast?«

»Welcher Puppe?«

»Tina, erinnerst du dich nicht?«

Sie griff sich an die Stirn, als hätte sie Kopfschmerzen, sagte:

»Stimmt, aber das habe ich nicht mit Absicht gemacht.«

»Es war eine schöne Puppe, ich hing sehr an ihr.«

»Meine Tochter ist schöner.«

Die Wochen vergingen schnell, schon blitzten die Düfte des Frühlings auf. Eines Morgens verschlechterte sich der Zustand meiner Mutter, es kam zu einem Moment der Panik. Da nicht einmal mehr meine Brüder die Ärzte der Klinik für kompetent hielten, wurde die Frage erörtert, ob man sie zurück ins Krankenhaus bringen sollte. Ich sprach mit Nino darüber, um von den Professoren, die mit seinen Schwiegereltern befreundet waren und sich früher um meine Mutter gekümmert hatten, zu erfahren, ob es möglich sei, den Krankensaal zu meiden und ein Privatzimmer zu bekommen. Doch Nino erklärte, er sei gegen Empfehlungen und Bittgesuche, in einer öffentlichen Einrichtung sollte die Behandlung für alle gleich sein, und schlechtgelaunt knurrte er schließlich: »Es muss aufhören, dass man in diesem Land denkt, sogar für einen Krankenhausplatz müsse man Mitglied einer Loge sein oder sich in die Hände der Camorra begeben.« Er war natürlich wütend auf Marcello und nicht auf mich, aber ich war trotzdem gekränkt. Andererseits bin ich mir sicher, dass er mir am Ende geholfen hätte, wenn meine Mutter uns nicht, obwohl sie entsetzlich litt, unmissverständlich klargemacht hätte, dass sie lieber unter angenehmen Umständen sterben wolle, als auch nur für wenige Stunden in den Krankensaal zurückzukehren. Also brachte Marcello eines Morgens, uns ein weiteres Mal überraschend, einen der Spezialisten, die unsere Mutter behandelt hatten, mit in die Klinik. Der Professor, der bei seiner Arbeit im Krankenhaus stets eher mürrisch gewesen war, benahm sich äußerst liebenswürdig und kam häufig wieder, von den Ärzten der Privatklinik ehrerbietig begrüßt. Es wurde alles besser.

Aber schnell gab es neue Komplikationen im Krankheitsbild. Da nahm meine Mutter ihre ganze Kraft zusammen und tat zwei widersprüchliche, in ihren Augen aber trotzdem wichtige Dinge. Da Lila in diesen Tagen eine Möglichkeit gefunden hatte, Peppe und Gianni in der Firma eines ihrer Kunden in Baiano unterzubringen, die zwei sich aber nicht um dieses Angebot scherten, rief meine Mutter – nachdem sie meine Freundin unzählige Male für ihre Großzügigkeit gesegnet hatte – ihre beiden Söhne zu sich und wurde zumindest für einige Minuten wieder die, die sie früher gewesen war. Sie bekam wütende Augen und drohte, sie vom Reich der Toten aus heimzusuchen, falls sie diese Arbeit nicht annehmen sollten. Kurz, sie brachte sie zum Weinen, machte sie zur Schnecke und ließ nicht locker, bis sie sich sicher war, dass sie sich fügten. Dann griff sie zu Maßnahmen mit entgegengesetzten Vorzeichen. Sie bestellte Marcello zu sich, dem sie soeben Peppe und Gianni entrissen hatte, und ließ ihn feierlich schwören, dass er, bevor sie die Augen für immer schloss, ihre jüngste Tochter heiraten werde. Marcello beruhigte sie, sagte, er und Elisa hätten die Hochzeit nur verschoben, weil sie warten wollten, bis sie wieder gesund sei, und nun, da ihre Heilung bevorstehe, wolle er sich sofort darum kümmern, die nötigen Papiere zu beschaffen. Da hellte sich die Stimmung meiner Mutter auf. Sie machte nicht den geringsten Unterschied zwischen der Macht, die sie Lila zuschrieb, und der, die sie Marcello zubilligte. Auf beide hatte sie eingewirkt und war froh, bei den wichtigsten Menschen des Rione, das heißt in ihren Augen der Welt, Gutes für ihre Kinder erwirkt zu haben.

Einige Tage hielt sie noch in ruhiger Seligkeit durch. Ich brachte ihr Dede, die sie sehr liebte, und ließ sie Imma im Arm halten. Es gelang ihr, sogar Elsa, die sie zuvor nie hatte leiden können, Zuneigung entgegenzubringen. Ich schaute sie an, sie war ein graues, runzliges Weiblein, obwohl sie nicht hundert war, sondern sechzig. Zum ersten Mal spürte ich die Wucht der Zeit, diese Kraft, die mich nun auf die vierzig zutrieb, das Tempo, mit dem das Leben sich verbrauchte, und auch, wie konkret man dem Tod ausgesetzt ist: *Wenn ihr das passiert*, dachte ich, *dann wird es auch mir passieren, da hilft alles nichts.*

Eines Morgens, Imma war einige Monate alt, sagte meine Mutter matt zu mir: »Lenù, ich bin jetzt wirklich froh, nur du machst mir noch Sorgen, aber du bist du, und du hast es schon immer verstanden, die Dinge so zu regeln, wie du es wolltest, darauf verlasse ich mich.« Dann schlief sie ein und fiel ins Koma. Einige Tage wehrte sie sich noch, sie schien nicht sterben zu wollen. Ich erinnere mich, dass ich mit Imma in ihrem Zimmer war und das Röcheln des Todeskampfes nicht enden wollte, es gehörte nun zu den Klinikgeräuschen. Mein Vater, der es nicht mehr ertragen konnte, war in dieser Nacht zu Hause geblieben und trauerte. Elisa war mit Silvio in den Hof gegangen, um frische Luft zu schnappen, meine Brüder waren zum Rauchen in einem Zimmer ein paar Schritte weiter. Ich starrte lange auf die unter dem Betttuch fast körperlose Erhebung. Meine Mutter war auf fast nichts zusammengeschrumpft, dabei war sie wirklich raumfüllend gewesen, sie hatte auf mir gelastet und mir das Gefühl gegeben, ein Wurm unter einem Stein zu sein, beschützt und zermalmt. Ich wünschte ihr, dass das Röcheln aufhören möge, jetzt, sofort, und, zu meiner Verwunderung, so geschah es. Auf einmal wurde es im Zimmer still. Ich wartete, fand nicht die Kraft, aufzustehen und zu ihr zu gehen. Dann schnalzte Imma mit der Zunge, und die Stille war vorüber. Ich verließ meinen Stuhl, näherte mich dem Bett. Wir zwei – die Kleine, die im Schlaf gierig nach der Brust suchte, um sich noch als ein Teil von mir zu fühlen, und ich – waren an diesem Krankheitsort alles Lebendige und Gesunde, was von ihr noch da war.

Ich hatte an diesem Tag, ich weiß nicht warum, das Armband angelegt, das sie mir mehr als zwanzig Jahre zuvor geschenkt hatte. Ich hatte es lange nicht getragen, meistens nahm ich den feineren Schmuck, zu dem Adele mir geraten hatte. Doch von nun an trug ich es oft.

69

Es fiel mir schwer, den Tod meiner Mutter zu akzeptieren. Obwohl ich keine Tränen vergoss, hielt mein Schmerz lange an und ist vielleicht nie wirklich vergangen. Sie war für mich eine unsensible, vulgäre Frau gewesen, ich hatte mich vor ihr gefürchtet und war ihr aus dem Weg gegangen. Unmittelbar nach der Beerdigung fühlte ich mich, wie wenn es plötzlich losregnet und man sich umschaut und keinen Ort zum Unterstellen findet. Wochenlang sah und hörte ich sie überall, Tag und Nacht. Sie war eine Flamme, die in meiner Phantasie ohne Docht weiterbrannte. Ich trauerte unserer anderen Art des Zusammenseins nach, die wir während ihrer Krankheit entdeckt hatten, ich verlängerte sie, indem ich positive Erinnerungen aus der Zeit barg, als ich klein und sie jung gewesen war. Mein schlechtes Gewissen wollte sie zwingen, zu bleiben. Ich verwahrte eine Haarnadel, ein Taschentuch, eine Schere von ihr in meinen Schubkästen, aber diese Dinge reichten mir nicht, auch das Armband war zu wenig. Vielleicht entschied ich mich deshalb, nicht zum Arzt zu gehen, nachdem die Schwangerschaft das Stechen in meiner Hüfte hatte wiederaufleben lassen und die Geburt es nicht beseitigt hatte. Ich pflegte dieses Leiden wie ein in meinem Körper bewahrtes Vermächtnis.

Auch die Worte, die sie am Ende zu mir gesagt hatte (*du bist du, darauf verlasse ich mich*), begleiteten mich lange. Sie war in der Überzeugung gestorben, ich würde mich so, wie ich geschaffen war, und mit den Fähigkeiten, die ich angehäuft hatte, von nichts unterkriegen lassen. Dieser Gedanke arbeitete in mir und half mir schließlich auch. Ich beschloss, ihr zu beweisen, dass sie das ganz richtig gesehen hatte. Ich begann wieder, mich diszipliniert um mich selbst zu kümmern. Nutzte wieder jedes bisschen freie Zeit zum Lesen und Schreiben. Ich verlor zwar noch mehr das Interesse an Tagespolitik – ich konnte mich überhaupt nicht für die Machenschaften der fünf Regierungsparteien und für ihre Querelen mit den Kommunisten begeistern, was Nino nunmehr aktiv tat –, verfolgte aber weiterhin aufmerksam das Abdriften des Landes in Korruption und Gewalt. Ich las viele feministische

Texte, und noch bestärkt durch den recht ordentlichen Erfolg meines letzten Buches, bot ich den neuen Frauenzeitschriften an, Artikel für sie zu schreiben. Aber ein Großteil meiner Kraft war, wie ich zugeben muss, vor allem darauf gerichtet, meinen Verlag davon zu überzeugen, dass mein neuer Roman schon sehr weit gediehen sei.

Einige Jahre zuvor war mir die Hälfte eines stattlichen Vorschusses gezahlt worden, doch ich hatte in der Zwischenzeit herzlich wenig zustande gebracht, dümpelte vor mich hin, war noch auf der Suche nach einer Geschichte. Mein Verleger, der für die Gewährung dieser großzügigen Summe verantwortlich gewesen war, hatte mich nie unter Druck gesetzt, er fragte mit Zurückhaltung nach, und wenn ich auswich, weil ich es erniedrigend fand, zu sagen, wie die Dinge lagen, ließ er mich ausweichen. Dann gab es eine kleine, unangenehme Episode. Im *Corriere della Sera* erschien ein halb ironischer Artikel, der nach einigem Lob für einen recht erfolgreichen Debütroman auf die nichteingelösten Versprechen der jungen italienischen Literatur einging und dabei meinen Namen erwähnte. Wenige Tage später kam mein Verleger auf der Durchreise nach Neapel – er musste an einem pompösen Kongress teilnehmen – und wollte mich treffen.

Sein ernster Ton beunruhigte mich sofort. In annähernd fünfzehn Jahren hatte er mich das Gewicht seiner Autorität nie spüren lassen, hatte sich gegen Adele schützend vor mich gestellt und war mir stets mit Herzlichkeit begegnet. Ich lud ihn mit gespielter Fröhlichkeit zum Abendessen in die Wohnung in der Via Tasso ein, was beklemmend und anstrengend für mich war, doch ich tat es auch, weil Nino ihm eine neue Essaysammlung vorschlagen wollte.

Der Verleger war höflich, aber nicht herzlich. Er sprach mir sein Beileid zum Tod meiner Mutter aus, sagte Anerkennendes über Imma, schenkte Dede und Elsa einige grellbunte Kinderbücher und wartete geduldig, bis ich mit Essen und Kindern zurande gekommen war, wobei er Nino erlaubte, ihm von seinem Buchprojekt zu erzählen. Beim Nachtisch sprach er den eigentlichen Grund seines Besuches an, er wollte wissen, ob er das Erscheinen meines Romans für den nächsten Herbst einplanen könne. Ich wurde rot:

»Herbst 1982?«

»Herbst 1982.«

»Vielleicht, aber das weiß ich jetzt noch nicht.«

»Du musst es sofort wissen.«

»Ich bin noch lange nicht fertig.«

»Du könntest mir was zum Lesen geben.«

»So weit bin ich noch nicht.«

Schweigen. Er trank einen Schluck Wein, sagte sehr ernst:

»Bisher hattest du viel Glück, Elena. Dein letztes Buch lief ausgesprochen gut, du wirst geschätzt, hast dir eine beachtliche Zahl von Lesern erobert. Doch Leser müssen gepflegt werden. Verlierst du sie, dann verlierst du die Möglichkeit, weitere Bücher zu veröffentlichen.«

Das gefiel mir nicht. Ich erkannte, dass Adeles stetiges Bohren auch bei diesem hochgebildeten, liebenswürdigen Mann gewirkt hatte. Stellte mir vor, was Pietros Mutter gesagt haben mochte – *sie ist eine falsche Schlange aus dem Süden und haut dich mit ihrer netten, gerissenen Art übers Ohr –*, und ich hasste mich dafür, dass ich diesem Mann nun bestätigte, dass es genau so war. Mit wenigen schroffen Sätzen lehnte der Verleger beim Nachtisch Ninos Vorschlag ab, er erklärte, es sei eine schwierige Zeit für Essays. Das Unbehagen wuchs, niemand wusste mehr etwas zu sagen, ich redete über Imma, bis unser Gast auf die Uhr sah und murmelte, er müsse gehen. Da hielt ich es nicht mehr aus und sagte:

»Na gut, ich liefere dir das Buch so, dass es im Herbst erscheinen kann.«

70

Mein Versprechen besänftigte den Verleger. Er blieb noch eine Stunde, plauderte über dies und das, bemühte sich, Nino gegenüber zugänglicher zu sein. Zum Schluss umarmte er mich, wobei er mir ins Ohr flüsterte: »Ich bin mir sicher, dass du an einer sehr schönen Geschichte schreibst«, und ging.

Kaum hatte ich die Tür hinter ihm geschlossen, rief ich: »Adele bekriegt mich immer noch, ich bin geliefert!« Nino widersprach. Die wiewohl geringe Chance, dass sein Buch veröffentlicht wurde, hatte seine Stimmung aufgehellt. Außerdem war er kürzlich zum Parteitag der Sozialisten in Palermo gewesen und hatte dort sowohl Guido als auch Adele getroffen, und der Professor hatte sich anerkennend über einige seiner jüngsten Texte geäußert. Darum warf er versöhnlich hin:

»Nun übertreib mal nicht mit den Komplotten der Airotas. Du brauchtest ja bloß zu versprechen, dass du dich an die Arbeit setzt, und schon hat sich das Blatt gewendet, hast du das nicht gemerkt?«

Wir stritten uns. Ich hatte gerade ein Buch versprochen, ja, aber wie und wann konnte ich es mit der nötigen Konzentration und Ausdauer denn schreiben? War ihm überhaupt bewusst, wie mein Leben gewesen war und wie es noch immer war? Aufs Geratewohl zählte ich ihm alles auf, die Krankheit und den Tod meiner Mutter, die Betreuung von Dede und Elsa, die Hausarbeit, meine Schwangerschaft, Immas Geburt, sein Desinteresse an der Kleinen, sein Hasten von einer Tagung zum nächsten Kongress, immer häufiger ohne mich, und meine Abscheu, ja, Abscheu, ihn mit Eleonora teilen zu müssen. »*Ich*«, schrie ich ihn an, »*ich* bin schon kurz davor, mich von Pietro scheiden zu lassen, und du wolltest dich noch nicht mal trennen!« Könnte ich bei so vielen Spannungen denn arbeiten? Ganz allein? Ohne die geringste Hilfe von seiner Seite?

Die Szene war sinnlos, Nino reagierte wie immer. Er zog ein niedergeschlagenes Gesicht und murmelte: »Du verstehst das nicht, du kannst das nicht verstehen, du bist ungerecht«, und schwor düster, dass er mich liebe und ohne Imma, ohne die Mädchen, ohne mich nicht leben könne. Am Ende erbot er sich, mir eine Haushaltshilfe zu bezahlen.

Schon früher hatte er mich ermuntert, mir jemanden zu suchen, der sich um die Wohnung, den Einkauf, das Kochen und die Mädchen kümmerte, doch ich hatte, nur um in seinen Augen nicht zu anspruchsvoll zu erscheinen, stets geantwortet, dass ich nicht die Absicht hätte, ihn finanziell mehr als nötig zu belasten. Für gewöhnlich neigte ich dazu, nicht dem Bedeutung beizumessen, was mir guttat, sondern dem, was ihm gefallen könnte. Außerdem wollte ich nicht akzeptieren, dass in unserer Beziehung nun Probleme auftauchten, die ich schon mit Pietro erlebt hatte. Aber diesmal sagte ich zu seiner Überraschung sofort: »Ja, gut, besorg mir jemanden, so schnell wie möglich.« Und ich hatte das Gefühl, mit der Stimme meiner Mutter zu sprechen, nicht mit ihrer zuletzt ermatteten, sondern mit ihrer angriffslustigen. Zum Teufel mit dem Geld, ich musste an meine Zukunft denken. Und meine Zukunft bestand darin, in wenigen Monaten einen Roman zustande zu bringen. Und dieser Roman musste ausgezeichnet sein. Und nichts, nicht einmal Nino, durfte mich davon abhalten, meine Arbeit gut zu machen.

71

Ich analysierte den Stand der Dinge. Meine beiden früheren Bücher, die auch durch die Übersetzungen jahrelang etwas Geld eingebracht hatten, verkauften sich nicht mehr. Der Vorschuss, den ich für meinen neuen Roman erhalten und mir noch nicht verdient hatte, war nahezu aufgebraucht. Die Artikel, an denen ich bis tief in die Nacht hinein schrieb, brachten entweder nur sehr wenig ein oder wurden überhaupt nicht vergütet. Ich lebte also von dem, was Pietro mir jeden Monat pünktlich überwies, und von dem, was Nino dazugab, indem er Miete und Rechnungen übernahm und, das muss ich ihm lassen, mir und den Mädchen oft etwas zum Anziehen schenkte. Solange ich mit allen Veränderungen, Mühen und Schmerzen zu kämpfen hatte, die mit meiner Rückkehr nach Neapel einhergegangen waren, hatte ich das für richtig gehalten. Jetzt aber – nach diesem Abend – befand ich, dass ich auf jeden Fall schnellstmöglich unabhängig werden sollte. Ich musste regelmäßig schreiben und veröffentlichen, musste mein Bild als Autorin festigen, musste

Geld verdienen. Nicht wegen meiner literarischen Neigungen, sondern wegen meiner Zukunft: Glaubte ich wirklich, Nino würde sich für immer um mich und meine Töchter kümmern?

Damals grenzte sich ein Teil von mir ab – nur ein Teil –, dem, ohne großen Kummer, ganz bewusst war, dass ich auf Nino kaum zählen konnte. Das war nicht nur meine alte Angst, er könne mich verlassen, das war so etwas wie eine abrupte Verkürzung meines Blickes. Ich hörte auf, in die Ferne zu schauen, und überlegte nun vielmehr, dass ich in allernächster Zeit von Nino nicht mehr zu erwarten hatte, als er mir bereits gab, und dass ich entscheiden musste, ob mir das reichte.

Natürlich liebte ich ihn immer noch. Mir gefiel sein langer, schlanker Körper, seine methodische Intelligenz. Und ich bewunderte seine Arbeit sehr. Seine alte Fähigkeit, Fakten zu sammeln und zu interpretieren, war zu einer sehr gefragten Kompetenz geworden. Kürzlich hatte er eine hochgelobte Arbeit – vielleicht die, die Guido so gefallen hatte – über die Wirtschaftskrise veröffentlicht und über das Versickern von Kapital, das aus noch zu erforschenden Quellen ins Baugewerbe, in den Finanzsektor und in private Fernsehsender geflossen war. Trotzdem, etwas an ihm hatte begonnen mich zu ärgern. Mich hatte seine Freude darüber verletzt, dass er wieder in der Gunst meines Exschwiegervaters stand. Auch hatte mir nicht gefallen, dass er Pietro – *ein armseliger Prof ohne Phantasie, nur wegen seines Familiennamens und wegen seines dumpfen Engagements in der kommunistischen Partei in den Himmel gelobt* – nun wieder von seinem Vater getrennt betrachtete, den *wahren* Professor Airota, den er uneingeschränkt als Autor fundamentaler Werke über den Hellenismus und als herausragenden Kämpfer der sozialistischen Linken pries. Außerdem hatte mich seine neuerliche Sympathie für Adele gekränkt, er bezeichnete sie in einem fort als große Dame, die ausgezeichnet in der Öffentlichkeitsarbeit sei. Kurz, er schien mir empfänglich für die Zustimmung derer zu sein, die Autorität genossen, und schnell bereit, diejenigen in Verlegenheit zu bringen und aus Missgunst manchmal zu beschämen, die noch nicht genügend Autorität besaßen, und auch die, die gar keine hatten, aber welche hätten haben können. Das beschädigte das Bild, das ich stets von ihm gehabt hatte und das er selbst im Allgemeinen für sich in Anspruch nahm.

Aber nicht nur das. Das politische und kulturelle Klima wandelte sich gerade, neue Lektüren setzten sich durch. Wir hatten alle aufgehört, extreme Reden zu schwingen, und auch ich teilte nun zu meiner Überraschung Positionen, die ich vor Jahren aus Freude am Widerspruch und aus Streitlust bei Pietro bekämpft hatte. Nino, allerdings, übertrieb, er fand nun nicht nur jede rebellische Äußerung lächerlich, sondern auch jede moralische Aussage, jede Demonstration von Lauterkeit. Er machte sich über mich lustig:

»Es sind zu viele Memmen unterwegs.«

»Wie bitte?«

»Leute, die empört sind, als wäre nicht bekannt, dass entweder die Parteien ihre Arbeit machen oder bewaffnete Banden und Freimaurerlogen entstehen.«

»Was meinst du damit?«

»Ich meine, dass eine Partei nichts anderes sein kann als eine Verteilerin von Vergünstigungen im Tausch gegen Zustimmung, Ideale sind schmückendes Beiwerk.«

»Tja, dann bin ich eine Memme.«

»Ich weiß.«

Ich begann seinen Drang, politisch überraschend zu wirken, unangenehm zu finden. Wenn er Abendessen bei mir gab, verstörte er die Gäste, indem er von links Positionen der Rechten verteidigte. »Nicht alles, was die Faschisten sagen«, erklärte er, »ist falsch, man muss lernen, mit ihnen in einen Dialog zu treten.« Oder: »Schluss damit, immer bloß anzuklagen, man muss sich die Hände dreckig machen, wenn man was verändern will.« Oder: »Die Justiz muss schleunigst den Bedürfnissen derer untergeordnet werden, die in der Regierungsverantwortung sind, wenn verhindert werden soll, dass die Richter zu tickenden Zeitbomben für die Haltbarkeit des demokratischen Systems werden.« Oder auch: »Die Löhne müssen eingefroren werden, das System der gleitenden Lohnanpassung ist Italiens Untergang.« Wenn ihm jemand widersprach, wurde er abfällig, grinste und gab zu verstehen, dass es nicht der Mühe wert sei, mit Leuten zu diskutieren, die Scheuklappen trugen und bloß alte Parolen im Kopf hatten.

Um nicht gegen ihn Partei zu ergreifen, beschränkte ich mich darauf, voller Unbehagen zu schweigen. Er liebte den Treibsand der Gegenwart, darin entschied sich für ihn die Zukunft. Er wusste alles, was in den Parteien und im Parlament vor sich ging, alles über die Vorgänge innerhalb des Kapitals und der Arbeitsorganisation. Ich las dagegen verbissen nur das, was die faschistischen Machenschaften betraf, die Entführungen und das blutige, letzte Aufbäumen der roten Kampfgruppen, die Debatte über den Bedeutungsverlust der Arbeiter, die Benennung neuer antagonistischer Kräfte. Daher war ich eher auf der

Seite der anderen Tischgäste als auf seiner. Eines Abends stritt er sich mit einem Freund, der an der Fakultät für Architektur lehrte. Nino glühte vor Leidenschaft, war zerrauft, bildschön.

»Ihr seid nicht in der Lage, zwischen einem Schritt nach vorn, einem Schritt zurück und Stillstand zu unterscheiden.«

»Was ist denn ein Schritt nach vorn?«, fragte der Freund.

»Ein Ministerpräsident, der nicht der übliche alte Christdemokrat ist.«

»Und Stillstand?«

»Eine Metallarbeiterdemonstration.«

»Und ein Schritt zurück?«

»Sich zu fragen, wer sauberer ist, die Sozialisten oder die Kommunisten.«

»Jetzt wirst du zynisch.«

»Dafür bist du schon immer ein Arschloch gewesen.«

Nein, Nino überzeugte mich nicht mehr so wie früher. Er sprach, ich weiß nicht, provokativ und verschwommen zugleich, als könnte ausgerechnet er, der so sehr für Weitsicht plädierte, lediglich die tagtäglichen Manöver und Gegenmanöver einer Führung im Auge behalten, die mir und seinen Freunden von Grund auf faul zu sein schien. »Schluss jetzt«, beharrte er, »hören wir auf mit der kindischen Abneigung gegen die Macht. Man muss da präsent sein, wo alles beginnt und alles endet: in den Parteien, in den Banken, im Fernsehen.« Ich hörte ihm zu, aber wenn er sich an mich wandte, senkte ich den Blick. Ich verhehlte mir nicht mehr, dass seine Reden mich teils langweilten und mir teils eine Brüchigkeit zeigten, die ihn nach unten zog.

Einmal hielt er Dede einen seiner Vorträge, als sie für ihre Lehrerin irgendeine sonderbare Arbeit verfassen sollte. Um seinen Pragmatismus abzuschwächen, sagte ich:

»Dede, die Völker haben immer die Möglichkeit, alles über den Haufen zu werfen.«

»Die Mama«, antwortete er gutmütig, »denkt sich gern Geschichten aus, was eine sehr schöne Arbeit ist. Aber sie weiß wenig darüber, wie die Welt, in der wir leben, funktioniert, und so greift sie jedes Mal, wenn ihr was nicht gefällt, zu einem kleinen Zauberwort: Werfen wir doch alles über den Haufen. Sag deiner Lehrerin, dass man dafür sorgen muss, dass die bestehende Welt funktioniert.«

»Und wie?«, fragte ich.

»Mit Gesetzen.«

»Aber du hast doch gesagt, die Richter müssen kontrolliert werden.«

Unzufrieden mit mir, schüttelte er den Kopf, genauso wie es früher Pietro getan hatte.

»Geh und schreib dein Buch«, sagte er, »sonst beschwerst du dich nachher, dass du unseretwegen nicht zum Arbeiten kommst.«

Er gab Dede eine kleine Lektion über die Gewaltenteilung, die ich schweigend mitanhörte und der ich von A bis Z zustimmte.

72

Wenn Nino da war, inszenierte er zusammen mit Dede und Elsa ein ironisches Ritual. Sie zogen mich in das kleine Zimmer, in dem mein Schreibtisch stand, trugen mir ausdrücklich auf, mich an die Arbeit zu setzen, schlossen die Tür hinter sich und schrien mich im Chor an, wenn ich es wagte, sie wieder zu öffnen.

Für gewöhnlich war er, wenn er Zeit hatte, viel für die Mädchen da. Für Dede, die seiner Einschätzung nach sehr intelligent, aber zu streng war, und für Elsa, die ihn mit ihrer falschen Fügsamkeit amüsierte, hinter der sich Arglist und Durchtriebenheit verbargen. Was ich mir gewünscht hatte, trat allerdings nie ein: Er entwickelte keine Bindung zu der kleinen Imma. Er spielte mit ihr, das ja, und manchmal schien ihm das auch wirklich Spaß zu machen. Zum Beispiel bellte er sie gemeinsam mit Dede und Elsa an, um sie dazu zu bringen, das Wort *Wauwau* zu sagen. Ich hörte die drei durch die ganze Wohnung heulen, während ich vergeblich versuchte, ein paar Gedanken zu Papier zu bringen, und wenn Imma aus purem Zufall aus der Tiefe ihrer Kehle einen undeutlichen Laut holte, der Ähnlichkeit mit einem *Wau* hatte, schrien Nino und die Mädchen einstimmig: »Sie hat's gesagt, bravo, bravo, Wau!« Aber mehr auch nicht. Eigentlich benutzte er die Kleine als Puppe, um Dede und Elsa zu unterhalten. Die immer seltener werdenden Male, da er einen Sonntag mit uns verbrachte und das Wetter schön war, ging er mit den beiden und mit Imma zur Villa Floridiana, wo er sie auf den Parkwegen ermunterte, den Kinderwagen ihrer Schwester zu schieben. Wenn sie nach Hause kamen, waren sie alle vier zufrieden. Doch mir genügten wenige Worte, um zu ahnen, dass Nino Dede und Elsa allein gelassen hatte, die beide die Mutter von Imma spielten, und dass er ein Gespräch mit den echten Müttern vom Vomero angeknüpft hatte, die ihre Kinder an die frische Luft und in die Sonne brachten.

Mit der Zeit hatte ich mich zunehmend an seinen irrationalen Verführungsdrang gewöhnt, ich betrachtete ihn als eine Art Tick. Vor allem hatte ich mich daran gewöhnt, dass Nino bei Frauen sofort gut ankam. Aber irgendwann wurde mir auch das suspekt. Mir stach nun ins Auge, dass die Zahl seiner Freundinnen beeindruckend war und dass sie alle in seiner Nähe geradezu leuchteten. Ich kannte dieses Leuchten gut, es überraschte mich nicht. Bei Nino zu sein, gab einem das Gefühl, sichtbar zu sein, vor allem für sich selbst, und das machte einen froh. Es war also normal, dass alle diese Mädchen, aber auch reife Frauen, ihn lieb gewannen, und wenn ich sexuelles Verlangen auch nicht ausschloss, hielt ich es doch nicht für den entscheidenden Grund. Perplex stand ich vor dem Satz, den Lila einige Zeit zuvor gesagt hatte: *Aber auch dein Freund ist er meiner Meinung nach nicht*, und ich versuchte, ihn so selten wie möglich in die Frage zu verwandeln: *Sind diese Frauen seine Geliebten?* Nicht die Vermutung, dass er mich betrog, quälte mich, sondern etwas anderes. Ich erkannte, dass Nino bei diesen Frauen den mütterlichen Impuls verstärkte, im Rahmen des Möglichen alles zu tun, was ihm nützlich sein konnte.

Kurz nach Immas Geburt begannen die Dinge für ihn immer besser zu laufen. Wenn er kam, erzählte er mir stolz von seinen Erfolgen, und ich musste schon bald zur Kenntnis nehmen, dass ebenso wie es dank der Familie seiner Frau mit seiner Karriere steil bergauf gegangen war, auch jetzt hinter jeder neuen Aufgabe, die ihm übertragen wurde, die Vermittlung durch eine Frau stand. Eine hatte ihm eine kleine, vierzehntägig erscheinende Kolumne im *Mattino* besorgt. Eine hatte ihn als Eröffnungsredner für eine wichtige Tagung in Ferrara empfohlen. Eine hatte ihn im Redaktionsausschuss einer Turiner Zeitschrift untergebracht. Eine andere – aus Philadelphia und mit einem in Neapel stationierten NATO-Offizier verheiratet – hatte kürzlich seinen Namen ins Spiel gebracht, damit er als Berater einer amerikanischen Stiftung geführt wurde. Die Liste der Gefälligkeiten wurde ständig länger. Hatte ich selbst ihm denn nicht auch geholfen, ein Buch in einem bedeutenden Verlag zu veröffentlichen? Und versuchte ich nicht gerade, die Veröffentlichung eines weiteren für ihn zu erwirken? Und hatte, wenn man es recht bedachte, am Anfang seines Ansehens als Gymnasialschüler nicht Professoressa Galiani gestanden?

Ich begann ihn zu beobachten, während er mit seiner Verführungsarbeit zugange war. Er lud häufig junge und weniger junge Frauen, allein oder mit ihren jeweiligen Ehemännern oder Partnern zum Abendessen zu mir ein. Bei diesen Anlässen sah ich mit einiger Unruhe, wie er es verstand, ihnen Geltung zu verschaffen: Die Gäste männlichen Geschlechts ignorierte er fast völlig, er rückte die Frauen in den Mittelpunkt der Aufmerksamkeit, und manchmal hob er eine besonders heraus. Viele Abende hörte ich Gespräche mit an, die er, obwohl sie in Gegenwart anderer Personen stattfanden, so vertraulich führte, als wäre er allein mit der einzigen Frau, die ihn in diesem Moment zu interessieren schien. Er redete nicht in Anspielungen, sagte nichts Kompromittierendes, stellte lediglich Fragen.

»Und was geschah dann?«

»Ich bin von zu Hause weggegangen. Ich habe Lecce mit achtzehn verlassen, und in Neapel ist es nicht leicht gewesen.«

»Wo hast du gewohnt?«

»In einer Bruchbude in Tribunali, zusammen mit noch zwei Mädchen. Es gab nicht einen ruhigen Winkel, in dem ich hätte lernen können.«

»Und die Männer?«

»Was denn für Männer.«

»Es wird doch einen gegeben haben.«

»Einen hat es gegeben, und zu meinem Unglück ist er jetzt hier, ich habe ihn geheiratet.«

Obwohl die Frau ihren Mann ins Spiel gebracht hatte, wie um ihn in das Gespräch einzubeziehen, ignorierte er ihn und redete mit seiner warmen Stimme weiter mit ihr. Ninos Neugier auf die Frauenwelt war echt. Aber er ähnelte – das wusste ich inzwischen nur zu gut – keineswegs den Männern, die in diesen Jahren zeigten, dass sie zumindest einige ihrer Privilegien abgetreten hatten. Ich dachte nicht nur an Professoren, Architekten, Künstler, die bei uns verkehrten und so etwas wie eine Verweiblichung des Verhaltens, der Gefühle und der Meinungen offenbarten, sondern auch an Carmens Mann Roberto, der äußerst hilfsbereit war, und an Enzo, der für Lilas Bedürfnisse, ohne zu zögern, seine ganze Zeit geopfert hätte. Nino begeisterte sich ehrlich für die Selbstsuche der Frauen. Es gab kein Abendessen, bei dem er nicht wiederholte, mit ihnen *gemeinsam* zu denken, sei heute die einzige Möglichkeit wahren Denkens. Doch er hielt sorgsamst an seinen Freiräumen und an seinen unzähligen Aktivitäten fest, setzte stets und ausschließlich sich selbst an die erste Stelle und gab nicht einen Augenblick seiner Zeit ab.

Einmal versuchte ich, ihn mit zärtlicher Ironie vor allen als Lügner bloßzustellen:

»Glaubt ihm kein Wort. Am Anfang hat er mir beim Abräumen geholfen und das Geschirr gespült. Heute hebt er nicht mal seine Socken vom Fußboden auf.«

»Das ist nicht wahr«, begehrte er auf.

»Doch, genauso ist es. Er will die Frauen der anderen befreien, aber nicht seine eigene.«

»Na ja, deine Befreiung muss ja nicht zwangsläufig bedeuten, dass ich meine Freiheit verliere.«

Auch an solchen im Spaß geäußerten Sätzen erkannte ich mit Unbehagen schnell die Wiederholung meiner Konflikte mit Pietro wieder. Warum hatte ich mich so sehr über meinen Exmann aufgeregt, während ich es bei Nino sein ließ? Ich dachte: ›Vielleicht kann jede Beziehung zu einem Mann immer nur dieselben Widersprüche reproduzieren und in manchen Kreisen sogar dieselben zufriedenen Antworten.‹ Doch dann sagte ich mir: ›Ich darf nicht übertreiben, immerhin gibt es Unterschiede, mit Nino läuft es bestimmt besser.‹

Aber war das wirklich so? Davon war ich immer weniger überzeugt. Ich erinnerte mich, wie er mich gegen Pietro in Schutz genommen hatte, als er in Florenz bei uns zu Gast gewesen war, ich dachte mit Vergnügen daran zurück, wie sehr er mich zum Schreiben ermutigt hatte. Und jetzt? Jetzt, da es dringend nötig war, dass ich mich ernsthaft an die Arbeit setzte, schien er nicht mehr in der Lage zu sein, mir wie früher Vertrauen einzuflößen. Die Dinge hatten sich im Lauf der Jahre geändert. Nino hatte selbst stets Dringendes zu erledigen und konnte sich mir beim besten Willen nicht widmen. Um mich zu besänftigen, hatte er mir über seine Mutter rasch eine gewisse Silvana besorgt, eine stämmige Frau um die fünfzig, drei Kinder, mit stets fröhlichem Gesicht, sehr emsig und versiert im Umgang mit meinen drei Mädchen. Großzügig war er darüber hinweggegangen, wie viel er ihr zahlte, und nach einer Woche hatte er mich gefragt: »Alles in Ordnung, klappt es?« Doch es war klar, dass er diese Ausgabe als die Erlaubnis betrachtete, sich nicht um mich zu kümmern. Gewiss, er war aufmerksam, erkundigte sich regelmäßig: »Schreibst du was?« Aber das war's auch schon. Meine schriftstellerischen Bemühungen hatten, anders als zu Beginn unserer Beziehung, keine zentrale Bedeutung mehr. Und nicht nur das. Auch ich gestand ihm, einigermaßen verlegen, nicht mehr die frühere Autorität zu. Ich stellte nämlich fest, dass der Teil von mir, der einräumte, sich wenig oder gar nicht auf Nino verlassen zu können, schließlich auch nicht mehr die flammende Aureole rings um jedes seiner Worte wahrnahm, die ich seit meiner Kindheit dort gesehen hatte. Ich gab ihm eine noch unfertige Notiz zu lesen, und er rief: »Ausgezeichnet.« Ich skizzierte ihm die Geschichte und die Figuren, die ich gerade entwickelte, und er darauf: »Schön, sehr intelligent.« Doch das überzeugte mich nicht, ich glaubte ihm nicht, er äußerte über die Arbeit zu vieler Frauen begeisterte Urteile. Nach einem gemeinsamen Abend mit anderen Paaren war sein Kommentar fast immer: »Was für ein langweiliger Mann, sie ist sicherlich besser als er.« Alle seine Freundinnen wurden, eben weil sie seine Freundinnen waren, stets für außergewöhnlich gehalten. Und sein Urteil über Frauen im Allgemeinen war grundsätzlich wohlwollend. Nino schaffte es sogar, die sadistische Dumpfheit von Postbeamtinnen und die ungebildete Kleinkariertheit von Dedes und Elsas Lehrerinnen zu rechtfertigen. Kurz, ich fühlte mich nicht mehr einzigartig, ich war ein für alle Frauen geltendes Muster. Doch wenn ich nicht einzigartig für ihn war, was konnte mir dann sein Urteil nützen, wie konnte ich Kraft daraus ziehen, um gut zu arbeiten?

Aufgebracht über die Komplimente, die er eines Abends in meinem Beisein einer mit ihm befreundeten Biologin gemacht hatte, fragte ich ihn:

»Kann es sein, dass es nicht eine dumme Frau gibt?«

»Das habe ich nicht gesagt. Ich habe gesagt, dass ihr grundsätzlich besser seid als wir.«

»Ich bin besser als du?«

»Absolut, ja, das weiß ich schon lange.«

»Na gut, ich glaube dir, aber bist du wenigstens einmal in deinem Leben einem Miststück begegnet?«

»Ja.«

»Und wie heißt sie?«

Ich wusste bereits, was er antworten würde, und trotzdem ließ ich nicht locker, ich hoffte, er würde Eleonora sagen. Ich wartete, er wurde sehr ernst:

»Das kann ich dir nicht sagen.«

»Sag's mir.«

»Wenn ich das tue, regst du dich auf.«

»Ich rege mich nicht auf.«

»Lina.«

73

Wenn ich ihm in der Vergangenheit seine regelmäßig wiederkehrende Feindseligkeit gegenüber Lila noch einigermaßen geglaubt hatte, überzeugte sie mich nun immer weniger, auch weil sie nicht selten in Situationen zutage trat, in denen er, wie einige Abende zuvor, völlig andere

Gefühle zeigte. Er hatte versucht, einen Aufsatz über die Arbeit und die Vollautomatisierung bei FIAT abzuschließen, und ich hatte bemerkt, dass ihm das schwerfiel (*was genau ist ein Mikroprozessor, was ist ein Chip, wie funktioniert dieser Kram in der Praxis*). Ich hatte ihm geraten: »Rede mit Enzo Scanno, der kennt sich da aus.« Er hatte zerstreut gefragt: »Wer ist Enzo Scanno.« »Lilas Mann.« Er hatte mit einem schwachen Lächeln geantwortet: »Dann spreche ich doch lieber mit Lina, die weiß garantiert mehr.« Und als wäre es ihm nun wieder eingefallen, hatte er mit einer Spur von Ärger hinzugefügt: »Scanno, war das nicht der vertrottelte Sohn der Gemüsehändlerin?«

Dieser Ton hatte sich mir eingeprägt. Enzo war der Gründer eines kleinen, innovativen Unternehmens, ein Wunder, wenn man bedachte, dass sich dessen Sitz mitten im alten Rione befand. Nino hätte – gerade als gebildeter Mann – Interesse und Bewunderung für ihn zeigen müssen. Stattdessen hatte er ihn mit diesem Imperfekt – *war* – in die Zeit der Grundschule zurückgeschickt, in die Zeit, als Enzo seiner Mutter im Laden geholfen hatte oder mit seinem Vater auf dem Pferdekarren herumgezogen war, keine Zeit zum Lernen gehabt hatte und nicht hatte glänzen können. Er hatte Enzo ärgerlich alle Verdienste abgesprochen und diese ausschließlich Lila zugebilligt. So erkannte ich, dass, wenn ich ihn genötigt hätte, in sich hineinzuhorchen, sich ergeben hätte, dass das größte Beispiel weiblicher Intelligenz – und vielleicht auch sein eigener Kult dieser Intelligenz und sogar seine Reden, die die Vergeudung der intellektuellen Fähigkeiten der Frauen an die Spitze aller Vergeudungen stellten – mit Lila zu tun hatte und dass, während die Zeit unserer Liebe sich bereits verdüsterte, die Zeit auf Ischia für ihn stets strahlend hell bleiben würde. ›Der Mann, für den ich Pietro verlassen habe‹, dachte ich, ›ist das, was er ist, weil die Begegnung mit Lila ihn dazu gemacht hat.‹

74

Dieser Gedanke kam mir an einem eisigen Herbstmorgen, als ich Dede und Elsa zur Schule brachte. Ich fuhr unkonzentriert, der Gedanke setzte sich fest. Ich unterschied zwischen der Liebe zu dem kleinen Jungen aus dem Rione, zu dem Gymnasialschüler – einem Gefühl, das *meines* war, dessen Objekt *mein* Hirngespinst war und das ich *vor* Ischia gehegt hatte –, und der überwältigenden Leidenschaft für den jungen Mann in der Mailänder Buchhandlung, für den Menschen, der bei mir zu Hause in Florenz aufgetaucht war. Ich hatte stets eine Verbindung zwischen diesen beiden emotionalen Blöcken hergestellt, aber an diesem Morgen schien es mir diese Verbindung nicht zu geben, schien Kontinuität eine Täuschung des Verstandes zu sein. ›Dazwischen‹, dachte ich, ›hat es einen Bruch gegeben, seine Liebe zu Lila, einen Bruch, der Nino für immer aus meinem Leben hätte streichen müssen, den ich aber nicht wahrhaben wollte.‹ An wen hatte ich mich da gebunden, und wen liebte ich noch heute?

Für gewöhnlich brachte Silvana die Mädchen zur Schule. Ich kümmerte mich, während Nino noch schlief, um Imma. Doch diesmal hatte ich es so eingerichtet, dass ich den ganzen Vormittag außer Haus sein würde, ich wollte sehen, ob ich in der Nationalbibliothek ein altes Buch von

Roberto Bracco finden könnte, *Nel mondo della donna*. Doch vorerst rückte ich mit diesen Gedanken im Kopf im morgendlichen Autoverkehr langsam voran. Ich lenkte, antwortete auf die Fragen der Mädchen, kehrte zu einem aus zwei Teilen bestehenden Nino zurück, einem, der mir gehörte, und einem, der mir fremd war. Als ich Dede und Elsa mit vielen Ratschlägen an ihrer jeweiligen Schule absetzte, war aus dem Gedanken ein Bild geworden und hatte sich, wie es in dieser Zeit häufig geschah, in den Kern einer möglichen Erzählung verwandelt. ›Es könnte‹, überlegte ich, während ich zur Uferstraße hinunterfuhr, ›ein Roman sein, in dem eine Frau den Mann heiratet, in den sie seit Kindertagen verliebt ist, doch in der Hochzeitsnacht bemerkt, dass ihr zwar ein Teil seines Körpers gehört, der andere Teil physisch aber von einer Kindheitsfreundin bewohnt wird.‹ Das Ganze wurde plötzlich von einer Art häuslicher Alarmglocke übertönt: Ich hatte vergessen, für Imma Windeln zu kaufen.

Es kam oft vor, dass der Alltag hereinbrach wie eine Ohrfeige und jede verworrene Phantasiegeschichte belanglos, wenn nicht gar lächerlich erscheinen ließ. Ich fuhr rechts ran, verärgert über mich selbst. Ich war so übermüdet, dass ich mir zwar genauestens notierte, was dringend besorgt werden musste, am Ende aber den Einkaufszettel vergaß. Ich schnaufte, nie schaffte ich es, alles so zu organisieren, wie es hätte sein müssen. Nino hatte einen wichtigen beruflichen Termin, war vielleicht schon außer Haus, und auf ihn zu zählen, war sowieso zwecklos. Silvana konnte ich nicht zur Apotheke schicken, sie hätte die Kleine allein lassen müssen. Folglich waren keine Windeln da, Imma konnte nicht trockengelegt werden, und sie war schon seit Tagen wund. Ich fuhr zurück in die Via Tasso. Ging schnell zur Apotheke, kaufte Windeln und kam atemlos zu Hause an. Ich hatte damit gerechnet, Imma schon auf dem Treppenabsatz schreien zu hören, stattdessen kam ich, nachdem ich die Tür aufgeschlossen hatte, in eine lautlose Wohnung.

Ich entdeckte die Kleine im Wohnzimmer, sie saß im Laufställchen, ohne Windel, und spielte mit einer Puppe. Ich schlich mich vorbei, ohne mich blicken zu lassen, sie hätte sonst losgeschrien, um hochgenommen zu werden, ich wollte aber Silvana nur schnell das Päckchen geben und mich wieder auf den Weg zur Bibliothek machen. Da ich ein Rascheln aus dem großen Badezimmer hörte (wir hatten ein kleines Bad, das meistens Nino benutzte, und eines für mich und die Mädchen), dachte ich, dass Silvana dort aufräumte. Ich ging hin, die Tür war angelehnt, ich stieß sie leicht auf. Zunächst sah ich im hellen Fenster des langen Spiegels Silvanas vorgeneigten Kopf, mir stach die Linie ihres Mittelscheitels ins Auge, dazu die zwei schwarzen Haarsträhnen, die mit vielen weißen Fäden durchzogen waren. Dann bemerkte ich Ninos geschlossene Augen, seinen aufgerissenen Mund. Und schließlich fügten sich blitzschnell das Spiegelbild und die wirklichen Körper zusammen. Nino war im Unterhemd und ansonsten nackt, die langen, dünnen Beine hatte er gespreizt, er war barfuß. Silvana, vornübergebeugt und sich mit beiden Händen am Waschbecken abstützend, trug einen großen Slip, der ihr in den Kniekehlen hing, und einen dunklen Kittel, der bis zur Taille hochgeschoben war. Während er ihr Geschlecht rieb und dabei mit dem Arm ihren schweren Bauch bändigte, knetete er ihren riesigen Busen, der aus Kittel und BH quoll, und stieß zugleich mit seinem flachen Bauch gegen ihren breiten, schneeweißen Hintern.

Ich zog die Tür genau in dem Moment kräftig zu mir heran, als Nino die Augen aufriss und Silvana ruckartig den Kopf hob und mir einen entsetzten Blick zuwarf. Ich rannte zu Imma, nahm sie aus dem Laufställchen, und als Nino rief: »Elena, warte«, war ich schon aus der Wohnung, hielt mich nicht erst mit dem Fahrstuhl auf, sondern rannte mit dem Kind auf dem Arm die Treppen hinunter.

75

Ich flüchtete ins Auto, ließ den Motor an und fuhr mit Imma auf dem Schoß los. Die Kleine war glücklich, wollte auf die Hupe drücken, wie Elsa es ihr gezeigt hatte, plapperte in ihrem Kauderwelsch und stieß zwischendurch Freudenquiekser aus, weil ich bei ihr war. Ich fuhr ziellos herum, wollte nur so weit wie möglich weg von der Wohnung. Schließlich fand ich mich vor Sant'Elmo wieder. Ich hielt an, stellte den Motor ab und merkte, dass ich keine Tränen hatte, dass ich nicht litt, dass ich nur starr vor Entsetzen war.

Ich konnte es nicht fassen. War es möglich, dass dieser Nino, den ich dabei erwischt hatte, wie er sein steifes Glied in die Scham einer reifen Frau stieß – einer Frau, die meine Wohnung aufräumte, für mich einkaufen ging, kochte, sich um meine Töchter kümmerte, einer Frau, die vom Überlebenskampf gezeichnet war, dick, unförmig und denkbar weit entfernt von den hochgebildeten, eleganten Damen, die er mit zu mir nach Hause brachte –, dass dieser Nino der Junge aus meiner Jugend war? Die ganze Zeit über, die ich blindlings herumgefahren war, vielleicht sogar ohne das Gewicht der halbnackten Imma zu spüren, die vergeblich auf die Hupe schlug und mich fröhlich rief, war es mir nicht gelungen, ihm eine feste Identität zu geben. Ich hatte mich gefühlt, als hätte ich zu Hause, in meinem Badezimmer, einen Außerirdischen entdeckt, der plötzlich ohne Deckung war und sich für gewöhnlich hinter der Maske des Vaters meiner dritten Tochter versteckte. Der Fremde sah aus wie Nino, war es aber nicht. War er der andere, der nach Ischia entstandene? Aber welcher? Der, der Silvia geschwängert hatte? Der Geliebte Mariarosas? Der Mann Eleonoras, untreu und doch engstens mit ihr verbunden? Der verheiratete Mann, der zu mir, einer verheirateten Frau, gesagt hatte, er liebe mich, er wolle mich um jeden Preis?

Ich hatte während des ganzen Weges, der mich auf den Vomero gebracht hatte, versucht, mich an den Nino aus dem Rione und vom Gymnasium zu klammern, an den zärtlichen, den liebevollen Nino, um mich dem Abscheu zu entziehen. Erst als ich vor Sant'Elmo hielt, fiel mir das Badezimmer wieder ein und der Moment, in dem er die Augen geöffnet und im Spiegel mich, reglos auf der Schwelle, gesehen hatte. Da wurde mir alles klarer. Es gab keine Trennung zwischen dem Mann, der nach Lila kam, und dem Jungen – vor Lila –, in den ich seit meiner Kindheit verliebt war. Nino war nur einer, und das bewies sein Gesichtsausdruck, als er in Silvana war. Es war der Gleiche, den sein Vater Donato gehabt hatte, nicht als er mich am Maronti-Strand entjungfert hatte, sondern als er mir unter der Bettdecke in Nellas Küche zwischen die Beine gefasst hatte.

Nichts Fremdes also, dafür aber viel Schmieriges. Nino

war das, was er nicht hatte sein wollen, aber trotzdem immer gewesen war. Als er rhythmisch gegen Silvanas Hintern schlug und sich zugleich freundlich darum kümmerte, ihr Lust zu verschaffen, log er nicht, genauso wie er nicht log, wenn er mich kränkte und es gleichzeitig bereute, sich entschuldigte, mich anflehte, ihm zu verzeihen, schwor, mich zu lieben. *Er ist eben so*, sagte ich mir. Aber das tröstete mich nicht. Ich spürte im Gegenteil, dass mein Entsetzen, anstatt nachzulassen, durch diese Feststellung noch bekräftigt wurde. Dann breitete sich eine nasse Wärme bis zu meinen Knien aus. Ich fuhr auf. Imma war nackt, sie hatte mich angepinkelt.

76

Obwohl es kalt war und die Gefahr bestand, dass Imma krank wurde, war es undenkbar für mich, nach Hause zurückzukehren. Ich hüllte sie wie zum Spaß in meinen Mantel, kaufte eine neue Packung Windeln und legte ihr eine an, nachdem ich die Kleine mit Reinigungstüchern gesäubert hatte. Jetzt musste ich entscheiden, wie es weitergehen sollte. Dede und Elsa würden bald aus der Schule kommen, schlechtgelaunt und sehr hungrig, auch Imma hatte bereits Hunger. Ich zitterte vor Kälte in den nassen Jeans und ohne Mantel, meine Nerven lagen blank. Ich suchte ein Telefon, rief Lila an, fragte:

»Kann ich mit meinen Mädchen zum Mittagessen zu dir kommen?«

»Natürlich.«

»Stören wir Enzo auch nicht?«

»Du weißt doch, dass er sich freut.«

Ich hörte Tinas fröhliches Stimmchen, Lila sagte zu ihr: »Sei still.« Dann fragte sie mich mit einer für sie untypischen Vorsicht:

»Stimmt was nicht?«

»Ja.«

»Was ist passiert?«

»Was du vorhergesehen hast.«

»Hast du dich mit Nino gestritten?«

»Das erzähle ich dir nachher, jetzt muss ich los.«

Ich war zu früh an der Schule. Imma hatte inzwischen jedes Interesse an mir, am Lenkrad, an der Hupe verloren und war ungeduldig geworden, sie schrie. Ich zwang sie wieder in den Mantel hinein und ging mit ihr Kekse kaufen. Ich glaubte, mich ruhig zu benehmen – innerlich fühlte ich mich ruhig; noch immer überwog nicht Wut, sondern Abscheu, ein Ekel, der nicht anders gewesen wäre, wenn ich zwei sich paarende Eidechsen gesehen hätte –, aber ich merkte, dass die Passanten mich neugierig oder alarmiert ansahen, während ich mit meinen nassen Hosen durch die Straße hastete und laut auf die in den Mantel gezwängte Kleine einredete, die sich wand und weinte.

Beim ersten Keks beruhigte sich Imma, aber ihre Ruhe setzte meine Angst frei. Nino hatte seinen Termin bestimmt verschoben, wahrscheinlich suchte er mich, ich lief Gefahr, an der Schule auf ihn zu treffen. Da Elsa vor Dede Schluss hatte, die in die zweite Klasse der Mittelschule ging, stellte ich mich in eine Ecke, von der aus ich den Eingang der Grundschule im Blick hatte, ohne gesehen zu werden. Mir klapperten vor Kälte die Zähne und Imma beschmierte mir den Mantel mit vollgesabberten Keksstückchen. Nervös überwachte ich die Umgebung, aber Nino ließ sich nicht blicken. Auch am Eingang zur Mittelschule tauchte er nicht auf, aus dem in einer Flut von Rempeleien, Schreien und Beschimpfungen im Dialekt schon bald Dede kam.

Die Mädchen beachteten mich kaum, fanden es aber sehr interessant, dass ich sie neuerdings zusammen mit Imma abholte.

»Warum hast du sie in den Mantel gesteckt?«, erkundigte sich Dede.

»Weil sie friert.«

»Hast du gesehen, sie schmiert ihn ganz voll.«

»Ist nicht so schlimm.«

»Als ich ihn mal dreckig gemacht habe, hast du mir eine geklebt«, beschwerte sich Elsa.

»Das stimmt doch gar nicht.«

»Na klar!«

Forschend fragte Dede:

»Wieso hat sie denn nur ein Hemdchen und eine Windel an?«

»Ist schon in Ordnung.«

»Ist was passiert?«

»Nein. Wir gehen jetzt zu Tante Lina mittagessen.«

Sie nahmen diese Nachricht mit der üblichen Begeisterung auf, dann setzten sie sich ins Auto, und während die Kleine in ihrer unverständlichen Sprache mit ihren Schwestern plapperte, überglücklich, im Mittelpunkt ihrer Aufmerksamkeit zu stehen, begannen die beiden sich darum zu streiten, wer Imma auf dem Arm halten durfte. Ich befahl ihnen, sie gemeinsam zu nehmen, ohne sie hin und her zu zerren. »Sie ist doch nicht aus Gummi!«, schrie ich. Elsa war mit dieser Lösung nicht einverstanden und sagte im Dialekt einen Kraftausdruck zu Dede. Ich versuchte ihr eine Ohrfeige zu geben, fragte betont laut, wobei ich sie im Rückspiegel ansah: »Was habe ich gesagt, na los, was habe ich gesagt?« Sie weinte nicht, überließ Imma endgültig ihrer großen Schwester und murrte, sich um die Kleine zu kümmern, finde sie langweilig. Und als Imma zum Spielen die Hände nach ihr ausstreckte, stieß sie sie grob zurück. Sie kreischte, mir den letzten Nerv raubend: »Imma, lass das, du nervst, du machst mich ganz dreckig!« Und zu mir: »Mama, sag ihr, dass sie aufhören soll!« Ich stieß einen Schrei aus, der alle drei erschreckte: »Ich halte das nicht mehr aus!« Wir durchquerten die Stadt in großer Anspannung, unterbrochen nur durch das Geflüster von Dede und Elsa, die beratschlagten, um zu verstehen, ob in ihrem Leben gerade etwas geschah, was nicht wiedergutzumachen war.

Auch dieses konspirative Gespräch ertrug ich nicht. Ich ertrug überhaupt nichts mehr: ihr kindliches Alter, meine Mutterrolle, Immas Lallen. Außerdem stand die Anwesenheit meiner Töchter im Auto im krassen Gegensatz zu den Bildern des Geschlechtsverkehrs, die ich ständig vor Augen hatte, zu dem Geruch nach Sex, den ich noch in der Nase hatte, zu meinem Zorn, der sich nun zusammen mit dem vulgärsten Dialekt Bahn zu brechen begann. Nino hatte das Dienstmädchen gevögelt, war dann zu seinem Termin gegangen, und ich und auch seine Tochter waren ihm scheißegal. Was für ein Arschloch, immer machte ich alles falsch. War er wie sein Vater? Nein, zu einfach. Nino war sehr intelligent, Nino war außergewöhnlich gebildet. Sein Drang zum Vögeln hatte nichts von einer derben, naiven Protzerei mit seiner Manneskraft auf der Grundlage teils faschistischer, teils süditalienischer Klischees. Was er mir angetan hatte, was er mir noch immer antat, war durch den Filter eines verfeinerten Bewusstseins gegangen. Er konnte sehr wohl differenziert denken, er wusste, dass er mich auf diese Weise bis zur Zerstörung verletzen würde. Aber er hatte es trotzdem getan. Er hatte sich gedacht: ›Ich werde doch nicht auf meinen Spaß verzichten, bloß weil diese Kuh mir auf den Sack gehen könnte.‹ Ja so, genau so. Und meine mögliche Reaktion hielt er garantiert für spießig – dieses Adjektiv war in unseren Kreisen noch ziemlich verbreitet. Die spießige Spießerin. Ich wusste sogar, auf welchen Vers er zurückgreifen würde, um sich elegant herauszureden: Was ist denn schon dabei, das Fleisch ist schwach, und alle Bücher las ich. Auf genau diese Worte, der dreckige Hurensohn. Die Wut hatte mein Entsetzen verdrängt. Ich schrie Imma an – *sogar Imma* –, sie solle still sein. Als ich zu Lilas Haus kam, hasste ich Nino bereits, wie ich bis dahin noch niemanden gehasst hatte.

77

Lila hatte gekocht. Sie wusste, dass Dede und Elsa Orecchiette al pomodoro liebten, und kündigte sie ihnen mit einer lärmend inszenierten Begeisterung an. Und nicht nur das. Sie nahm mir Imma aus den Armen und kümmerte sich um sie und Tina, als hätte sich ihre Tochter plötzlich verdoppelt. Sie wechselte beiden die Windeln, wusch sie, zog ihnen die gleichen Sachen an, liebkoste sie mit einer außergewöhnlichen Demonstration mütterlicher Fürsorge. Da die Kleinen sich sofort erkannt hatten und zusammen spielten, setzte sie sie zum Krabbeln auf eine alte Decke. Wie unterschiedlich sie waren. Neidisch verglich ich Ninos und meine Tochter mit der von Lila und Enzo. Tina schien mir hübscher und gesünder als Imma zu sein, sie war die süße Frucht einer haltbaren Beziehung.

Unterdessen war Enzo von der Arbeit gekommen, herzlich und wortkarg wie immer. Bei Tisch fragten weder er noch Lila, warum ich keinen Bissen anrührte. Nur Dede schaltete sich ein, als wollte sie mich vor ihren schlechten Gedanken und vor denen der anderen bewahren. Sie sagte: »Meine Mama isst immer wenig, weil sie nicht dick werden will, und ich mache das auch so.« Ich rief drohend: »Du musst deinen Teller bis zur letzten Orecchietta leer essen!« Vielleicht um meine Töchter vor mir zu beschützen, startete Enzo einen komischen Wettbewerb darin, wer am meisten aß und als Erster fertig war. Außerdem antwortete er freundlich auf Dedes viele Fragen nach Rino – meine Tochter hatte gehofft, ihn wenigstens zum Essen zu sehen – und erklärte, dass Gennaro angefangen habe in einer Werkstatt zu arbeiten und den ganzen Tag außer Haus sei. Nach dem Essen nahm er die zwei Schwestern unter dem Siegel der Verschwiegenheit mit in Gennaros Zimmer, um ihnen alle Schätze zu zeigen, die es dort gab. Wenige Minuten später brach eine wütende Musik los, und sie kamen nicht zurück.

Ich blieb mit Lila allein, erzählte ihr teils sarkastisch, teils traurig alle Einzelheiten. Sie hörte zu, ohne mich zu unterbrechen. Ich bemerkte, dass mir die Sexszene zwischen der wuchtigen Frau und dem schmalen Nino umso lächerlicher vorkam, je mehr ich das, was mir passiert war, in Worte fasste. »Er ist aufgewacht«, entfuhr es mir irgendwann im Dialekt, »ist im Bad auf Silvana gestoßen, und noch bevor er pinkeln war, hat er ihr den Kittel hochgeschoben und ihn ihr reingesteckt.« Dann brach ich in ein vulgäres Lachen aus, und Lila sah mich mit Unbehagen an. Solche Töne schlug eigentlich sie an, von mir hatte sie die nicht erwartet. »Du musst dich beruhigen«, sagte sie, und da Imma im Nebenzimmer weinte, gingen wir nachschauen.

Meine Tochter, blond und rotgesichtig, weinte mit weit offenem Mund dicke Tränen und streckte mir, sobald sie mich sah, die Arme entgegen, um hochgenommen zu werden. Tina, schwarzhaarig und blass, starrte sie verwirrt an, und als ihre Mutter auftauchte, rührte sie sich nicht, sie rief sie, wie um Hilfe zum Verstehen zu erhalten, sagte deutlich *Mama*. Lila nahm beide Mädchen hoch, jede auf einen Arm, küsste meiner Kleinen die Tränen weg, redete mit ihr, beruhigte sie.

Ich war perplex. Dachte: ›Tina sagt schon klar und deutlich Mama, Imma macht das noch nicht, dabei ist sie fast einen Monat älter.‹ Ich kam mir vor wie ein Verlierer, war niedergeschlagen. 1981 neigte sich dem Ende zu. Ich würde Silvana rauswerfen. Wusste nichts zu schreiben, die Monate würden wie im Flug vergehen, und ich würde mein Buch nicht abgeben, würde an Boden und als Autorin an Profil verlieren. Ich würde ohne Zukunft sein, abhängig von Pietros Geld, allein mit drei Kindern, ohne Nino. Nino verloren, Nino vorbei. Wieder meldete sich die Seite in mir, die ihn immer noch liebte, doch nicht so wie in Florenz, sondern eher so, wie ihn das kleine Grundschulmädchen geliebt hatte, wenn es ihn aus der Schule hatte kommen sehen. Konfus suchte ich nach einem Vorwand, um ihm trotz der Demütigung verzeihen zu können, ich ertrug es nicht, ihn aus meinem Leben zu verbannen. Wo steckte er? Konnte es sein, dass

er gar nicht versucht hatte, mich zu finden? Ich zählte
eins und eins zusammen, Enzo, der sich sofort um meine
zwei Mädchen gekümmert hatte, und Lila, die mir jede
Anstrengung abgenommen und mir zugehört hatte, solange ich reden wollte. Da begriff ich, dass sie schon Bescheid gewusst hatten, bevor ich zu ihnen in den Rione
gekommen war. Ich fragte:

»Hat Nino angerufen?«

»Ja.«

»Was hat er gesagt?«

»Dass er eine Dummheit gemacht hat, dass ich bei dir
bleiben soll, dass ich dir helfen soll zu verstehen, dass
man heute nun mal so lebt. Blablabla.«

»Und du?«

»Ich habe den Hörer aufgeknallt.«

»Aber wird er noch mal anrufen?«

»Natürlich, was denkst du denn.«

Ich war verzagt.

»Lila, ich kann ohne ihn nicht leben. Es hat nur so kurz
gedauert. Ich habe meine Ehe zerstört, bin mit den Mädchen hergezogen, habe noch ein Kind bekommen. Warum?«

»Weil du dich geirrt hast.«

Dieser Satz gefiel mir nicht, er klang wie das Echo einer alten Kränkung. Sie warf mir damit vor, dass ich mich
geirrt hatte, obwohl sie versucht hatte, mich vor diesem
Irrtum zu bewahren. Sie sagte mir damit, dass ich mich
hatte irren *wollen* und dass folglich *sie* sich geirrt hatte,
ich war nicht intelligent, ich war dumm. Ich sagte:

»Ich muss mit ihm sprechen, muss ihn zur Rede stellen.«

»Ist gut, aber lass die Kinder bei mir.«

»Das schaffst du nicht, sie sind zu viert.«

»Zu fünft, Gennaro ist auch noch da. Und er ist der Anstrengendste von allen.«

»Sage ich ja. Ich nehme sie mit.«

»Kommt nicht in Frage.«

Ich gab zu, dass ich ihre Hilfe brauchte, sagte:

»Ich lasse sie bis morgen bei dir, ich brauche Zeit, um die Dinge zu klären.«

»Wie klären?«

»Keine Ahnung.«

»Willst du mit Nino weitermachen?«

Ich merkte, dass sie dagegen war, und schrie fast schon:

»Was soll ich denn machen?«

»Das einzig Mögliche: ihn verlassen.«

Für sie war das die richtige Lösung, sie hatte immer gewollt, dass es so ausgeht, das hatte sie mir nie verhehlt. Ich sagte:

»Ich denk' drüber nach.«

»Nein, du wirst nicht drüber nachdenken. Du hast schon beschlossen, so zu tun, als ob nichts wäre, und irgendwie weiterzudümpeln.«

Ich vermied eine Antwort, Lila ließ nicht locker, sagte, ich dürfe mich nicht aufgeben, hätte eine andere Bestimmung, würde mich immer mehr verlieren, sollte ich so weitermachen. Ich spürte, dass sie schroff wurde, dass sie, um mich von meinem Vorhaben abzubringen, kurz davor war, mir etwas zu sagen, was ich seit langem wissen wollte und was sie mir seit langem verschwieg. Ich hatte Angst, doch hatte nicht ich selbst sie verschiedentlich gedrängt, die Dinge beim Namen zu nennen? Und war ich jetzt nicht auch deswegen zu ihr gelaufen, damit sie mir endlich reinen Wein einschenkte?

»Wenn du mir was zu sagen hast«, flüsterte ich, »dann sag es.«

Und sie entschloss sich dazu, suchte meinen Blick, ich senkte ihn. Sie sagte, Nino habe ihr oft nachgestellt. Sagte, er habe sie gebeten, zu ihm zurückzukommen, sowohl bevor er die Beziehung mit mir begonnen habe als auch währenddessen. Sagte, als sie beide meine Mutter ins Krankenhaus gebracht hätten, sei er besonders hartnäckig gewesen. Sagte, während die Ärzte meine Mutter untersucht hätten und sie beide im Wartesaal auf den Befund gewartet hätten, habe er ihr geschworen, dass er nur mit mir zusammen sei, um sich ihr näher zu fühlen.

»Sieh mich an«, sagte sie leise, »ich weiß, dass es gemein von mir ist, dir das zu erzählen, aber er ist noch viel gemeiner als ich. Er hat die gemeinste Eigenschaft überhaupt, er ist oberflächlich.«

78

Ich kehrte mit dem festen Entschluss in die Via Tasso zurück, jede Beziehung zu Nino abzubrechen. Die Wohnung war leer und tadellos aufgeräumt, ich setzte mich an die Balkontür. Das Leben in diesen Räumen war vorbei, in wenigen Jahren waren mir die Gründe für meinen Aufenthalt in Neapel abhandengekommen.

Mit wachsender Unruhe wartete ich, dass er sich blicken ließ. Stunden vergingen, ich schlief ein, schreckte hoch, als es dunkel war. Das Telefon klingelte.

Ich lief in der Überzeugung zum Apparat, es sei Nino, doch es war Antonio. Er rief aus einer wenige Meter entfernten Bar an, fragte, ob ich zu ihm kommen könne. Ich sagte: »Komm doch rauf.« Ich hörte, dass er zögerte, dann willigte er ein. Ich zweifelte keinen Augenblick daran, dass Lila ihn geschickt hatte, was er auch sofort zugab.

»Sie will nicht, dass du eine Dummheit machst«, sagte er und bemühte sich, Italienisch zu sprechen.

»Kannst du mich davon abhalten?«

»Ja.«

»Wie denn?«

Er setzte sich ins Wohnzimmer, nachdem er den Kaffee, den ich ihm kochen wollte, abgelehnt hatte, und ruhig, mit dem Tonfall eines Menschen, der an eine peinlich genaue Berichterstattung gewöhnt ist, zählte er mir Ninos sämtliche Geliebte auf: Vor- und Zunamen, Berufe, Verwandtschaftsverhältnisse. Einige Frauen kannte ich nicht, es waren lange zurückliegende Beziehungen. Andere hatte er zum Abendessen mit in meine Wohnung gebracht, und ich erinnerte mich, dass sie herzlich zu mir und den Mädchen gewesen waren. Mirella, die sich um Dede, um Elsa und auch um Imma gekümmert hatte, war seit drei Jahren mit ihm zusammen. Und noch länger dauerte bereits die Beziehung mit der Gynäkologin, die sowohl mich als auch Lila entbunden hatte. Er trug eine beachtliche Zahl von Weibern zusammen – so nannte er sie –, bei denen Nino, zu verschiedenen Zeiten, immer dasselbe Muster angewandt hatte: eine Phase intensiven Umgangs, dann nur noch sporadische Treffen und nie ein endgültiger Bruch. »Er ist der anhängliche Typ«, sagte Antonio sarkastisch, »er macht nie wirklich Schluss. Mal geht er zu der einen, mal zu der anderen.«

»Weiß Lina davon?«

»Ja.«

»Seit wann?«

»Seit kurzem.«

»Warum habt ihr es mir nicht sofort gesagt?«

»Ich wollte es dir sofort sagen.«

»Und Lina?«

»Sie hat gesagt, wir warten.«

»Und du hast gehorcht. Ihr habt mich für Frauen kochen und den Tisch decken lassen, mit denen er mich tags zuvor betrogen hatte oder tags darauf betrügen würde. Ich habe mit Frauen gegessen, deren Fuß oder Knie oder sonst was er unterm Tisch berührt hat. Ich habe meine Kinder in die Obhut eines Mädchens gegeben, das er besprungen hat, sobald ich nicht hingesehen habe.«

Antonio zuckte mit den Schultern, schaute auf seine Hände, faltete sie und ließ sie zwischen seinen Knien hängen.

»Wenn sie mir befehlen, was zu tun, dann tu' ich's«, sagte er im Dialekt.

Aber dann geriet er aus dem Konzept. »Ich tu's fast immer«, sagte er und versuchte, sich zu rechtfertigen: »Manchmal mach' ich's wegen dem Geld, manchmal aus Hochachtung und manchmal für mich selbst.« Leise sagte er: »Solche Seitensprünge bringen nichts, wenn einer sie nicht im richtigen Moment erfährt; wenn du verliebt bist, verzeihst du alles. Damit die Seitensprünge die richtige Wirkung kriegen, muss erst ein bisschen Lieblosigkeit heranreifen.« Und so redete er weiter, wobei er traurige Sätze über die Blindheit von Liebenden aneinanderreihte. Wie um einen Beweis zu liefern, erzählte er mir erneut, wie er Jahre zuvor Nino und Lila für die Solaras ausspioniert hatte. »Damals«, sagte er stolz, »habe ich nicht gemacht, was sie mir aufgetragen hatten.« Er habe Lila nicht Michele ausliefern wollen und stattdessen Enzo gerufen, damit er ihr aus der Klemme half. Er kam auch erneut auf die Prügel zurück, die er Nino verabreicht hatte. »Das habe ich vor allem gemacht«, knurrte er, »weil du nicht mich, sondern ihn geliebt hast, und auch weil Lina, wenn dieser Scheißkerl zu ihr zurückgekommen wäre, weiter an ihm gehangen und sich immer mehr ruiniert hätte. Du siehst«, sagte er schließlich, »auch in dem Fall wäre man mit Gequatsche nicht weitergekommen, Lina hätte nicht auf mich gehört, Liebe macht nicht nur blind, sondern auch taub.«

Ich fragte betroffen:

»In all den Jahren hast du Lina nicht erzählt, dass Nino an dem Abend zu ihr zurückkehren wollte?«

»Nein.«

»Das hättest du aber tun sollen.«

»Warum denn? Wenn mein Kopf mir sagt: Es ist besser, du machst das so, dann mache ich das so und denke nicht mehr drüber nach. Wenn man es sich dann noch mal überlegt, gibt es bloß Scherereien.«

Wie klug er geworden war. So erfuhr ich, dass die Affäre von Nino und Lila noch etwas länger gedauert hätte, wenn Antonio sie nicht mit Prügeln beendet hätte. Aber sofort verdrängte ich den Gedanken, sie könnten sich ein Leben lang geliebt haben und sowohl er als auch sie wäre vielleicht ein ganz anderer Mensch geworden: Das erschien mir nicht nur unwahrscheinlich, sondern zudem unerträglich. Stattdessen seufzte ich ungeduldig. Antonio hatte auf eigene Faust entschieden, Lila zu retten, und jetzt hatte Lila ihn geschickt, um mich zu retten. Ich sah ihn an, äußerte mich ausgesprochen sarkastisch über seine Rolle als Frauenbeschützer. ›Er hätte in Florenz auftauchen sollen‹, dachte ich, ›als ich noch unentschlossen war, noch nicht wusste, was ich tun sollte, und hätte dann mit seinen knotigen Händen für mich entscheiden sollen, wie er vor Jahren für Lila entschieden hatte.‹ Ich fragte ihn spöttisch:

»Und was hast du jetzt für Befehle?«

»Lina hat mir, bevor sie mich hergeschickt hat, verboten, diesem Arschloch die Fresse einzuschlagen. Aber ich habe das schon einmal gemacht und würde es gern wieder tun.«

»Auf dich ist eben kein Verlass.«

»Ja und nein.«

»Das heißt?«

»Die Situation ist kompliziert, Lenù, halt dich da raus. Sag mir einfach, Sarratores Sohn soll bereuen, dass er geboren wurde, und ich sorge dafür, dass er es tut.«

Ich konnte mich nicht beherrschen und brach in Lachen aus über die manierierte Ernsthaftigkeit, mit der er sich ausdrückte. Diesen Ton hatte er als kleiner Junge im Rione gelernt, den reservierten Ton eines richtigen Mannes, er, der in Wahrheit schüchtern und ängstlich gewesen war. Was für eine Mühe musste es ihn gekostet haben, aber nun war das *sein* Ton, er hätte gar keinen anderen haben können. Der einzige Unterschied zu früher war, dass er sich bemühte, Italienisch zu sprechen, und diese schwere Sprache ihm mit einem ausländischen Akzent über die Lippen kam.

Bei meinem Gelächter verfinsterte sich sein Gesicht, er schaute zu den schwarzen Fensterscheiben, sagte leise: »Lach nicht.« Ich sah, dass seine Stirn trotz der Kälte zu glänzen begann, er schwitzte vor Scham, weil ich ihn lächerlich gefunden hatte. Er sagte: »Ich weiß, dass ich

nicht gut spreche, ich kann besser Deutsch als Italienisch.«
Ich bemerkte seinen Geruch, der noch derselbe war wie
damals bei unseren erregenden Treffen an den Teichen.
»Ich lache«, sagte ich entschuldigend, »über die ganze
Situation, über dich, der Nino schon immer umbringen
wollte, und über mich, die, wenn er jetzt zurückkäme,
zu dir sagen würde: Ja, bring ihn um. Ich lache vor Verzweiflung, weil ich noch nie so verletzt worden bin, weil
ich mich so gedemütigt fühle, wie du es dir vielleicht gar
nicht vorstellen kannst, und weil es mir im Augenblick so
schlechtgeht, dass mir ist, als würde ich gleich ohnmächtig werden.«

Ich war tatsächlich schwach, innerlich tot. Deshalb war
ich Lila plötzlich dankbar, dass sie so viel Feingefühl besessen hatte, gerade Antonio zu mir zu schicken, er war
der einzige Mensch, an dessen Zuneigung ich in diesem
Moment nicht zweifelte. Außerdem waren mir sein hage-
rer Körper, seine starken Knochen, seine dichten Brauen
und sein Gesicht ohne jede Zartheit noch immer vertraut,
sie stießen mich nicht ab, machten mir keine Angst. »An
den Teichen«, sagte ich, »war es kalt, und wir haben es
nicht gemerkt: Ich zittere, darf ich mich zu dir setzen?«

Er sah mich unsicher an, aber ich wartete nicht auf seine Zustimmung. Ich stand auf, setzte mich auf seinen
Schoß. Er rührte sich nicht, breitete nur aus Angst, mich
zu berühren, die Arme aus und ließ sie zu beiden Seiten
des Sessels fallen. Ich schmiegte mich an ihn, legte mein
Gesicht in die Beuge zwischen seinem Hals und seiner
Schulter und hatte einige Sekunden lang das Gefühl, gleich
einzuschlafen.

»Lenù.«

»Ja?«

»Geht es dir nicht gut?«

»Halt mich fest, ich muss warm werden.«

»Nein.«

»Warum nicht?«

»Ich bin mir nicht sicher, dass du mich willst.«

»Jetzt will ich dich, nur dieses eine Mal. Das schuldest du mir und ich dir.«

»Ich schulde dir gar nichts. Ich liebe dich, aber du hast immer bloß diesen Kerl geliebt.«

»Ja, aber so, wie ich dich begehrt habe, habe ich sonst keinen begehrt, nicht mal ihn.«

Ich redete lange. Ich sagte ihm die Wahrheit, die Wahrheit dieses Augenblicks und die Wahrheit der weit zurückliegenden Zeit an den Teichen. Antonio war die Entdeckung der Erregung, war die Tiefe des Bauches, der heiß wurde, sich öffnete, sich verflüssigte und eine heiße Sehnsucht verströmte. Franco, Pietro, Nino waren auf diese Erwartung gestoßen, hatten sie aber nie befriedigen können, weil sie eine Erwartung ohne ein bestimmtes Objekt war, weil sie die Hoffnung auf Lust war, die am schwersten zu erfüllende. Der Geschmack von Antonios Mund, der Geruch seines Verlangens, seine Hände, sein großes Geschlecht prall zwischen den Schenkeln bildeten ein einzigartiges *Früher*. Das *Später* war unseren Nachmittagen im Schutz der verfallenen Konservenfabrik nie wirklich ebenbürtig gewesen, obwohl sie nur aus Sex ohne Penetration und häufig ohne Orgasmus bestanden hatten.

Ich sprach in einem Italienisch mit ihm, das mir kompliziert geriet. Ich tat es, um eher mir selbst als ihm zu erklären, was ich gerade tat, und das schien ihm ein Akt des Vertrauens zu sein, es machte ihn froh. Er umarmte mich, küsste mich auf die Schulter, dann auf den Hals, schließlich auf den Mund. Ich glaube nicht, dass ich noch einmal Sex wie diesen gehabt habe, der die Teiche von mehr als zwanzig Jahren zuvor mit dem Zimmer in der Via Tasso – Sessel, Fußboden, Bett – jäh miteinander verband und alles beiseitefegte, was dazwischenlag und uns trennte, das, was ich war, und das, was er war. Antonio war zärtlich, war brutal und ich nicht minder. Er und ich verlangten Dinge mit einer Wildheit voneinander, mit einer Ungeduld und einem Wunsch nach Gewalt, von denen ich nicht geglaubt hätte, dass ich sie in mir trug. Am Ende war er starr vor Staunen und ich auch.

»Was ist passiert?«, fragte ich benommen, als wäre die Erinnerung an diese absolute Intimität bereits erloschen.

»Ich weiß nicht«, sagte er, »aber zum Glück ist es passiert.«

Ich lächelte.

»Du bist wie alle anderen, du hast deine Frau betrogen.«

Ich hatte einen Witz machen wollen, aber er nahm das ernst, sagte im Dialekt:

»Ich habe niemanden betrogen. Meine Frau existiert *vor jetzt* noch nicht.«

Eine unklare Formulierung, aber ich verstand. Er versuchte mir zu sagen, dass er meiner Meinung sei, und wollte mir ebenfalls ein Zeitgefühl außerhalb der üblichen Chronologie mitteilen. Er wollte sagen, dass wir *jetzt* das Bruchstück eines Tages erlebt hatten, der zwanzig Jahre zurücklag. Ich küsste ihn, flüsterte danke und sagte, ich sei froh darüber, dass er sich entschlossen habe, die grausamen Gründe für diesen ganzen Sex zu ignorieren – meine und seine – und darin lediglich das Bedürfnis zu sehen, ein Kapitel abzuschließen.

Später klingelte das Telefon, ich ging ran, es hätte Lila sein können, die mich wegen der Mädchen brauchte. Aber es war Nino.

»Zum Glück bist du zu Hause«, sagte er atemlos, »ich komme sofort.«

»Nein.«

»Und wann?«

»Morgen.«

»Lass es mich erklären, es muss sein, unbedingt.«

»Nein.«

»Warum nicht?«

Ich sagte es ihm und legte auf.

79

Sich von Nino zu trennen, war schwer, es brauchte Monate. Ich glaube nicht, zuvor jemals so wegen eines Mannes gelitten zu haben, es quälte mich sowohl, ihn wegzustoßen, als auch, ihn mir zurückzuholen. Er wollte nicht zugeben, dass er Lila Avancen gemacht hatte. Er schimpfte auf sie, verhöhnte sie, beschuldigte sie, unsere Beziehung zerstören zu wollen. Aber er log. In den ersten Tagen log er ständig, er versuchte sogar, mich davon zu überzeugen, dass das, was ich im Bad gesehen hatte, nur eine der Müdigkeit und der Eifersucht geschuldete Täuschung gewesen sei. Dann begann er einzuknicken. Er gestand einige Affären, datierte sie allerdings zurück, von anderen aus unleugbar jüngster Zeit behauptete er, sie wären bedeutungslos gewesen, er schwor, zwischen ihm und diesen Frauen gäbe es nur Freundschaft, keine Liebe. Wir stritten uns die ganze Weihnachtszeit, den ganzen Winter lang. Mal verbot ich ihm das Wort, zermürbt von der Geschicklichkeit, mit der er sich anklagte, sich verteidigte und Verzeihung *einforderte*, mal kapitulierte ich vor seiner echt wirkenden Verzweiflung – er kam oft betrunken zu mir –, und mal warf ich ihn raus, weil er aus Ehrlichkeit, aus Stolz, vielleicht sogar aus Anstand nie versprach, seine von ihm so genannten Freundinnen nicht wiederzusehen, und er mir auch nicht versichern wollte, dass er ihre Liste nicht noch weiter verlängern würde.

Über dieses Thema erging er sich häufig in langen, hochgelehrten Monologen, mit denen er mich davon überzeugen wollte, dass nicht er schuld sei, sondern die Natur, die astrale Materie, die Schwellkörper und ihre übermäßige Durchblutung, seine besonders heißen Lenden, kurz, seine überbordende Manneskraft. »Egal, wie viele gelesene Bücher ich vorweisen kann«, flüsterte er in einem ehrlichen, schmerzerfüllten und trotzdem bis zur Lächerlichkeit eitlen Ton, »und egal, wie viele erlernte Sprachen ich vorweisen kann, dazu Mathematik, Naturwissenschaften, Literatur und vor allen Dingen meine Liebe zu dir – ja Liebe und mein Verlangen nach dir, die panische Angst, dich nicht mehr haben zu können –, da ist nichts zu machen, glaub mir, ich flehe dich an, glaub mir, ich kann, ich kann, ich kann nicht anders, der dümmste, stumpfsinnigste Trieb des Augenblicks dominiert.«

Manchmal rührte er mich, häufiger regte er mich auf, meistens reagierte ich sarkastisch. Und er schwieg, raufte sich nervös die Haare, begann dann wieder von vorn. Aber als ich ihm eines Morgens eiskalt sagte, sein ganzes Verlangen nach Frauen sei vielleicht Ausdruck einer labilen Heterosexualität, die, um zu bestehen, ständig Bestätigung brauche, war er beleidigt und bedrängte mich tagelang, um zu erfahren, ob es mir mit Antonio besser gefallen habe als mit ihm. Da ich von seinem ganzen atemlosen Gerede inzwischen die Nase voll hatte, schrie ich: »Ja!« Und weil in dieser Zeit quälender Streitereien der eine oder andere seiner Freunde versucht hatte, mit mir ins Bett zu gehen, und ich aus Ärger, aus Rache, einige Male eingewilligt hatte, ließ ich beiläufig die Namen einiger Männer fallen, die er gernhatte, und sagte, um ihn zu verletzen, sie seien besser gewesen als er.

Er verschwand. Er hatte gesagt, er könne ohne Dede und Elsa nicht leben, hatte gesagt, er liebe Imma mehr als seine anderen Kinder, hatte gesagt, er würde sich auch dann um die drei Mädchen kümmern, wenn ich nie wieder zu ihm zurückkehren würde. Doch in Wahrheit vergaß er uns nicht nur von einem Tag auf den anderen, sondern hörte auch auf, die Miete in der Via Tasso und die Rechnungen für Strom, Gas und Telefon zu bezahlen.

Ich suchte nach einer billigeren Wohnung in derselben Gegend, vergeblich: Oft wurden für hässlichere und kleinere Wohnungen noch höhere Mieten verlangt. Dann erzählte mir Lila, genau über ihr sei eine Wohnung mit drei Zimmern und Küche frei geworden. Sie kosteten fast nichts, von den Fenstern aus könne man sowohl den Stradone als auch den Hof sehen. Sie sagte mir das auf ihre typische Art, mit einem Ton, der bedeutete: Ich gebe dir nur Bescheid, mach daraus, was du willst. Ich war deprimiert, war abgeschreckt. Elisa hatte mich im Streit kurz zuvor angeschrien: »Unser Vater ist einsam, zieh zu ihm, ich bin es leid, ihn allein umsorgen zu müssen!« Natürlich hatte ich mich geweigert, in meiner Situation konnte ich mich nicht auch noch um meinen Vater kümmern, ich war schon die Sklavin meiner Töchter. Imma wurde in einem fort krank, und sobald Dede eine Grippe überstanden hatte, bekam Elsa sie, die übrigens ihre Schulaufgaben nur dann machte, wenn ich mich neben sie setzte, weshalb Dede sich aufregte und sagte: »Jetzt musst du mir aber auch helfen.« Ich war fix und fertig, meine Nerven lagen blank. Außerdem hatte ich in dem großen Chaos, in das ich gestürzt war, nicht einmal mehr das spärliche Berufsleben, das ich mir bis dahin gesichert hatte. Ich lehnte Einladungen, Aufträge, Reisen ab und traute mich nicht mehr, ans Telefon zu gehen, aus Angst, der Verlag könnte nach meinem Buch fragen. Ich war in einen Strudel geraten, der mich immer weiter in die Tiefe zog, und eine eventuelle Rückkehr in den Rione wäre der Beweis dafür gewesen, dass ich ganz unten angekommen war. Wieder in diese Mentalität einzutauchen, zusammen mit meinen Töchtern, mich von Lila, von Carmen, von Alfonso, von allen vereinnahmen zu lassen, genau wie sie es tatsächlich wollten – nein, nein, ich schwor mir, dass ich lieber nach Tribunali, Duchesca, Lavinaio, Forcella ziehen würde, zwischen die Rohrgerüste, die von den Erdbebenschäden zeugten, als zurück in den Rione. In dieser Atmosphäre rief mein Verleger an.

»Wie weit bist du?«

Es ging blitzschnell, in meinem Kopf flammte ein Licht auf, so dass es taghell in ihm wurde. Ich wusste nun, was ich sagen und tun musste.

»Gestern bin ich fertig geworden.«

»Wirklich? Schick es noch heute los.«

»Morgen früh gehe ich zur Post.«

»Danke. Ich lese das Buch, sobald es da ist, und gebe dir Bescheid.«

»Nur keine Eile.«

Ich legte auf. Holte einen Karton hervor, den ich im Schlafzimmerschrank aufbewahrte, und nahm das Manuskript heraus, das Jahre zuvor weder Adele noch Lila gefallen hatte, machte aber keine Anstalten, es erneut zu lesen. Am nächsten Morgen brachte ich die Mädchen zur Schule und ging mit Imma das Päckchen aufgeben. Ich wusste, dass das ein gewagter Schritt war, aber er schien mir der einzig mögliche zu sein, um meinen Ruf zu retten. Ich hatte versprochen, ein Buch zu liefern, und hier war es. War es ein misslungener, ausgesprochen schlechter Roman? Ja nun, dann würde man ihn nicht veröffentlichen. Aber ich hatte hart gearbeitet, hatte niemanden betrogen und würde bald etwas Besseres machen.

Die Schlange in der Post war zermürbend, in einem fort musste ich mich mit Leuten anlegen, die sich vordrängelten. In dieser anstrengenden Situation wurde mir mein ganzes Unglück bewusst. *Warum bin ich hier, warum vergeude ich meine Zeit auf diese Weise. Die Mädchen und Neapel haben mich bei lebendigem Leib aufgefressen. Ich lese nicht, schreibe nicht, habe jede Disziplin verloren.* Ich hatte mir ein Leben erobert, das weit über das hinausging, was mir zugestanden hätte, und das hier war nun aus mir geworden. Ich war gereizt, fühlte mich mir selbst und vor allem meiner Mutter gegenüber schuldig. Obendrein bereitete mir seit kurzem Imma Sorgen, jedes Mal wenn ich sie mit Tina verglich, musste ich einsehen, dass sie in ihrer Entwicklung zurück war. Lilas Tochter, die immerhin vier Wochen jünger war, erwies sich als äußerst lebhaft, sie wirkte älter als ein Jahr, während Imma wenig zu reagieren schien und verträumt dreinschaute. Daher kontrollierte ich sie zwanghaft, quälte sie mit Prüfungen, die ich spontan erfand. Ich dachte: ›Es wäre schrecklich, wenn Nino nicht nur mein Leben ruiniert hätte, sondern mir auch noch ein Kind mit Problemen gemacht hätte.‹ Trotzdem wurde ich auf der Straße angesprochen, weil sie so pummelig und so blond war. Na bitte, auch dort auf der Post machten mir die Frauen in der Schlange Komplimente, Imma habe ja so schöne Pausbäckchen. Aber von ihr nicht mal ein Lächeln. Jemand bot ihr ein Bonbon an, und sie streckte lustlos die Hand aus, nahm es und ließ es fallen. Ach, ich war ständig angespannt, die Sorgen nahmen kein Ende. Als ich das Postamt verließ, das Päckchen abgeschickt war und es keine Möglichkeit mehr gab, es aufzuhalten, zuckte ich zusammen, meine Schwiegermutter war mir eingefallen. Du lieber Himmel, was hatte ich getan. Wie hatte ich außer Acht lassen können, dass der Verlag das Manuskript auch Adele zu lesen geben würde? Im Grunde war sie es gewesen, die die Publikation sowohl meines ersten Buches als auch meines zweiten gefordert hatte; man war es ihr schon aus reiner Höflichkeit schuldig. Und sie würde sagen: Greco haut euch übers Ohr, dieser Text ist nicht neu, ich habe ihn schon vor Jahren gelesen, er ist miserabel. Kalter Schweiß brach mir aus, ich fühlte mich schwach. Um eine Lücke zu schließen, hatte ich eine andere aufgerissen. Ich war nicht einmal mehr in der Lage, die Kette meiner Handlungen unter Kontrolle zu halten.

80

Um die Dinge weiter zu komplizieren, meldete sich gerade in diesen Tagen Nino zurück. Er hatte mir die Schlüssel nicht wiedergegeben, obwohl ich darauf bestanden hatte, und so tauchte er in meiner Wohnung auf, ohne vorher anzurufen oder zu klingeln. Ich sagte ihm, er solle verschwinden, dies sei meine Wohnung, er zahle nicht einmal mehr Miete und gebe mir auch für Imma nicht einen Centesimo. Er beteuerte, es aus Verzweiflung über unsere Trennung vergessen zu haben. Er wirkte aufrichtig, sah verstört aus, war sehr abgemagert. Mit einer unfreiwillig komischen Feierlichkeit versprach er, die Zahlungen ab dem nächsten Monat fortzusetzen, und erzählte mir mit betrübter Stimme von seiner Zuneigung zu Imma. Dann fing er auf scheinbar gutmütige Weise erneut an, mich über mein Treffen mit Antonio auszufragen, darüber, wie es gelaufen sei, zunächst allgemein, dann in sexueller Hinsicht. Von Antonio kam er auf seine Freunde zu sprechen. Er versuchte, mich zu dem Geständnis zu bewegen, ich hätte diesem oder jenem nachgegeben (*nachgeben* schien ihm das richtige Wort zu sein), nicht weil er mich wirklich angezogen hätte, sondern nur aus Rache. Als er begann, meine Schulter, mein Knie, meine Wange zu streicheln, wurde ich nervös. Schnell erkannte ich an seinen Augen und seinen Worten, dass er nicht verzweifelt war, weil er meine Liebe verloren hatte, sondern, weil ich mit diesen anderen Männern zusammen gewesen war und früher oder später mit weiteren zusammen sein und sie ihm vorziehen würde. Er hatte sich an diesem Morgen nur blicken lassen, um wieder in mein Bett zu kommen. Er forderte, dass ich meine neuen Liebhaber herabsetzte und so bewies, dass mein einziges Verlangen darin bestand, wieder von ihm penetriert zu werden. Er wollte also seine Vorrangstellung erneuern, danach würde er garantiert wieder abtauchen. Es gelang mir, die Schlüssel zurückzubekommen, dann warf ich ihn raus. Damals stellte ich überrascht fest, dass ich nichts mehr für ihn empfand. Die ganze lange Zeit, in der ich ihn geliebt hatte, löste sich an diesem Morgen endgültig in nichts auf.

Schon am nächsten Tag erkundigte ich mich, was ich tun musste, um eine Arbeit zu finden oder wenigstens eine Stelle als Vertretungslehrerin in der Mittelschule. Mir war schnell klar, dass es nicht leicht werden würde und ohnehin der Beginn des neuen Schuljahres abgewartet werden musste. Da ich den Bruch mit dem Verlag als gegeben annahm und ich in meiner Phantasie ein verheerendes Scheitern meiner selbst als Autorin darauf folgen sah, bekam ich es mit der Angst zu tun. Meine Mädchen waren seit ihrer Geburt an ein Leben in Wohlstand gewöhnt, und auch ich konnte mir seit meiner Ehe mit Pietro nicht mehr vorstellen, ohne Bücher, Zeitschriften, Zeitungen, Schallplatten, Kino oder Theater auszukommen. Ich musste mich unverzüglich um Gelegenheitsjobs kümmern, hängte Annoncen in den umliegenden Geschäften aus, um Nachhilfestunden anzubieten.

Dann rief eines Morgens im Juni mein Verleger an. Er hatte das Manuskript erhalten, hatte es gelesen.

»Schon?«, sagte ich mit gespielter Unbefangenheit.

»Ja. Und es ist ein Buch, wie ich es von dir nie erwartet hätte, aber erstaunlicherweise hast du es geschrieben.«

»Willst du damit sagen, dass es schlecht ist?«

»Es ist von der ersten bis zur letzten Seite das reinste Erzählvergnügen.«

Mein Herz spielte verrückt.

»Ist es gut oder nicht?«

»Es ist einzigartig.«

81

Ich war stolz. Innerhalb weniger Sekunden gewann ich nicht nur mein Selbstvertrauen wieder, sondern auch meine Unbekümmertheit, ich begann mit kindlicher Begeisterung über mein Werk zu sprechen, lachte zu oft, fragte meinen Gesprächspartner gründlich aus, um eine differenziertere Zustimmung zu erhalten. Schnell bemerkte ich, dass er meinen Text als eine Art Autobiographie gelesen hatte, als meine in Romanform verarbeiteten Erfahrungen mit dem ärmsten und brutalsten Neapel. Er sagte, er habe befürchtet, die Rückkehr in meine Heimatstadt würde sich negativ auf mich auswirken, aber jetzt müsse er zugeben, dass mir diese Rückkehr gutgetan habe. Ich sagte ihm nicht, dass dieses Buch Jahre zuvor in Florenz geschrieben worden war. »Es ist ein harter Roman«, betonte er, »fast möchte ich sagen männlich, aber andererseits auch wieder zart, kurz, ein großer Schritt nach vorn.« Dann redete er über organisatorische Dinge. Er wollte die Veröffentlichung auf das Frühjahr 1983 verschieben, um sich selbst um eine sorgfältige Redaktion und Herstellung zu kümmern und die Veröffentlichung des Buches gut vorzubereiten. Zum Schluss sagte er mit einer Spur Sarkasmus:

»Ich habe mit deiner Exschwiegermutter darüber gesprochen, sie hat mir erzählt, dass sie eine frühere Version gelesen und sie ihr nicht gefallen habe. Aber offensichtlich ist entweder ihr Geschmack eingerostet oder eure persönlichen Probleme haben sie an einer unvoreingenommenen Einschätzung gehindert.«

Hastig gab ich zu, dass ich Adele vor einiger Zeit eine erste Fassung zu lesen gegeben hatte. Er sagte: »Wie man sieht, hat Neapels Luft dein Talent endgültig freigesetzt.« Als er aufgelegt hatte, war ich sehr erleichtert. Ich veränderte mich, war besonders liebevoll zu meinen Töchtern. Der Verlag zahlte mir den restlichen Vorschuss, meine finanzielle Lage verbesserte sich. Plötzlich betrachtete ich die Stadt und vor allem den Rione als einen wichtigen Teil meines Lebens, den ich nicht außer Acht lassen durfte und der darüber hinaus wesentlich für das Gelingen meiner Arbeit war. Es war ein gewaltiger Sprung, von mangelndem Selbstvertrauen gelangte ich zu einem heiteren Selbstwertgefühl. Was ich als Absturz empfunden hatte, erhielt nicht nur eine literarische Noblesse, sondern war für mich auch eine kulturelle und politische Grundsatzentscheidung. Das hatte der Verleger maßgeblich bekräftigt: »Für dich war die Rückkehr zum Ausgangspunkt ein weiterer Schritt nach vorn.« Zwar hatte ich ihm nicht gesagt, dass das Buch in Florenz geschrieben worden war, dass meine Rückkehr nach Neapel keinerlei Einfluss auf den Text gehabt hatte. Aber der Erzählstoff, der menschliche Gehalt der Figuren stammten aus dem Rione, und sicherlich war das der Wendepunkt. Adele hatte nicht genug Fingerspitzengefühl gehabt, um das zu erkennen, darum hatte sie verloren. Alle Airotas hatten verloren. Auch Nino hatte verloren, der mich im Grunde als einen Posten auf der Liste seiner Frauen betrachtet hatte, ohne mich von den anderen zu unterscheiden. Und – was für mich noch bedeutsamer war – Lila hatte verloren. Ihr hatte mein Buch nicht gefallen, sie war sehr hart gewesen, hatte, was in ihrem Leben selten vorkam, geweint, als sie mir mit ihrem negativen Urteil hatte wehtun müssen. Aber ich war ihr nicht böse, im Gegenteil, ich war froh, dass sie sich geirrt hatte. Ich hatte ihr seit unserer Kindheit viel zu viel Gewicht beigemessen und fühlte mich nun wie von einer Last befreit. Endlich war klar, dass das, was ich war, sie nicht war, und umgekehrt. Ich brauchte ihre Autorität nicht mehr, ich hatte meine eigene. Ich fühlte mich stark, nicht mehr als Opfer meiner Herkunft, fühlte mich imstande, sie zu beherrschen, ihr eine Form zu geben, sie wettzumachen, für mich, für Lila, für egal wen. Was mich früher hinuntergezogen hatte, war nun das Material, um aufzusteigen. An einem Julimorgen 1982 rief ich sie an und sagte:

»Einverstanden, ich nehme die Wohnung über deiner, ich komme in den Rione zurück.«

82

Ich zog im Hochsommer um, Antonio kümmerte sich darum. Er mobilisierte einige kräftige Männer, die die Wohnung in der Via Tasso leerräumten und alles in die im Rione brachten. Mein neues Zuhause war dunkel, und die Renovierung der Zimmer half nicht, sie aufzuhellen. Aber anders als erwartet, störte mich das nicht. Das staubige Licht, das seit jeher nur schwach durch die Fenster der Wohnblocks drang, hatte auf mich sogar die Wirkung einer rührenden Kindheitserinnerung. Dede und

Elsa protestierten hingegen lange. Sie waren in Florenz aufgewachsen, in Genua, im Glanz der Via Tasso und verabscheuten sofort die Fußböden mit den losen Fliesen, das kleine Bad ohne Fenster, den Lärm vom Stradone. Sie fügten sich nur, weil sie nun einige nicht unerhebliche Vorteile genießen konnten: Tante Lina jeden Tag sehen, später aufstehen, weil die Schule nur ein paar Schritte entfernt war, allein dort hingehen, viel Zeit auf der Straße und auf dem Hof verbringen.

Ich wurde sofort von dem Drang gepackt, mir den Rione zurückzuerobern. Ich meldete Elsa in der Grundschule an, die auch ich besucht hatte, und Dede an meiner Mittelschule. Ich frischte den Kontakt zu jedem wieder auf, der sich, alt oder jung, an mich erinnerte. Ich feierte meine Entscheidung mit Carmen und ihrer Familie, mit Alfonso, mit Ada, mit Pinuccia. Natürlich hatte ich meine Zweifel, und Pietro, der meinen Schritt gründlich missbilligte, verstärkte sie noch. Er sagte am Telefon:

»Auf der Grundlage welcher Kriterien willst du unsere Töchter an einem Ort aufwachsen lassen, von dem du geflohen bist?«

»Ich werde sie hier nicht aufwachsen lassen.«

»Trotzdem hast du dir eine Wohnung gesucht und sie in der Schule angemeldet, ohne daran zu denken, dass sie was anderes verdienen.«

»Ich muss ein Buch fertigstellen, und das kann ich nur hier gut.«

»Ich hätte sie nehmen können.«

»Hättest du auch Imma genommen? Ich habe drei Töchter, und ich will nicht, dass die dritte von den anderen beiden getrennt wird.«

Er beruhigte sich. Er war froh, dass ich Nino verlassen

hatte, und meinen Umzug verzieh er mir schnell. »Dann mach deine Arbeit«, sagte er, »ich verlass' mich auf dich, du weißt schon, was du tust.« Ich wünschte mir, dass das so war. Ich betrachtete die Lastwagen, die staubaufwirbelnd durch den Stradone donnerten. Schlenderte durch den kleinen Park, der voller Spritzen war. Betrat die verwahrloste, leere Kirche. Wurde traurig vor dem geschlossenen Gemeindekino, vor den Parteibüros, die wie verlassene Schlupflöcher aussahen. Hörte, besonders abends, das Geschrei der Männer, Frauen, Kinder aus den Wohnungen. Erschrak vor den Familienfehden, vor den Feindseligkeiten zwischen Nachbarn, vor der Schnelligkeit, mit der man handgreiflich wurde, vor den Bandenkriegen zwischen halbwüchsigen Jungen. Als ich in die Apotheke ging, fiel mir Gino wieder ein, mir war der Anblick der Stelle unangenehm, an der er ermordet worden war, ich machte vorsichtig einen Bogen darum, sprach anteilnehmend mit seinen Eltern, die noch immer hinter dem Verkaufstisch aus dunklem Holz standen, allerdings noch gebeugter, weiß in ihren weißen Kitteln und stets freundlich. ›Als Kind habe ich das alles erduldet‹, ging es mir durch den Kopf, ›mal sehen, ob ich es jetzt beherrschen kann.‹

»Wie kommt's denn, dass du dich so entschieden hast?«, fragte mich Lila eine Weile nach meinem Umzug. Vielleicht wollte sie eine herzliche Antwort oder dass ich vielleicht die Stichhaltigkeit ihrer eigenen Entschlüsse anerkenne, Worte wie: Du hast gut daran getan, zu bleiben, es hat keinen Sinn, in die Welt hinauszugehen, das weiß ich jetzt. Aber ich antwortete:

»Es ist ein Experiment.«

»Was denn für ein Experiment?«

Wir waren in ihrem Büro, Tina wuselte um sie herum, Imma spielte allein. Ich sagte:

»Ein Wiederherstellungsexperiment. Dir ist es gelungen, dein ganzes Leben hier zu haben, mir nicht: Ich fühle mich wie zersplittert.«

Sie zog ein missbilligendes Gesicht.

»Hör auf mit solchen Experimenten, Lenù, sonst wirst du enttäuscht und gehst wieder weg. Ich bin auch zersplittert. Zwischen der Schusterwerkstatt meines Vaters und diesem Büro liegen nur ein paar Meter, aber es ist, als wäre das eine am Nordpol und das andere am Südpol.«

Ich sagte mit gespielter Belustigung:

»Mach mir keine Angst. Ich muss von Berufs wegen mit Wörtern eine Tatsache an die andere kleben, und am Ende muss alles zusammenhängend wirken, auch wenn es das nicht ist.«

»Aber wenn es keinen Zusammenhang gibt, wozu dann so tun als ob?«

»Um Ordnung zu schaffen. Erinnerst du dich noch an den Roman, den ich dir zum Lesen gegeben hatte und der dir nicht gefiel? Darin hatte ich versucht, das, was ich von Neapel weiß, in das einzuordnen, was ich dann in Pisa, Florenz und Mailand gelernt habe. Ich habe ihn jetzt zum Verlag geschickt, und sie fanden ihn gut. Sie werden ihn veröffentlichen.«

Sie machte kleine Augen. Sagte leise:

»Ich hab' dir ja gesagt, dass ich keine Ahnung habe.«

Ich merkte, dass ich sie verletzt hatte. Ganz als hätte ich ihr vorgeworfen: Wenn du nicht in der Lage bist, deine Schuhgeschichte mit der Rechnergeschichte zu verbinden, heißt das noch nicht, dass das nicht geht, es heißt nur, dass du nicht über die nötigen Mittel dazu verfügst. Ich beeilte mich zu sagen: »Du wirst sehen, das Buch kauft kein Mensch, und dann hast du recht gehabt.« Ich zählte ihr wahllos alle Mängel auf, die ich meinem Text zuschrieb, und alles, was ich erhalten und was ich ändern wollte, bevor er veröffentlicht wurde. Aber sie lenkte ab, es war, als wollte sie wieder Oberwasser bekommen, sie redete über Rechner, wie um zu betonen: Du hast deins, und ich habe meins. Zu den Mädchen sagte sie: »Wollt ihr den neuen Apparat sehen, den Enzo gekauft hat?«

Sie brachte uns in einen kleinen Raum. Erklärte Dede und Elsa: »Diesen Apparat nennt man Personal Computer, er kostet einen Haufen Geld, aber man kann schöne Sachen damit machen, seht mal, wie er funktioniert.« Sie setzte sich auf einen Hocker und nahm Tina auf den Schoß, dann erläuterte sie geduldig jedes einzelne Teil, wobei sie sich an Dede, an Elsa und an die Kleine wandte, nie an mich.

Die ganze Zeit über sah ich Tina an. Sie sprach mit ihrer Mutter, zeigte auf etwas und fragte: »Was ist das«, und wenn ihre Mutter sie nicht beachtete, zog sie an ihrer Bluse, griff ihr ans Kinn, beharrte: »Mama, was ist das.« Lila erklärte es ihr wie einer Erwachsenen. Währenddessen lief Imma im Zimmer herum, zog ein Wägelchen auf Rädern hinter sich her und setzte sich manchmal verwirrt auf den Boden. »Komm, Imma«, sagte ich wiederholt zu ihr, »hör mal, was Tante Lina erzählt.« Aber sie spielte weiter mit ihrem Wägelchen.

Meine Tochter hatte nicht die Talente von Lilas Tochter. Aber seit einigen Tagen hatte ich keine Angst mehr, dass sie in ihrer Entwicklung zurück war. Ich war mit ihr bei einem ausgezeichneten Kinderarzt gewesen, die Kleine hatte sich als keineswegs zurückgeblieben erwiesen, ich war ruhiger. Trotzdem bereitete mir der Vergleich von Imma und Tina auch weiterhin etwas Verdruss. Wie lebhaft Tina war. Sie zu sehen und reden zu hören, machte Freude. Und wie anrührend waren Mutter und Kind zusammen. Während Lila über den Computer sprach – damals begannen wir diesen Begriff zu verwenden –, betrachtete ich die beiden mit Bewunderung. Damals war ich glücklich, mit mir zufrieden, und deshalb spürte ich auch deutlich, dass ich meine Freundin liebte, dafür, wie sie war, für ihre Stärken und ihre Schwächen, für alles, auch für dieses Menschlein, das sie in die Welt gesetzt hatte. Die Kleine war voller Neugier, lernte alles im Nu, hatte einen großen Wortschatz und eine erstaunliche Fingerfertigkeit. Ich dachte: ›Sie hat wenig von Enzo, sie gleicht Lila aufs Haar, schon wie sie die Augen aufreißt, wie sie sie zusammenkneift, und dann die angewachsenen Ohrläppchen.‹ Ich traute mich noch nicht, mir einzugestehen, dass Tina mich stärker anzog als meine eigene Tochter, aber als diese Vorführung von Fachwissen vorüber war, geriet ich ins Schwärmen über den Computer, sagte auch viel Lobendes zu der Kleinen, obwohl ich wusste, dass Imma womöglich darunter litt (*wie klug du bist und wie hübsch, wie gut du schon sprechen kannst, und was du alles lernst*), machte Lila viele Komplimente, vor allem, um das Unbehagen abzuschwächen, das ich ihr mit der Ankündigung bereitet hatte, dass mein Buch veröffentlicht werden würde, und malte schließlich ein optimistisches Bild von der Zukunft unserer vier Töchter. »Sie werden studieren«, sagte ich, »werden durch die Welt reisen, werden wer weiß was werden.« Aber nachdem Lila Tina kräftig abgeküsst hatte – *ja, sie ist sehr*

klug –, antwortete sie schroff: »Gennaro war auch aufgeweckt, er sprach gut, las, war sehr gut in der Schule,
aber was ist aus ihm geworden.«

83

Als Lila eines Abends schlecht über Gennaro sprach, fasste Dede sich ein Herz und nahm ihn in Schutz. Sie wurde dunkelrot, sagte: »Aber er ist sehr klug.« Lila sah sie
aufmerksam an, lächelte, antwortete: »Du bist wirklich
freundlich, ich bin seine Mutter, und was du gesagt hast,
freut mich sehr.«

Von nun an fühlte sich Dede berechtigt, Gennaro bei jedem Anlass zu verteidigen, selbst wenn Lila sich furchtbar über ihn aufregte. Gennaro war nun ein junger Mann
von achtzehn Jahren, sein Gesicht war so schön wie das
seines Vaters in jungen Jahren, doch er hatte einen plum-
peren Körper und vor allem ein mürrisches Wesen. Von
der zwölfjährigen Dede nahm er überhaupt keine Notiz,
er hatte anderes im Kopf. Doch sie hörte nicht auf, in
ihm das erstaunlichste menschliche Exemplar zu sehen,
das je auf Erden erschienen war, und sowie sich die Gelegenheit bot, sang sie ein Loblied auf ihn. Manchmal hatte Lila schlechte Laune und antwortete ihr nicht. Aber
manchmal lachte sie auch und rief: »Von wegen, er ist
ein Gauner! Ja, ihr drei Schwestern seid tüchtig, ihr werdet mal besser als eure Mutter.« Doch obwohl Dede sich
über das Kompliment freute (wenn sie sich besser fühlen
konnte, als ich es war, war sie glücklich), ging sie sofort
dazu über, sich kleinzumachen, um Gennaro zu überhöhen.

Sie vergötterte ihn. Häufig stellte sie sich ans Fenster,

um ihn aus der Werkstatt nach Hause kommen zu sehen, und rief, sobald er auftauchte: »Ciao, Rino!« Wenn er mit Ciao antwortete (für gewöhnlich war das nicht so), lief sie auf den Hausflur hinaus, um zu sehen, wie er die Treppe hochkam, und versuchte, ein Gespräch anzuknüpfen: »Du bist müde, was ist mit deiner Hand passiert, ist dir nicht warm in diesem Overall«, oder etwas in der Art. Selbst wenige Worte von ihm elektrisierten sie. Wenn sie zufällig einmal mehr Aufmerksamkeit als üblich erhielt, schnappte sie sich Imma, um den Kontakt zu verlängern, und sagte: »Ich bringe sie runter zu Tante Lina, dann kann sie mit Tina spielen.« Bevor ich dazu kam, ihr die Erlaubnis zu geben, war sie schon aus der Tür.

Noch nie war der räumliche Abstand zwischen Lila und mir so gering gewesen, nicht einmal in unserer Kindheit. Mein Fußboden war ihre Zimmerdecke. Zwei Treppenabsätze nach unten führten mich zu ihr, zwei nach oben führten sie zu mir. Morgens und abends hörte ich die Stimmen der drei: die undeutlichen Laute der Gespräche, Tinas Zwitschern, auf das Lila ebenfalls zwitschernd antwortete, und die kräftige Stimme Enzos, der, ansonsten schweigsam, viel mit seiner Tochter sprach und ihr häufig Lieder vorsang. Ich vermutete, dass auch Lila die Zeichen meiner Anwesenheit bemerkte. Wenn sie arbeiten war, wenn meine großen Töchter in der Schule waren und wenn nur Imma in der Wohnung war und Tina, die oft bei mir blieb, auch zum Schlafen, dann hörte ich die Leere von unten und wartete auf die heimkehrenden Schritte von Lila und Enzo.

Die Dinge wendeten sich schnell zum Besseren. Dede und Elsa kümmerten sich viel um Imma, nahmen sie mit auf den Hof oder zu Lila. Wenn ich wegmusste, passte Lila auf alle drei auf. Es war Jahre her, dass ich so viel Zeit zu meiner Verfügung gehabt hatte. Ich las, überarbeitete mein Buch, fühlte mich wohl ohne Nino und ohne die Angst, ihn zu verlieren. Auch meine Beziehung zu Pietro verbesserte sich. Er kam häufiger nach Neapel, um die Mädchen zu sehen, gewöhnte sich endgültig an das kärgliche Grau der Wohnung und an den neapolitanischen Dialekt besonders von Elsa und blieb oft über Nacht. Bei diesen Besuchen war er freundlich zu Enzo und plauderte viel mit Lila. Obwohl Pietro in der Vergangenheit ausgesprochen negativ über Lila geurteilt hatte, war es für mich offensichtlich, dass er gern Zeit in ihrer Gesellschaft verbrachte. Und sobald er abgereist war, redete Lila mir gegenüber mit einer Begeisterung über ihn, die sie normalerweise für niemanden aufbrachte. »Wie viele Bücher er wohl gelesen hat«, sagte sie ernst, »fünfzigtausend, hunderttausend?« Ich glaube, sie sah in meinem Exmann die Inkarnation ihrer kindlichen Phantasien von Menschen, die nicht von Berufs wegen lesen und schreiben, sondern um zu wissen.

»Du bist sehr klug«, sagte sie eines Abends zu mir, »aber seine Art zu reden gefällt mir mehr: Er spricht, wie man schreibt, sagt aber keine gestanzten Sätze.«

»Aber ich ja?«, fragte ich zum Spaß.

»Ein bisschen.«

»Auch jetzt noch?«

»Ja.«

»Wenn ich nicht gelernt hätte, so zu reden, hätte man außerhalb von Neapel nie Notiz von mir genommen.«

»Er ist genauso wie du, nur natürlicher. Als Gennaro klein war, dachte ich, dass ich, obwohl ich Pietro noch nicht kannte, Gennaro exakt so werden lassen müsste wie ihn.«

Sie sprach oft von ihrem Sohn. Sagte, sie hätte ihm mehr geben müssen, hätte allerdings weder die Zeit noch die Ausdauer, noch die Kraft dazu gehabt. Sie warf sich vor, ihm zunächst zwar das Wenige, das sie gekonnt hatte, beigebracht zu haben, dann aber das Vertrauen verloren und ihn im Stich gelassen zu haben. Eines Abends kam sie übergangslos von ihrem ersten Kind auf ihr zweites zu sprechen. Sie habe Angst, dass auch Tina, wenn sie heranwachse, verkommen werde. Ich lobte die Kleine aufrichtig in den höchsten Tönen, Lila sagte ernst:

»Jetzt, wo du hier bist, musst du mir helfen, sie so werden zu lassen wie deine Töchter. Auch Enzo liegt viel daran, er hat mich gebeten, dich zu fragen.«

»Ist gut.«

»Du hilfst mir, und ich helfe dir. Die Schule ist nicht genug, erinnerst du dich noch an Maestra Oliviero, für mich war sie nicht genug.«

»Das waren andere Zeiten.«

»Na, ich weiß nicht. Ich habe Gennaro gegeben, was ich konnte, aber es ist schiefgegangen.«

»Schuld ist der Rione.«

Sie sah mich ernst an, sagte:

»Das glaube ich kaum, aber da du dich schon mal entschlossen hast, hier bei uns zu wohnen, lass uns den Rione verändern.«

84

Unsere Beziehung wurde innerhalb weniger Monate sehr eng. Wir gingen gemeinsam einkaufen, und sonntags, darauf legten wir Wert, schlenderten wir nicht zum Zeitvertreib an den üblichen Verkaufsständen auf dem Stradone entlang, sondern fuhren lieber mit Enzo ins Zentrum, damit unsere Töchter in den Genuss von Sonne und Meeresluft kamen. Wir spazierten lange durch die Via Caracciolo oder durch den großen Stadtpark. Enzo trug Tina auf den Schultern, er verhätschelte sie sehr, vielleicht zu sehr. Aber nie vergaß er meine Mädchen dabei, er kaufte ihnen Luftballons, Süßigkeiten, und er spielte mit ihnen. Lila und ich blieben absichtlich zurück. Wir sprachen über alles mögliche, aber nicht so wie als junge Mädchen, diese Zeiten waren endgültig vorbei. Sie fragte mich nach Dingen, die sie im Fernsehen gesehen hatte, und ich ließ meiner Rede freien Lauf. Ich sprach, was weiß ich, über die Postmoderne, über Probleme des Verlagswesens, über das Neueste vom Feminismus, über alles, was mir durch den Kopf ging, und Lila hörte aufmerksam zu, mit einem kaum spöttischen Blick und mich nur unterbrechend, um nachzufragen, nie um einen Kommentar abzugeben. Das Reden gefiel mir. Mir gefiel ihre bewundernde Miene, mir gefiel es, Sätze von ihr zu hören wie etwa: »Du weißt so viel, machst dir so viele Gedanken«, selbst dann, wenn ich merkte, dass sie mich aufzog. Sobald ich darauf drang, ihre Meinung zu hören, zog sie sich zurück, brummte: »Nein, zwing mich nicht, Blödsinn zu erzählen, rede du.« Sie fragte mich häufig nach berühmten Leuten, um zu erfahren, ob ich sie kannte, und wenn ich nein sagte, war sie enttäuscht. Sie war – muss ich sagen – auch enttäuscht, wenn ich bekannte Persönlichkeiten, mit denen ich zu tun gehabt hatte, auf ein normales Maß reduzierte.

»Dann sind diese Leute also«, schlussfolgerte sie eines Morgens, »nicht das, was sie zu sein scheinen.«

»Überhaupt nicht, oft sind sie sehr gut in ihrer Arbeit. Aber ansonsten sind sie gierig, genießen es, dir zu schaden, halten zu den Starken und hetzen gegen die Schwachen, bilden Cliquen, um andere Cliquen zu bekämpfen, behandeln Frauen wie Ausführhündchen, sagen bei jeder Gelegenheit Schweinereien zu dir und begrapschen dich genauso, wie es in den Autobussen hier bei uns üblich ist.«

»Du übertreibst doch?«

»Nein, um Gedanken zu produzieren, muss man kein Heiliger sein. Und wahre Intellektuelle gibt es sowieso nur ganz wenige. Die große Masse der Gebildeten kommentiert zeit ihres Lebens nur faul die Ideen anderer. Ihre besten Energien verwenden sie auf sadistische Aktionen gegen jeden eventuellen Rivalen.«

»Warum bist du dann auf ihrer Seite?«

Ich antwortete: »Ich bin nicht auf ihrer Seite, ich bin hier.« Ich wollte, dass sie mich als Teil der höheren Gesellschaft und trotzdem als etwas anderes sah. Sie selbst drängte mich in diese Richtung. Sie amüsierte sich, wenn ich sarkastisch über meine Kollegen redete, wollte aber, dass sie gleichwohl meine Kollegen blieben. Manchmal hatte ich den Eindruck, ich sollte ihr unbedingt bestätigen, dass ich wirklich zu denjenigen gehörte, die den Leuten sagten, was los ist und wie man denken soll. Meine Entscheidung, wieder im Rione zu wohnen, hatte für sie nur einen Sinn, wenn ich meinen Platz weiterhin unter denen hatte, die Bücher schrieben, für Zeitschriften und Zeitungen arbeiteten und manchmal im Fernsehen auftraten. Sie wollte mich als ihre Freundin, als ihre Nachbarin, unter der Bedingung, dass ich diese Aura besaß. Und ich erfüllte ihr diesen Wunsch. Ihr Zuspruch gab mir Selbstvertrauen. Ich war, dort im Stadtpark, bei ihr, mit unseren Töchtern, und trotzdem war ich entschieden anders, ich führte ein weltoffenes Leben. Es schmeichelte mir, mich im Vergleich zu ihr als eine Frau mit großer Erfahrung zu fühlen, und ich spürte, dass auch sie sich darüber freute, wie ich war. Ich erzählte ihr von Frankreich, von Deutschland und Österreich, von den Vereinigten Staaten, von den Diskussionen, an denen ich hier und da teilgenommen hatte, von den Männern, die mir, nach Nino, in jüngster Zeit untergekommen waren. Sie achtete auf jedes Wort, mit einem schwachen Lächeln, ohne selbst mitzureden. Auch meine Berichte über gelegentliche Liebschaften weckten in ihr nicht das Bedürfnis, sich mir anzuvertrauen.

»Geht es dir gut mit Enzo?«, fragte ich sie eines Morgens.

»Ziemlich.«

»Und interessierst du dich nie für einen anderen?«

»Nein.«

»Liebst du ihn sehr?«

»Ziemlich.«

Mehr war aus ihr nicht herauszubekommen, ich war es, die über Sex sprach, und oft sehr deutlich. Redseligkeit bei mir, Schweigen bei ihr. Aber egal welches Thema wir auf diesen Spaziergängen auch anschnitten, immer war da etwas, was unmittelbar von ihrem Körper ausging und mich fesselte, meinen Geist beflügelte, wie es schon immer geschehen war, und mir beim Nachdenken half.

Vielleicht suchte ich deshalb ständig ihre Nähe. Nach wie vor strahlte sie eine wohltuende Kraft aus, die eine Absicht untermauerte oder intuitiv Lösungen anbot. Diese Kraft erfasste nicht nur mich. Manchmal lud Lila mich mit den Mädchen zum Abendessen ein, doch häufiger lud ich sie und Enzo und natürlich Tina ein. Gennaro nicht, er blieb oft weg und kam erst mitten in der Nacht nach Hause. Enzo machte sich, wie ich schnell bemerkte, Sorgen um den Jungen, aber Lila sagte: »Er ist erwachsen, soll er tun, was er will.« Doch ich spürte, dass sie nur so redete, um die Nervosität ihres Lebensgefährten zu lindern. Ihr Tonfall war genau der gleiche wie bei unseren Gesprächen. Enzo nickte, und wie ein Elixier ging etwas von ihr auf ihn über.

Auf den Straßen im Rione war es nicht anders. Mit ihr einkaufen zu gehen war immer wieder eine überraschende Erfahrung, sie war eine Respektsperson geworden. Ständig wurde sie angehalten, man zog sie mit ehrfürchtiger Vertraulichkeit beiseite, flüsterte ihr etwas ins Ohr, und sie hörte regungslos zu. Wurde sie wegen des Vermögens so behandelt, das sie mit ihrer neuen Arbeit gemacht hatte? Weil sie den Eindruck von einer erweckte, die alles konnte? Oder weil diese schon immer von ihr ausgehende Kraft ihr nun, da sie auf die vierzig zuging, den Nimbus einer Zauberin verlieh, die faszinierte und erschreckte? Ich weiß es nicht. Natürlich traf es mich, dass sie mehr beachtet wurde als ich. Ich war eine bekannte Schriftstellerin, und mein Verlag setzte sich, mit Blick auf mein neues Buch, dafür ein, dass die Zeitungen häufig über mich schrieben. *La Repubblica* war mit einem großformatigen Foto von mir herausgekommen, das einem kurzen Artikel über die kommenden Neuerscheinungen beigefügt war, in dem es an einer Stelle hieß: *Mit Spannung erwartet wird der neue Roman von Elena Greco, der in einem unbekannten Neapel in blutroten Farben spielt,* und so weiter. Und doch war ich neben ihr nur Dekoration, hier an dem Ort, an dem wir geboren waren, ich bezeugte sozusagen Lilas Verdienste. Wer uns seit unserer Geburt kannte, schrieb es ihr zu, ihrer Anziehungskraft, dass der Rione auf seinen Straßen eine so angesehene Persönlichkeit wie mich haben konnte.

85

Ich glaube, es gab viele, die sich fragten, warum ich, die in den Zeitungen reich und berühmt wirkte, zurückgekehrt war und in einer elenden Wohnung in einer zunehmend verwahrlosten Gegend lebte. Die Ersten, die das nicht verstanden, waren wohl meine Töchter. Dede kam eines Vormittags angeekelt aus der Schule:

»Ein alter Mann hat in unseren Eingang gepinkelt.«

Und ein andermal kam Elsa entsetzt nach Hause:

»Heute wurde im kleinen Park einer erstochen.«

In solchen Momenten bekam ich es mit der Angst zu tun, der Teil von mir, der sich längst aus dem Rione herausgearbeitet hatte, empörte sich, machte sich Sorgen um die Mädchen, sagte: jetzt reicht's. Zu Hause sprachen Dede und Elsa ein gutes Italienisch, aber gelegentlich hörte ich sie vom Fenster aus oder wenn sie die Treppe hochkamen, und ich entdeckte, dass vor allem Elsa einen sehr aggressiven, manchmal auch obszönen Dialekt verwendete. Ich machte ihr Vorhaltungen deswegen, und sie gab sich reumütig. Doch ich wusste, dass man viel Selbstdisziplin brauchte, um dem Reiz der Ungezogenheit und vielen anderen Versuchungen zu widerstehen. Konnte es sein, dass die Mädchen, während ich damit beschäftigt war, Literatur zu produzieren, auf Abwege gerieten? Ich beruhigte mich damit, dass ich mir die zeitliche Begrenzung meines Aufenthaltes in Erinnerung rief: Nach der Veröffentlichung meines Buches wollte ich Neapel endgültig verlassen. Ich sagte es mir wieder und wieder: Ich musste nur eine Endfassung des Romans zustande bringen.

Das Buch profitierte zweifellos von allem, was aus dem Rione kam. Aber meine Arbeit ging besonders deshalb so gut voran, weil meine Aufmerksamkeit auf Lila gerichtet war, die ganz und gar in dieser Umgebung geblieben war. Ihre Stimme, ihr Blick, ihre Gesten, ihre Bosheit und ihre Großzügigkeit und auch ihr Dialekt waren aufs Engste mit unserem Geburtsort verbunden. Sogar ihre Firma Basic Sight schien trotz des exotischen Namens (die Leute nannten sie *basissìt*) kein aus dem Weltall herabgefallener Meteorit zu sein, sondern eine unvermutete Antwort auf Armut, Gewalt und Verfall. Auf Lila zurückzugreifen, um meiner Geschichte Wahrheit zu verleihen, erschien mir unerlässlich. Danach wollte ich für immer weggehen, ich hatte vor, nach Mailand zu ziehen.

Ich brauchte nur ein wenig in ihrem Büro zu sitzen, um den Hintergrund zu erkennen, vor dem sie agierte. Ich sah ihren Bruder, der inzwischen unverkennbar von den Drogen zerstört war. Ich sah Ada, die mit jedem Tag grimmiger wurde, als erklärte Feindin Marisas, die ihr Stefano endgültig weggenommen hatte. Ich sah Alfonso – in dessen Gesicht und Umgangsformen das Weibliche und das Männliche fortwährend Grenzen durchbrachen, mit Folgen, die mich mal abstießen, mal anrührten und immer sehr beunruhigten –, Alfonso, der häufig ein blaues Auge oder eine aufgeplatzte Lippe von wer weiß wo und wer weiß wann erhaltenen Schlägen hatte. Ich sah Carmen in ihrem blauen Tankwartskittel, die Lila beiseitezog und sie befragte wie ein Orakel. Ich sah Antonio, der mit Halbsätzen um sie herumstrich oder gemessen in Schweigen verharrte, wenn er wie zu einem Anstandsbesuch seine bildschöne deutsche Frau und die Kinder mit ins Büro brachte. Währenddessen schnappte ich Gerüchte noch und noch auf. Stefano Carracci steht kurz vor der Schließung seiner Salumeria, er hat nicht eine Lira mehr, will Geld. Pasquale Peluso hat irgendwen entführt, und falls er es nicht war, hat er doch garantiert seine Finger im Spiel. Den Brand in der Hemdenfabrik von Afragola hat der und der selbst gelegt, um die Versicherung zu bescheißen. Pass auf Dede auf, sie geben den Kindern Bonbons mit Rauschgift. An der Grundschule treibt sich ein Schwuler herum und schnappt sich die Kinder. Die Solaras eröffnen einen Nachtclub im neuen Viertel, Frauen und Drogen, die Musik wird so laut sein, dass kein Mensch mehr schlafen kann. Durch den Stradone fahren nachts riesige LKWs und transportieren Zeug, das mehr kaputtmachen kann als die Atombombe. Gennaro hat sich mit schlimmen Leuten eingelassen, und wenn das so weitergeht, lasse ich ihn nicht mal mehr zur Arbeit. Das Mordopfer, das man am Tunnel gefunden hat, sah aus wie eine Frau, war aber ein Mann, er hatte so viel Blut im Körper, dass es bis runter zur Tanksäule gelaufen ist.

Ich beobachtete, hörte zu, und dies aus der Position heraus, die Lila und ich uns als Kinder erträumt hatten und die ich tatsächlich erreicht hatte: Ich war die Autorin des gewichtigen Buches, das ich gerade zurechtfeilte – oder stellenweise umschrieb – und das demnächst erscheinen sollte. ›In der ersten Fassung‹, sagte ich mir, ›habe ich zu viel Dialekt verwendet.‹ Ich strich durch, schrieb neu. Dann hatte ich den Eindruck, dass es zu wenig Dialekt war, und fügte welchen hinzu. Ich war im Rione, war aber in dieser Rolle, in dieser Inszenierung, trotzdem in Sicherheit. Mein ehrgeiziges Wirken rechtfertigte meine Anwesenheit an diesem Ort, und solange ich mich ihm widmete, gab es dem kranken Licht der Zimmer einen Sinn und auch den unflätigen Stimmen von der Straße, den Gefahren, denen die Mädchen ausgesetzt waren, dem Verkehr auf dem Stradone, der bei schönem Wetter Staub aufwirbelte und wenn es regnete, Wasser und Schlamm, und der Kundenschar von Lila und Enzo, kleinen Provinzunternehmern – große Luxuskarossen, geschmacklose, teure Anzüge und schwere Körper, die sich teils überheblich, teils unterwürfig bewegten.

Als ich einmal zusammen mit Imma und Tina in der Basic Sight auf Lila wartete, wurde mir alles klarer: Lila ging einem neuen Beruf nach, war jedoch vollkommen in unserer alten Welt verankert. Ich hörte, wie sie einen Kunden wegen Geldstreitigkeiten denkbar vulgär anschrie. Ich war erschüttert, wo war auf einmal die Frau geblieben, die eine höfliche Autorität ausstrahlte? Enzo lief herbei, und der Mann – ein Kerl um die sechzig, klein und mit einem riesigen Bauch – zog fluchend ab. Danach fragte ich Lila:

»Wer bist du wirklich?«

»Inwiefern?«

»Wenn du nicht darüber reden willst, lass es.«

»Nein, reden wir darüber, aber sag mir, was du meinst.«

»Ich meine: In einer Umgebung wie dieser und mit den Leuten, mit denen du zu tun hast, wie verhältst du dich da?«

»Ich passe auf, wie alle.«

»Mehr nicht?«

»Na ja, ich passe auf und setze Dinge in Bewegung, damit sie so laufen, wie ich es sage. So haben wir es doch immer gehalten, nicht?«

»Ja, aber jetzt tragen wir Verantwortung für uns und für unsere Kinder. Hast du nicht gesagt, wir müssten den Rione verändern?«

»Und was sollte man deiner Meinung nach tun, um ihn zu verändern?«

»Sich an die Gesetze halten.«

Ich staunte selbst über das, was ich da sagte. Meine Worte zeigten mir, dass ich noch gesetzesgläubiger war als mein Exmann und in vielerlei Hinsicht auch als Nino. Lila sagte spöttisch:

»Das Gesetz ist prima, solange du es mit Leuten zu tun hast, die schon strammstehen, wenn du das Wort *Gesetz* auch nur aussprichst. Aber du weißt doch, wie es hier ist.«

»Wie denn?«

»Wenn die Leute keine Angst vor dem Gesetz haben, musst du ihnen Angst machen. Für den Scheißkerl, den du vorhin gesehen hast, haben wir viel, sogar sehr viel gearbeitet, aber er will nicht zahlen, behauptet, er hat kein Geld. Ich habe ihm gedroht, habe gesagt: ›Dann verklage ich dich.‹ Und er hat geantwortet: ›Verklag mich doch, wen juckt's.‹«

»Aber du wirst ihn verklagen.«

Sie lachte.

»So kriege ich mein Geld nie. Vor einer Weile hat uns ein Buchhalter Millionen geklaut. Wir haben ihn entlassen und angezeigt. Aber das Gericht hat keinen Finger gerührt.«

»Und weiter?«

»Ich hatte es satt, noch länger zu warten, und habe Antonio gerufen. Das Geld kam sofort. Und auch diesmal wird es kommen, ohne Prozess, ohne Anwälte und ohne Richter.«

86

Solche Aufträge erledigte Antonio also für Lila. Nicht gegen Bezahlung, sondern als Freundschaftsdienst, aus persönlicher Hochachtung. Oder, was weiß ich, vielleicht lieh sie ihn sich von Michele aus, von dem Antonio abhängig war, und Michele, der Lila jede Bitte erfüllte, überließ ihn ihr.

Aber kam Michele wirklich allen ihren Wünschen nach? Zwar war das sicherlich so gewesen, bevor ich in den Rione gezogen war, doch nun war nicht mehr ganz klar, ob es sich tatsächlich so verhielt. Ich bemerkte zunächst einige Unstimmigkeiten: Lila sprach Micheles Namen nicht mehr mit Überheblichkeit aus, sondern im Gegenteil mit Ärger oder deutlicher Sorge, und vor allem ließ Michele sich viel seltener in der Basic Sight blicken.

Dass sich etwas verändert hatte, wurde mir auch auf der pompösen Hochzeitsfeier von Marcello und Elisa klar. Während des ganzen Festes wich Marcello seinem Bruder nicht von der Seite, oft flüsterte er ihm etwas ins Ohr, sie lachten dann gemeinsam, und er legte ihm den Arm um die Schulter. Michele schien sich erholt zu haben. Wie früher schwang er wieder seine langen, schwülstigen Reden, während die nun außerordentlich dicke Gigliola ebenso wie seine Kinder brav neben ihm saßen, als wäre Gras darüber gewachsen, wie er sie behandelt hatte. Mir fiel auf, dass die zur Zeit von Lilas Hochzeit noch sehr provinzielle Vulgarität sozusagen moderner geworden war. Sie war eine großstädtische Vulgarität geworden, und selbst Lila hatte sich ihr mit ihrem Benehmen, ihrer Sprache und ihrer Kleidung angepasst. Es gab also keine schrillen Kontraste, abgesehen von meinen Töchtern und mir, die wir in diesem Triumph exzessiver Farben, exzessiven Gelächters und exzessiven Luxus in unserer Schlichtheit vollkommen deplatziert waren.

Vielleicht aus diesem Grund wirkte der Wutausbruch, den Michele bekam, besonders alarmierend. Er hielt gerade eine Rede auf das Brautpaar, als die kleine Tina etwas zurückhaben wollte, was Imma ihr weggenommen hatte, und daher mitten im Saal zeterte. Er redete, Tina schrie. Da hielt Michele schlagartig inne und brüllte mit irrem Blick: »Lina, verdammt noch mal, bring dieses Scheißbalg zur Ruhe!« Genau so, mit diesen Worten. Lila starrte ihn einen langen Moment an. Sie sagte nichts, regte sich nicht. Legte nur, langsam, ihre Hand auf die von Enzo, der neben ihr saß. Ich stand hastig von meinem Tisch auf und brachte die beiden Mädchen vor die Tür.

Der Zwischenfall mobilisierte die Braut, also meine Schwester Elisa. Sie kam nach der Rede, als der tosende Beifall bis zu mir hinaus drang, in ihrem höchst luxuriösen, weißen Kleid an. Fröhlich sagte sie: »Mein Schwager ist wieder ganz der Alte.« Dann fügte sie hinzu: »Aber er darf die Kleinen nicht so behandeln.« Sie nahm Imma und Tina hoch und ging lachend und scherzend mit den Mädchen zurück. Ich folgte ihr verwirrt.

Eine Weile glaubte ich, auch sie würde wieder ganz die Alte werden. Denn Elisa veränderte sich nach der Hochzeit sehr, als hätte das Fehlen der ehelichen Bindung ihr bis dahin geschadet. Sie wurde eine ruhige Mutter, eine gelassene und zugleich entschlossene Ehefrau und stellte jede Feindseligkeit mir gegenüber ein. Wenn ich sie nun mit meinen Töchtern und häufig auch mit Tina besuchte, begrüßte sie mich freundlich und war herzlich zu den Mädchen. Auch Marcello war, wenn ich ihm begegnete, nett zu mir. Er nannte mich seine kleine, Romane schreibende Schwägerin (*wie geht es meiner kleinen, Romane schreibenden Schwägerin?*), sagte beiläufig ein paar liebenswürdige Worte und ging. Die Wohnung war nun immer perfekt in Ordnung, und Elisa und Silvio empfingen uns wie für ein Fest gekleidet. Doch meine kleine Schwester aus Kindertagen – das merkte ich bald – war endgültig verschwunden. Die Hochzeit hatte eine vollkommen künstliche Signora Solara ins Leben gerufen, da war nicht ein vertrauensvolles Wort, nur ein komplett vom Ehemann kopierter, gutmütiger Ton mit einem Lächeln auf den Lippen. Ich gab mir Mühe, liebevoll zu ihr und besonders zu meinem kleinen Neffen zu sein. Aber ich konnte Silvio nicht leiden, da er zu sehr Marcello ähnelte, und Elisa bemerkte das wohl. Eines Nachmittags wurde sie ärgerlich. Sie sagte: »Du hast Linas Kind lieber als meins.« Ich bestritt das nachdrücklich, umarmte den Jungen, küsste ihn ab. Aber sie schüttelte den Kopf, zischte: »Außerdem bist du in Linas Nachbarschaft gezogen und nicht zu mir oder zu unserem Vater.« Sie war also weiterhin sauer auf mich und inzwischen auch auf unsere Brüder. Ich glaube, sie beschuldigte sie der Undankbarkeit. Sie wohnten und arbeiteten in Baiano und hatten sich nicht einmal mehr bei Marcello gemeldet, der so großzügig zu ihnen gewesen war. »Familienbande«, sagte Elisa, »sind stark, könnte man meinen, aber von wegen.« Sie redete, als formulierte sie ein universales Prinzip, dann fügte sie hinzu: »Um zu verhindern, dass sie zerreißen, braucht es einen Willen, wie mein Mann ihn bewiesen hat. Michele hat den Verstand verloren, aber Marcello hat ihn wieder zur Vernunft gebracht. Hast du gehört, was für eine schöne Rede er zu meiner Hochzeit gehalten hat?«

87

Micheles Rückkehr zur Vernunft zeigte sich nicht nur darin, dass er wieder blumige Reden schwang, sondern auch in der Abwesenheit eines Menschen unter den Gästen, der ihm in der Zeit seiner Krise sicherlich sehr nahegestanden hatte: Alfonso. Die nicht erfolgte Einladung war für meinen früheren Banknachbarn ein bitterer Schmerz. Tagelang tat er nichts anderes, als sich zu beklagen und sich lauthals zu fragen, was er den Solaras denn getan habe. »Ich habe so viele Jahre für sie gearbeitet«, sagte er, »und sie haben mich nicht eingeladen.« Dann geschah etwas, was für viel Wirbel sorgte. Eines Abends kam er mit Lila und Enzo zum Essen zu mir, er war sehr niedergeschlagen. Er, der sich in meiner Gegenwart nie als Frau gekleidet hatte, abgesehen von dem einen Mal, da er in dem Geschäft in der Via Chiaia das Umstandskleid anprobiert hatte, kam nun in Frauenkleidern, so dass vor allem Dede und Elsa der Mund offen stehen blieb. Er war den ganzen Abend über schwer zu ertragen, er trank viel. Bestürmte Lila: »Werde ich dick, werde ich hässlich, ähnele ich dir nicht mehr?« Fragte Enzo: »Wer ist die Schönere, ich oder sie?« Dann jammerte er, dass sein Darm verstopft sei, dass ihm das, was er den Mädchen gegenüber als Popo bezeichnete, höllisch wehtue. Und er verlangte, ich solle ihn mir anschauen, um zu sehen, was er habe. »Sieh dir meinen Popo an«, sagte er mit einem unflätigen Lachen, und Dede starrte ihn perplex an, Elsa versuchte, ein Kichern zu unterdrücken. Enzo und Lila mussten ihn schnell wegschaffen.

Aber Alfonso beruhigte sich nicht. Ohne Schminke, in Männerkleidung und mit rotgeweinten Augen verließ er tags darauf die Basic Sight und sagte, er gehe einen Kaffee in der Solara-Bar trinken. Am Eingang traf er auf Michele, was sie sprachen, erfuhr man nicht. Nach wenigen Minuten begann Michele ihn mit Fausthieben und Fußtritten zu bearbeiten, griff dann zu der Stange, mit der die Rollläden heruntergezogen wurden, und schlug wohlgezielt und lange auf ihn ein. Alfonso kam übel zugerichtet ins Büro zurück, wiederholte aber unentwegt: »Es ist meine Schuld, ich konnte mich nicht beherrschen.« Inwiefern beherrschen, war nicht zu ermitteln. Zumindest verschlimmerte sich sein Zustand nun noch mehr, und Lila wirkte besorgt. Tagelang versuchte sie erfolglos, Enzo zu beruhigen, der die Gewalt der Starken gegen die Schwachen nicht ertrug und zu Michele wollte, um zu sehen, ob der glaubte, ihn genauso verprügeln zu können, wie er es mit Alfonso getan hatte. Oben in meiner

Wohnung hörte ich mit an, wie Lila zu ihm sagte: »Hör auf, du machst Tina Angst.«

88

Es wurde Januar, mein Buch war mittlerweile gut gefüllt mit der Notation vieler winziger Details aus dem Rione. Ich war sehr angespannt. Als ich beim letzten Korrekturdurchgang war, fragte ich Lila schüchtern, ob sie die Geduld aufbrächte, es zu lesen (*es ist jetzt ganz anders*), aber sie lehnte rigoros ab. »Ich habe nicht mal das letzte Buch gelesen, das du veröffentlicht hast«, sagte sie. »Davon verstehe ich nichts.« Ich fühlte mich einsam, meinem eigenen Text ausgeliefert, und war sogar versucht, Nino anzurufen und ihn um den Gefallen zu bitten, ihn zu lesen. Dann wurde mir klar, dass er sich kein einziges Mal gemeldet hatte, obwohl er meine Adresse und meine Telefonnummer kannte, und in all diesen Monaten sowohl mich als auch unsere Tochter ignoriert hatte. Also ließ ich es sein. Der Text wurde fertig und verschickt. Mich von ihm zu trennen, machte mir Angst, ich würde ihn erst in seiner endgültigen Gestalt wiedersehen, und jedes Wort würde unabänderlich sein.

Die Presseabteilung rief an. Gina erzählte mir: »Die von *Panorama* haben die Korrekturabzüge gelesen und sind sehr interessiert, sie schicken dir einen Fotografen vorbei.« Sofort trauerte ich der herrschaftlichen Wohnung in der Via Tasso nach. Ich dachte: ›Ich will nicht noch mal am Tunneleingang fotografiert werden und auch nicht in dieser elenden Wohnung hier und auch nicht zwischen den Spritzen der Junkies im kleinen Park, ich bin nicht mehr das Mädchen von vor fünfzehn Jahren, das hier ist mein drittes Buch, ich will angemessen behandelt werden.‹ Aber Gina ließ nicht locker, das Buch müsse beworben werden. Ich sagte: »Gib dem Fotografen meine Nummer«, ich wollte wenigstens rechtzeitig Bescheid wissen, mich vorher zurechtmachen und das Treffen absagen können, falls ich mich nicht danach fühlte.

Ich versuchte in diesen Tagen, die Wohnung in Ordnung zu halten, aber niemand rief an. Daraus schloss ich, dass *Panorama* auf den Fototermin verzichtet hatte, weil schon ziemlich viele Bilder von mir in Umlauf waren. Doch eines Vormittags, als Dede und Elsa in der Schule waren und ich nachlässig gekleidet in Jeans und abgetragenem Pullover auf dem Fußboden saß und mit Imma und Tina spielte, klingelte es an der Tür. Die beiden Mädchen setzten gerade die verstreuten Teile zusammen, aus denen sich ein Schloss bauen ließ, und ich half ihnen dabei. Seit einigen Monaten schien es endgültig keinen Abstand mehr zwischen Lilas und meiner Tochter zu geben. Sie bauten beide mit präzisen Handgriffen, und während Tina mehr Einfallsreichtum zeigte und mir in einem klaren, akzentuierten Italienisch oftmals erstaunliche Fragen stellte, war Imma entschlossener, vielleicht auch disziplinierter, und ihr einziger Nachteil war eine zusammengezogene Sprache, für deren Entschlüsselung wir alle häufig auf die Hilfe ihrer kleinen Freundin zurückgriffen. Da ich mich noch damit aufhielt, Tina irgendeine Frage zu beantworten, klingelte es nun mit mehr Nachdruck. Ich ging zur Tür und sah mich einer auffallend schönen Frau um die dreißig gegenüber, blonde Locken, dazu ein langer, blauer Regenmantel. Es war die Fotografin.

Sie erwies sich als eine sehr mitteilsame Mailänderin. Nichts von dem, was sie trug, war preiswert. »Ich habe deine Nummer verloren«, sagte sie, »aber das macht nichts, je weniger du darauf gefasst bist, fotografiert zu werden, desto besser werden die Bilder.« Sie schaute sich um. »Was für eine Strapaze, hier herzukommen, und was für eine Bruchbude, aber das passt perfekt. Sind diese Püppchen deine Töchter?« Tina lächelte sie an, Imma nicht, aber es war offenkundig, dass beide sie für eine Art Fee hielten. Ich stellte sie ihr vor: »Imma ist meine Tochter, und Tina ist die Tochter meiner Freundin.« Noch während ich sprach, begann die Fotografin mich zu umkreisen und mit ihren verschiedenen Kameras und Objektiven ununterbrochen Fotos zu schießen. »Ich muss mich ein bisschen zurechtmachen«, versuchte ich einzuwenden. »Bloß nicht, du siehst gut aus so.«

Sie schob mich in jeden Winkel der Wohnung, in die Küche, ins Kinderzimmer, in mein Schlafzimmer, sogar vor den Spiegel im Bad.

»Hast du dein Buch da?«

»Nein, es ist noch nicht erschienen.«

»Und ein Exemplar vom letzten, das du geschrieben hast?«

»Ja.«

»Nimm es und setz dich hier her, tu so, als würdest du lesen.«

Ich gehorchte wie betäubt. Tina nahm sich auch ein Buch, ahmte meine Haltung nach und sagte zu Imma: »Mach ein Foto von mir.« Das entzückte die Fotografin, sie sagte: »Setz dich zu den Mädchen auf den Boden.« Sie machte viele Bilder von uns, Tina und Imma waren selig. Die Frau rief: »Jetzt machen wir eins nur mit deiner

Tochter.« Ich wollte Imma an mich ziehen, aber sie sagte: »Nein, die andere, sie hat ein tolles Gesichtchen.« Sie schob Tina zu mir, fotografierte uns unaufhörlich. Imma wurde traurig. »Ich auch«, sagte sie. Ich breitete die Arme aus, rief: »Ja, komm zur Mama!«

Der Vormittag verging wie im Flug. Die Frau mit dem blauen Regenmantel schleppte uns nach draußen, war aber etwas angespannt. Mehrmals fragte sie: »Sie werden mir doch nicht die Ausrüstung klauen?« Dann geriet sie ins Schwärmen, wollte jede elende Ecke des Rione fotografieren, setzte mich auf eine kaputte Bank, stellte mich vor eine Wand mit abblätterndem Putz und neben das alte Pissoir. Ich sagte zu Imma und Tina: »Dass ihr mir hier schön stehen bleibt und euch nicht vom Fleck rührt, hier fahren Autos.« Sie hielten sich bei der Hand, die eine blond, die andere braunhaarig, beide gleich groß, und warteten.

Lila kam zur Abendbrotzeit nach Hause und zu mir hoch, um ihre Tochter abzuholen. Tina ließ ihr nicht erst die Zeit, in die Wohnung zu kommen, und erzählte schon alles.

»Eine wunderschöne Frau war hier.«

»Schöner als ich?«

»Ja.«

»Auch schöner als Tante Lenuccia?«

»Nein.«

»Also ist Tante Lenuccia die Schönste von allen.«

»Nein, ich.«

»Du? Was ist denn das für ein Unsinn.«

»Das stimmt, Mama!«

»Und was hat die Frau gemacht?«

»Fotos.«

»Von wem?«

»Von mir.«

»Nur von dir?«

»Ja.«

»Du Lügnerin. Imma, komm her, erzähl du mir, was ihr gemacht habt.«

89

Ich wartete darauf, dass *Panorama* erschien. Jetzt war ich zufrieden, die Presseabteilung leistete sehr gute Arbeit, ich war stolz darauf, im Mittelpunkt einer ganzen Fotoreportage zu stehen. Aber eine Woche verging, ohne dass der Beitrag erschien. Zwei Wochen vergingen, wieder nichts. Es wurde Ende März, mein Buch war inzwischen in den Läden, und noch immer nichts. Ich hatte anderes zu tun: ein Interview im Radio und eines für den *Mattino*. Dann musste ich zur Buchvorstellung nach Mailand. Sie fand in derselben Buchhandlung statt wie die vor fünfzehn Jahren, und die einführenden Worte sprach derselbe Professor wie damals. Adele ließ sich nicht blicken, Mariarosa ebenso wenig, aber es waren mehr Zuhörer da als beim vorigen Mal. Der Professor redete ohne großen Eifer, aber positiv über das Buch, und von den Anwesenden – es waren vor allem Frauen – ergriff jemand das Wort, um sich begeistert über die komplexe Humanität der Protagonistin zu äußern. Ein Ritual, das ich inzwischen gut kannte. Am nächsten Morgen fuhr ich todmüde nach Neapel zurück.

Ich weiß noch, dass ich gerade nach Hause ging, wobei ich den Koffer hinter mir herzog, als auf dem Stradone ein Auto neben mir bremste. Am Steuer saß Michele, daneben Marcello. Ich erinnerte mich daran, wie die Solara-Brüder einmal versucht hatten, mich in ihr Auto zu ziehen – das hatten sie auch mit Ada getan –, und Lila mich beschützt hatte. Wie damals trug ich das Armband meiner Mutter, und obwohl Gegenstände an sich gleichgültig sind, wich ich abrupt zurück, um es zu schützen. Doch Marcello starrte nach vorn, ohne mich zu grüßen, er sagte nicht einmal mit seinem üblichen gutmütigen Ton: »Da ist ja meine kleine, Romane schreibende Schwägerin.« Dafür sprach Michele, er war richtig wütend:

»Lenù, was für eine Scheiße hast du in diesem Buch geschrieben? Abscheuliches über den Ort, an dem du geboren bist? Abscheuliches über meine Familie? Abscheuliches über die, die dich haben aufwachsen sehen und dich bewundern und dich lieben? Abscheuliches über unsere wunderschöne Stadt?«

Er wandte sich um, nahm eine druckfrische Ausgabe von *Panorama* vom Rücksitz und reichte sie mir durchs Fenster.

»Macht es dir Spaß, solchen Blödsinn zu erzählen?«

Ich warf einen Blick auf das Wochenblatt. Es war auf der entsprechenden Seite aufgeschlagen. Ein großes Farbfoto zeigte Tina und mich auf dem Fußboden in meiner Wohnung sitzend. Mir stach sofort die Bildunterschrift ins Auge: Elena Greco mit Tochter Tina. Anfangs dachte ich, diese Bildunterschrift sei das Problem, und verstand nicht, warum Michele sich so darüber aufregte. Verdattert sagte ich:

»Sie haben einen Fehler gemacht.«

Aber er polterte mit einem noch unverständlicheren Satz los:

»Nicht sie haben einen Fehler gemacht, sondern *ihr zwei*!«

»Welche zwei denn, ich verstehe nicht, wovon du redest.«

Da schaltete sich Marcello ein, ärgerlich sagte er:

»Vergiss sie, Michè, Lina manipuliert sie, und sie merkt es nicht mal.«

Michele fuhr mit quietschenden Reifen los und ließ mich mit der Zeitschrift in der Hand auf dem Gehweg zurück.

90

Ich stand wie angewurzelt da, der Koffer neben mir. Ich las den Artikel, vier Seiten mit Fotos von den hässlichsten Orten des Rione, nur auf dem Bild mit Tina war auch ich zu sehen, eine wunderschöne Aufnahme, deren Hintergrund mit der trostlosen Wohnung unseren beiden Gestalten eine besondere Feinheit verlieh. Der Verfasser behandelte mein Buch nicht als Roman, sondern benutzte es, um von dem zu berichten, was er »das Revier der Solara-Brüder« nannte, ein abgestecktes Territorium, vielleicht zur Nuova Camorra Organizzata gehörig, vielleicht auch nicht. Über Marcello wurde nicht viel gesagt, es ging vor allem um Michele, dem Unternehmergeist, Skrupellosigkeit und die Bereitschaft zugeschrieben wurde, politisch von einem Karren auf den nächsten zu springen, wenn es die Geschäfte erforderten. Welche Geschäfte? *Panorama* listete wahllos durcheinander die legalen und die illegalen auf: die Bar-Pasticceria, Lederwarenhandel, Schuhläden, Supermärkte, Nachtclubs, Wucher, den alten Zigarettenschmuggel, Hehlerei, Drogen und Einbrüche auf den Baustellen nach dem Erdbeben.

Mir brach der kalte Schweiß aus.

Was hatte ich getan, wie hatte ich so unvorsichtig sein können.

In Florenz hatte ich einen Plot entworfen und dabei mit einer aus der Distanz rührenden Tollkühnheit Dinge aus meiner Kindheit und Jugend aufgegriffen. Neapel war, von dort aus betrachtet, fast schon ein Ort der Phantasie, eine Stadt wie aus einem Film, die, obgleich Straßen und Häuser real sind, nur als Kulisse für Krimis oder Kitschgeschichten dient. Als ich dann zurückgezogen war und Lila jeden Tag sah, hatte mich eine Realitätssucht gepackt, und wiewohl ich es vermieden hatte, den Rione zu erwähnen, hatte ich doch über ihn geschrieben. Aber offenbar hatte ich es übertrieben, so dass das Verhältnis zwischen Wahrheit und Fiktion wohl aus dem Gleichgewicht geraten war. Nun war jede Straße, jeder Wohnblock wiederzuerkennen und vielleicht sogar die Leute, sogar die konkreten Gewalttaten. Die Fotos waren der Beweis für das, was mein Text wirklich enthielt, sie identifizierten die Gegend unwiderruflich, der Rione hörte auf, eine Fiktion zu sein, wie er es für mich beim Schreiben stets gewesen war. Der Verfasser des Artikels erzählte die Geschichte des Rione, er schrieb sogar über den Mord an Don Achille Carracci und über den an Manuela Solara. Besonders bei Letzterem hielt er sich lange auf, wobei er die Vermutung äußerte, er sei entweder die sichtbare Spitze eines Konflikts zwischen Camorra-Clans gewesen oder eine Exekution, die auf das Konto des »gefährlichen, im Viertel geborenen und aufgewachsenen Terroristen Pasquale Peluso geht, des ehemaligen Maurers und früheren Kreissekretärs der Kommunistischen Partei«. Aber ich hatte nichts von Pasquale geschrieben, nichts von Don Achille oder Manuela. Die Carraccis, die Solaras waren für mich nur Modelle gewesen, Stimmen, die mit ihrem Dialekt, der dazugehörigen Gestik und ihrem bisweilen brutalen Tonfall geeignet waren, eine von vorn bis hinten erdachte Romanhandlung zu unterfüttern. Ich hatte meine Nase nicht in ihre tatsächlichen Angelegenheiten stecken wollen. Was hatte denn »das Revier der Solara-Brüder« damit zu tun.

Ich hatte einen Roman geschrieben.

91

In großer Aufregung ging ich zu Lila nach Hause, meine Mädchen waren bei ihr. »Du bist ja schon da«, sagte Elsa, die sich ohne mich freier fühlte. Und Dede begrüßte mich zerstreut, indem sie mit gespielter Vernunft murmelte: »Nur eine Minute, Mama, ich mach nur die Hausaufgaben fertig, dann umarme ich dich.« Die einzige Begeisterte war Imma, sie presste ihre Lippen auf meine Wange und küsste mich lange, ohne loszulassen. Das Gleiche wollte Tina tun. Aber ich war mit meinen Gedanken anderswo, kümmerte mich nicht weiter um die beiden und zeigte Lila sofort die *Panorama*-Ausgabe. Meine Angst unterdrückend, erzählte ich ihr von den Solaras, ich sagte: »Sie waren wütend.« Lila las den Artikel in Ruhe durch, ihr einziger Kommentar war: »Schöne Fotos.« Ich platzte los:

»Ich werde einen Brief schreiben, werde protestieren. Sollen sie von mir aus eine Reportage über Neapel schreiben, sollen sie, was weiß ich, über Cirillos Entführung schreiben, über die Camorra-Toten, worüber sie wollen, aber nach Belieben auf mein Buch zurückgreifen dürfen sie nicht.«

»Und warum nicht?«

»Weil das Literatur ist, ich habe keine Tatsachen berichtet.«

»Soweit ich mich erinnere, doch.«

Ich sah sie unsicher an.

»Was meinst du damit?«

»Du hast zwar keine Namen genannt, aber vieles erkennt man wieder.«

»Warum hast du mir das nicht gesagt?«

»Ich habe dir gesagt, dass mir das Buch nicht gefällt. Entweder man erzählt was, oder man lässt es bleiben: Du bist auf halber Strecke stehengeblieben.«

»Das war ein Roman.«

»Ein bisschen Roman und ein bisschen auch nicht.«

Ich antwortete nicht, meine Angst wuchs. Ich wusste nicht, was ich schlimmer fand, die Reaktion der Solaras oder den Umstand, dass Lila gerade ihr negatives Urteil von damals seelenruhig bekräftigt hatte. Ich schaute zu Dede und Elsa, aber fast ohne sie zu sehen, sie hatten sich die Zeitschrift gegriffen. Elsa rief:

»Tina, guck mal, du bist in der Zeitung!«

Tina kam näher und sah mit großen Augen und einem erfreuten Lächeln sich selbst. Imma fragte Elsa:

»Und wo bin ich?«

»Du bist da nicht drauf, weil Tina schön ist und du hässlich bist«, antwortete ihre Schwester.

Da wandte Imma sich an Dede, um zu hören, ob das stimme. Und nachdem Dede die *Panorama*-Bildunterschrift zweimal vorgelesen hatte, versuchte sie, Imma davon zu überzeugen, dass sie eigentlich nicht meine Tochter sei, weil sie ja Sarratore und nicht Airota heiße. Da hielt ich es nicht mehr aus, ich war müde, war außer mir, ich schrie: »Das reicht jetzt, wir gehen nach Hause!« Alle drei widersprachen, unterstützt von Tina und vor allem von Lila, die darauf bestand, dass wir zum Abendessen blieben.

Wir blieben. Lila versuchte mich zu beruhigen, wollte mich sogar vergessen lassen, dass sie erneut schlecht über mein Buch gesprochen hatte. Sie begann im Dialekt und wechselte dann zu ihrem Italienisch für besondere Anlässe, das mich jedes Mal wieder überraschte. Sie sprach über die Erfahrung des Erdbebens, in mehr als zwei Jahren hatte sie das nie anders getan als mit Klagen darüber, wie sehr sich der Zustand der Stadt verschlechtert hatte. Nun sagte sie, seit damals achte sie darauf, niemals zu vergessen, dass wir vollkommen überfrachtete Wesen seien, vollgestopft mit Physik, Astrophysik, Biologie, Religion, Seele, Bourgeoisie, Proletariat, Kapital, Arbeit, Profit, Politik, unzähligen wohlklingenden und unzähligen misstönenden Sätzen, Chaos drinnen und Chaos draußen. »Darum beruhige dich«, rief sie lachend, »was erwartest du denn sonst von den Solaras. Dein Roman ist fertig. Du hast ihn geschrieben, hast ihn umgeschrieben, und hier zu wohnen, hat dir offensichtlich geholfen, ihn authentischer zu machen, aber jetzt ist er draußen, und du kannst ihn nicht zurücknehmen. Die Solaras waren wütend? Na, wenn schon. Michele bedroht dich? Ist doch scheißegal. Jeden Augenblick kann es ein neues, viel stärkeres Erdbeben geben. Oder das ganze Universum kann zusammenkrachen. Also was ist da Michele Solara? Nichts. Und Marcello ist auch nichts. Die beiden sind bloß Fleisch, das Geldforderungen und Drohungen ausstößt.« Sie seufzte, sagte leise: »Die Solaras werden immer gefährliche Bestien sein, Lenù, da ist nichts zu machen. Einen hatte ich gezähmt, aber sein Bruder hat ihn wieder wild gemacht. Hast du gesehen, wie schlimm Michele Alfonso verprügelt hat? Diese Prügel will er eigentlich mir geben, aber dazu fehlt ihm der Mut. Und auch die Wut auf dein Buch, auf den *Panorama*-Artikel, auf die Fotos, das ist alles nur Wut auf mich. Also pfeif drauf, so wie ich drauf pfeife. Du hast sie in die Zeitung gebracht, und das vertragen die Solaras nicht, das ist nicht gut fürs Geschäft und für ihre krummen Touren. Uns dagegen gefällt das, oder? Worüber sollten wir uns Sorgen machen?«

Ich hörte ihr zu. Wenn sie so redete, mit einigen anspruchsvollen Passagen, kam mir jedes Mal der Verdacht, sie könnte noch immer Bücher verschlingen, wie sie es als Mädchen getan hatte, verheimliche mir das aber aus unerklärlichen Gründen. In ihrer Wohnung war nicht ein Buch zu finden, abgesehen von technischen Fachbroschüren für ihre Arbeit. Sie wollte sich als jemand ohne jede Bildung darstellen, und doch stand sie plötzlich da und redete über Biologie, über Psychologie und darüber, wie kompliziert die Menschen waren. Warum war sie so zu mir? Ich wusste es nicht, aber ich brauchte Beistand, und so vertraute ich ihr trotzdem. Am Ende konnte sie mich beruhigen. Ich las den Artikel erneut, und er gefiel mir. Ich musterte die Fotos: Der Rione war hässlich, aber Tina und ich sahen gut aus. Wir begannen zu kochen, die Vorbereitungen halfen mir beim Nachdenken. Ich kam zu dem Schluss, dass der Artikel und die Fotos dem Buch nützen würden und dass der Text aus Florenz, der in Neapel, in der Wohnung über der von Lila, überarbeitet worden war, tatsächlich gewonnen hatte. »Ja«, sagte ich zu ihr, »pfeifen wir auf die Solaras.« Ich entspannte mich, wurde wieder freundlich zu den Mädchen.

Vor dem Essen kam, nach wer weiß welchen konspirativen Gesprächen, Imma zu mir, dicht gefolgt von Tina. Sie fragte in ihrer Sprache, die aus deutlich formulierten und aus nahezu unverständlichen Wörtern bestand:

»Mama, Tina will wissen, ob ich deine Tochter bin oder sie.«

»Und willst du das auch wissen?«, fragte ich sie.

Ihre Augen wurden feucht:

»Ja.«

Lila sagte:

»Wir sind beide eure Mamas, und wir haben euch beide lieb.«

Als Enzo von der Arbeit kam, war er begeistert von dem Foto, auf dem seine Tochter zu sehen war. Tags darauf kaufte er zwei Exemplare von *Panorama* und hängte in seinem Büro sowohl das ganze Bild auf als auch den Ausschnitt, der nur sein Mädchen zeigte. Natürlich schnitt er die falsche Bildunterschrift ab.

92

Heute, da ich dies schreibe, schäme ich mich für das Glück, das mich immerzu begünstigt hat. Mein Buch erregte sofort Interesse. Jemand schwärmte von dem Vergnügen, das man bei seiner Lektüre empfinde. Jemand lobte die Kunstfertigkeit, mit der die Protagonistin gezeichnet worden sei. Jemand sprach von einem brutalen Realismus, jemand pries meine barocke Phantasie, jemand bewunderte meine weibliche Erzählweise, die weich und einladend sei. Kurz, es regnete durchweg positive Phrasen, die sich allerdings oftmals deutlich widersprachen, als hätten die Rezensenten gar nicht das Buch gelesen, das in den Läden lag, sondern als hätte jeder für sich ein aus den eigenen Vorurteilen konstruiertes Phantombuch heraufbeschworen. Nur in einem waren sich nach dem *Panorama*-Artikel alle einig: Mein Roman war weit entfernt von allen herkömmlichen Neapel-Schilderungen.

Als die Belegexemplare kamen, die mir laut Vertrag zustanden, freute ich mich so sehr, dass ich beschloss, Lila eins zu schenken. Mit den beiden vorigen Büchern hatte ich das nicht getan, und ich war davon überzeugt, dass sie es, zumindest vorläufig, nicht mal durchblättern würde. Aber sie war mir nah, war der einzige Mensch, auf den ich mich wirklich verlassen konnte, und ich wollte ihr meine Dankbarkeit zeigen. Sie reagierte nicht nett. Offensichtlich hatte sie an dem Tag viel zu tun, sie war wegen der bevorstehenden Wahlen am 26. Juni mit der für sie typischen Streitlust in Konflikte verwickelt, die den Rione betrafen. Oder irgendwas hatte sie geärgert, ich weiß es nicht. Fest steht jedenfalls, dass ich ihr das Buch hinhielt und sie es nicht einmal kurz in die Hand nahm, sie sagte, ich solle meine Freiexemplare nicht so verschleudern.

Ich war betroffen, Enzo half mir aus der Verlegenheit. »Gib es mir«, brummte er, »ich habe zwar nie gern gelesen, aber ich hebe es für Tina auf, dann kann sie es lesen, wenn sie groß ist.« Er bat mich um eine Widmung für die

Kleine. Ich weiß noch, dass ich mit etwas Unbehagen schrieb: Für Tina, die es besser machen wird als wir alle. Dann las ich die Widmung laut vor, und Lila rief: »Es besser zu machen als ich, dazu gehört nicht viel, ich hoffe, sie macht noch viel mehr!« Unnötige, ungerechtfertigte Worte. Ich hatte geschrieben: *Besser als wir alle*, und sie hatte es auf ein *Besser als ich* reduziert. Enzo und ich ließen die Sache auf sich beruhen. Er stellte das Buch zu den Computerhandbüchern ins Regal, und wir redeten über die Einladungen, die ich nun erhielt, über die Reisen, die ich nun machen würde.

93

Solche Feindseligkeiten waren meistens offenkundig, aber manchmal verbargen sie sich auch hinter dem Anschein von Hilfsbereitschaft und Zuneigung. So zeigte sich Lila zwar nach wie vor erfreut, wenn sie sich um meine Töchter kümmern sollte, neigte aber dazu, wenn auch nur mit einer leichten Veränderung in der Stimme, mir das Gefühl zu geben, ich stünde in ihrer Schuld, so als wollte sie sagen: Das, was du bist, das, was du sein wirst, hängt davon ab, was zu sein und zu werden ich dir durch meine Opfer ermögliche. Sobald ich diesen Ton hörte, verfinsterte sich mein Gesicht, und ich schlug vor, ich könne mir einen Babysitter suchen. Aber sowohl sie als auch Enzo nahmen das übel, das komme überhaupt nicht in Frage. Eines Morgens, als ich Lilas Hilfe benötigte, erwähnte sie gereizt Probleme, die ihr zu schaffen machten, und ich sagte kalt, ich könne auch eine andere Lösung finden. Sie wurde aggressiv: »Habe ich gesagt, dass ich nicht kann? Wenn du es brauchst, richte ich mich entsprechend ein. Haben sich deine Töchter je beklagt, habe ich sie je vernachlässigt?« Da begriff ich, dass sie nur so etwas wie eine Unentbehrlichkeitsbestätigung brauchte, und räumte mit aufrichtiger Dankbarkeit ein, dass meine öffentlichen Auftritte unmöglich wären, wenn ich nicht so viel Unterstützung von ihr hätte. Danach ging ich meinen Verpflichtungen ohne weitere Bedenken nach.

Dank der guten Arbeit der Presseabteilung war ich jeden Tag in einer anderen Zeitung und einige Male auch im Fernsehen. Ich war begeistert und sehr aufgeregt, mir gefiel die um mich her wachsende Aufmerksamkeit, ich fürchtete mich aber davor, das Falsche zu sagen. In den Momenten größter Anspannung wusste ich nicht, an wen ich mich wenden sollte, und wandte mich ratsuchend an Lila:

»Und wenn sie mich nach den Solaras fragen?«

»Dann sag, was du denkst.«

»Und wenn die Solaras wütend werden?«

»Im Augenblick bist du gefährlicher für sie als sie für dich.«

»Ich mache mir Sorgen, Michele scheint immer mehr durchzudrehen.«

»Bücher schreibt man, um gehört zu werden, nicht um den Mund zu halten.«

Im Grunde versuchte ich, immer vorsichtig zu sein. Wir waren mitten in einem hitzigen Wahlkampf, und ich achtete in den Interviews darauf, mich nie in die Politik einzumischen und die Solaras nicht zu erwähnen, die – wie man wusste – darauf hinarbeiteten, den fünf Regierungsparteien Stimmen abzuziehen. Ich redete stattdessen viel über die Lebensbedingungen im Rione, über den zugespitzten Verfall nach dem Erdbeben, über Armut und scheinlegale Geschäfte, über Kungeleien der Behörden. Dann sprach ich – den jeweiligen Fragen und der jeweiligen Stimmung angepasst – über mich, über meine Ausbildung, über die Mühe, die ich auf mich genommen hatte, um zu studieren, über die Frauenfeindlichkeit an der Scuola Normale, über meine Mutter, meine Töchter, weibliches Denken. Es waren schwierige Zeiten für den Buchmarkt, die Schriftsteller in meinem Alter schwankten zwischen avantgardistischen Tendenzen und traditionellem Erzählen, sie hatten Mühe, ein eigenes Profil zu finden und sich durchzusetzen. Aber ich war im Vorteil. Mein erstes Buch war Ende der siebziger Jahre erschienen, und mit meinem zweiten hatte ich eine solide Bildung und breitgefächerte Interessen unter Beweis gestellt, ich gehörte zu den wenigen, die bereits auf eine kleine Publikationsgeschichte und sogar auf eine leidlich große Leserschaft zurückblicken konnten. Daher begann das Telefon immer öfter zu klingeln. Doch ich muss sagen, nur selten wollten die Journalisten Ansichten oder Ausführungen zu literarischen Themen, sie baten mich vor allem um soziologische Betrachtungen und um Auskünfte zu Neapels aktueller Situation. Ich ließ mich trotzdem gern darauf ein. Schon bald begann ich für den *Mattino* über die verschiedensten Themen zu schreiben, ich übernahm eine Rubrik in *Noi donne*, stellte mein Buch überall dort vor, wohin ich eingeladen wurde, und passte meine Präsentation den Bedürfnissen des jeweiligen Publikums an. Ich konnte nicht glauben, was mir da gerade geschah. Meine früheren Bücher hatten sich gut verkauft, aber doch nicht so reißend. Einige berühmte Schriftsteller, die kennenzulernen ich nie die Gelegenheit gehabt hatte, riefen mich an. Ein sehr bekannter Regisseur wollte sich mit mir treffen, er plante eine Verfilmung meines Romans. Jeden Tag hörte ich, dass dieser oder jene ausländische Verlag das Buch zur Lektüre bestellt hatte. Kurz, meine Freude wuchs.

Zwei unerwartete Anrufe erfüllten mich mit besonderer Genugtuung. Der erste kam von Adele. Sie sprach sehr herzlich mit mir, erkundigte sich nach ihren Enkeltöchtern, sagte, sie wisse durch Pietro alles über sie und habe Fotos von ihnen gesehen, sie seien wunderschön. Ich hörte ihr zu, beschränkte mich auf wenige förmliche Sätze. Über mein Buch sagte sie: »Ich habe es noch mal gelesen, bravo, du hast es sehr verbessert.« Zum Abschied nahm sie mir das feste Versprechen ab, mich zu melden, falls ich zu einer Lesung nach Genua kommen sollte, ihr die Mädchen zu bringen und sie eine Weile bei ihr zu lassen. Ich versprach es, schloss aber aus, dass ich dieses Versprechen halten würde.

Wenige Tage später rief Nino an. Er sagte, mein Roman sei großartig (*eine in Italien unvorstellbare literarische Qualität*), und bat mich, die drei Mädchen sehen zu dürfen. Ich lud ihn zum Mittagessen ein, er kümmerte sich sehr um Dede, Elsa und Imma und sprach dann natürlich extrem viel über sich. Er sei nun kaum noch in Neapel, sondern immer in Rom, arbeite viel mit meinem Exmann zusammen, habe interessante Aufgaben. Er wiederholte häufig: »Die Dinge laufen gut, Italien beschreitet endlich den Weg der Modernität.« Dann sah er mir tief in die Augen und sagte plötzlich: »Komm, lass uns wieder zusammen sein!« Ich brach in Lachen aus: »Wenn du Imma sehen willst, genügt ein Anruf, aber wir zwei haben uns nichts mehr zu sagen, mir ist, als hätte ich die Kleine von einem Geist bekommen, in meinem Bett warst ganz sicher nicht du.« Er zog missmutig ab und ließ sich nicht mehr blicken. Er vergaß uns – Dede, Elsa, Imma und mich – für eine lange Zeit. Er vergaß uns garantiert schon in dem Moment, als ich die Tür hinter ihm schloss.

94

Was konnte ich mir damals noch mehr wünschen? Aus meinem Namen, meinem unbedeutenden Namen, wurde nun endgültig ein bedeutender, ich war nun jemand. Darum hatte Adele Airota mich angerufen, wie um sich zu entschuldigen, darum hatte Nino Sarratore versucht, meine Vergebung zu erhalten und in mein Bett zurückzukommen, und darum wurde ich überallhin eingeladen. Gewiss, es war schwer, mich von den Mädchen loszureißen und selbst nur für wenige Tage aufzuhören, ihre Mutter zu sein. Aber auch dieses Losreißen wurde zu einer Routine. Meine Schuldgefühle wurden rasch von dem Gefühl verdrängt, in der Öffentlichkeit einen guten Eindruck machen zu müssen. Mein Kopf füllte sich mit unzähligen Dingen, Neapel und der Rione verloren an Dringlichkeit. Andere Landschaften legten sich darüber, ich kam in wunderschöne, mir bis dahin unbekannte Städte, spürte, dass es mir gefallen könnte, dort zu leben. Ich begegnete Männern, die ich attraktiv fand, die mir das Gefühl gaben, wichtig zu sein, die mich heiter stimmten. Innerhalb weniger Stunden eröffnete sich mir eine ganze Bandbreite verlockender Möglichkeiten. Meine mütterliche Bindung ließ nach, manchmal vergaß ich, Lila anzurufen und den Mädchen eine gute Nacht zu wünschen. Erst als ich merkte, dass ich fähig wäre, ohne sie zu leben, ging ich in mich, besann ich mich eines Besseren.

Dann geschah etwas besonders Unangenehmes. Ich fuhr zu einer langen Lesereise in den Süden. Eine Woche sollte ich fortbleiben, aber Imma ging es nicht gut, sie sah bedrückt aus und war stark erkältet. Es war meine Schuld, dafür konnte ich nicht Lila verantwortlich machen. Sie passte sehr auf, hatte aber viel um die Ohren und konnte nicht auch noch verhindern, dass die Kinder beim Toben schwitzten, und auf die Zugluft achten. Vor meiner Abreise bat ich das Pressebüro um die Telefonnummern der Hotels, in denen ich absteigen würde, und gab sie Lila, für alle Fälle. »Wenn es Probleme gibt«, sagte ich zu ihr, »ruf mich an, dann komme ich sofort zurück.«

Ich fuhr ab. Anfangs dachte ich ununterbrochen an Imma und ihr Unwohlsein, bei jeder Gelegenheit rief ich an. Dann vergaß ich sie. Ich kam irgendwo an, man empfing mich sehr herzlich und hatte ein dicht getaktetes Programm für mich vorbereitet, ich versuchte, mich dem gewachsen zu zeigen, und am Ende gab man mir zu Ehren endlose Abendessen. Die Zeit verflog. Einmal versuchte ich anzurufen, aber niemand ging ran, und ich gab es auf; einmal antwortete Enzo, der auf seine lakonische Art sagte: »Tu, was du zu tun hast, mach dir keine Sorgen«; einmal sprach ich mit Dede, die mit einer erwachsenen Stimme rief: »Uns geht's gut, Mama, ciao, viel Spaß!« Doch als ich nach Hause kam, musste ich feststellen, dass Imma seit drei Tagen im Krankenhaus war. Die Kleine hatte eine Lungenentzündung, man hatte sie eingewiesen. Lila war bei ihr, hatte alle ihre Aufgaben vernachlässigt, hatte sogar Tina vernachlässigt und sich mit mei-

374

ner Tochter im Krankenhaus eingerichtet. Ich war verzweifelt, protestierte, weil ich in Unkenntnis gelassen worden war. Aber Lila wollte das Feld auch nicht räumen, als ich zurückkam, sie fühlte sich weiter für die Kleine verantwortlich. »Geh«, sagte sie, »du warst ständig auf Reisen, erhol dich.«

Ich war tatsächlich müde, doch vor allem war ich verstört. Ich bedauerte, nicht bei der Kleinen gewesen zu sein, ihr meine Nähe ausgerechnet in dem Moment vorenthalten zu haben, als sie mich am meisten gebraucht hätte. So wusste ich nun nicht, wie sehr und woran genau sie gelitten hatte. Lila dagegen hatte das alles miterlebt, die schwere Atmung, die Angst, die eilige Fahrt ins Krankenhaus. Ich betrachtete sie, dort auf dem Krankenhausflur, sie sah erschöpfter aus als ich. Sie hatte Imma die ständige, zärtliche Nähe ihres Körpers gegeben. Seit Tagen war sie nicht nach Hause gekommen, schlief kaum, hatte den dunklen Blick der Müdigkeit. Ich dagegen fühlte mich gegen meinen Willen innerlich strahlend hell – und wirkte vielleicht auch nach außen so. Selbst jetzt, da ich von der Krankheit meiner Tochter wusste, konnte ich die Genugtuung über das, was ich geworden war, nicht beiseiteschieben, die Freude, mich frei zu fühlen, während ich durch Italien reiste, und das Vergnügen, selbst über mich zu bestimmen, als hätte ich keine Vergangenheit und als würde nun erst alles beginnen.

Sobald die Kleine aus dem Krankenhaus entlassen war, offenbarte ich Lila meine Gemütsverfassung. Ich wollte Ordnung in das Chaos aus Schuld und Stolz bringen, das ich empfand, wollte ihr meine Dankbarkeit zeigen, mir aber auch genauestens erzählen lassen, was Imma sich von Lila geholt hatte, als ich nicht da war, um es ihr selber zu geben. Aber Lila antwortete beinahe ärgerlich: »Lass es gut sein, Lenù, es ist vorbei, deiner Tochter geht es bestens, es gibt viel größere Probleme.« Einen Augenblick dachte ich, sie meinte Probleme mit ihrer Arbeit, doch so war es nicht, die Probleme betrafen mich. Kurz vor Immas Krankheit hatte sie erfahren, dass eine Klageschrift gegen mich auf dem Weg war. Carmen hatte mich angezeigt.

95

Ich erschrak, war niedergeschlagen. Carmen? Carmen hatte mir so etwas angetan?

Von diesem Moment an war die berauschende Phase des Erfolgs vorbei. In wenigen Sekunden verband sich die Schuld, Imma vernachlässigt zu haben, mit der Befürchtung, dass mir auf legalem Weg alles genommen werden konnte – Freude, Ansehen, Geld. Ich schämte mich für mich, für meinen Ehrgeiz. Ich sagte zu Lila, ich wolle sofort mit Carmen sprechen, sie riet mir ab. Aber ich hatte den Eindruck, dass sie mehr wusste, als sie mir gesagt hatte, und ging trotzdem zu ihr.

Zunächst schaute ich an der Tankstation vorbei, aber da war sie nicht. Roberto war verlegen. Er verlor kein Wort über die Klage, sagte, seine Frau sei mit den Kindern in Giugliano bei Verwandten und werde dort eine Weile bleiben. Ich ließ ihn stehen und lief zu ihnen nach Hause, um mich zu vergewissern, dass er die Wahrheit gesagt hatte. Carmen war entweder wirklich nach Giugliano gefahren oder öffnete mir einfach nicht. Es war sehr heiß. Ich ging ein wenig spazieren, um mich zu beruhigen, dann suchte ich Antonio, ich war mir sicher, dass er etwas wusste. Ich nahm an, es würde schwer werden, ihn aufzuspüren, er war ständig unterwegs. Aber seine Frau sagte mir, er sei beim Friseur, und dort traf ich ihn auch an. Ich fragte ihn, ob er von rechtlichen Schritten gegen mich gehört habe, doch anstatt mir zu antworten, fing er an auf die Schule zu schimpfen, sagte, die Lehrer hätten es auf seine Kinder abgesehen, beschwerten sich, dass sie entweder Deutsch oder Dialekt sprachen, brächten ihnen aber kein Italienisch bei. Dann sagte er plötzlich beinahe flüsternd:

»Bei der Gelegenheit will ich mich gleich von dir verabschieden.«

»Wo willst du hin?«

»Zurück nach Deutschland.«

»Wann denn?«

»Das weiß ich noch nicht.«

»Und warum verabschiedest du dich dann jetzt schon von mir?«

»Du bist ja nie hier, wir sehen uns so selten.«

»Du bist es doch, der nicht zu mir kommt.«

»Du doch auch nicht zu mir.«

»Warum gehst du fort?«

»Meine Familie fühlt sich nicht wohl hier.«

»Schickt Michele dich weg?«

»Er befiehlt, und ich gehorche.«

»Also ist er es, der dich nicht länger im Rione haben will.«

Er schaute auf seine Hände, musterte sie gründlich.

»Manchmal kommen die Nervenkrisen wieder«, sagte er und brachte das Gespräch auf seine Mutter Melina, die nicht ganz richtig im Kopf war.

377

»Lässt du sie bei Ada?«

»Ich nehme sie mit«, brummte er. »Ada hat schon mehr als genug Scherereien. Außerdem haben wir beide die gleiche Konstitution, ich will sie im Blick behalten, um zu sehen, wie ich mal werde.«

»Sie hat immer hier gelebt, in Deutschland wird sie leiden.«

»Leiden tut man überall. Willst du einen guten Rat?«

An der Art, wie er mich ansah, merkte ich, dass er beschlossen hatte, zur Sache zu kommen.

»Lass hören.«

»Verschwinde du auch von hier.«

»Warum?«

»Weil Lina glaubt, ihr beide seid zusammen unbesiegbar, aber so ist das nicht. Und ich kann euch jetzt nicht mehr helfen.«

»Wobei helfen?«

Er schüttelte missmutig den Kopf.

»Die Solaras sind stinkwütend. Hast du gesehen, wie der Rione gewählt hat?«

»Nein.«

»Es hat sich gezeigt, dass sie nicht mehr die Stimmen kontrollieren, die sie früher kontrolliert haben.«

»Und das heißt?«

»Lina hat es geschafft, viele zu den Kommunisten umzulenken.«

»Und was habe ich damit zu tun?«

»Marcello und Michele denken, dass hinter allem Lina steckt, besonders hinter dir. Es gibt wirklich eine Anzeige, und Carmens Anwälte sind die Anwälte der Solaras.«

Ich ging nach Hause, aber nicht zu Lila. Ich hielt es für ausgeschlossen, dass sie nichts von Wahlen, Stimmen und den wutentbrannten Solaras wusste, die da hinter Carmen agierten. Aus eigenem Interesse sagte sie mir die Dinge nur tröpfchenweise. Ich rief meinen Verlag an, erzählte dem Verleger von der Anzeige und von dem, was Antonio mir verraten hatte. »Bisher ist es nur ein Gerücht«, sagte ich, »nichts Zuverlässiges, aber ich mache mir große Sorgen.« Er versuchte mich zu beruhigen, versprach, das Anwaltsbüro zu bitten, Nachforschungen anzustellen, und mich anzurufen, sobald er etwas wüsste. Zum Schluss sagte er: »Warum regst du dich so auf, dem Buch nützt es.« Ich dachte: ›Aber mir nicht, ich habe alles falsch gemacht, ich hätte nicht wieder herziehen dürfen.‹

Die Tage vergingen, der Verlag meldete sich nicht, aber die Klage wurde mir zugestellt und traf mich wie ein Messerstich. Ich las sie, und mir blieb der Mund offen stehen. Carmen verlangte von mir und dem Verlag, mein Buch aus dem Handel zu nehmen, außerdem unverhältnismäßig viel Schmerzensgeld für die Beschädigung des Andenkens ihrer Mutter Giuseppina. Nie zuvor hatte ich ein Dokument gesehen, das mit Briefkopf, gewählter Sprache, dekorativen Stempeln und Gebührenmarken die Macht des Gesetzes so verdeutlichte. Ich entdeckte, dass mich das, was mich in meiner früheren und auch in meiner späteren Jugend nie beeindruckt hatte, nun entsetzte. Diesmal lief ich zu Lila. Als ich ihr erzählte, um was es sich handelte, begann sie mich aufzuziehen:

»Du wolltest das Gesetz, jetzt hast du das Gesetz.«

»Und was mache ich nun?«

»Ein Mordsspektakel.«

»Und das heißt?«

»Sag der Presse, was dir gerade widerfährt.«

»Du bist ja verrückt. Antonio hat mir erzählt, dass hinter Carmen die Anwälte der Solaras stecken, und sag jetzt nicht, dass du das nicht weißt.«

»Natürlich weiß ich das.«

»Und warum hast du es mir dann nicht gesagt?«

»Weil – siehst du, wie nervös du bist? Aber nur die Ruhe. Du hast Angst vor dem Gesetz, und die Solaras haben Angst vor deinem Buch.«

»Ich habe Angst, dass sie mich mit dem ganzen Geld, das sie haben, ruinieren können.«

»Aber gerade ihr Geld musst du antasten. Schreib. Je mehr du über ihre Schweinereien schreibst, umso gründlicher verdirbst du ihnen das Geschäft.«

Ich war deprimiert. Das dachte Lila? Das war ihr Plan? Erst in diesem Augenblick sah ich deutlich, dass sie mir die Kraft zuschrieb, die wir in unserer Kindheit der Autorin von *Betty und ihre Schwestern* zugeschrieben hatten. Hatte sie deshalb unbedingt gewollt, dass ich in den Rione zurückkehrte? Ich zog mich wortlos zurück. Ging in meine Wohnung, rief erneut den Verlag an. Ich hoffte, der Verleger würde sich irgendwie engagieren, ich wollte Nachrichten, die mich beruhigten, aber ich konnte ihn nicht erreichen. Tags darauf meldete er sich bei mir. Er kündigte fröhlich an, dass im *Corriere della Sera* ein Artikel von ihm stehe – von ihm persönlich verfasst –, in dem er über die Klage schreibe. »Kauf ihn dir«, sagte er, »und gib mir Bescheid, was du davon hältst.«

Ich ging zum Zeitungskiosk, beunruhigter denn je. Wieder war da das Foto von mir und Tina, diesmal in Schwarz-Weiß. Über die Klage wurde gleich auf der Titelseite berichtet, und sie wurde als Versuch gewertet, einer der wenigen couragierten Schriftstellerinnen einen Maulkorb anzulegen, und so weiter und so fort. Der Name des Rione wurde nicht genannt und auch der der Solaras nicht. Geschickt ordnete der Artikel den Vorfall in den überall bestehenden Konflikt ein »zwischen den mittelalterlichen Relikten, die eine Modernisierung des Landes verhindern, und dem unaufhaltsamen Vormarsch der politischen und kulturellen Erneuerung auch im Süden«. Der Text war kurz, verteidigte aber wirkungsvoll, besonders am Ende, die Rechte der Literatur und hob sie von dem ab, was als »äußerst traurige lokale Querelen« bezeichnet wurde.

Meine Stimmung hellte sich auf, ich fühlte mich gut in Schutz genommen. Ich rief an, lobte den Artikel sehr und ging zu Lila, um ihr die Zeitung zu zeigen. Ich rechnete damit, dass sie hocherfreut reagieren würde. Das, schien mir, hatte sie doch gewollt, ein Aufgebot der Macht, die sie mir beimaß. Aber sie sagte abweisend:

»Warum hast du den Artikel von diesem Kerl schreiben lassen?«

»Was ist denn dabei? Der Verlag hat sich hinter mich gestellt, jetzt kümmert er sich um dieses Theater, ich halte das für eine gute Sache.«

»Das ist doch bloß Gequatsche, Lenù, dieser Typ will nichts weiter als das Buch verkaufen.«

»Und ist das nicht in Ordnung?«

»Das ist in Ordnung, aber den Artikel hättest du schreiben müssen.«

Ich wurde nervös, verstand nicht, worauf sie hinauswollte.

»Warum?«

»Weil du klug bist und weißt, was los ist. Erinnerst du dich noch, wie du gegen Bruno Soccavo geschrieben hast?«

Anstatt mir zu gefallen, ärgerte mich diese Bemerkung. Bruno war tot, und es war mir unangenehm, mich daran zu erinnern, was ich damals geschrieben hatte. Er war ein nicht besonders heller Kerl gewesen, der sich im Netz der Solaras verfangen hatte und wohl in vielen anderen Netzen, deshalb war er umgebracht worden. Ich war nicht froh darüber, dass ich mich über ihn aufgeregt hatte.

»Lila«, sagte ich, »der Artikel war nicht gegen Bruno gerichtet, es ging um die Arbeit in der Fabrik.«

»Ich weiß, na und? Du hast ihn büßen lassen, und jetzt, wo du noch bedeutender bist, kannst du das noch besser. Die Solaras dürfen sich nicht hinter Carmen verstecken. Du musst sie aus der Deckung holen, sie dürfen nicht länger das Sagen haben.«

Jetzt verstand ich, warum ihr der Text des Verlegers nicht gefallen hatte. Sie interessierte sich kein bisschen für die freie Meinungsäußerung und den Kampf zwischen Rückständigkeit und Modernisierung. Für sie zählten nur die äußerst traurigen lokalen Querelen. Sie wollte, dass ich mich hier und heute an der Auseinandersetzung mit konkreten Personen beteiligte, von denen wir seit unserer Kindheit wussten, aus welchem Holz sie geschnitzt waren. Ich sagte:

»Lila, dem *Corriere* sind Carmen, die sich verkauft hat,

und die Solaras, die sie gekauft haben, scheißegal. Um in eine große Zeitung zu kommen, muss ein Artikel von allgemeiner Bedeutung sein, sonst veröffentlichen sie ihn nicht.«

Ihr Gesicht verfinsterte sich.

»Carmen hat sich nicht verkauft«, sagte sie. »Sie ist immer noch deine Freundin, und sie hat dich nur aus einem Grund verklagt: Man hat sie gezwungen.«

»Das musst du mir erklären.«

Sie grinste höhnisch, war sehr aufgebracht.

»Ich erkläre dir gar nichts. Du schreibst doch Bücher, du bist für Erklärungen zuständig. Ich weiß nur, dass wir hier keinen Mailänder Verlag haben, der uns beschützt, und keinen, der mächtige Zeitungsartikel für uns schreibt. *Wir* sind bloß ein lokales Problem, und wir schlagen uns durch, so gut es geht. Wenn *du* uns helfen willst, gut so, wenn nicht, machen wir allein weiter.«

98

Ich ging noch einmal zu Roberto und setzte ihm so lange zu, bis er mir die Adresse der Verwandten in Giugliano gab, dann stieg ich mit Imma ins Auto und machte mich auf die Suche nach Carmen.

Die Hitze war drückend. Ich hatte Mühe, das Haus zu finden, Carmens Verwandte wohnten in einem Außenbezirk. Mir öffnete ein Riesenweib, das mir schroff mitteilte, Carmen sei nach Neapel zurückgekehrt. Ungläubig ging ich mit Imma weg, die protestierte und sagte, sie sei müde, nachdem wir nur etwa hundert Meter gegangen waren. Aber als ich um die Ecke bog, um zum Auto zurückzukehren, stieß ich auf die mit Einkaufstaschen beladene Carmen. Sie sah mich und brach auf der Stelle in Tränen aus. Ich umarmte sie, auch Imma wollte sie umarmen. Dann suchten wir uns in einer Kaffeebar einen Tisch im Schatten, und nachdem ich der Kleinen aufgetragen hatte, still mit ihren Puppen zu spielen, ließ ich mir erklären, was geschehen war. Carmen bestätigte, was Lila mir erzählt hatte. Man hatte sie gezwungen, mich zu verklagen. Und sie sagte mir auch, womit. Marcello hatte ihr weisgemacht, er wisse, wo Pasquale sich versteckt halte.

»Ist das möglich?«

»Ja.«

»Und weißt du, wo er sich versteckt?«

Sie zögerte, nickte.

»Sie haben gesagt, wenn ihnen danach ist, bringen sie ihn um.«

Ich versuchte, sie zu beruhigen. Sagte, wenn die Solaras wirklich erfahren hätten, wo derjenige sei, den sie für den Mord an ihrer Mutter verantwortlich machten, hätten sie ihn sich schon längst geschnappt.

»Du meinst also, sie wissen es nicht?«

»Nein, wissen sie nicht. Aber im Moment kannst du für deinen Bruder nur eins tun.«

»Was denn?«

Ich sagte, wenn sie Pasquale retten wolle, müsse sie ihn den Carabinieri übergeben.

Das kam nicht gut an bei ihr. Sie verhärtete sich, und ich gab mir alle Mühe, ihr zu erklären, dass dies der einzige Weg sei, ihn vor den Solaras zu beschützen. Aber es war sinnlos, mir wurde klar, dass meine Lösung wie der schlimmste Verrat für sie klang, wie ein viel schwerwiegenderer als ihr Verrat an mir.

»So haben sie dich weiter in der Hand«, sagte ich. »Sie haben von dir verlangt, mich zu verklagen, sie können sonst was von dir verlangen.«

»Ich bin seine Schwester!«, rief sie.

»Schwesterliche Liebe nützt hier gar nichts«, sagte ich. »In diesem Fall hat deine schwesterliche Liebe mir geschadet, sie rettet Pasquale garantiert nicht und droht auch dich ins Verderben zu stürzen.«

Aber ich konnte sie nicht überzeugen, im Gegenteil, und je mehr wir diskutierten, umso verwirrter wurde ich. Bald fing sie wieder an zu weinen. Erst bereute sie, was sie mir angetan hatte, und bat mich um Verzeihung, dann beklagte sie das, was man ihrem Bruder antun könnte, und verzweifelte. Ich erinnerte mich daran, wie sie als kleines Mädchen gewesen war, damals hätte ich mir nie träumen lassen, dass sie zu einer so hartnäckigen Treue fähig sein könnte. Ich verabschiedete mich von ihr, weil ich sie nicht trösten konnte, weil Imma ganz verschwitzt war und ich fürchtete, sie könnte mir wieder krank werden, und weil ich immer weniger wusste, was ich von Carmen erwartete. Wollte ich, dass sie ihre lange Komplizenschaft mit Pasquale beendete? Warum glaubte ich, dass das richtig war? Wollte ich, dass sie sich lieber für den Staat als für ihren Bruder entschied? Warum? Um sie von den Solaras zu befreien und sie zu veranlassen, die Klage zurückzuziehen? War das wichtiger als ihre Angst? Ich sagte:

»Tu, was du für das Beste hältst, und vergiss nicht, dass ich dir nicht böse bin.«

Aber da blitzten Carmens Augen plötzlich wütend auf:

»Wieso solltest du böse auf mich sein? Was verlierst du denn? Du bist in der Zeitung, machst Werbung für dich, verkaufst noch mehr. Nein, Lenù, das hättest du nicht sagen sollen, mir zu raten, Pasquale an die Carabinieri auszuliefern, war ein Fehler.«

Verbittert zog ich ab, und schon auf der Rückfahrt zweifelte ich daran, dass es richtig gewesen war, mich mit ihr zu treffen. Ich stellte mir vor, dass sie nun zu den Solaras lief, um ihnen von meinem Besuch zu berichten, und dass diese sie nach dem Artikel des Verlegers im *Corriere* zu weiteren Aktionen gegen mich zwingen würden.

99

Tagelang rechnete ich mit neuen Katastrophen, doch nichts geschah. Der Artikel erregte einiges Aufsehen, die neapolitanischen Zeitungen griffen ihn auf und erweiterten ihn noch, ich erhielt unterstützende Anrufe und Briefe. Die Wochen vergingen, ich gewöhnte mich an den Gedanken, verklagt worden zu sein, und stellte fest, dass es vielen Berufskollegen, die noch viel exponierter waren als ich, auch so ergangen war. Der Alltag rückte in den Vordergrund. Eine Weile vermied ich es, Lila zu begegnen, und achtete vor allem sorgfältig darauf, mich nicht zu falschen Schritten hinreißen zu lassen.

Der Verkauf meines Buches riss nicht ab. Im August fuhr ich in die Ferien nach Santa Maria di Castellabate, und es sah so aus, als wollten auch Lila und Enzo ein Haus am Meer mieten, aber dann hatte die Arbeit Vorrang, und wie selbstverständlich gaben sie Tina in meine Obhut. Das einzige Vergnügen zwischen all den Mühen und Strapazen dieses Urlaubs (die eine rufen, mit der anderen zetern, einen Streit schlichten, einkaufen, kochen) war, zwei Leser zu beobachten, die mit meinem Buch in der Hand unter einem Sonnenschirm saßen.

Im Herbst entwickelten sich die Dinge noch besser, ich erhielt einen renommierten, hochdotierten Preis, ich fühlte mich klug, in öffentlichen Auftritten erfahren, und meine finanziellen Aussichten wurden immer erfreulicher. Aber die Freude und das Staunen der ersten Wochen des Erfolgs kehrten nicht wieder. Die Tage sahen für mich aus, als wäre ihr Licht trübe geworden, ich nahm ein diffuses Unwohlsein um mich her wahr. Seit einiger Zeit verging kein Abend mehr, ohne dass Enzo Gennaro anschrie, was früher nur selten passiert war. Wenn ich in der Basic Sight war, traf ich Lila mit Alfonso tuschelnd an, und wenn ich näher kommen wollte, bedeutete sie mir mit einer zerstreuten Geste, kurz zu warten. Genauso verhielt sie sich, wenn sie mit Carmen sprach, die in den Rione zurückgekehrt war, oder mit Antonio, der seine Abreise aus unerfindlichen Gründen auf unbestimmte Zeit verschoben hatte.

Es war offensichtlich, dass sich die Dinge rings um Lila verschlechterten, aber sie schloss mich aus, und ich zog es auch vor, Abstand zu halten. Dann geschahen nacheinander zwei schlimme Dinge. Durch Zufall entdeckte Lila, dass Gennaros Arme voller Einstiche waren. Ich hörte sie schreien wie noch nie. Sie hetzte Enzo auf, drängte ihn, ihren Sohn zusammenzuschlagen, beide waren stämmige Männer, sie prügelten sich nach Strich und Faden. Tags darauf warf sie ihren Bruder Rino aus der Basic Sight, obwohl Gennaro sie anflehte, seinen Onkel nicht zu entlassen, er schwor, nicht er habe ihn zum Heroin gebracht. Diese Tragödie erschreckte meine Mädchen sehr, vor allem Dede.

»Warum behandelt Tante Lina ihren Sohn denn so?«

»Weil er was getan hat, was man nicht macht.«

»Er ist doch groß, er kann machen, was er will.«

»Aber nicht Sachen, die ihn umbringen können.«

»Warum denn nicht? Es ist sein Leben, er darf damit machen, was er will. Ihr wisst ja nicht, was Freiheit ist, nicht mal Tante Lina.«

Sie, Elsa und auch Imma waren verstört von den heraufdringenden Schreien und Verwünschungen ihrer heißgeliebten Tante Lina. Gennaro war zu Hause eingesperrt und brüllte den ganzen Tag. Sein Onkel Rino verschwand aus der Basic Sight, nachdem er ein sehr teures Gerät zertrümmert hatte, und seine Flüche waren im ganzen Rione zu hören. Eines Abends kam Pinuccia mit den Kindern und ihrer Schwiegermutter, um Lila inständig zu bitten, ihren Mann wieder einzustellen. Lila benahm sich miserabel sowohl ihrer Mutter als auch ihrer Schwägerin gegenüber. Das Gezeter und die Beschimpfungen waren in meiner Wohnung deutlich zu hören. »Auf diese Weise lieferst du uns mit Haut und Haaren den Solaras aus«, schrie Pinuccia verzweifelt. Und Lila konterte: »Selber schuld, ich habe mir den Arsch für euch aufgerissen, aber von euch nicht ein Fünkchen Dankbarkeit!«

Doch das war noch nichts im Vergleich zu dem, was einige Wochen später geschah. Die Wogen hatten sich eben erst geglättet, als Lila mit Alfonso zu streiten begann, der für die Abläufe in der Basic Sight unentbehrlich geworden war, aber immer unzuverlässiger wurde. Er versäumte wichtige Geschäftstermine, und wenn er sie einhielt, war sein Verhalten peinlich, er war komplett geschminkt und sprach von sich in der weiblichen Form. Und doch war jede Ähnlichkeit mit Lila aus seinem Gesicht verschwunden, und die Männlichkeit holte ihn trotz seiner Bemühungen ein. An Nase, Stirn und Augen kam bei ihm nun etwas von seinem Vater Don Achille hervor, sosehr ihn das auch anwiderte. Daher schien er ständig auf der Flucht vor dem eigenen, immer schwerfälligeren Körper zu sein, und manchmal sah und hörte man tagelang nichts von ihm. Wenn er auftauchte, trug er fast immer die Spuren von Schlägen. Er nahm, allerdings widerwillig, seine Arbeit wieder auf.

Dann verschwand er endgültig. Lila und Enzo suchten ihn überall, ohne Erfolg. Tage später fand man am Strand von Coroglio seinen Leichnam. Er war irgendwo totgeprügelt und dann ins Meer geworfen worden. Ich konnte es zunächst nicht glauben. Aber als mir die ganze brutale Wahrheit bewusst wurde, erfasste mich ein grenzenloser Schmerz. Ich dachte daran zurück, wie Alfonso in unserer Oberschulzeit gewesen war, freundlich, rücksichtsvoll, von Marisa geliebt, vom Apothekerssohn Gino gequält. Manchmal stellte ich ihn mir auch vor, wie er, zu einer ihm verhassten Arbeit gezwungen, in den Sommerferien hinter dem Ladentisch der Salumeria gestanden hatte. Aber sein restliches Leben schnitt ich ab, ich kannte es kaum, empfand es als konfus. Es gelang mir nicht, an ihn als das zu denken, was er geworden war, jede unserer jüngeren Begegnungen verblasste, ich vergaß auch die Zeit, da er sich um das Schuhgeschäft an der Piazza dei Martiri gekümmert hatte. ›Lilas Schuld‹, dachte ich in der Hitze des Augenblicks. ›Mit ihrer Manie, andere zu nötigen und alles durcheinanderzubringen, hat sie ihn verdreht.‹ Sie hatte sich seiner auf undurchsichtige Weise bedient und ihn dann weggeschickt.

Doch fast sofort änderte ich meine Meinung wieder.

Lila hatte die Nachricht einige Stunden zuvor erhalten. Sie wusste, dass Alfonso tot war, konnte aber die Wut nicht loswerden, die sie seit Tagen auf ihn hatte, und hörte nicht auf, unflätig auf seine Unzuverlässigkeit zu schimpfen. Mitten in einer solchen Tirade sank sie in meiner Wohnung zu Boden, natürlich wegen des unerträglichen Kummers. Da merkte ich, dass sie ihn mehr als ich geliebt hatte, auch mehr als Marisa, und sie ihm – wie Alfonso mir übrigens oft erzählt hatte – geholfen hatte wie niemand sonst. In den folgenden Stunden war sie teilnahmslos, hörte auf zu arbeiten, kümmerte sich nicht mehr um Gennaro, gab Tina in meine Obhut. Zwischen ihr und Alfonso musste eine komplexere Beziehung bestanden haben, als ich mir ausgemalt hatte. Sie musste sich ihm gezeigt haben wie einem Spiegel, und sie hatte sich in ihm gesehen und versucht, aus seinem Körper einen Teil von sich hervorzuholen. Das ganze Gegenteil dessen, dachte ich missmutig, was ich in meinem zweiten Buch erzählt hatte. Alfonso muss diese Anstrengung Lilas sehr gefallen haben, er hatte sich ihr dargeboten wie ein lebendiger Stoff, und sie hatte ihm eine erste Form gegeben. Oder zumindest schien es mir in der kurzen Zeit so, in der ich mich bemühte, diese Geschichte für mich zu ordnen und mich zu beruhigen. Aber letztlich war das nichts weiter als mein persönlicher Eindruck. Denn weder damals noch später erzählte sie mir von der Verbindung zwischen ihnen. Betäubt von ihrem Kummer bis zum Tag des Begräbnisses, hegte sie wer weiß welche Gefühle.

100

Wir waren verschwindend wenige bei der Bestattung.
Keiner seiner Freunde von der Piazza dei Martiri kam,
und auch seine Verwandten kamen nicht. Mich verstörte
besonders, dass Maria, seine Mutter, nicht da war, obwohl auch seine Geschwister Pinuccia und Stefano fehlten, ebenso wie Marisa und die Kinder, die vielleicht
von ihm waren, vielleicht auch nicht. Stattdessen erschienen überraschenderweise die Solaras. Michele wirkte
finster und war sehr dünn und schaute fortwährend mit
irrem Blick um sich. Marcello dagegen sah geradezu zer-
knirscht aus, was nicht zu seinem prunkvollen Aufzug
passte. Sie beließen es nicht beim Trauerzug, sie kamen
mit dem Auto bis zum Friedhof und nahmen an der Beisetzung teil. Die ganze Zeit über fragte ich mich, warum
sie sich bei dieser Zeremonie sehen ließen, und suchte
Lilas Blick. Sie schaute kein einziges Mal zu mir, konzentrierte sich nur auf die zwei und starrte sie unverwandt
herausfordernd an. Am Ende, als sie sah, dass sie sich
zum Gehen wandten, packte sie meinen Arm, sie war
außer sich vor Wut.

»Komm mit.«

»Wohin?«

»Ich will mit den beiden reden.«

»Ich habe die Mädchen dabei.«

»Um die kümmert sich Enzo.«

Ich zögerte, versuchte zu widersprechen, sagte:

»Lass das doch.«

»Dann gehe ich eben allein.«

Ich schnaufte, so war es schon immer gewesen. Wenn
ich nicht mitging, ließ sie mich stehen. Ich bedeutete Enzo,

auf meine Mädchen aufzupassen – anscheinend hatte er überhaupt keine Notiz von den Solaras genommen –, und mit der gleichen Gemütsverfassung wie damals, als ich ihr auf der Treppe bis hinauf zu Don Achilles Wohnung gefolgt war oder zu den Steingefechten mit den Jungen, folgte ich ihr nun durch die Geometrie der hellen Blöcke voller Grabnischen.

Lila ignorierte Marcello, sie baute sich vor Michele auf:

»Wieso bist du hier? Hast du ein schlechtes Gewissen?«

»Geh mir nicht auf die Nerven, Lina.«

»Ihr zwei seid erledigt, ihr solltet lieber aus dem Rione verschwinden.«

»Besser, du verschwindest, solange du noch Zeit dazu hast.«

»Soll das eine Drohung sein?«

»Allerdings.«

»Wagt es ja nicht, Gennaro anzurühren und ebenso wenig Enzo. Hast du verstanden, Michè? Vergiss nicht, dass ich genug weiß, um dich zu ruinieren, dich und dieses andere Scheusal da.«

»Du weißt gar nichts, hast nichts in der Hand und hast vor allem nichts kapiert. Kann es sein, dass du so klug bist und trotzdem noch nicht gemerkt hast, dass du mich inzwischen einen feuchten Dreck interessierst?«

Marcello zog ihn am Arm, sagte im Dialekt:

»Komm, wir gehen, Michè, wir verplempern hier nur unsere Zeit.«

Michele riss sich los, er wandte sich an Lila:

»Du glaubst, du jagst mir Angst ein, weil Lenuccia ständig in der Zeitung ist? Denkst du das wirklich? Dass ich Angst vor einer Romanschreiberin habe? Die ist doch ein Niemand. Du dagegen, du bist wer, sogar dein Schatten ist besser als jeder Mensch aus Fleisch und Blut. Aber das wolltest du ja nie begreifen, Pech für dich. Ich werde dir alles nehmen, was du hast.«

Den letzten Satz sagte er, als hätte er plötzlich Bauchschmerzen bekommen, und wie in einer Reaktion auf dieses körperliche Leiden versetzte er Lila einen brutalen Faustschlag ins Gesicht, der sie zu Boden schickte.

101

Ich war wie gelähmt angesichts dieser vollkommen unvorhersehbaren Tat. Auch Lila hatte sie nicht kommen sehen, wir hatten uns an den Gedanken gewöhnt, dass Michele Lila nicht nur nie anrühren würde, sondern auch jeden umbringen würde, der dies täte. Daher war ich unfähig zu schreien, nicht einmal einen erstickten Laut brachte ich heraus.

Marcello riss seinen Bruder weg, doch während er ihn zog und drängte, während Lila Worte im Dialekt und Blut ausspie (*ich bring' dich um, wahrhaftigen Gottes, ihr beide seid so gut wie tot*), sagte er mit herzlichem Spott zu mir: »Schreib das in deinen nächsten Roman, Lenù, und sag Lina, falls sie das noch nicht kapiert hat, mein Bruder und ich können sie *wirklich* nicht mehr leiden.«

Es war nicht leicht, Enzo davon zu überzeugen, dass Lilas geschwollenes Gesicht durch einen, wie wir behaupteten, heftigen Sturz nach einer plötzlichen Ohnmacht verursacht worden sei. Im Gegenteil, ich bin mir ziemlich sicher, dass er das nicht glaubte, erstens, weil ihm meine Version – aufgeregt, wie ich war – alles andere als plausibel erscheinen konnte, und zweitens, weil Lila sich kein bisschen bemühte, überzeugend zu sein. Aber als er Einwände erheben wollte, sagte sie scharf, die Dinge hätten sich genau so zugetragen, und er hörte auf zu diskutieren. Ihre Beziehung gründete sich auf den Gedanken, dass selbst eine offensichtliche Lüge Lilas die einzige aussprechbare Wahrheit war.

Ich zog mich mit meinen Töchtern in meine Wohnung zurück. Dede war erschrocken, Elsa ungläubig, Imma stellte Fragen wie: »Ist denn Blut in der Nase?« Ich war durcheinander, war wütend. Von Zeit zu Zeit ging ich hinunter, um nach Lila zu sehen und Tina zu holen, aber die Kleine war beunruhigt wegen des Zustands ihrer Mutter und wollte ihr unbedingt helfen. Aus beiden Gründen wollte sie ihr nicht eine Minute von der Seite weichen, sie bestrich ihr das Gesicht sehr behutsam mit einer Salbe und legte ihr zur Kühlung und gegen die Kopfschmerzen kleine Metallgegenstände auf die Stirn. Als ich meine Töchter als Köder mit hinunternahm, um Tina zu mir zu locken, machte ich die Situation nur noch schlimmer. Imma probierte auf jede erdenkliche Art, sich in das Pflegespiel einzumischen, aber Tina wollte ihr das Feld nicht einen Augenblick überlassen und schrie verzweifelt los, als auch noch Dede und Elsa versuchten, sie abzulösen. Die kranke Mutter gehörte ihr, und sie wollte sie niemandem überlassen. Am Ende warf Lila uns alle raus, auch mich, und dies mit einer solchen Energie, dass ich den Eindruck hatte, es gehe ihr schon wieder besser.

Sie erholte sich tatsächlich schnell. Ich nicht. Meine Wut wurde zunächst zu Ärger und verwandelte sich dann in Selbstverachtung. Ich konnte mir nicht verzeihen, wie gelähmt vor der Gewalt gestanden zu haben. Sagte mir:

›Was ist bloß aus dir geworden; warum bist du hierher zurückgezogen, wenn du nicht mal in der Lage bist, diesen beiden Arschlöchern Paroli zu bieten; du bist viel zu anständig, willst die demokratische Signora spielen, die sich unters gemeine Volk mischt, erzählst der Presse gern: ich lebe dort, wo ich geboren bin, ich will den Kontakt zu meiner Welt nicht verlieren; aber du bist lächerlich; diesen Kontakt hast du schon längst verloren, du fällst doch in Ohnmacht, sobald du den Gestank von Dreck, Kotze und Blut riechst.‹ Das waren meine Gedanken, und gleichzeitig stellte ich mir vor, wie ich brutal gegen Michele wütete. Ich schlug ihn, kratzte ihn, biss ihn, mein Herz klopfte heftig. Dann verging mir die Lust am Gemetzel, und ich sagte mir: ›Lila hat recht, man schreibt nicht um des Schreibens willen, man schreibt, um denen Schmerz zuzufügen, die Schmerz zufügen wollen.‹ Den Schmerz der Worte gegen den Schmerz von Faustschlägen, Fußtritten und tödlichen Waffen. Nicht viel, aber immerhin. Gewiss, sie träumte noch immer unsere Kindheitsträume. Sie glaubte, wenn man durch das Schreiben zu Ruhm, Geld und Macht gelangte, wurde man zu einer Persönlichkeit, deren Sätze wie Blitzschläge waren. Doch ich wusste seit langem, dass das alles weitaus unspektakulärer war. Ein Buch, ein Artikel konnten viel Lärm verursachen, aber Lärm erhob sich auch bei den antiken Kriegern vor der Schlacht, und wenn er nicht mit einer realen Kraft und mit maßloser Gewalt einherging, war er nur Theater. Trotzdem wollte ich meinen Fehler wiedergutmachen, Lärm konnte zumindest etwas Schmerz zufügen. Eines Morgens ging ich nach unten und fragte Lila: »Was weißt du, was den Solaras Angst macht.«

Sie schaute mich neugierig an, wich eine Weile unwillig aus, antwortete: »Als ich für Michele gearbeitet habe, sind mir viele Unterlagen unter die Augen gekommen, und ich habe sie mir genau angesehen, einige hatte er mir selbst gegeben.« Ihr Gesicht war blutunterlaufen, schmerzverzerrt, im unflätigsten Dialekt fügte sie hinzu: »Wenn ein Mann eine Möse will, und zwar so sehr, dass er nicht mal mehr sagen kann: Ich will sie, und du ihm befiehlst, seinen Schwanz in siedendes Öl zu stecken, dann tut er es.« Sie hielt sich den Kopf mit beiden Händen und schüttelte ihn heftig, als wäre er ein Zinnbecher mit Würfeln darin, und ich merkte, dass auch sie sich in diesem Moment verachtete. Ihr gefiel nicht, wie sie Gennaro behandeln musste, dass sie auf Alfonso geschimpft hatte, dass sie ihren Bruder rausgeworfen hatte. Ihr gefiel auch nicht eines der vulgären Wörter, die ihr jetzt über die Lippen kamen. Sie ertrug sich nicht, ertrug überhaupt nichts. Aber irgendwann musste sie gespürt haben, dass wir in derselben Stimmung waren, denn sie fragte mich:

»Wenn ich dir was zum Schreiben gebe, schreibst du es dann?«

»Ja.«

»Und lässt du das, was du schreibst, dann auch drucken?«

»Vielleicht, ich weiß nicht.«

»Wovon hängt das ab?«

»Ich muss sicher sein, dass es den Solaras schadet und nicht mir und meinen Kindern.«

Sie sah mich unentschlossen an. Dann sagte sie: »Nimm Tina für zehn Minuten«, und verließ das Haus. Nach einer halben Stunde kam sie mit einer geblümten Stofftasche voller Dokumente wieder.

Wir setzten uns an den Küchentisch, während Tina

und Imma leise plapperten und Puppen, Kutschen und Pferde auf dem Fußboden hin und her schoben. Lila packte viele Papiere, eigene Notizen und auch zwei rote Hefte mit einem fleckigen, roten Umschlag aus. Diese blätterte ich sofort neugierig durch: karierte Seiten, mit einer alten Grundschulschrift beschrieben, eine Buchführung mit detaillierten Anmerkungen voller Grammatikfehler und auf jeder Seite mit M. S. paraphiert. Ich begriff, dass sie zu dem gehörten, was im Rione stets als das rote Buch von Manuela Solara bezeichnet worden war. Wie faszinierend, wenn auch gefährlich – oder vielleicht gerade weil gefährlich –, hatte in unserer Kindheit und Jugend der Ausdruck *Rotes Buch* geklungen. Doch egal, welches Wort man dafür verwendete – Register, zum Beispiel –, und selbst wenn es eine andere Farbe gehabt hätte, Manuela Solaras Buch hatte uns erregt wie ein Geheimdokument inmitten blutiger Abenteuer. Und da war es nun. Es bestand aus wer weiß wie vielen Schulheften wie den zweien, die vor mir lagen: stinknormale, schmutzige Hefte, deren unterer rechter Rand wellenartig hochgebogen war. Da erkannte ich blitzartig, dass Erinnerung bereits Literatur ist und dass Lila vielleicht recht hatte: Mein Buch – das doch gerade so erfolgreich wurde – war wirklich schlecht, und zwar, weil es wohlsortiert war, weil es mit obsessiver Sorgfalt geschrieben war, weil ich es nicht geschafft hatte, die unkoordinierte, geschmacklose, unlogische, deformierte Banalität der Dinge darzustellen.

Während die Kinder spielten – sobald sich ein Streit zwischen ihnen auch nur andeutete, schrien wir sie gereizt an, um sie zur Ruhe zu bringen –, zeigte mir Lila alles Material, das sie besaß, und erklärte mir dessen Bedeutung. Wir sortierten es, fassten es zusammen. Wie lange schon hatten wir uns nicht mehr gemeinsam für etwas engagiert. Sie schien zufrieden zu sein, ich verstand, dass es das war, was sie von mir wollte und erwartete. Am Ende des Tages verschwand sie wieder mit ihrer Tasche, und ich ging in meine Wohnung zurück, um die Notizen durchzusehen. In den folgenden Tagen wollte sie, dass wir uns in der Basic Sight trafen. Wir schlossen uns in ihrem Zimmer ein, und sie setzte sich an den Computer, eine Art Fernseher mit Tastatur, ganz anders als der, den sie mir und den Mädchen vor einer Weile gezeigt hatte. Sie schaltete ihn ein, schob dunkle Rechtecke in graue Kästen. Ich wartete verblüfft. Auf dem Bildschirm erschienen blinkende Lichter. Lila begann auf der Tastatur zu schreiben, mir blieb der Mund offen stehen. Kein Vergleich mit einer Schreibmaschine, auch mit einer elektrischen nicht. Sacht berührte sie die grauen Tasten mit den Fingerkuppen, und auf dem Monitor erstand lautlos die Schrift, grün wie frisch sprießendes Gras. Was in ihrem Kopf war, an eine Hirnrinde geklammert, schien auf wundersame Weise herauszuströmen und sich auf dem Nichts des Bildschirms abzusetzen. Es war eine Potenz, die, obgleich eine Aktion durchlaufend, eine Potenz blieb, ein elektrochemischer Impuls, der sich unmittelbar in Licht verwandelte. Mir kam das vor wie die Schrift Gottes, wie sie zur Zeit der Zehn Gebote auf dem Sinai gewesen sein musste, nicht greifbar und schrecklich, aber mit einem konkreten Effekt von Reinheit. »Wunderbar«, sagte ich. »Ich bring' dir das bei«, sagte sie. Und sie brachte es mir bei, und grelle, hypnotische Segmente begannen sich auszudehnen, Sätze, die ich sagte, Sätze, die sie sagte, unsere flüchtigen Diskussionen, die sich in die dunkle Lache des Bildschirms gruben wie Kielwasser ohne Schaum. Lila schrieb, ich änderte einen Gedanken. Dann löschte sie ihn mit einer Taste, ließ mit anderen einen ganzen Lichtblock verschwinden und in Sekundenschnelle weiter oben oder weiter unten wiederauftauchen. Kurz darauf war es Lila, die sich etwas anders überlegte, und wieder veränderte sich alles, im Nu, geisterhafte Bewegungen, was da ist, ist es entweder nicht mehr, oder es ist woanders. Und man braucht keinen Federhalter, keinen Bleistift, man braucht das Papier nicht zu wechseln, braucht kein neues Blatt einzuspannen. Der Bildschirm ist die Seite, die einzige, nicht die Spur einer Überarbeitung, es scheint immer dieselbe zu sein. Und das Geschriebene ist unverderblich, die Linien sind perfekt ausgerichtet, vermitteln den Eindruck von Sauberkeit selbst jetzt, da wir die Schweinereien der Solaras und die von halb Kampanien zusammentragen.

Wir arbeiteten tagelang. Der Text stieg durch den Krach des Druckers vom Himmel auf die Erde herab, vergegenständlichte sich in schwarzen Punkten auf Papier. Lila fand ihn unzureichend, wir griffen wieder zum Stift, arbeiteten angestrengt, um ihn zu verbessern. Sie war gereizt, erwartete mehr von mir, glaubte, ich könnte alle ihre Fragen beantworten, regte sich auf, weil sie davon überzeugt war, ich sei ein Ausbund an Gelehrsamkeit, aber stattdessen auf jeder Zeile feststellte, dass ich keine Ahnung von der lokalen Geographie hatte, von den Spitzfindigkeiten der Verwaltungsbehörden, von der Funktionsweise der Gemeinderäte, von den Hierarchien einer Bank, von Verbrechen und Strafen. Trotzdem hatte ich sie seit langem nicht so stolz auf mich und auf unsere Freundschaft erlebt. *Wir müssen sie fertigmachen, Lenù, und wenn das nicht reicht, bringe ich sie um.* Unsere Köpfe stießen aneinander – zum letzten Mal, wenn ich es recht bedenke –, lange, und verschmolzen schließlich zu einem einzigen. Am Ende mussten wir einsehen, dass alles erledigt war, und die fahle Zeit des »Was getan ist, ist getan« begann. Sie druckte unsere Seiten zum x-ten Mal aus, ich steckte sie in einen Umschlag und schickte sie mit der Bitte an meinen Verleger, das Material den Anwälten zu zeigen. »Ich muss wissen«, erklärte ich ihm am Telefon, »ob das reicht, um die Solaras hinter Gitter zu bringen.«

102

Eine Woche verging, dann zwei. Eines Morgens rief mein Verleger an und hielt Lobreden.

»Du bist glänzend in Form«, sagte er.

»Ich habe mit einer Freundin zusammengearbeitet.«

»Hier zeigt sich dein Stil von seiner besten Seite, das ist ein außergewöhnlicher Text. Tu mir einen Gefallen. Gib diese Seiten Professor Sarratore, dann sieht er mal, wie sich ein beliebiges Thema in eine fesselnde Lektüre verwandeln lässt.«

»Ich habe keinen Kontakt mehr zu Nino.«

»Vielleicht bist du deshalb in Höchstform.«

Ich lachte nicht, wollte schnellstens erfahren, was die Anwälte gesagt hatten. Die Antwort enttäuschte mich. »Das Material reicht nicht mal für einen Tag Gefängnis«, sagte der Verleger. »Du kannst dir ein bisschen Genugtuung verschaffen, aber hinter Gitter wandern deine Solaras nicht, vor allem dann nicht, wenn sie, wie du erzählt hast, in der Lokalpolitik verwurzelt sind und genug Geld haben, um sich jeden zu kaufen, den sie wollen.« Ich fühlte mich schwach, meine Beine wurden weich, ich verlor alle Zuversicht, dachte: ›Lila wird toben.‹ Niedergeschlagen sagte ich: »Die sind noch viel schlimmer, als ich es beschrieben habe.« Der Verleger bemerkte meine Enttäuschung, versuchte mich aufzumuntern und lobte erneut die Leidenschaft, mit der ich diese Seiten verfasst hatte. Aber die Schlussfolgerung blieb dieselbe: »Damit kannst du sie nicht vernichten.« Zu meiner Überraschung bestand er aber darauf, dass ich den Text nicht verwarf, sondern veröffentlichte. »Ich rufe den *Espresso* an«, schlug er vor. »Wenn du heute mit so einem Artikel an die Öffentlichkeit gehst, tust du etwas Wichtiges für dich, für deine Leser, für alle; du zeigst, dass das Italien, in dem wir leben, viel schlimmer ist, als wir uns das erzählen.« Er bat mich um die Erlaubnis, den Text nochmals den Anwälten vorzulegen, um zu hören, welche rechtlichen Risiken ich einging, was gestrichen werden musste und was stehenbleiben konnte. Ich dachte daran, wie einfach alles gewesen war, als es darum gegangen war, Bruno Soccavo einen Schreck einzujagen, und lehnte entschieden ab. Ich sagte: »Am Ende würde ich wieder verklagt werden, hätte einen Haufen unnützer Scherereien und wäre zu der Einsicht gezwungen – was ich aus Liebe zu meinen Töchtern verhindern möchte –, dass die Gesetze auf die Wirkung zeigten, die sie fürchten, nicht aber auf die, die sie übertreten.«

Ich wartete eine Weile, dann gab ich mir einen Ruck und erzählte alles Lila, Wort für Wort. Sie blieb ruhig. Schaltete den Computer ein, ging den Text durch, las ihn meines Erachtens aber nicht, sie starrte auf den Bildschirm und dachte nach. Dann fragte sie mich in einem feindseligen Ton:

»Vertraust du diesem Verleger?«

»Ja, er ist ein anständiger Mann.«

»Und warum willst du den Artikel dann nicht veröffentlichen?«

»Wozu denn?«

»Um Klarheit zu schaffen.«

»Es ist doch schon alles klar.«

»Und wem? Dir, mir, dem Verleger?«

Unzufrieden schüttelte sie den Kopf, sagte kalt, sie habe zu tun.

Ich sagte:

»Warte.«

»Ich hab's eilig. Ohne Alfonso ist die Arbeit schwieriger geworden. Geh bitte, geh.«

»Warum bist du sauer auf mich?«

»Geh schon.«

Eine Zeitlang sahen wir uns nicht. Morgens schickte sie mir Tina herauf, abends holte entweder Enzo sie ab, oder Lila rief vom Treppenabsatz aus: »Tina, komm zu Mama!« Nach einigen Wochen, glaube ich, rief der Verleger mich freudig an.

»Bravo, ich bin so froh, dass du dich doch noch entschieden hast!«

Ich verstand nicht, und er erklärte mir, dass ihn ein Freund vom *Espresso* angerufen habe, der dringend meine Anschrift brauchte. Von ihm habe er erfahren, dass der Artikel über die Solaras mit einigen Kürzungen in der neuesten Ausgabe erscheinen solle. »Du hättest mir Bescheid sagen können«, sagte er, »dass du deine Meinung geändert hast.«

Mir brach der kalte Schweiß aus, ich wusste nicht, was ich sagen sollte, tat so, als ob nichts wäre. Doch ich brauchte einen Augenblick, um zu begreifen, dass Lila unseren Text an das Wochenblatt geschickt hatte. Ich lief zu ihr, um zu protestieren, war entrüstet, aber sie war besonders herzlich und vor allem heiter.

»Da du dich nicht entschieden hast, habe ich es getan.«

»Ich hatte mich entschieden, das nicht zu veröffentlichen.«

»Ich nicht.«

»Dann setze auch nur deine Unterschrift darunter.«

»Was redest du denn da? Du bist doch hier die Schriftstellerin.«

Es war unmöglich, ihr meine Missbilligung und meine Besorgnis zu vermitteln, jeder kritische Satz von mir prallte an ihrer guten Laune ab. Der Artikel erschien an prominenter Stelle, sechs engbeschriebene Seiten, und natürlich stand nur ein Autorenname darunter, meiner.

Als ich das entdeckte, stritten wir uns. Ärgerlich sagte ich zu ihr:

»Ich verstehe nicht, warum du dich so benimmst.«

»Ich ja«, antwortete sie.

Ihr Gesicht wies noch immer die Spuren von Micheles Fausthieb auf, aber garantiert hatte nicht Angst sie davon abgehalten, ihren Namen unter den Text zu setzen. Etwas anderes erschreckte sie, und ich wusste es, die Solaras waren ihr völlig egal. Aber ich war so wütend, dass ich es ihr trotzdem vorwarf – *du hast deine Unterschrift weggelassen, weil du gern im Verborgenen bleibst und es schön bequem ist, den Stein zu werfen und die Hand zu verstecken, ich habe deine Spielchen so satt –*, und sie lachte los, diese Anschuldigung war in ihren Augen absurd. »Es gefällt mir nicht, dass du so denkst«, sagte sie. Mit mürrischer Miene brummte sie, den Artikel habe sie in meinem Namen an den *Espresso* geschickt, weil ihrer nichts wert sei, weil ich diejenige sei, die studiert habe, weil ich berühmt sei, weil ich nun ohne Angst jeden verdreschen könne. Diese Worte bestätigten mir, dass sie meine Rolle auf naive Weise überschätzte, und das sagte ich ihr. Aber sie wurde ärgerlich, antwortete, dass, im Gegenteil, ich mich unterschätzte, deshalb wolle sie, dass ich mich stärker und besser engagierte, dass ich ringsumher immer mehr Anklang fand, und sie wünsche sich nur, dass meine Verdienste zunehmend anerkannt würden. »Du wirst schon sehen«, rief sie, »was mit den Solaras passiert.«

Deprimiert kehrte ich in meine Wohnung zurück. Ich wurde den Verdacht nicht los, dass sie mich benutzte, genau wie Marcello es gesagt hatte. Sie hatte mich vorgeschickt und setzte auf mein bisschen Berühmtheit, um ihren eigenen Krieg zu gewinnen, um ihre eigene Vendetta zu vollenden, um ihre eigenen Schuldgefühle zu besänftigen.

103

Tatsächlich bedeutete mein Name unter diesem Artikel einen weiteren Sprung nach vorn. Durch seine Veröffentlichung fügte sich für mich vieles zusammen. Ich bewies, dass ich nicht nur eine Berufung zum Romanschreiben hatte, sondern auch, dass ich so, wie ich mich in der Vergangenheit mit den Gewerkschaftskämpfen befasst hatte, so, wie ich die Lage der Frauen kritisiert hatte, auch gegen den Niedergang meiner Stadt ankämpfte. Die kleine Lesergemeinde, die ich mir Ende der sechziger Jahre erobert hatte, vereinigte sich mit der, die ich mir durch Höhen und Tiefen in den Siebzigern erhalten hatte, und auch mit der aktuellen, noch größeren. Das kam den ersten beiden Büchern zugute, die nun neuaufgelegt wurden, und dem dritten, das sich nach wie vor sehr gut verkaufte, während die Idee, einen Film daraus zu machen, immer konkretere Formen annahm.

Natürlich brachte mir dieser Text jede Menge Ärger ein. Ich wurde zu den Carabinieri bestellt. Wurde von der Finanzpolizei befragt. Wurde von der rechten Lokalpresse als *Geschiedene, Feministin, Kommunistin, Terroristenfreundin* beschimpft. Ich erhielt anonyme Anrufe, die mich und meine Töchter im unflätigsten Dialekt bedrohten. Aber obwohl ich in Angst lebte – Angst schien mir zum Schreiben nunmehr ganz natürlich dazuzugehören –, war ich letztlich viel ruhiger als zu der Zeit des *Panorama*-Artikels und der Anzeige durch Carmen. Das war meine Arbeit, und ich lernte gerade, sie immer besser zu tun. Außerdem fühlte ich mich durch den rechtlichen Beistand des Verlags geschützt und durch die Zustimmung, die ich von den linken Zeitungen erhielt, durch meine stets sehr gut besuchten Veranstaltungen und durch den Gedanken, dass ich im Recht war.

Doch, ehrlich gestanden, es war nicht nur das. Ich beruhigte mich vor allen Dingen, als klar wurde, dass die Solaras absolut nichts gegen mich unternehmen würden. Meine Sichtbarkeit trieb sie dazu, so unsichtbar wie irgend möglich zu werden. Marcello und Michele verzichteten nicht nur auf eine zweite Klage, sondern verstummten völlig, schwiegen unentwegt, und als ich bei den Ord-nungshütern mit ihnen zusammentraf, beschränkten sich beide auf einen kühlen, aber respektvollen Gruß. Die Wo-gen glätteten sich also. Konkret geschah nichts weiter, als dass verschiedene Untersuchungen eingeleitet und ebenso viele Akten angelegt wurden. Aber wie vom An-walt des Verlags vorhergesehen, gerieten jene schon ins Stocken, und diese landeten – denke ich mir – zwischen unzähligen anderen Akten, die Solaras blieben auf freiem Fuß. Der einzige Schaden, den der Artikel angerichtet hatte, war emotionaler Art. Meine Schwester, mein klei-ner Neffe Silvio und selbst mein Vater verbannten mich – nicht mit Worten, aber faktisch – aus ihrem Leben. Nur Marcello war weiterhin freundlich zu mir. Eines Nach-mittags traf ich ihn auf dem Stradone, ich schaute weg. Doch er baute sich vor mir auf und sagte: »Lenù, ich weiß, du hättest das nicht getan, wenn du die Wahl ge-habt hättest, ich bin dir nicht böse, du bist nicht schuld; also vergiss nicht, mein Haus steht dir immer offen.« Ich erwiderte: »Elisa hat erst gestern gleich wieder auf-gelegt, als ich sie angerufen habe.« Er grinste: »Deine Schwester ist die Chefin, was kann ich da schon ma-chen?«

104

Aber dieser alles in allem glimpfliche Ausgang deprimier-te Lila. Sie verhehlte ihre Enttäuschung nicht, fasste sie aber auch nicht in Worte. Sie machte weiter wie bisher und tat so, als ob nichts wäre: Sie brachte mir Tina und verschwand in ihrem Büro. Es kam aber auch vor, dass sie den ganzen Tag im Bett blieb, sagte, ihr platze der Kopf, und vor sich hin döste.

Ich hütete mich, ihr vorzuhalten, dass die Entscheidung, unseren Text zu veröffentlichen, ihre gewesen war. Sagte nicht: Ich habe dich gewarnt, dass die Solaras unbeschadet davonkommen würden, der Verlag hatte es mir gesagt, es ist also zwecklos, das jetzt schwerzunehmen. Trotzdem stand ihr das Bedauern, dass sie sich mit ihrer Einschätzung geirrt hatte, ins Gesicht geschrieben. Sie schämte sich in diesen Wochen, weil sie in der Überzeugung gelebt hatte, Dinge, die in den gängigen Hierarchien wenig zählten, hätten eine gewisse Macht: das Alphabet, das Schreiben, die Bücher. Sie, die so ernüchtert, so erwachsen wirkte, schloss mit ihrer Kindheit – so denke ich heute – erst in diesen Tagen ab.

Sie unterstützte mich nicht länger. Immer öfter bürdete sie mir ihre Tochter und manchmal, selten, auch Gennaro auf, der bei mir oben herumlungern musste. Dabei wurde mein Leben nun immer anstrengender, und ich wusste nicht, wie ich damit zurechtkommen sollte. Als ich sie eines Morgens wegen meiner Mädchen ansprach, antwortete sie ärgerlich: »Ruf meine Mutter an und lass dir von ihr helfen.« Das war neu, verlegen zog ich mich zurück und tat, was sie gesagt hatte. So kam Nunzia zu mir, sehr gealtert, gefügig, befangen, aber so tüchtig wie damals, als sie sich auf Ischia um das Haus gekümmert hatte. Meine größeren Mädchen behandelten sie sofort mit beleidigender Herablassung, vor allem Dede, die gerade einen Entwicklungsschub durchmachte und jede Feinheit verloren hatte. Ihre Gesichtshaut war entzündet, ihre Körperfülle verformte sie und verdrängte Tag für Tag mehr das Bild, an das ich gewöhnt gewesen war, sie fühlte sich hässlich, wurde boshaft. Wir lieferten uns nun Wortgefechte wie:

»Warum müssen wir bei dieser Alten bleiben? Der Fraß, den sie kocht, ist ekelhaft, du sollst kochen.«

»Hör auf.«

»Sie spuckt beim Sprechen, hast du gesehen, dass sie keine Zähne mehr hat?«

»Das reicht jetzt, ich will kein Wort mehr davon hören.«

»Wir müssen schon in diesem Drecksloch wohnen, und jetzt haben wir auch noch die im Haus? Ich will nicht, dass sie bei uns schläft, wenn du nicht da bist.«

»Dede, ich habe gesagt, es reicht.«

Elsa war auch nicht besser, aber auf ihre ganz eigene Art. Sie blieb vollkommen ernst und griff zu Worten, die mich scheinbar unterstützten, aber gehässig waren.

»Mir gefällt sie, Mama, sie herzuholen, war eine gute Idee von dir. Sie riecht so schön nach Leiche.«

»Jetzt setzt es aber was! Ist dir klar, dass sie dich hören kann?«

Die Einzige, die Lilas Mutter sofort ins Herz schloss, war Imma. Sie war Tina hörig, daher ahmte sie sie in allem nach, auch in ihren Gefühlen. Die zwei waren die ganze Zeit um Nunzia herum, während sie sich mit dem Haushalt abmühte, sie sagten Großmutter zu ihr. Aber die Großmutter war barsch, besonders zu Imma. Sie streichelte ihre wirkliche Enkelin und war manchmal gerührt, weil sie so redselig und zärtlich war, schwieg dagegen aber beim Arbeiten, wenn ihre falsche Enkelin sich um ihre Aufmerksamkeit bemühte. Währenddessen – bemerkte ich – wälzte sie ein Problem. Nach ihrer ersten Dienstwoche sagte sie mit gesenktem Blick zu mir: »Lenù, wir haben noch nicht darüber gesprochen, wie viel du mir gibst.« Ich war unangenehm berührt. Dummerweise hatte ich geglaubt, sie wäre nur gekommen, weil ihre Tochter sie darum gebeten hatte. Hätte ich gewusst, dass ich das bezahlen musste, hätte ich mir eine junge Frau gesucht, die meinen Mädchen gefallen hätte und von der ich alles verlangt hätte, was nötig war. Aber ich hielt mich zurück, wir redeten über Geld und vereinbarten einen Lohn. Da erst hellte sich Nunzias Stimmung etwas auf. Am Ende unserer Verhandlung hatte sie das Bedürfnis, sich zu rechtfertigen: »Mein Mann ist krank«, sagte sie. »Er arbeitet nicht mehr, und Lina ist verrückt geworden, sie hat Rino entlassen, wir haben nicht eine Lira.« Ich brummte, dass ich verstünde, und trug ihr auf, netter zu Imma zu sein. Sie gehorchte. Künftig bemühte sie sich, obwohl sie nach wie vor Tina bevorzugte, auch meine Tochter freundlich zu behandeln.

Nur Lila gegenüber änderte sie ihr Verhalten nicht. Weder wenn Nunzia kam, noch wenn sie ging, hatte sie das Bedürfnis, bei ihrer Tochter vorbeizuschauen, die ihr immerhin diese Arbeit besorgt hatte. Wenn sie sich auf der Treppe begegneten, grüßten sie sich nicht einmal. Nunzia war eine alte Frau, die ihre vorsichtige Liebenswürdigkeit von früher verloren hatte. Aber auch Lila, das sei gesagt, wurde immer unausstehlicher, es wurde zusehends schlimmer mit ihr.

105

Mir gegenüber hatte sie, ohne Anlass, ständig einen ärgerlichen Ton. Mich verstimmte vor allem, dass sie mich behandelte, als entginge mir alles, was mit meinen Töchtern geschah.

»Dede hat die Scheißregel gekriegt.«

»Das hat sie dir erzählt?«

»Allerdings, du bist ja nie da.«

»Hast du ihr gegenüber diesen Ausdruck benutzt?«

»Was hätte ich denn sonst sagen sollen?«

»Etwas weniger Vulgäres.«

»Weißt du eigentlich, wie deine Töchter miteinander reden? Und hast du mal gehört, wie sie über meine Mutter sprechen?«

Dieser Ton gefiel mir nicht. Sie, die früher eine große Zuneigung zu Dede, Elsa und Imma bekundet hatte, schien es nun zunehmend darauf anzulegen, sie vor mir herabzusetzen, und jede Gelegenheit war ihr recht, um mir zu beweisen, dass ich sie vernachlässigte, da ich ja ständig durch Italien reiste, und dies mit ernsten Konsequenzen für ihre Erziehung. Besonders regte ich mich auf, wenn sie mir vorwarf, dass ich Immas Probleme nicht sah.

»Was hat sie denn«, fragte ich sie.

»Neuerdings hat sie so ein Zucken am Auge.«

»Das hat sie nur selten.«

»Ich habe es aber oft gesehen.«

»Und was bedeutet das deiner Meinung nach?«

»Keine Ahnung. Ich weiß nur, dass sie einen Vater vermisst und sich nicht mal sicher ist, ob sie eine Mutter hat.«

Ich versuchte, sie zu ignorieren, aber das war nicht so einfach. Imma hatte mir, wie erwähnt, schon immer ein wenig Sorgen gemacht, und auch wenn sie sich gut gegen Tinas Lebhaftigkeit behauptete, hatte ich den Eindruck, dass ihr trotzdem etwas fehlte. Außerdem entdeckte ich seit kurzem Züge von mir an ihr, die mir nicht gefielen. Sie war nachgiebig, fügte sich aus Angst, nicht zu gefallen, sofort in alles und wurde traurig, weil sie sich gefügt hatte. Es wäre mir lieber gewesen, wenn sie Ninos unverschämtes Verführungstalent geerbt hätte, seine unbekümmerte Vitalität, doch so war es nicht. Imma war von einer unzufriedenen Ergebenheit, wollte alles und gab vor, nichts zu wollen. »Kinder sind ein Produkt des Zufalls«, sagte ich, »sie hat überhaupt nichts von ihrem Vater.« Aber Lila war damit nicht einverstanden, sie fand sogar ständig eine Gelegenheit, auf die Ähnlichkeit der Kleinen mit Nino hinzuweisen, nur dass sie nichts Positives darin sah, sie sprach darüber wie von einem Organfehler. Und sie wiederholte in einem fort: »Ich sage dir das, weil ich sie gernhabe und mir Sorgen mache.«

Ich versuchte, mir zu erklären, warum sie sich plötzlich so auf meine Töchter einschoss. Dachte, da ich sie enttäuscht hätte, zöge sie sich nun von mir zurück, indem sie sich vor allem von ihnen entfernte. Dachte, weil mein Buch immer erfolgreicher wurde und dies meine Unabhängigkeit von ihr und ihrem Urteil besiegelte, strebte sie danach, mich herabzusetzen, indem sie die Kinder, die ich bekommen hatte, herabsetzte und auch meine Fähigkeit, eine gute Mutter zu sein. Doch keine der beiden Vermutungen beruhigte mich, und eine dritte bahnte sich ihren Weg: Lila sah das, was ich als Mutter nicht sehen konnte oder wollte, und da sie sich vornehmlich zu Imma kritisch äußerte, würde ich gut daran tun, zu erkennen, dass ihre Beanstandungen nicht unbegründet waren.

Ich begann also die Kleine zu beobachten und überzeugte mich schnell davon, dass sie wirklich litt. Sie war Tinas fröhlicher Offenherzigkeit verfallen, ihrer hochgradig ausgeprägten sprachlichen Ausdrucksfähigkeit und ihrem Talent, bei allen Rührung, Bewunderung und Zuneigung hervorzurufen, besonders bei mir. Obwohl meine Tochter niedlich und klug war, verblasste sie neben Tina, ihre Vorzüge wurden unsichtbar, und das quälte sie. Eines Tages hörte ich einen Wortwechsel in einem schönen Italienisch zwischen ihnen mit an, Tinas Aussprache war sehr gepflegt, bei Imma fehlten noch einige Silben. Sie malten mit Buntstiften Tierbilder aus, und Tina hatte beschlossen, für ein Nashorn Grün zu verwenden. Imma fügte aufs Geratewohl Farben für eine Katze zusammen. Tina sagte:

»Mach sie entweder grau oder schwarz.«

»Du darfst mir nicht befehlen, welche Farbe ich nehmen soll.«

»Das ist kein Befehl, das ist eine Empfehlung.«

Imma sah sie alarmiert an. Sie kannte den Unterschied zwischen Befehl und Empfehlung nicht. Sie sagte:

»Ich will auch die Empfehlung nicht machen.«

»Dann eben nicht.«

Immas Unterlippe zitterte.

»Na gut«, sagte sie. »Ich mach's, aber gefallen tut es mir nicht.«

Ich bemühte mich, ihr mehr Aufmerksamkeit zu schenken. Zunächst vermied ich es, mich für jede Äußerung von Tina zu begeistern, hob Immas Fähigkeiten hervor, lobte sie bei jeder Kleinigkeit. Aber schnell wurde mir klar, dass das nicht genügte. Die beiden Mädchen hatten sich gern; sich zu messen, half ihnen, zu wachsen; ein bisschen zusätzliches Lob konnte nicht verhindern, dass Imma, die sich in Tina spiegelte, etwas sah, was sie verletzte und für das ihre Freundin ganz sicher nichts konnte.

Ich ließ mir Lilas Worte nun wieder und wieder durch den Kopf gehen: *Sie vermisst einen Vater und ist sich nicht mal sicher, ob sie eine Mutter hat.* Mir fiel die falsche Bildunterschrift in *Panorama* wieder ein. Diese Bildunterschrift, noch verschlimmert durch die schlechten Witze von Dede und Elsa (*du gehörst nicht zu dieser Familie, du heißt Sarratore und nicht Airota*), hatte gewiss Schaden angerichtet. Aber war das wirklich der Kern des Problems? Das hielt ich für ausgeschlossen. Die Abwesenheit des Vaters schien mir wesentlich gravierender zu sein, und ich kam zu dem Schluss, dass Immas Kummer daher rührte.

Nachdem meine Gedanken einmal diese Richtung eingeschlagen hatten, fiel mir auf, dass Imma Pietros Aufmerksamkeit suchte. Wenn er seine Töchter anrief, setzte sie sich in eine Ecke und hörte das Gespräch mit an. Wenn ihre Schwestern sich amüsierten, tat sie so, als amüsierte auch sie sich, und wenn das Gespräch zu Ende war und sie sich nacheinander von ihrem Vater verabschiedeten, schrie Imma: »Ciao!« Häufig hörte Pietro sie und sagte zu Dede: »Gib mir mal Imma, damit ich ihr ciao sagen kann.« Aber dann wurde sie entweder schüchtern und lief weg, oder sie nahm den Hörer und blieb stumm. Nicht anders verhielt sie sich, wenn er nach Neapel kam. Pietro vergaß nie, ihr ein kleines Geschenk mitzubringen, und Imma strich um ihn herum, spielte, sie wäre seine Tochter, und freute sich, wenn er ihr etwas Nettes sagte, wenn er sie in den Arm nahm. Als mein Exmann einmal in den Rione kam, um Dede und Elsa abzuholen, spürte er den Kummer der Kleinen offenbar besonders deutlich, denn er sagte beim Abschied zu mir: »Verhätschele sie ein bisschen, sie ist traurig, weil ihre Schwestern wegfahren und sie nicht.«

Durch diese Bemerkung wuchs meine Sorge noch, ich sagte mir, dass ich etwas unternehmen müsse, dachte daran, mit Enzo zu sprechen und ihn zu bitten, in Immas Leben präsenter zu sein. Doch er war ja schon sehr aufmerksam. Wenn er seine Tochter auf den Schultern trug, setzte er sie irgendwann ab und nahm auch meine Tochter für eine Weile hoch; wenn er Tina ein Spielzeug kaufte, kaufte er ihr das Gleiche; wenn er sich gerührt über die klugen Fragen freute, die seine Kleine stellte, besann er sich auch darauf, sich begeistert von den etwas seichteren Warums meiner Tochter zu zeigen. Aber ich redete trotzdem mit ihm, und so machte Enzo Tina manchmal sogar Vorwürfe, wenn sie zu sehr die Szene beherrschte und Imma keinen Raum ließ. Das tat mir leid, die Kleine konnte überhaupt nichts dafür. Sie saß dann wie betäubt da, die plötzliche Deckelung ihrer Lebhaftigkeit war für sie wie eine unverdiente Strafe. Sie verstand nicht, warum der Zauber vorbei war, und gab sich alle Mühe, die Gunst ihres Vaters zurückzugewinnen. Dann zog ich sie meinerseits an mich und spielte mit ihr.

Kurz, die Dinge liefen nicht gut. Eines Morgens war ich bei Lila im Büro, ich wollte, dass sie mir zeigte, wie man am Computer schreibt. Imma spielte mit Tina unter dem Tisch, und Tina ließ mit ihrer üblichen Wortgewandtheit phantastische Orte und Gestalten erstehen.

Monströse Wesen verfolgten ihre Puppen, und mutige Prinzen waren drauf und dran, sie zu retten. Aber da hörte ich, wie meine Tochter mit plötzlicher Wut rief:

»Ich nicht!«

»Du nicht?«

»Ich rette mich nicht.«

»Du musst dich nicht retten, der Prinz rettet dich.«

»Ich habe keinen.«

»Dann lasse ich dich von meinem retten.«

»Ich habe nein gesagt.«

Der jähe Sprung, mit dem Imma von der Puppe zu sich selbst gewechselt war, obwohl Tina versuchte, sie im Spiel zu halten, tat mir weh. Lila wurde nervös, weil ich mich ablenken ließ, sie sagte:

»Meine lieben Mädchen, entweder ihr sprecht leise, oder ihr spielt draußen.«

106

An diesem Tag schrieb ich einen langen Brief an Nino. Ich zählte ihm die Probleme auf, die unserer Tochter meiner Ansicht nach das Leben schwermachten: Ihre Schwestern hätten einen Vater, der sich um sie kümmerte, und sie nicht; ihre Spielgefährtin, Lilas Tochter, habe einen äußerst liebevollen Vater und sie nicht; ich sei beruflich ständig unterwegs und gezwungen, sie oft allein zu lassen; kurz, es bestehe die Gefahr, dass Imma mit dem Gefühl heranwachse, ständig im Nachteil zu sein. Ich schickte den Brief ab und wartete darauf, dass Nino sich meldete. Das geschah nicht, also entschloss ich mich, bei ihm zu Hause anzurufen. Eleonora war am Apparat.

»Er ist nicht da«, sagte sie apathisch, »er ist in Rom.«

»Kannst du ihm bitte ausrichten, dass meine Tochter ihn braucht?«

Ihr blieb die Stimme weg. Dann fasste sie sich wieder: »Auch meine Kinder haben ihren Vater seit wenigstens sechs Monaten nicht gesehen.«

»Hat er dich verlassen?«

»Nein, er verlässt nie jemanden. Entweder du hast die Kraft, ihn zu verlassen – und darin warst du wirklich gut, ich bewundere dich –, oder er geht, kommt, verschwindet, taucht wieder auf, wie es ihm passt.«

»Sagst du ihm, dass ich angerufen habe und dass ich ihn, wenn er sich nicht sofort bei der Kleinen blicken lässt, aufspüre und sie ihm bringe, egal wo er sich aufhält?«

Ich legte auf.

Es dauerte eine Weile, bis Nino sich dazu durchrang, anzurufen, doch schließlich tat er es. Wie üblich benahm er sich, als hätten wir uns erst ein paar Stunden zuvor gesehen. Sein Ton war fest, fröhlich, er machte mir viele Komplimente. Ich unterbrach ihn, fragte:

»Hast du meinen Brief erhalten?«

»Ja.«

»Und warum hast du mir nicht geantwortet?«

»Weil ich keinen Augenblick Zeit habe.«

»Du solltest die Zeit finden, und zwar so schnell wie möglich, Imma geht es nicht gut.«

Widerwillig sagte er, zum Wochenende werde er nach Neapel kommen, ich verlangte, dass er am Sonntag zum Mittagessen erschien. Und ich bestand darauf, dass er sich dann nicht mit mir unterhielte, nicht mit Dede oder Elsa herumalberte, sondern sich den ganzen Tag auf

Imma konzentrierte. »Dein Besuch«, sagte ich, »muss zu einer festen Gewohnheit werden. Es wäre schön, wenn du einmal in der Woche kommen würdest, aber darum bitte ich dich gar nicht erst, damit rechne ich bei dir nicht, aber einmal im Monat muss es sein.« Er antwortete tiefernst, er werde jede Woche kommen, er versprach es, und in dem Moment meinte er es gewiss ehrlich.

An den Tag, als dieses Telefonat stattfand, erinnere ich mich nicht mehr, dafür werde ich den Tag, als Nino morgens um zehn hochelegant am Steuer eines neuen Luxuswagens im Rione vorfuhr, nie mehr vergessen. Es war der 16. September 1984. Lila und ich waren vor kurzem vierzig Jahre alt geworden, Tina und Imma waren fast vier.

107

Ich erzählte Lila, dass Nino zum Mittagessen zu mir kommen werde. Sagte zu ihr: »Ich habe ihn gezwungen, ich will, dass er den ganzen Tag mit Imma verbringt.« Ich hoffte, sie würde verstehen, dass sie mir zumindest an diesem Tag Tina nicht hochschicken sollte, aber sie verstand nicht oder wollte nicht verstehen. Stattdessen zeigte sie sich hilfsbereit, sie rief: »Ich sage meiner Mutter, sie soll für alle kochen, und vielleicht essen wir hier bei mir, hier ist mehr Platz.« Ich war überrascht, wurde nervös. Sie konnte Nino nicht ausstehen, was sollte diese Einmischung. Ich lehnte ab, sagte: »Ich koche selbst«, und betonte erneut, dass dieser Tag für Imma gedacht sei, für anderes sei weder Gelegenheit noch Zeit. Aber um Punkt neun Uhr am nächsten Tag kam Tina mit ihrem Spielzeug die Treppe herauf und klingelte. Sie war hübsch zurechtgemacht, hatte pechschwarze Zöpfchen und sympathisch leuchtende Augen.

Ich ließ sie herein, musste aber sofort mit Imma schimpfen, die noch im Nachthemd und verschlafen war, nicht gefrühstückt hatte und trotzdem sofort losspielen wollte. Da sie nicht auf mich hörte, sondern mit ihrer Freundin Fratzen schnitt und lachte, wurde ich wütend und sperrte die über meine Art bestürzte Tina zum Spielen allein in ein Zimmer, dann nötigte ich Imma, sich zu waschen. Sie schrie unaufhörlich: »Ich will nicht.« Ich sagte: »Du musst dich anziehen, gleich kommt dein Papa.« Seit Tagen kündigte ich ihn ihr schon an, aber sobald sie dieses Wort hörte, widersetzte sie sich noch mehr. Auch ich wurde nervöser, als ich es verwendete, um ihr seine unmittelbar bevorstehende Ankunft zu signalisieren. Die Kleine wand sich, schrie: »Ich will Papa nicht«, als wäre Papa eine eklige Medizin. Ich hielt es für ausgeschlossen, dass sie sich noch an Nino erinnerte, ihre Ablehnung richtete sich nicht konkret gegen ihn. Ich dachte: ›Vielleicht war es ein Fehler, ihn herzubestellen; wenn Imma sagt, sie will Papa nicht, meint sie damit, dass sie nicht irgendeinen will, sie will Enzo, will Pietro, will das, was Tina und ihre Schwestern haben.‹

Da fiel mir Tina wieder ein. Sie hatte nicht protestiert, hatte kein einziges Mal hervorgelugt. Ich schämte mich für mein Benehmen, Tina konnte absolut nichts für die Spannungen an diesem Tag. Ich rief sie zärtlich, sie kam froh heraus, setzte sich in einer Ecke des Badezimmers auf einen Hocker und gab mir Ratschläge, wie ich Imma genau die gleichen Zöpfe flechten konnte, die sie hatte. Meine Tochter bekam gute Laune und ließ sich anstands-

los von mir herausputzen. Schließlich liefen die beiden
zum Spielen weg, und ich holte Dede und Elsa aus dem
Bett.

Elsa sprang quietschvergnügt auf, sie freute sich darauf, Nino wiederzusehen, und war in kurzer Zeit fertig.
Dede dagegen brauchte ewig, um sich zu waschen, und
kam erst aus dem Bad, als ich zu zetern begann. Sie ertrug die Veränderung ihres Körpers nicht. »Ich sehe
scheußlich aus«, sagte sie mit Tränen in den Augen. Sie
verschwand im Schlafzimmer und schrie, sie wolle niemanden sehen.

Hektisch machte ich mich zurecht. Nino interessierte
mich überhaupt nicht mehr, aber ich wollte in seinen Augen nicht schlampig und gealtert erscheinen. Außerdem
hatte ich Angst, dass Lila auftauchte, ich wusste nur zu
gut, wie leicht sie, wenn sie wollte, die Blicke eines Mannes auf sich ziehen konnte. Ich war aufgeregt und lustlos
zugleich.

108

Nino war ausnahmsweise pünktlich, mit Geschenken beladen kam er die Treppe herauf. Elsa lief hinaus, um ihn
auf dem Treppenabsatz zu erwarten, sogleich gefolgt von
Tina und, vorsichtig, von Imma. Ich sah, dass ihr rechtes
Auge wieder zuckte. »Da kommt Papa«, sagte ich zu ihr,
sie schüttelte matt den Kopf.

Aber Nino benahm sich von Anfang an vernünftig.
Schon auf der Treppe begann er zu trällern: »Wo ist denn
meine kleine Imma, ich muss ihr drei Küsschen geben
und sie einmal fest drücken.« Als er oben ankam, sagte

er hallo zu Elsa, zog Tina im Vorbeigehen am Zopf und umarmte seine Tochter, küsste sie ab, sagte zu ihr, er habe noch nie so schönes Haar gesehen, lobte ihr Kleidchen, ihre Schühchen, alles. Als er die Wohnung betrat, nickte er mir nicht mal grüßend zu. Stattdessen setzte er sich auf den Boden, nahm Imma auf seine gekreuzten Beine, schenkte erst jetzt Elsa mehr Beachtung und begrüßte Dede herzlich (*du meine Güte, bist du groß geworden, du siehst wunderbar aus*), die sich ihm mit einem schüchternen Lächeln genähert hatte.

Ich sah, dass Tina verwirrt war. Fremde Menschen, und zwar alle, waren stets hingerissen von ihr und hätschelten sie, sobald sie sie sahen. Doch Nino hatte angefangen seine Mitbringsel zu verteilen und ignorierte sie. Also sprach sie ihn mit ihrem schmeichelnden Stimmchen an und versuchte, sich neben Imma auf seine Beine zu setzen, schaffte es aber nicht, sie lehnte sich gegen seinen Arm und legte ihm mit einer sehnsüchtigen Miene ihren Kopf auf die Schulter. Nichts zu machen, Nino gab Dede und Elsa je ein Buch, dann konzentrierte er sich auf seine Tochter. Er hatte ihr alles mögliche gekauft. Wartete, bis sie ein Geschenk ausgepackt hatte, und gab ihr sofort das nächste. Imma wirkte geschmeichelt, tief beeindruckt. Sie sah diesen Mann an wie einen Zauberer, der gekommen war, um nur für sie zu zaubern, und als Tina nach einem kleinen Geschenk griff, kreischte Imma: »Das ist meins!« Tina zog sich schnell zurück, ihre Unterlippe zitterte, ich nahm sie auf den Arm, sagte: »Komm zu deiner Tante.« Da erst schien Nino zu bemerken, dass er übertrieb, kramte in seiner Tasche und holte einen teuer aussehenden Stift hervor, er sagte: »Der ist für dich.« Ich setzte die Kleine auf den Boden, sie nahm den Stift, flüsterte danke, und er schien sie nun wirklich zum ersten Mal zu sehen. Ich hörte, wie er verblüfft murmelte:

»Du bist deiner Mutter wie aus dem Gesicht geschnitten.«

»Soll ich meinen Namen für dich schreiben?«, fragte Tina ernst.

»Kannst du denn schon schreiben?«

»Ja.«

Nino zog ein zusammengefaltetes Blatt Papier aus der Tasche, sie legte es auf den Boden und schrieb: Tina. »Das machst du sehr gut«, lobte er sie. Kurz darauf suchte er meinen Blick in der ängstlichen Erwartung eines Vorwurfs und wandte sich zum Ausgleich an seine Tochter: »Ich wette, du kannst das auch schon so gut.« Imma wollte es ihm beweisen, entriss ihrer Freundin den Stift und bekritzelte hochkonzentriert das Blatt Papier. Er zollte ihr viel Lob, während Elsa ihre kleine Schwester schon drangsalierte (*das kann man ja gar nicht lesen, du kannst nicht schreiben*) und Tina vergeblich versuchte, sich den Stift wiederzuholen, wobei sie sagte: »Ich kann noch andere Wörter schreiben.« Um das kurzerhand zu beenden, stand Nino mit seiner Tochter auf und sagte: »Jetzt gehen wir uns das schönste Auto der Welt anschauen«, und nahm die Mädchen alle mit, Imma auf dem Arm, Tina, die versuchte, sich an die Hand nehmen zu lassen, Dede, die Tina wegzog und bei sich behielt, und Elsa, die den teuren Stift an sich raffte.

109

Die Tür schloss sich hinter ihnen. Ich hörte Ninos kräftige Stimme auf der Treppe – er versprach, Süßigkeiten zu
kaufen, eine Runde mit dem Auto zu drehen – und Dede,
Elsa und die zwei Kleinen, die ihre Begeisterung heraus-
schrien. Ich stellte mir Lila ein Stockwerk tiefer vor, zurückgezogen in ihrer Wohnung und still, während diese
Stimmen, die zu mir drangen, auch zu ihr drangen. Uns
trennte nur die dünne Schicht des Fußbodens, und doch
verstand sie es, den Abstand zu verringern oder zu ver-
größern, je nach Laune, nach Zweckmäßigkeit und nach
den Regungen ihres Kopfes, der so aufgewühlt war wie
das Meer, wenn der Mond es ganz packt und zu sich
zieht. Ich räumte auf, kochte und dachte, dass Lila – unten – gerade das Gleiche tat. Beide warteten wir darauf,
die Stimmen unserer Töchter wieder zu hören und die
Schritte des Mannes, den wir geliebt hatten. Mir kam in
den Sinn, dass sie bei Imma wer weiß wie oft Ninos Züge
erkannt haben musste, so wie er jetzt bei Tina Lilas Züge
erkannte. Hatte sie in all den Jahren stets Abneigung empfunden, oder hing ihre liebevolle Sorge um die Kleine auch
mit dieser Ähnlichkeit zusammen? Gefiel ihr Nino insgeheim noch immer? Spähte sie ihm in diesem Moment am
Fenster nach? War es Tina gelungen, sich an die Hand
nehmen zu lassen, so dass sie ihre Tochter neben diesem
dünnen, hoch aufgeschossenen Mann betrachtete und
dachte: ›Wenn es anders gelaufen wäre, hätte sie von ihm
sein können?‹ Was hatte sie vor? War sie im Begriff, her-
aufzukommen, um mir mit einer gehässigen Bemerkung
wehzutun? Oder wollte sie ihre Wohnungstür genau in
dem Augenblick öffnen, wenn er auf dem Rückweg mit

den vier Mädchen daran vorbeigehen würde, und ihn hereinbitten und mich dann von unten rufen, so dass ich gezwungen sein würde, auch sie und Enzo zum Essen einzuladen?

Die Wohnung war sehr still, doch draußen mischten sich die Sonntagsgeräusche: das mittägliche Glockengeläut, die Rufe der Händler an den Verkaufsständen, die vorbeifahrenden Züge vom Rangierbahnhof, der Lkw-Verkehr zu den Baustellen, auf denen sieben Tage die Woche gearbeitet wurde. Nino würde den Mädchen garantiert erlauben, sich mit Süßigkeiten vollzustopfen, ohne zu bedenken, dass sie danach das Mittagessen nicht mehr anrühren würden. Ich kannte ihn genau. Er kam jeder Bitte nach, kaufte alles mögliche, ohne mit der Wimper zu zucken, übertrieb. Als das Essen fertig war und der Tisch gedeckt, schaute ich aus dem Fenster, das zum Stradone zeigte. Ich wollte sie rufen, um ihnen zu sagen, dass es Zeit sei, zurückzukommen. Aber die Verkaufsstände versperrten mir die Sicht, ich sah nur Marcello mit meiner Schwester auf der einen Seite und mit Silvio auf der anderen spazieren gehen. Der Anblick des Stradone von oben beunruhigte mich. Die Feiertage waren in meinen Augen ohnehin schon immer ein Lack gewesen, der den Verfall überdeckt, doch nun war dieser Eindruck noch stärker. Was tat ich an diesem Ort, warum lebte ich noch hier, obwohl ich genug Geld hatte, um sonst wohin zu ziehen. Ich hatte Lila zu viel Spielraum gewährt, hatte zugelassen, dass sie erneut zu viele Knoten knüpfte, hatte geglaubt, ich könnte besser schreiben, wenn ich mich öffentlich wieder zu meiner Herkunft bekannte. Alles kam mir hässlicher vor, ich spürte einen starken Widerwillen sogar gegen das Essen, das ich gekocht hatte. Dann reagierte ich, bürstete mir die Haare, warf einen Kontrollblick in den Spiegel und verließ die Wohnung. Auf Zehenspitzen ging ich an Lilas Tür vorbei, ich wollte nicht, dass sie mich hörte und womöglich beschloss, mich zu begleiten.

Draußen duftete es stark nach gebrannten Mandeln, ich schaute mich um. Zunächst sah ich Dede und Elsa, sie aßen Zuckerwatte und durchstöberten einen Stand voller Kinkerlitzchen: Armbänder, Ohrringe, Halsketten, Haarspangen. Nicht weit entfernt entdeckte ich Nino, er stand an der Ecke. Erst den Bruchteil einer Sekunde später bemerkte ich, dass er mit Lila sprach, die so schön war wie immer, wenn sie schön sein wollte, und mit Enzo, der ernst war und düster. Lila hatte Imma auf dem Arm, die fortwährend an ihrem Ohr zog, wie sie es üblicherweise bei mir tat, wenn sie sich vernachlässigt fühlte. Lila ließ es zu, ohne sich zu entziehen, sie schien sehr von Nino in Anspruch genommen zu sein, der auf seine selbstgefällige Art redete, lächelte und mit seinen langen Armen, seinen schmalen Händen gestikulierte.

Ich wurde wütend. Darum also war Nino rausgegangen und nicht mehr zu sehen gewesen. So kümmerte er sich also um seine Tochter. Ich rief ihn, er hörte mich nicht. Dafür drehte Dede sich um, die gemeinsam mit Elsa über meine dünne Stimme lachte, das taten sie immer, wenn ich schrie. Ich rief noch einmal. Ich wollte, dass Nino sich sofort verabschiedete und *allein*, nur mit meinen Mädchen, zurückkam. Aber da war der ohrenbetäubende Pfiff des Erdnussverkäufers und das Scheppern eines Lastwagens, der im Vorbeifahren Staub aufwirbelte. Ich schnaufte, ging zu ihnen. Warum hatte Lila meine Tochter auf dem Arm, wozu musste das sein? Warum spielte Imma nicht mit Tina? Ich grüßte nicht, sagte zu Imma: »Was machst du denn da auf dem Arm, du bist doch schon groß, komm runter«, und ich nahm sie Lila weg, stellte sie auf den Boden. Dann wandte ich mich an Nino: »Die Mädchen müssen was essen, es ist alles fertig.« Da fiel mir auf, dass meine Kleine sich noch an meinen Rock klammerte, sie war nicht zu ihrer Freundin gelaufen. Ich schaute in die Runde, fragte Lila: »Wo ist Tina?«

Auf ihrem Gesicht lag der Ausdruck herzlicher Zustimmung, mit dem sie noch eine Minute zuvor Ninos Geschwätz angehört hatte. »Sie wird bei Dede und Elsa sein«, sagte sie. Ich antwortete: »Da ist sie nicht.« Und ich wollte, dass sie sich zusammen mit Enzo um ihre Tochter kümmerte, anstatt sich am einzigen Tag, an dem Nino nach eigener Aussage abkömmlich war, zwischen meine Tochter und deren Vater zu drängen. Aber während Enzo sich suchend nach Tina umschaute, redete Lila weiter mit Nino. Sie erzählte ihm von damals, als Gennaro verschwunden war. Sie lachte, sagte: »Er war eines Vormittags nicht mehr zu finden, alle waren aus der Schule gekommen, aber er war nicht da. Ich kriegte einen gewaltigen Schreck, malte mir die schlimmsten Dinge aus, dabei saß er gemütlich im kleinen Park.« Aber gerade als sie sich daran erinnerte, wich die Farbe aus ihrem Gesicht. Ihre Augen wurden leer, mit veränderter Stimme fragte sie Enzo:

»Hast du sie gefunden, wo ist sie?«

110

Wir suchten Tina auf dem ganzen Stradone, dann im gesamten Rione und wieder auf dem Stradone. Viele schlossen sich uns an. Antonio kam, Carmen kam und Carmens Mann Roberto, Marcello Solara mobilisierte sogar ein paar seiner Leute und streifte selbst bis tief in die Nacht durch die Straßen. Lila sah jetzt aus wie Melina, lief planlos auf und ab. Aber noch mehr außer sich schien Enzo zu sein. Er brüllte, legte sich mit den Straßenhändlern an, stieß schreckliche Drohungen aus, wollte in ihren Autos, in ihren Lieferwagen, in ihren Karren nachsehen. Die Carabinieri mussten einschreiten, um ihn zu beruhigen.

Immer wieder schien man Tina gefunden zu haben, was jedes Mal einen Seufzer der Erleichterung auslöste. Jeder kannte das Mädchen, es gab niemanden, der nicht geschworen hätte, sie noch eine Minute zuvor gesehen zu haben, dort an diesem Stand oder an jener Ecke oder im Hof oder im kleinen Park oder auf dem Weg zum Tunnel mit einem hochgewachsenen Mann, mit einem kleinen. Doch jede Entdeckung erwies sich als Täuschung, die Leute verloren ihre Zuversicht und ihren Eifer.

Am Abend verfestigte sich ein Gerücht, das sich später durchsetzen sollte. Die Kleine habe den Gehweg verlassen und sei einem blauen Ball nachgelaufen. Da sei plötzlich ein Lkw aufgetaucht. Der Lkw sei eine schlammfarbene Masse gewesen, sei mit hoher Geschwindigkeit und wegen der Schlaglöcher auf dem Stradone klappernd und schlingernd gefahren. Mehr habe niemand gesehen, aber man habe den Aufprall gehört, den Aufprall, der direkt aus der Erzählung ins Gedächtnis jedes Zuhörers drang. Der Lkw habe nicht gebremst, nicht mal andeutungsweise, und sei am Ende des Stradone verschwunden, zusammen mit Tinas Körper, mit ihren Zöpfchen. Auf dem Asphalt fand sich kein einziger Tropfen Blut, nichts, nichts, nichts. In diesem Nichts war das Fahrzeug verschwunden, verschwand für immer das Kind.

ALTER

Die Geschichte vom bösen Blut

Endgültig aus Neapel weggegangen bin ich 1995, als alle sagten, die Stadt erstehe wieder auf. Aber inzwischen glaubte ich nicht mehr an ihre Auferstehungen. Ich hatte im Laufe der Jahre das Entstehen des neuen Bahnhofs gesehen, das träge Emporwachsen des Wolkenkratzers in der Via Novara, die Segelbauten von Scampia, die immer zahlreicheren funkelnden Hochhäuser auf dem grauen Gestein von Arenaccia, der Via Taddeo da Sessa, der Piazza Nazionale. Diese in Frankreich oder in Japan entworfenen und zwischen Ponticelli und Poggioreale mit dem üblichen Schlendrian entstandenen Gebäude hatten sogleich, in rasantem Tempo, allen Glanz verloren und sich in höhlenartige Elendsquartiere verwandelt. Was also für eine Auferstehung? Sie war nur aufs Geratewohl und wie dick aufgetragene Schminke auf dem verdorbenen Gesicht der Stadt.

Jedes Mal lief das so ab. Das täuschende Make-up weckte Hoffnungen und bekam dann Risse, wurde zu einer Kruste auf alten Krusten. Daher beschloss ich, als sich die Verpflichtung ergab, in der Stadt zu bleiben und die Sanierung unter der Führung der Kommunistischen Partei zu unterstützen, stattdessen nach Turin zu ziehen, mit der verlockenden Aussicht, einen damals hochambitionierten Verlag zu leiten. Nach meinem vierzigsten Lebensjahr hatte die Zeit zu rasen begonnen, ich konnte nicht mehr Schritt halten. Der reale Kalender war durch den der Vertragstermine ersetzt worden, die Jahre sprangen von einer Publikation zur nächsten, und den Ereignissen, die mich, die meine Töchter betrafen, ein Datum zuzuordnen, fiel mir schwer, ich bettete sie in mein Schreiben ein, das immer mehr Zeit beanspruchte. Wann war dieses geschehen, wann jenes? Fast ohne zu überlegen, orientierte ich mich an den Erscheinungsterminen meiner Bücher.

Bücher lagen nunmehr so einige hinter mir, und sie hatten mir etwas Ansehen, einen guten Ruf und ein Leben in Wohlstand eingebracht. Die Belastung durch meine Töchter hatte deutlich nachgelassen. Dede und Elsa waren – erst die eine, dann die andere – zum Studium nach Boston gegangen, ermutigt von Pietro, der seit sieben oder acht Jahren einen Lehrstuhl in Harvard hatte. Bei ihrem Vater fühlten sie sich wohl. Sah man von den Briefen ab, in denen sie sich über das scheußliche Klima und die Besserwisserei der Bostoner beklagten, waren sie zufrieden mit sich und damit, dass sie sich den Entscheidungen entzogen hatten, zu denen ich sie in der Vergangenheit gezwungen hatte. Da inzwischen auch Imma darauf brannte, es ihren Schwestern gleichzutun, was hatte ich da noch im Rione verloren? Während ich anfangs vom Bild der Autorin profitiert hatte, die, obwohl sie sich woanders hätte niederlassen können, in einem gefährlichen Randbezirk geblieben war, um weiterhin aus der Realität zu schöpfen, gab es jetzt eine ganze Reihe von Intellektuellen, die sich mit ähnlichen Klischees schmückten. Zudem waren die Themen meiner Bücher jetzt andere, der Rione spielte keine große Rolle mehr. War es demnach nicht Heuchelei, eine gewisse Berühmtheit zu haben und viele

Privilegien, mich aber trotzdem zu beschränken und an einem Ort zu sein, an dem ich mit Unbehagen nur dabei zusehen konnte, wie sich das Leben meiner Geschwister und meiner Freundinnen, das Leben von deren Kindern und Enkelkindern und vielleicht sogar das meiner jüngsten Tochter verschlechterte?

Imma war damals vierzehn Jahre alt, ich ließ es ihr an nichts fehlen, sie lernte viel. Aber bei Bedarf sprach sie einen harten Dialekt, sie hatte Schulkameradinnen, die mir nicht gefielen, und wenn sie nach dem Abendessen ausging, war ich so in Sorge, dass sie häufig von sich aus beschloss, zu Hause zu bleiben. Auch ich hatte, wenn ich in der Stadt war, ein eingeschränktes Leben. Ich traf mich mit Freunden und Freundinnen aus den kultivierten Kreisen Neapels, ließ mich umwerben und ging Beziehungen ein, die aber nicht lange hielten. Selbst die brillantesten Männer erwiesen sich früher oder später als enttäuschte Menschen, mit dem grausamen Schicksal hadernd, geistreich und gleichwohl unterschwellig boshaft. Manchmal hatte ich den Eindruck, dass sie mich nur wollten, um mir ihre Manuskripte zum Lesen zu geben, und zuweilen auch, um sich Geld von mir zu leihen, das sie mir nie zurückgaben. Ich machte gute Miene zum bösen Spiel, zwang mich zu Geselligkeit, zu einem Gefühlsleben. Aber abends elegant gekleidet auszugehen, war kein Vergnügen, es machte mir Angst. Einmal hatte ich noch nicht die Haustür hinter mir geschlossen, als mich zwei Jungen schlugen und ausraubten, die nicht älter als dreizehn waren. Der wenige Schritte entfernt parkende Taxifahrer schaute nicht mal aus dem Autofenster. Ich musste weg, im Sommer 1995 zog ich mit Imma fort aus Neapel.

Ich mietete eine Wohnung mit Blick auf den Po, direkt

am Ponte Isabella, mein Leben und das meiner dritten Tochter verbesserten sich sofort. Von dort aus über Neapel nachzudenken und zu schreiben, mit Klarheit darüber zu schreiben, war leichter. Ich liebte meine Heimatstadt, verzichtete aber stets darauf, ihre Pflichtverteidigung zu übernehmen. Ich war eher der Überzeugung, dass die Enttäuschung, zu der diese Liebe über kurz oder lang führte, wie eine Brille war, durch die man den gesamten Westen betrachten konnte. Neapel war die europäische Metropole, in der sich das Vertrauen in Technik und Wissenschaft, in den wirtschaftlichen Fortschritt, in die Gunst der Natur, in die Geschichte, die sich zwangsläufig zum Besseren entwickelt, und in die Demokratie mit größter Deutlichkeit und schon sehr früh als vollkommen haltlos erwiesen hatte. In dieser Stadt geboren zu sein – schrieb ich schließlich einmal und dachte dabei nicht an mich, sondern an Lilas Pessimismus –, ist nur für eines gut: schon seit jeher und gewissermaßen instinktiv gewusst zu haben, was heute unter unzähligen Vorbehalten nun langsam alle behaupten: Der Traum vom grenzenlosen Fortschritt ist in Wahrheit ein Alptraum voller Grausamkeiten und Tod.

Im Jahr 2000 ging Imma zum Studium nach Paris, ich blieb allein zurück. Ich versuchte, sie davon abzuhalten, aber da viele ihrer Freundinnen diese Entscheidung auch getroffen hatten, wollte sie ihnen nicht nachstehen. Anfangs belastete mich das nicht besonders, ich hatte gut zu tun. Aber nach einigen Jahren begann ich das Alter zu spüren, es war, als verblasste ich zusammen mit der Welt, in der ich mich behauptet hatte. Obwohl ich zu verschiedenen Zeiten und mit verschiedenen Werken angesehene Preise erhalten hatte, verkauften sich meine

Bücher kaum noch. 2003 brachten mir, nur um ein Beispiel zu nennen, die dreizehn Romane und zwei Essaysammlungen, die ich geschrieben hatte, insgesamt 2323 Euro brutto ein. Da musste ich mir eingestehen, dass mein Publikum nichts mehr von mir erwartete und dass die jüngeren Leser – oder besser gesagt, die Leserinnen, denn von Anfang an hatten mich vor allem Frauen gelesen – andere Vorlieben, andere Interessen hatten. Auch die Zeitungen waren keine Einnahmequelle mehr. Sie interessierten sich so gut wie gar nicht für mich, riefen immer seltener wegen eines Auftrags an und zahlten entweder einen Hungerlohn oder überhaupt nichts. Und was das Fernsehen anging, hatte ich nach einigen guten Erfahrungen in den neunziger Jahren versucht, eine Nachmittagssendung über die Klassiker der griechischen und lateinischen Literatur zu betreuen, eine Idee, die nur dank der Fürsprache einiger Freunde aufgegriffen worden war, darunter Armando Galianis, der eine eigene Sendung auf Canale 5 hatte, aber auch Kontakte zum öffentlichen Fernsehen. Das Ergebnis war ein unbestreitbares Fiasko gewesen, und seither hatte ich keine Angebote mehr bekommen. Einen schweren Stand hatt ich nun auch in dem Verlag, den ich jahrelang geleitet hatte. Im Herbst 2004 wurde ich von einem sehr aufgeweckten jungen Mann, er war kaum über dreißig, verdrängt und zu einer freien Beraterin degradiert. Sechzig Jahre war ich nun alt, ich fühlte mich am Ende meines Weges. Die Winter in Turin waren zu kalt, die Sommer zu heiß, die gebildeten Kreise zu abweisend. Ich war nervös, schlief kaum. Männer nahmen keine Notiz mehr von mir. Ich schaute vom Balkon auf den Po, auf die Ruderer, auf den Berg und langweilte mich.

Ich fuhr nun wieder häufiger nach Neapel, hatte jedoch

keine Lust, Freunde und Verwandte wiederzusehen, und die Freunde und Verwandten hatten keine Lust, mich wiederzusehen. Ich traf mich nur mit Lila, aber oft nicht einmal mit ihr. Sie verärgerte mich. In den letzten Jahren hatte sie sich mit einem in meinen Augen ungehobelten Lokalpatriotismus für die Stadt begeistert, weshalb ich lieber allein spazieren ging, auf der Via Caracciolo, hinauf zum Vomero oder durch Tribunali. So kam es, dass ich im Frühling 2006, wegen eines Dauerregens eingesperrt in einem alten Hotel auf dem Corso Vittorio Emanuele, zum Zeitvertreib in wenigen Tagen eine Erzählung von nicht mehr als achtzig Seiten schrieb, die im Rione spielte und von Tina handelte. Ich schrieb sie schnell, um mir keine Zeit zum Erfinden zu lassen. Das Ergebnis war ein nüchterner, geradliniger Text. Erst zum Schluss schwang sich die Geschichte ins Phantastische auf.

Ich veröffentlichte die Erzählung im Herbst 2007 unter dem Titel *Eine Freundschaft*. Das Buch fand großen Anklang, noch heute verkauft es sich sehr gut, Lehrerinnen empfehlen es ihren Schülerinnen als Sommerlektüre.

Aber ich kann es nicht ausstehen.

Nur zwei Jahre zuvor, als man im kleinen Park Gigliolas Leiche gefunden hatte – ein einsamer Tod durch Herzinfarkt, schrecklich in seiner Trostlosigkeit –, hatte mir Lila das Versprechen abgenommen, nie über sie zu schreiben. Aber, nun ja, ich hatte es getan, und noch dazu äußerst direkt. Einige Monate glaubte ich, mein schönstes Buch geschrieben zu haben, mein Ruf als Schriftstellerin erhielt neue Kraft, schon lange hatte ich nicht mehr so viel Zustimmung erfahren. Doch schon als ich Ende 2007, zur Weihnachtszeit, in die Feltrinelli-Buchhandlung an

der Piazza dei Martiri ging, um *Eine Freundschaft* vor-
zustellen, schämte ich mich plötzlich und fürchtete, Lila
im Publikum zu entdecken, womöglich in der ersten Reihe und bereit, sich einzumischen und mich in Schwierigkeiten zu bringen. Aber der Abend wurde ein Erfolg,
ich wurde sehr gefeiert. Nach meiner Rückkehr ins Hotel versuchte ich, nun mit etwas mehr Selbstvertrauen,
sie anzurufen, zunächst auf dem Festnetz, dann auf dem
Handy und dann erneut auf dem Festnetz. Sie antwortete
nicht, sie hat mir nie mehr geantwortet.

2

Lilas Schmerz kann ich nicht schildern. Was ihr zugestoßen war und was vielleicht schon immer in ihrem Leben
gelauert hatte, war nicht der Tod ihrer Tochter durch eine Krankheit, durch einen Unfall, durch eine Gewalttat,
sondern ihr plötzliches Verschwinden. Der Schmerz ließ
sich an nichts festmachen. Ihr blieb kein Leichnam, den
sie verzweifelt an sich pressen konnte, für niemanden
fand eine Trauerfeier statt, sie konnte nicht bei einem toten Körper sitzen, der früher gelaufen und gerannt war,
der gesprochen und sie umarmt hatte und dann kaputtgegangen war. Ich glaube, Lila fühlte sich, als hätte ein
Glied, das noch eine Minute zuvor ein Teil ihres Körpers
gewesen war, ohne eine Verletzung Form und Funktion
verloren. Aber das daraus entstandene Leid kenne ich
nicht genügend, und ich kann es mir auch nicht vorstellen.

In den zehn Jahren, die auf den Verlust von Tina folgten, sah ich sie niemals weinen, nie vor Verzweiflung zu-

sammenbrechen, obwohl ich nach wie vor im selben Haus wohnte und sie jeden Tag traf. Nach dem ersten Umherirren im Rione, Tag und Nacht, auf der fahrigen Suche nach ihrer Tochter, gab sie auf wie nach einer zu großen Anstrengung. Sie setzte sich ans Küchenfenster und rührte sich lange nicht von der Stelle, auch wenn von dort aus nur ein Stück Bahngelände und Himmel zu sehen waren. Dann stand sie auf und setzte ihr normales Leben fort, ohne Resignation. Die Jahre glitten über sie hinweg, ihr schlechtes Wesen verschlimmerte sich weiter, sie säte Unbehagen und Angst rings um sich her, alterte zeternd und zankend. Zunächst hatte sie bei jeder Gelegenheit und mit egal wem über Tina gesprochen, hatte sich an den Namen der Kleinen geklammert, als könnte seine Erwähnung sie ihr zurückbringen. Aber dann wurde es unmöglich, in ihrer Gegenwart über diesen Verlust zu sprechen, und selbst wenn ich, ihre Freundin, es tat, wollte sie mich sehr schnell auf grobe Weise loswerden. Nur über einen Brief von Pietro zeigte sie sich erfreut, vor allem – glaube ich – weil es ihm gelungen war, ihr auf eine herzliche Art zu schreiben, ohne Tina ein einziges Mal zu erwähnen. Noch 1995, vor meiner Abreise, tat sie bis auf sehr wenige Ausnahmen so, als wäre nichts passiert. Einmal sprach Pinuccia über die Kleine wie von einem Engelchen, das über uns alle wachte. Lila sagte zu ihr: »Hau ab.«

3

Kein Mensch im Rione verließ sich auf die Ordnungskräfte und die Journalisten. Männer, Frauen und sogar Banden von Halbwüchsigen suchten über Tage und Wochen nach Tina, ohne sich um Polizei und Fernsehen zu scheren. Sämtliche Verwandte, sämtliche Freunde wurden aktiv. Der Einzige, der sich nur wenige Male meldete – und dies per Telefon mit allgemeinen Floskeln, die nur bekräftigen sollten: Mich trifft keine Schuld, ich hatte die Kleine ja gerade an Lina und Enzo zurückgegeben –, war Nino. Aber das wunderte mich nicht, er gehörte zu der Sorte Erwachsener, die, wenn sie mit einem Kind spielen und es sich beim Hinfallen das Knie aufschürft, sich selbst auch wie Kinder benehmen, sie haben Angst, jemand könnte sagen: Es ist deinetwegen hingefallen. Ihm schenkte übrigens niemand Beachtung, wir vergaßen ihn nach wenigen Stunden. Enzo und Lila hofften vor allem auf Antonio, der seine Reise nach Deutschland ein weiteres Mal verschoben hatte, nur um Tina ausfindig zu machen. Er tat es aus Freundschaft, aber, wie er zu unserer Überraschung oft betonte, auch weil Michele Solara es ihm befohlen hatte.

Die Solaras engagierten sich mehr als alle anderen in der Sache mit dem verschwundenen Kind, und sie machten ihr Engagement – das sei gesagt – sehr deutlich sichtbar. Obwohl sie wussten, dass man sie feindselig behandeln würde, erschienen sie eines Abends bei Lila zu Hause, benahmen sich, als redeten sie im Namen einer ganzen Gemeinschaft, und schworen, alles zu tun, damit Tina unversehrt zu ihren Eltern zurückkehren konnte. Lila starrte sie unverwandt an, als sähe sie sie, ohne sie zu hören.

Enzo, kreidebleich, hörte sich das einige Minuten an, dann brüllte er, sie seien es doch gewesen, die ihm seine Tochter weggenommen hätten. Das behauptete er damals und dann noch häufig, er schrie es überall heraus: Die Solaras hatten ihm Tina weggenommen, weil er und Lila sich stets geweigert hatten, ihnen einen Anteil der Gewinne aus der Basic Sight zu zahlen. Er wünschte sich, dass jemand widersprach, damit er ihn umbringen konnte. Doch in seiner Gegenwart widersprach niemand. Und an diesem Abend widersprachen nicht einmal die Solaras.

»Wir verstehen deinen Kummer«, sagte Marcello. »Wenn man mir Silvio weggenommen hätte, würde ich genauso durchdrehen wie du jetzt.«

Sie warteten, bis man Enzo beruhigt hatte, und gingen wieder. Am nächsten Tag schickten sie zu einem Höflichkeitsbesuch ihre Frauen Gigliola und Elisa vorbei, die zwar nicht herzlich, aber zuvorkommender empfangen wurden. Und in der Folgezeit vervielfachten sie ihre Bemühungen. Wahrscheinlich waren es die Solaras, die eine Art Razzia organisiert hatten, sowohl bei sämtlichen Straßenhändlern, die für gewöhnlich bei den Festen im Rione dabei waren, als auch bei den Zigeunern aus der Umgebung. Und garantiert waren sie es auch, die einen regelrechten Volksaufstand gegen die Polizei angezettelt hatten, als diese mit heulenden Sirenen zunächst Stefano abgeholt hatte, der damals seinen ersten Herzinfarkt bekam und im Krankenhaus landete, dann Rino, der nach einigen Tagen wieder freigelassen wurde, und schließlich Gennaro, der stundenlang jammerte und beteuerte, dass er seine kleine Schwester mehr als jeden anderen Menschen auf der Welt liebe und ihr niemals etwas antun würde. Außerdem ist nicht auszuschließen, dass die Solaras für die wechselnden Wachposten vor der Grundschule verantwortlich waren, durch die für eine gute halbe Stunde der kinderverführende Schwule, der bis dahin nur ein Phantom gewesen war, zu einer Gestalt aus Fleisch und Blut wurde. Ein schmächtiger Mann um die dreißig, der sich, obwohl er keine Kinder hatte, die er zur Schule bringen oder von dort abholen musste, vor dem Eingang herumtrieb, wurde verprügelt, konnte fliehen und wurde von einem wütenden Haufen bis zum kleinen Park verfolgt. Dort hätten sie ihn garantiert umgebracht, wenn es ihm nicht gelungen wäre, klarzustellen, dass er nicht der war, für den man ihn hielt, sondern ein Praktikant des *Mattino* auf der Suche nach einer Story.

Nach diesem Zwischenfall begann sich der Rione zu beruhigen, die Leute verkrochen sich wieder in ihr Alltagsleben. Da es von Tina noch immer keine Spur gab, wurde das Gerücht vom Unfall-Lkw immer plausibler. Es wurde sowohl von denen für bare Münze genommen, die des Suchens müde geworden waren, als auch von Polizisten und Reportern. Die Aufmerksamkeit richtete sich nun für länger auf die Baustellen in der Gegend. In dieser Zeit sah ich Armando Galiani wieder, den Sohn meiner Gymnasiallehrerin. Er hatte seine Arbeit als Arzt aufgegeben, hatte es bei den Wahlen 1983 nicht ins Parlament geschafft und übte sich dank des ausgesprochen vulgären Privatfernsehens nun in einem sehr aggressiven Journalismus. Ich wusste, dass sein Vater vor etwas mehr als einem Jahr gestorben war und seine Mutter in Frankreich lebte, sie aber nicht bei guter Gesundheit war. Er bat mich, ihn zu Lila zu bringen, ich sagte, dass es ihr sehr schlechtgehe. Er ließ nicht locker, ich rief an. Lila hatte Mühe, sich zu erinnern, wer Armando war, doch als es ihr wieder einfiel, war sie bereit, sich mit ihm zu treffen – sie, die bis dahin mit keinem einzigen Journalisten gesprochen hatte. Armando erzählte, dass er Recherchen zur Situation nach dem Erdbeben durchführe und dass er auf den Baustellen, auf denen er unterwegs gewesen sei, von einem Lkw gehört habe, den man wegen einer schlimmen Geschichte hastig verschrottet habe. Lila ließ ihn ausreden, dann sagte sie:

»Das denkst du dir alles bloß aus.«

»Ich sage dir, was ich weiß.«

»Dir sind der Lkw, die Baustellen und meine Tochter völlig egal.«

»Das ist eine Beleidigung.«

»Nein, die Beleidigung kommt jetzt. Du warst als Arzt zum Kotzen, du warst als Revolutionär zum Kotzen, und jetzt bist du als Journalist zum Kotzen. Verschwinde aus meiner Wohnung.«

Armando zog ein finsteres Gesicht, nickte Enzo grüßend zu und ging. Auf der Straße machte er seinem Ärger Luft. Er knurrte: »Nicht mal dieser große Schmerz hat sie verändert, sag ihr, dass ich ihr nur helfen wollte.« Dann führte er ein langes Interview mit mir, und wir verabschiedeten uns. Mich beeindruckten seine freundliche Art, die Bedachtsamkeit seiner Worte. Er musste viel durchgemacht haben, sowohl als Nadia sich für ihren Weg entschieden hatte als auch bei der Trennung von seiner Frau. Doch nun schien er gut in Form zu sein. Er hatte seine frühere Besserwisserei über die richtige antikapitalistische Linie gegen einen gewissen Zynismus eingetauscht.

»Italien ist ein Sumpf geworden«, sagte er niedergeschlagen, »und wir sind alle drin gelandet. Wenn du dich umhörst, merkst du, dass die anständigen Leute das begriffen haben. Wie schade, Elena, wie schade. Die Arbeiterparteien sind voller ehrlicher Menschen, die man ohne Hoffnung zurückgelassen hat.«

»Warum hast du mit dieser Arbeit angefangen?«

»Aus demselben Grund, aus dem du deine machst.«

»Und der wäre?«

»Seitdem ich mich hinter nichts mehr verstecken kann, habe ich entdeckt, dass ich eitel bin.«

»Wer sagt denn, dass ich auch eitel bin?«

»Der Vergleich: Deine Freundin ist es nicht. Aber es tut mir leid für sie, Eitelkeit ist eine Triebkraft. Wenn du eitel bist, passt du auf dich und deine Angelegenheiten auf. Lina kennt keine Eitelkeit, darum hat sie ihre Tochter verloren.«

Eine Zeitlang verfolgte ich seine Arbeit, er schien tüchtig zu sein. Er war es, der in der Gegend von Ponti Rossi das Wrack eines alten, halb verbrannten Fahrzeugs ausfindig machte, und er war es auch, der es mit Tinas Verschwinden in Verbindung brachte. Die Sache erregte einiges Aufsehen, die Meldung gelangte in die überregionalen Zeitungen und hielt sich dort mehrere Tage. Dann wurde nachgewiesen, dass es keinerlei Zusammenhang zwischen dem verbrannten Fahrzeug und dem Verschwinden des Kindes gab. Lila sagte zu mir:

»Tina ist am Leben, ich will diesen Scheißkerl nie wiedersehen.«

4

Ich weiß nicht, wie lange sie geglaubt hat, dass ihre Tochter noch am Leben sei. Je mehr Enzo verzweifelte, in Tränen aufgelöst und von Wut zerfressen, umso öfter sagte Lila: »Sie geben sie uns wieder, du wirst schon sehen.« An den fahrerflüchtigen Lkw glaubte sie garantiert nie, sie sagte, den hätte sie sofort bemerkt, sie hätte den Aufprall oder zumindest einen Schrei vor jedem anderen gehört. Und sie schien mir auch Enzos Annahme nicht zu teilen, nie sprach sie von einer Verwicklung der Solaras in die Geschichte. Stattdessen vermutete sie eine ganze Weile, einer ihrer Kunden habe ihr Tina weggenommen, einer, der wusste, wie viel Gewinn die Basic Sight abwarf, und der Geld für die Rückgabe des Mädchens wollte. Das war auch Antonios Meinung, aber es ist schwer zu sagen, worauf sie sich dabei stützte. Die Polizei interessierte sich natürlich für diese Möglichkeit, aber da es nie Anrufe mit Lösegeldforderungen gab, verwarf sie sie schließlich wieder.

Der Rione teilte sich schnell in eine Mehrheit, die Tina für tot hielt, und eine Minderheit, die glaubte, sie sei noch am Leben und irgendwo eingesperrt. Wir, die Lila liebten, gehörten zu dieser Minderheit. Carmen war so sehr von dieser Annahme überzeugt, dass sie sie jedem gegenüber beharrlich wiederholte, und wenn im Laufe der Zeit jemand zu der Ansicht gelangte, Tina sei tot, betrachtete sie ihn als ihren Feind. Einmal hörte ich, wie sie Enzo zuflüsterte: »Sag Lina, dass auch Pasquale für euch da ist, er glaubt, die Kleine wird wieder auftauchen.« Aber die Mehrheit setzte sich durch, und wer noch immer fieberhaft nach Tina suchte, war für die meisten entweder dumm oder scheinheilig. Auch über Lila begann man zu denken, dass ihr Verstand ihr keine Hilfe war.

Carmen war die Erste, die ahnte, dass die Zustimmung, die es vor Tinas Verschwinden ringsumher für unsere Freundin gegeben hatte, und die Solidarität, die danach einsetzte, nur oberflächlich gewesen waren und es unterschwellig eine alte Feindseligkeit gegen sie gab. »Weißt du«, sagte sie zu mir, »früher haben sie sie behandelt, als wäre sie die Madonna, und jetzt gehen sie einfach weiter, ohne sie eines Blickes zu würdigen.« Ich begann darauf zu achten und sah, dass es tatsächlich so war. Die Leute dachten insgeheim: ›Es tut uns leid, dass du Tina verloren hast, aber das heißt doch, dass niemand und nichts ihr hätte etwas anhaben können, wenn du wirklich das gewesen wärst, was du uns vorgegaukelt hast.‹ Man fing an mich zu grüßen und sie nicht, wenn wir auf der Straße zusammen unterwegs waren. Ihre unruhige Miene und die Aura des Unglücks, die sie umgab, machten Angst. Kurz, der Teil des Rione, der sich daran gewöhnt hatte, in Lila eine Alternative zu den Solaras zu sehen, zog sich enttäuscht zurück.

Und damit nicht genug. Es gab eine Aktion, die zunächst liebevoll wirkte und dann bösartig wurde. In den ersten Wochen fanden sich am Eingang zu ihrem Haus und an der Tür zur Basic Sight Blumen, an Lila oder direkt an Tina gerichtete, gefühlvolle Briefchen und sogar aus Schulbüchern abgeschriebene Gedichte. Dann kam altes Spielzeug, das Mütter, Großmütter und kleine Kinder gebracht hatten. Danach kamen Haarspangen, bunte Bändchen, alte Schuhchen. Dann handgenähte Puppen mit grauenvollen Fratzen und roten Flecken, Tierkadaver in dreckigen Lumpen. Da Lila jedes Stück ruhig aufhob und in den Müll warf, aber unversehens entsetzliche Verwünschungen gegen jeden ausstieß, der vorbeiging, und besonders gegen die Kinder, die sie von weitem beobachteten, war sie nicht länger die mitleiderregende Mutter, sondern eine Schrecken verbreitende Irre. Als ein Mädchen schwer erkrankte, über das sie sich aufgeregt hatte, weil sie gesehen hatte, wie es mit Kreide an die Haustür geschrieben hatte: *Tina fressen die Toten*, verbanden sich alte Gerüchte mit neuen, und Lila wurde zunehmend gemieden, als brächte schon allein ihr Anblick Unglück.

Sie aber schien nichts davon zu bemerken. Die Gewissheit, dass Tina noch lebte, nahm sie vollkommen gefangen, und das war es meiner Meinung nach auch, was sie zu Imma trieb. In den ersten Monaten hatte ich versucht, den Kontakt zwischen ihr und meiner jüngsten Tochter einzuschränken, ich fürchtete, ihr bloßer Anblick würde Lila noch mehr Kummer bereiten. Doch sie gab schon bald zu verstehen, dass sie sie ständig bei sich haben wollte, und ich ließ zu, dass Lila sie auch über Nacht behielt. Eines Morgens wollte ich Imma abholen, die Wohnungstür war nur angelehnt, ich trat ein. Die Kleine fragte gerade nach Tina. Nach jenem Sonntag hatte ich versucht, sie zu beruhigen, indem ich ihr erzählte, Tina wäre für eine Weile zu Enzos Verwandten nach Avellino gefahren, doch sie fragte oft nach, um zu erfahren, wann sie zurückkommen würde. Jetzt fragte sie Lila, aber Lila schien Immas Stimme nicht zu hören, und anstatt ihr zu antworten, erzählte sie ihr in allen Einzelheiten, wie Tina geboren worden war, von ihrem ersten Spielzeug, wie sie sich an ihre Brust geklammert hatte, ohne wieder loszulassen, und so fort. Ich blieb ein paar Sekunden auf der Schwelle stehen, hörte Imma, die Lila ungeduldig unterbrach:

»Aber wann kommt sie wieder?«

»Fühlst du dich einsam?«

»Ich weiß nicht, mit wem ich spielen soll.«

»Ich auch nicht.«

»Wann kommt sie denn nun wieder?«

Einen langen Augenblick sagte Lila nichts, dann wies sie sie zurecht:

»Halt den Mund, das geht dich nichts an!«

Diese Worte, im Dialekt gesprochen, waren so grob, so hart, so unangebracht, dass ich unruhig wurde. Ich machte ein paar belanglose Bemerkungen, dann nahm ich meine Tochter mit nach Hause.

Ich hatte Lila ihre Exzesse stets verziehen, und unter diesen Umständen war ich dazu noch eher bereit als in der Vergangenheit. Sie hatte oft übertrieben, und ich hatte im Rahmen des Möglichen versucht, sie zur Vernunft zu bringen. Als die Polizisten Stefano verhört hatten und Lila sofort davon überzeugt gewesen war, dass er Tina entführt hatte – so dass sie sich eine Weile sogar geweigert hatte, nach seinem Infarkt zu ihm ins Krankenhaus zu gehen –, hatte ich sie beruhigt, und wir hatten ihn zusammen besucht. Und es war mir zu verdanken, dass sie nicht auch ihren Bruder beschuldigt hatte, als die Polizei gegen ihn ermittelte. Ich hatte auch an dem schrecklichen Tag alles in meiner Macht Stehende getan, als Gennaro aufs Polizeirevier zitiert worden war und er sich, als er wieder nach Hause gekommen war, unter Anklage gefühlt hatte, es hatte Streit gegeben, und er war zu seinem Vater gezogen, nachdem er Lila angeschrien hatte, sie habe nicht nur Tina, sondern auch ihn für immer verloren. Kurz, die Situation war entsetzlich, und ich konnte verstehen, dass Lila sich über jeden aufregte, auch über mich. Aber nicht über Imma, das konnte ich nicht zulassen. Von nun an war ich besorgt, wenn Lila die Kleine nahm, ich grübelte, suchte nach einer Lösung.

Aber da war nicht viel zu machen, die Fäden ihres Kummers waren sehr verknäult, und eine Zeitlang war Imma ein Teil dieses Knäuels. In der allgemeinen Verwirrung, in die wir alle geraten waren, machte Lila mich trotz ihrer Erschöpfung weiterhin auf jede kleine Schwierigkeit meiner Tochter aufmerksam, so wie sie es getan hatte, bis ich Nino zu mir zitiert hatte. Ich spürte eine gewisse Verbissenheit dahinter, ärgerte mich darüber, bemühte mich aber, darin auch etwas Positives zu sehen: ›Sie überträgt‹ – so überlegte ich – ›ihre Mutterliebe allmählich auf Imma, sie gibt mir zu verstehen: Du hast Glück gehabt, du hast deine Tochter noch, das musst du nutzen, du musst dich um sie kümmern, musst ihr alle Zuwendung geben, die du ihr bisher nicht gegeben hast.‹

Aber das war nur der Schein der Dinge. Schnell hatte ich die Vermutung, dass Imma, dass ihr Körper, für Lila tief in ihrem Inneren das Symbol einer Schuld war. Ich dachte oft an die Situation zurück, in der Tina verschwunden war. Nino hatte sie Lila übergeben, *aber Lila hatte sich nicht um sie gekümmert.* Sie hatte zu ihrer Tochter gesagt: *Du wartest hier*, und zu meiner Tochter: *Komm zu deiner Tante.* Das hatte sie vielleicht getan, um die Aufmerksamkeit des Vaters auf seine Tochter Imma zu lenken, um sie vor ihm zu loben, um seine Zuneigung zu der Kleinen zu wecken, wer weiß. Doch Tina war lebhaft, oder sie hatte sich ganz einfach vernachlässigt gefühlt, war gekränkt gewesen, und sie war weggelaufen. Daraufhin hatte sich der Schmerz in das Gewicht von Immas Körper auf Lilas Arm verlagert, in die Berührung, in seine lebendige Wärme, die er noch abgab. Aber meine Tochter war verletzlich, langsam, in allem anders als Tina, die strahlend war und flink. Imma konnte in keiner Weise ein Ersatz werden, sie war nur ein Schutzwall gegen die Zeit. Ich stellte mir daher vor, dass Lila sie zu sich nahm, um in diesem schrecklichen Sonntag zu verharren, und dabei dachte: ›Tina ist hier, gleich wird sie an meinem Rock ziehen, mich rufen, und dann werde ich sie auf den Arm nehmen, und alles wird wieder in Ordnung sein.‹ Darum wollte sie nicht, dass Imma alles verdarb. Wenn die Kleine beharrlich verlangte, dass ihre Freundin wieder auftauchte, wenn sie Lila daran erinnerte, dass Tina eigentlich nicht da war, behandelte sie sie mit der gleichen Härte, mit der sie auch uns Erwachsene behandelte. Aber das konnte ich nicht zulassen. Sobald sie Imma abholte, schickte ich ihr unter irgendeinem Vorwand Dede oder Elsa zur Kontrolle hinterher. Wenn sie so einen Ton schon anschlug, wenn ich dabei war, was konnte da erst passieren, wenn sie sie für mehrere Stunden zu sich nahm?

5

Manchmal entzog ich mich der Wohnung, der Treppe zwischen meinen und ihren Räumen, dem kleinen Park und dem Stradone und verreiste von Berufs wegen. In solchen Situationen empfand ich große Erleichterung. Ich machte mich schön, zog mich elegant an, und sogar das leichte Hinken, das mir seit der Schwangerschaft geblieben war, schien mir so etwas wie ein kleidsames Unterscheidungsmerkmal zu sein. Obwohl ich mich gern ironisch über das jähzornige Benehmen von Literaten und Künstlern äußerte, erschien mir alles, was mit dem Verlagswesen, mit Film, mit Fernsehen, mit jedweder ästhetischen Ausdrucksform zu tun hatte, damals noch wie eine Märchenlandschaft, die zu besuchen wunderbar war. Sogar als das verschwenderische, feierlastige Chaos der großen Kongresse, der großen Tagungen, der großen Kulissen, der großen Festivals, der großen Filme, der großen Werke begann, war ich gern mittendrin und geschmeichelt, wenn mir hin und wieder ein Platz in den ersten Reihen zuteilwurde, einer von den reservierten, von wo aus ich zwischen berühmten Leuten sitzend das Schauspiel der kleinen und großen Machtgesten verfolgen konnte. Lila blieb dagegen stets im Zentrum ihres Entsetzens, ohne jede Zerstreuung. Als ich einmal eine Einladung zu irgendeiner Aufführung im Teatro San Carlo erhalten hatte – diesem zauberhaften Haus, in dem auch ich noch nie gewesen war – und darauf drang, dass sie mich begleitete, wollte sie nicht mitkommen und überredete Carmen, mir Gesellschaft zu leisten. Zu ihrer Ablenkung, wenn man das so nennen kann, ließ sie nur einen anderen Grund zur Trauer zu. Ein anderer Schmerz wirkte bei ihr wie eine Art Gegenmittel. Sie wurde streitsüchtig, energisch, war wie eine, die weiß, dass sie ertrinken muss, aber unwillkürlich Beine und Arme bewegt, um über Wasser zu bleiben.

Eines Abends erfuhr sie, dass ihr Sohn wieder angefangen hatte zu fixen. Ohne ein Wort zu verlieren, ohne Enzo Bescheid zu sagen, ging sie zu der Wohnung im neuen Viertel, in der sie Jahrzehnte zuvor jung verheiratet gelebt hatte, und wollte Gennaro von Stefano zurückholen. Aber sie traf ihn nicht an. Er hatte sich auch mit seinem

Vater zerstritten und war vor einigen Tagen zu seinem Onkel Rino gezogen. Sie wurde mit offener Feindseligkeit von Stefano und Marisa empfangen, die nunmehr zusammenlebten. Der gutaussehende Mann von damals war nur noch Haut und Knochen, sehr blass, und seine Kleidung schien ihm zwei Nummern zu groß zu sein. Der Herzinfarkt hatte ihn niedergeworfen, er wirkte verstört, aß fast nichts, trank nicht, rauchte nicht mehr, durfte sich mit dem kaputten Herz nicht aufregen. Aber an diesem Tag regte er sich entsetzlich auf, und er hatte allen Grund dazu. Wegen seiner Krankheit hatte er die Salumeria endgültig schließen müssen. Ada verlangte Geld für sich und ihre Tochter. Auch seine Schwester Pinuccia und seine Mutter Maria verlangten welches. Und auch Marisa verlangte Geld für sich und ihre Kinder. Lila begriff sofort, dass Stefano dieses Geld von ihr haben wollte und dass der Vorwand dafür Gennaro war. Tatsächlich nahm er seinen Sohn in Schutz, obwohl er ihn ein paar Tage zuvor rausgeworfen hatte, und sagte, von Marisa unterstützt, dass sehr viel Geld nötig sei, damit es Gennaro wieder gut gehe. Als Lila erwiderte, sie werde keinem Menschen mehr auch nur noch einen Centesimo geben, sie pfeife auf Verwandte, Freunde und den ganzen Rione, artete der Streit aus. Stefano zählte ihr mit Tränen in den Augen laut schreiend auf, was er im Laufe der Jahre alles verloren hatte – von den zwei Salumerias bis hin zur Wohnung –, und gab für all das, ohne deutlich zu werden, Lila die Schuld. Aber das Schlimmste kam von Marisa, die sie anschrie: »Deinetwegen ist Alfonso zugrunde gegangen, du hast uns alle ruiniert, du bist schlimmer als die Solaras, wer dir dein Kind gestohlen hat, hat gut daran getan!«

Da erst verstummte Lila, sie schaute sich nach einem Stuhl um, wollte sich setzen. Sie fand keinen und lehnte sich mit dem Rücken an die Wand des Wohnzimmers, das viele Jahre zuvor *ihr* Wohnzimmer gewesen war, ein weißer Raum, damals, mit nagelneuen Möbeln, noch hatten die Kinder keine Schäden angerichtet, die durch die Nachlässigkeit der Erwachsenen dann noch größer geworden waren. »Komm«, sagte da Stefano zu ihr, der wohl gemerkt hatte, dass Marisa den Bogen überspannt hatte, »wir holen Gennaro zurück.« Zusammen verließen sie das Haus, er stützte sie am Arm, und schlugen den Weg zu Rinos Wohnung ein.

Im Freien fing Lila sich wieder und machte sich los. Sie gingen zu Fuß, er zwei Schritte hinter ihr. Lilas Bruder lebte mit seiner Schwiegermutter, mit Pinuccia und den Kindern in der alten Wohnung der Carraccis. Gennaro war bei ihnen, und als er seine Eltern sah, fing er an zu schreien. So brach ein neuer Streit los, zunächst zwischen Vater und Sohn, dann zwischen Mutter und Sohn. Rino sagte eine Weile nichts, dann begann er mit erloschenem Blick darüber zu jammern, was seine Schwester ihm seit ihrer gemeinsamen Kindheit alles angetan hatte. Als Stefano sich einmischte, legte er sich auch mit ihm an, beschimpfte ihn, sagte, die ganzen Scherereien hätten angefangen, als er vorgegeben habe, wer weiß wer zu sein, sich aber erst von Lila und dann von den Solaras habe übers Ohr hauen lassen. Sie waren drauf und dran, handgreiflich zu werden, so dass Pinuccia ihren Mann zurückhalten musste und ihm zuflüsterte: »Du hast ja recht, aber gib Ruhe, das ist jetzt nicht der richtige Zeitpunkt«, während die alte Signora Maria Stefano atemlos beschwichtigte: »Das reicht jetzt, mein Sohn, tu so, als hättest du das nicht gehört, Rino ist kränker als du.« Da packte Lila ihren Sohn energisch am Arm und nahm ihn mit.

Doch auf der Straße holte Rino sie ein, sie hörten ihn hinter sich herstolpern. Er wollte Geld, wollte es unbedingt, sofort. Er sagte: »Du bringst mich um, wenn du mich so sitzenlässt.« Lila ging weiter, während er sie schubste, lachte, stöhnte, nach ihrem Arm griff. Da heulte Gennaro los, schrie sie an: »Du hast doch das Geld, Ma', also gib es ihm!« Aber Lila jagte ihren Bruder weg, brachte ihren Sohn nach Hause und zischte: »Willst du etwa genauso werden, willst du dich so zugrunde richten wie dein Onkel?«

6

Mit Gennaros Rückkehr wurde die Wohnung unten erst recht zu einer Hölle, manchmal musste ich runterlaufen, weil ich befürchtete, sie könnten sich umbringen. Dann öffnete mir Lila die Tür und sagte eisig: »Was willst du.« Ich antwortete ebenso eisig: »Ihr treibt es zu weit, Dede weint, sie will die Polizei rufen, und Elsa ist entsetzt.« Sie antwortete: »Bleib zu Hause und halte deinen Töchtern die Ohren zu, wenn sie nichts hören wollen.«

In dieser Zeit zeigte sie immer weniger Interesse für die beiden Mädchen, sie nannte sie betont sarkastisch die jungen Damen. Auch meine Töchter verhielten sich ihr gegenüber nun anders. Besonders Dede erlag ihrem Zauber nicht mehr, es war, als hätte Lila auch in ihren Augen durch Tinas Verschwinden an Autorität verloren. Eines Abends fragte sie mich:

»Wenn Tante Lina gar kein Kind mehr wollte, warum hat sie dann noch eins gekriegt?«

»Woher weißt du denn, dass sie es nicht wollte?«

»Das hat sie Imma erzählt.«

»Imma?«

»Ja, ich hab's mit eigenen Ohren gehört. Sie redet mit ihr nicht wie mit einem kleinen Kind, sie ist verrückt, wenn du mich fragst.«

»Das ist keine Verrücktheit, Dede, das ist Kummer.«

»Sie hat nie eine Träne geweint.«

»Tränen sind nicht dasselbe wie Kummer.«

»Ja, aber wer sagt dir denn, dass da überhaupt ein Kummer ist, wenn es keine Tränen gibt?«

»Den gibt es, und oft ist er besonders groß.«

»Nicht bei ihr. Willst du wissen, was ich denke?«

»Na los.«

»Sie hat Tina mit Absicht verloren. Und jetzt will sie auch Gennaro loswerden. Und von Enzo ganz zu schweigen, siehst du denn nicht, wie sie ihn behandelt? Tante Lina ist genau wie Elsa, sie liebt niemanden.«

So war Dede nun mal, sie gefiel sich darin, weiter zu sehen als die anderen, und liebte es, eindeutige Urteile zu fällen. Ich verbot ihr, diese schrecklichen Worte in Lilas Gegenwart zu wiederholen, und versuchte ihr zu erklären, dass nicht alle Menschen auf die gleiche Weise reagierten, Lila und Elsa hätten andere Gefühlsstrategien als sie.

»Deine Schwester, zum Beispiel«, sagte ich, »geht die Dinge nicht frontal an, so wie du, und findet zu laut herausposaunte Gefühle lächerlich, sie hält sich da immer etwas zurück.«

»Weshalb sie jede Sensibilität verloren hat.«

»Warum regst du dich so über Elsa auf?«

»Weil sie genauso ist wie Tante Lina.«

Ein Teufelskreis: Lila verhielt sich falsch, weil sie wie Elsa war, Elsa verhielt sich falsch, weil sie wie Lila war. Der eigentliche Kern dieses negativen Urteils war jedoch Gennaro. Dede zufolge kamen Elsa und Lila gerade in dieser problematischen Situation zu derselben Fehleinschätzung und offenbarten die gleichen emotionalen Mängel. Genau wie für Lila war Gennaro auch für Elsa schlimmer als ein Tier. Ihre Schwester – erzählte mir Dede – sage, um sie zu verletzen, oft zu ihr, Lila und Enzo täten recht daran, ihn zu verprügeln, sobald er versuchte, die Wohnung zu verlassen. »Nur eine Dummtorte wie du«, hielt sie ihr vor, »die keine Ahnung von Männern hat, kann sich von so einem ungewaschenen Fleischklumpen ohne einen Funken Verstand blenden lassen.« Und Dede gab zurück: »Und nur ein Miststück wie du kann so über einen Menschen sprechen.«

Da beide sehr viel lasen, stritten sie sich in der Sprache der Bücher, so dass ich ihren Zwistigkeiten fast bewundernd zuhörte, falls sie nicht plötzlich in den brutalsten Dialekt verfielen, um sich zu beschimpfen. Der Vorteil dieses Konflikts war, dass Dede ihren Groll mir gegenüber immer mehr abbaute, aber ein offenkundiger Nachteil belastete mich sehr: Ihre Schwester und Lila wurden zum Ziel ihrer ganzen Missgunst. In einem fort verriet Dede mir Elsas Schandtaten: Sie werde von ihren Schulkameraden und -kameradinnen gehasst, weil sie sich in allem für die Beste halte und sie ständig beschäme; sie prahle damit, Beziehungen mit erwachsenen Männern gehabt zu haben, sie schwänze die Schule und fälsche meine Unterschrift auf dem Entschuldigungszettel. Und über Lila sagte sie: »Sie ist eine Faschistin, wie kannst du nur

mit der befreundet sein?« Sie schlug sich ohne Umschweife auf Gennaros Seite. Ihr zufolge waren Drogen die Re-
bellion sensibler Menschen gegen die Kräfte der Repres-
sion. Früher oder später, schwor sie, werde sie einen Weg
finden, um Rino – sie nannte ihn immer nur so und gewöhnte uns folglich daran, ihn auch so zu nennen – aus
dem Gefängnis zu befreien, in dem seine Mutter ihn halte.

Ich versuchte bei jeder Gelegenheit die Wogen zu glät-
ten, wies Elsa zurecht, verteidigte Lila. Doch für Lila
Partei zu ergreifen, fiel mir manchmal schwer. Mich erschreckten die Hiebe ihres missgünstigen Kummers. Andererseits fürchtete ich, dass, wie es schon früher vorgekommen war, ihr Körper nicht standhielt, und obwohl
mir Dedes klare und zugleich leidenschaftliche Aggres-
sivität gefiel und mich Elsas phantasievolle Frechheit
amüsierte, gab ich acht, dass meine Töchter nicht mit
unüberlegten Worten eine Krise bei ihr auslösten (ich
wusste, dass Dede ohne weiteres imstande war, zu sagen:
*Tante Lina, sag doch, wie es ist, du wolltest Tina verlie-
ren, das war doch kein Zufall*). Jeden Tag rechnete ich
mit dem Schlimmsten. Die jungen Damen, wie Lila sie
nannte, waren zwar in der Wirklichkeit des Rione verankert, hatten aber ein starkes Bewusstsein ihrer Andersartigkeit. Besonders wenn sie aus Florenz zurückkamen,
fühlten sie sich höherwertig und taten alles mögliche, um
es auch jedem zu beweisen. Dede war eine ausgezeichnete Schülerin am Gymnasium, und ihr Lehrer – ein
Mann nicht älter als vierzig, hochgebildet und verzau-
bert von dem Namen Airota – schien, wenn er sie abfrag-
te, mehr Angst davor zu haben, die falschen Fragen zu
stellen, als sie davor hatte, die falschen Antworten zu
geben. Elsa glänzte in der Schule weniger, ihre Halbjah-

reszeugnisse fielen im Allgemeinen miserabel aus; was Elsa aber unerträglich machte, war die Unbekümmertheit, mit der sie dann am Ende die Karten neu mischte und sich unter den Besten einreihte. Ich wusste um die Unsicherheiten und die Ängste der beiden, kannte sie als verschreckte kleine Mädchen und gab daher nicht viel auf ihre Überheblichkeit. Aber die anderen schon, und von außen betrachtet wirkten die zwei mit Sicherheit hassenswert. Elsa, zum Beispiel, verteilte in der Klasse und außerhalb mit kindlicher Leichtfertigkeit beleidigende Spitznamen, sie hatte vor niemandem Respekt. Sie nannte Enzo den stummen Bauerntrampel, nannte Lila den giftigen Nachtfalter, nannte Gennaro das lachende Krokodil. Aber vor allem hatte sie es auf Antonio abgesehen, der fast jeden Tag bei Lila vorbeischaute, entweder im Büro oder zu Hause, und wenn er kam, zog er sie und Enzo zu einem heimlichen Gespräch sofort in ein anderes Zimmer. Nach der Geschichte mit Tina war Antonio mürrisch geworden. Wenn ich da war, wurde ich mehr oder weniger deutlich hinauskomplimentiert, und wenn meine Töchter da waren, sperrte er sie nach einer Minute aus und schloss die Tür. Elsa, die die Werke von Poe gut kannte, nannte ihn die Maske des gelben Todes, weil Antonio von Natur aus eine gelbsüchtige Gesichtsfarbe hatte. Es war also naheliegend, dass ich ein schlechtes Benehmen der beiden befürchtete. Zu dem es auch prompt kam.

Als ich einmal in Mailand war, stürzte Lila auf den Hof, wo Dede las, Elsa mit ihren Freundinnen schwatzte und Imma spielte. Sie waren keine kleinen Kinder mehr. Dede war sechzehn, Elsa fast dreizehn, und nur Imma war mit ihren vier Jahren noch klein. Aber Lila behandelte alle drei, als wären sie kein bisschen selbständig. Sie zog sie ohne Erklärung ins Haus (sie waren daran gewöhnt, stets Erklärungen einzufordern) und schrie nur, draußen sei es gefährlich. Meine älteste Tochter fand dieses Verhalten unerträglich, sie protestierte:

»Mama hat mir meine Schwestern anvertraut, ich bestimme, ob wir reingehen oder nicht!«

»Wenn eure Mutter nicht da ist, bin ich eure Mutter.«

»Eine Scheißmutter!«, antwortete Dede und verfiel in den Dialekt. »Du hast Tina verloren und nicht mal geweint.«

Lila gab ihr eine niederschmetternde Ohrfeige. Elsa verteidigte ihre Schwester und fing ebenfalls eine Ohrfeige, Imma brach in Tränen aus. »Ihr dürft nicht aus dem Haus gehen«, wiederholte meine Freundin schwer atmend, »draußen ist es gefährlich, draußen stirbt man.« Tagelang hielt sie sie in der Wohnung eingesperrt, bis ich zurückkam.

Nach meiner Heimkehr erzählte mir Dede die ganze Geschichte, und ehrlich, wie sie prinzipiell war, verschwieg sie mir auch ihre grobe Antwort nicht. Ich wollte ihr begreiflich machen, dass sie schreckliche Dinge gesagt hatte, machte ihr heftige Vorwürfe: »Ich habe dich gewarnt, du solltest das nicht tun.« Elsa verbündete sich mit ihrer Schwester und erklärte, dass Tante Lina nicht mehr ganz bei Trost sei, dass sie sich einbilde, man müsse sich in seiner Wohnung verbarrikadieren, um irgendwelchen Gefahren zu entgehen. Es war schwer, meine Töchter davon zu überzeugen, dass nicht Lila schuld war, sondern das Sowjetimperium. An einem Ort namens Tschernobyl sei ein Kernreaktor explodiert und habe gefährliche Strahlungen freigesetzt, die, da der Planet klein sei, jeden bis ins Mark treffen könne. »Tante Lina hat euch beschützt«, sagte ich. Aber Elsa schrie: »Das ist nicht wahr, sie hat uns geschlagen, das einzige Gute war, dass sie uns nur Tiefkühlkost gegeben hat.« Und Imma: »Ich habe so geweint, Tiefkühlkost schmeckt mir nicht.« Und Dede: »Sie war zu uns schlimmer als zu Gennaro.« Ich sagte leise: »Tante Lina hätte Tina genauso behandelt, stellt euch mal vor, was für eine Qual es für sie gewesen sein muss, euch zu beschützen und gleichzeitig zu ahnen, dass ihre Tochter wer weiß wo ist und niemand sich um sie kümmert.« Doch es war ein Fehler, vor Imma so zu sprechen. Während Dede und Elsa skeptisch das Gesicht verzogen, wurde sie unruhig und rannte weg, um zu spielen.

Lila stellte mich einige Tage später mit ihrer typischen Direktheit zur Rede:

»Erzählst du deinen Töchtern, dass ich Tina verloren und nie geweint habe?«

»Hör auf, glaubst du wirklich, dass ich so was tue?«

»Dede hat Scheißmutter zu mir gesagt.«

»Sie ist ein dummes Mädchen.«

»Sie ist ein ungezogenes dummes Mädchen.«

Da beging ich Fehler, die nicht minder schwerwiegend waren als die meiner Töchter. Ich sagte:

»Beruhige dich. Ich weiß, wie sehr du Tina geliebt hast. Friss nicht alles in dich hinein, du solltest dir die Dinge von der Seele reden, solltest über alles sprechen, was dir durch den Kopf geht. Es stimmt, es war eine schwere Geburt, aber du darfst nicht weiter darüber nachgrübeln.«

Ich machte alles falsch: die Vergangenheitsform *geliebt hast*, die Anspielung auf die Geburt, der einfältige Ton. Sie platzte los: »Kümmere dich um deinen eigenen Kram.« Dann schrie sie, als wäre Imma erwachsen: »Und bring deiner Tochter bei, dass sie das, was ihr jemand anvertraut, nicht überall herumerzählen darf!«

7

Die Dinge wurden noch schlimmer, als sich eines Morgens – ich glaube, es war im Juni 1986 – ein weiteres Verschwinden ereignete. Nunzia kam zu mir, noch schwermütiger als sonst, und sagte, Rino sei am Abend zuvor zum Schlafen nicht nach Hause gekommen, Pinuccia suche ihn überall im Rione. Sie teilte mir das mit, ohne mich anzusehen, so wie immer, wenn das, was sie mir erzählte, eigentlich für Lila bestimmt war.

Ich ging nach unten, um es ihr auszurichten. Lila rief sofort Gennaro, sie war überzeugt davon, dass er wusste, wo sein Onkel steckte. Der Junge sträubte sich heftig, wollte nichts preisgeben, was seine Mutter veranlassen könnte, noch strenger zu werden. Aber als der Tag verging und Rino noch immer nicht auffindbar war, entschloss er sich, zu kooperieren. Zwar weigerte er sich am nächsten Morgen, Enzo und Lila auf die Suche mitzunehmen, willigte aber ein, dass sein Vater ihn begleitete. Schwer atmend kam Stefano an, gereizt, weil sein Schwager ihm wieder einmal Scherereien machte, und voller Angst, weil er selbst nicht bei Kräften war, fortwährend griff er sich an die Kehle und sagte mit erdfahlem Gesicht: »Ich kriege keine Luft.« Schließlich brachen Vater und Sohn – der stämmige Junge und der spindeldürre Mann in der zu weiten Kleidung – zum Eisenbahngelände auf.

Sie liefen über den Rangierbahnhof, an den Abstellgleisen entlang, auf denen alte Waggons standen. In einem davon fanden sie Rino. Er saß mit offenen Augen da. Seine Nase wirkte riesig, sein langer, noch schwarzer Bart zog sich wie Gestrüpp bis hinauf zu den Wangenknochen.

Beim Anblick seines Schwagers vergaß Stefano seinen Gesundheitszustand und bekam einen regelrechten Wutanfall. Lauthals beschimpfte er den Leichnam, wollte ihn mit Füßen treten. »Schon als Junge warst du ein Arschloch«, brüllte er, »und ein Arschloch bist du geblieben! Dieser Tod geschieht dir recht, du bist wirklich krepiert wie ein Arschloch.« Er war wütend auf ihn, weil er seine Schwester Pinuccia zugrunde gerichtet hatte und auch seine Neffen und seinen Sohn. »Sieh dir das an«, sagte er zu Gennaro, »sieh dir an, was dich erwartet.« Gennaro packte ihn fest an den Schultern und wollte ihn aufhalten, während Stefano um sich trat, um sich zu befreien.

Es war früh am Morgen, wurde aber schon heiß. Der Waggon stank nach Scheiße und Pisse, die Sitze waren kaputt, die Fenster so dreckig, dass man nicht hindurchsehen konnte. Da Stefano sich noch immer wand und krakeelte, verlor auch der Junge die Ruhe und warf seinem Vater schlimme Dinge an den Kopf. Er schrie ihn an, er finde es ekelhaft, sein Sohn zu sein, die einzigen Menschen im Rione, vor denen er Respekt habe, seien seine Mutter und Enzo. Da begann Stefano zu weinen. Sie blieben noch eine Weile zusammen bei dem toten Rino, aber nicht, um bei ihm zu wachen, sondern nur, um sich zu beruhigen. Dann gingen sie zurück, um die Nachricht zu überbringen.

8

Nunzia und Fernando waren die Einzigen, denen Rino fehlte. Pinuccia trauerte nur so lange wie unbedingt nötig um ihren Mann, dann schien sie wiederaufzuleben. Schon zwei Wochen später tauchte sie bei mir zu Hause auf und fragte mich, ob sie für ihre Schwiegermutter einspringen könne, da diese vom Kummer niedergeworfen sei und sich nicht in der Lage fühle, zu arbeiten. Sie, Pinuccia, werde für exakt dieselbe Summe die Hausarbeit erledigen, kochen und sich in meiner Abwesenheit um die Mädchen kümmern. Sie erwies sich als nicht so tüchtig wie Nunzia, aber dafür als schwatzhafter und vor allem gefiel sie Dede, Elsa und Imma besser. Sie überhäufte die drei mit Komplimenten und machte auch mir ständig welche. »Wie gut du aussiehst«, sagte sie. »Du bist eine richtige Dame. Ich habe gesehen, dass du wunderschöne Kleider im Schrank hast und viele Schuhe, man sieht, dass du wichtig bist und mit bedeutenden Leuten verkehrst. Stimmt es, dass sie einen Film aus deinem Buch machen?«

Nach einer Anfangszeit, in der sie sich noch als Witwe gebärdete, fragte sie mich, ob es Kleider gebe, die ich nicht mehr trüge, obwohl sie dick war und sie ihr nicht passen würden. »Ich mache sie mir weiter«, sagte sie, und ich suchte ihr ein paar heraus. Sie änderte sie tatsächlich mit viel Geschick, und nach einer Weile erschien sie zur Arbeit, als wollte sie zu einem Fest, sie stolzierte im Flur auf und ab, damit meine Töchter und ich sie begutachteten. Sie war mir sehr dankbar, manchmal war sie so froh, dass sie lieber plaudern statt arbeiten wollte und ein Gespräch über die Zeit auf Ischia anfing. Oft erwähnte sie voller Rührung Bruno Soccavo, sagte leise:

»Was für ein schlimmes Ende er genommen hat«, und wiederholte zuweilen einen Satz, der ihr sehr zu gefallen schien: »Nun bin ich zweifache Witwe.« Eines Morgens vertraute sie mir an, dass Rino nur wenige Jahre ein richtiger Ehemann gewesen sei, ansonsten habe er sich benommen wie ein kleiner Junge: »Auch im Bett, eine Minute und das war's, manchmal nicht mal eine Minute. Ach ja, er war denkbar unreif, war ein Großmaul, ein Lügner, aber auch überheblich, so überheblich wie Lina.« Sie wurde wütend. »Das liegt bei den Cerullos in der Familie. Das sind Angeber ohne Gefühl.« Schließlich begann sie über Lila herzuziehen, behauptete, sie habe sich sämtliche Früchte der Intelligenz und der Arbeit ihres Bruders angeeignet. Ich erwiderte: »Das ist nicht wahr, Lina hat Rino sehr geliebt, er war es, der sie auf jede erdenkliche Weise ausgenutzt hat.« Pinuccia starrte mich ärgerlich an, dann begann sie aus heiterem Himmel ihren Mann zu loben. »Die Cerullo-Schuhe«, verkündete sie, »hat er entworfen, aber Lina hat dann davon profitiert, hat Stefano eingewickelt, sich heiraten lassen, ihm einen Haufen Geld abgenommen – Papa hatte uns Millionen vererbt – und dann gemeinsame Sache mit Michele Solara gemacht, sie hat uns alle ruiniert.« Sie fügte hinzu: »Nimm sie nicht in Schutz, du weißt das ganz genau.«

Das war natürlich nicht wahr, ich kannte da ganz andere Geschichten, Pinuccia redete so aus einem alten Groll heraus. Und doch war Lilas einzige wirkliche Reaktion auf den Tod ihres Bruders, dass sie nicht wenige dieser Lügen bestätigte. Längst wusste ich, dass jeder sich seine Erinnerungen zurechtlegt, wie es ihm passt, noch immer ertappe ich mich dabei, dass auch ich es tue. Aber es verstörte mich, dass man dahin kommen kann, den

Fakten eine Ordnung zu geben, die sich gegen die eigenen Interessen richtet. Lila begann fast sofort, Rino sämtliche Verdienste in der Sache mit den Schuhen zuzusprechen. Sie behauptete, ihr Bruder hätte von klein auf eine außergewöhnliche Phantasie und Fachkenntnis besessen, und hätten sich die Solaras nicht eingeschaltet, hätte er besser werden können als Ferragamo. Sie setzte alles daran, Rinos Lebensfluss an genau dem Punkt anzuhalten, da die Werkstatt ihres Vaters in eine kleine Schuhfabrik verwandelt worden war, und allem Übrigen, allem, was er getan und ihr angetan hatte, nahm sie die Form. Sie hielt nur die Gestalt des Jungen lebendig und festgefügt, der sie gegen ihren gewalttätigen Vater in Schutz genommen und ihr in den Stürmen eines kleinen Mädchens auf der Suche nach Betätigungsfeldern für ihre Intelligenz beigestanden hatte.

Das schien ihr ein gutes Mittel gegen den Schmerz zu sein, denn in dieser Zeit lebte sie auf, und es schien auch in Bezug auf Tina zu wirken. Sie verbrachte ihre Tage nicht mehr so, als könnte die Kleine jeden Moment zurückkommen, sondern füllte die Leere in der Wohnung und in sich selbst mit einer kleinen Lichtgestalt aus, die wie von einem Computer programmiert war. Tina wurde zu einer Art Hologramm, sie war da und war nicht da. Lila erzeugte sie eher, als dass sie sie sich ins Gedächtnis zurückrief. Sie zeigte mir Fotos, auf denen sie gut getroffen war, oder spielte mir ihr Stimmchen vor, das Enzo auf ein Tonband aufgenommen hatte, als sie ein, zwei, drei Jahre alt gewesen war, oder sie zitierte ihre spaßigen Fragen und ihre außergewöhnlichen Antworten, wobei sie darauf achtete, stets im Präsens von ihr zu sprechen: Tina hat, Tina macht, Tina sagt.

Das verbesserte ihre Stimmung natürlich nicht, sie zeterte sogar noch mehr als früher. Sie zeterte mit ihrem Sohn, mit den Kunden, mit mir, mit Pinuccia, mit Dede und Elsa, gelegentlich auch mit Imma. Vor allem zeterte sie mit Enzo, wenn er mitten bei der Arbeit in Tränen ausbrach. Aber manchmal setzte sie sich auch hin, wie sie es in der ersten Zeit getan hatte, und erzählte Imma von Rino und ihrer Tochter, als wären sie aus irgendeinem Grund gemeinsam weggegangen. Wenn die Kleine fragte: »Wann kommen sie zurück«, antwortete sie, ohne sich aufzuregen: »Sie kommen zurück, wann sie wollen.« Aber auch das tat sie nicht mehr so oft. Nach unserer Auseinandersetzung wegen meiner Töchter schien sie Imma nicht mehr zu brauchen. Sie nahm sie immer seltener zu sich und behandelte sie nun ungefähr so wie ihre Schwestern, wenn auch liebevoller. Eines Abends, als wir gerade in den verwahrlosten Hausflur unseres Wohnblocks zurückgekehrt waren und Elsa sich aufregte, weil sie eine Kakerlake gesehen hatte, und Dede sich schon bei der bloßen Vorstellung ekelte und Imma auf meinen Arm wollte, sagte Lila zu den dreien, als wäre ich nicht da: »Ihr seid Töchter aus feinem Hause, was habt ihr hier zu suchen, sagt eurer Mutter, sie soll euch von hier wegbringen.«

9

Dem Anschein nach besserte sich ihr Zustand nach Rinos Tod. Sie hörte auf, mit zusammengekniffenen Augen in Alarmbereitschaft zu verharren. Ihre Gesichtshaut, die wie ein schneeweißes, von einem starken Wind gestrafftes Segeltuch wirkte, wurde weicher. Aber diese Besserung währte nicht lange. Schnell bekam sie unregelmäßige Falten auf der Stirn, in den Augenwinkeln und auch auf den Wangen, die besonders zerknittert aussahen. Ihr Körper fing an zu altern, ihr Rücken krümmte sich, ihr Bauch war aufgedunsen.

Carmen verwendete eines Tages einen für sie typischen Ausdruck, sie sagte besorgt: »Tina hat sich in ihr eingekapselt, wir müssen sie aus ihr rausholen.« Und sie hatte recht, wir mussten einen Weg finden, dass die Geschichte des Kindes weiterging. Aber Lila weigerte sich; alles im Zusammenhang mit ihrer Tochter stand still. Ich glaube, nur bei Antonio und bei Enzo bewegte sich etwas, und dies mit großem Schmerz, aber notgedrungen, im Stillen. Doch als Antonio plötzlich abreiste – ohne sich von irgendwem zu verabschieden, mit seiner blonden Familie und mit der verwirrten, nunmehr alten Melina –, erhielt Lila nicht einmal mehr die mysteriösen Berichte, die er ihr immer geliefert hatte. Sie blieb allein und wütete gegen Enzo und gegen Gennaro, wobei sie sie häufig gegeneinander aufhetzte. Oder sie hing ihren Gedanken nach, in wartender Haltung.

Ich ging jeden Tag bei ihr vorbei, obwohl mich das Schreiben wegen einiger Abgabetermine unter Druck setzte, und tat alles, um die Vertrautheit zwischen uns wiederaufleben zu lassen. Da sie immer teilnahmsloser wurde, fragte ich sie einmal:

»Gefällt dir deine Arbeit noch?«

»Die hat mir nie gefallen.«

»Du lügst, ich erinnere mich, dass sie dir gefallen hat.«

»Nein, du erinnerst dich an gar nichts. Sie hat Enzo gefallen, und da habe ich es so gemacht, dass sie auch mir gefällt.«

»Dann such dir eine andere Beschäftigung.«

»Es geht mir gut so. Enzo ist mit seinem Kopf nicht bei der Sache, und wenn ich ihm nicht helfe, müssen wir zumachen.«

»Ihr müsst beide aus eurem Kummer herauskommen.«

»Was denn für ein Kummer, Lenù, wir müssen aus unserer Wut rauskommen.«

»Dann kommt aus eurer Wut raus.«

»Wir geben uns Mühe.«

»Gebt euch mehr Mühe, Tina hat das nicht verdient.«

»Tina lass aus dem Spiel, kümmere dich lieber um deine Kinder.«

»Das tue ich.«

»Nicht genug.«

Sie fand in diesen Jahren immer eine Möglichkeit, die Perspektive zu wenden und mich zu zwingen, die Fehler von Dede, Elsa und Imma zur Kenntnis zu nehmen. Sie sagte: »Du vernachlässigst sie.« Ich akzeptierte die Kritik, sie war teilweise berechtigt, zu oft war ich mit meinem eigenen Leben beschäftigt und vergaß das der Mädchen. Aber währenddessen wartete ich auf eine Gelegenheit, um das Gespräch wieder auf sie und Tina zu bringen. Irgendwann begann ich sie wegen ihres Aussehens mit Fragen zu bedrängen.

»Du bist sehr blass.«

»Und du bist zu rot. Sieh dich an, du bist ja schon violett.«

»Ich rede von dir. Was hast du?«

»Blutarmut.«

»Was denn für eine Blutarmut.«

»Meine Scheißregel kommt, wann sie will, und hört dann nicht mehr auf.«

»Seit wann?«

»Schon immer.«

»Sag die Wahrheit, Lila.«

»Die Wahrheit.«

Ich bedrängte sie, provozierte sie oft, und sie reagierte, doch nie bis zu dem Punkt, dass sie die Kontrolle verlor und aus sich herausging.

Mir kam der Gedanke, dass es nun eine Frage der Sprache war. Sie benutzte das Italienische wie eine Barriere, ich versuchte, sie zum Dialekt zu animieren, unserer Sprache der Freimütigkeit. Aber während ihr Italienisch aus dem Dialekt übersetzt war, war mein Dialekt zunehmend aus dem Italienischen übersetzt, und so sprachen wir beide jeweils eine unechte Sprache. Dabei müsste sie lossprudeln, müssten ihre Wörter unkontrolliert fließen. Ich wollte, dass sie im ehrlichen Neapolitanisch unserer Kindheit sagte: Was zum Teufel willst du, Lenù, mir geht es so, weil ich meine Tochter verloren habe, und vielleicht ist sie am Leben, vielleicht ist sie tot, aber ich ertrage keine dieser beiden Möglichkeiten, denn wenn sie am Leben ist, lebt sie weit weg von mir, an einem Ort, wo ihr schreckliche Dinge zustoßen, die ich – ich – deutlich vor mir sehe, ich sehe sie Tag für Tag und Nacht für Nacht, als würden sie direkt vor meinen Augen geschehen; und wenn sie tot ist, bin auch ich tot, innerlich tot, und dieser Tod ist unerträglicher als der richtige, bei dem man nichts fühlt, während dieser Tod hier dich tagtäglich zwingt, alles zu spüren, aufzuwachen, dich zu waschen, dich anzuziehen, zu essen und zu trinken, zu arbeiten, mit dir zu sprechen, die nichts versteht oder nichts verstehen will, mit dir, wegen der ich, schon allein wenn ich dich so dermaßen zurechtgemacht sehe, frisch vom Friseur, mit deinen Töchtern, die gut in der Schule sind, die immer alles perfekt machen, denen nicht mal dieses Drecksloch was anhaben kann, im Gegenteil, es scheint ihnen noch gutzutun – es macht sie noch selbstsicherer, noch überheblicher, noch überzeugter davon, dass sie das Recht haben, sich alles zu nehmen –, wegen der ich also noch böseres Blut in mir habe als sowieso schon: Darum geh, geh, lass mich in Ruhe, Tina sollte besser sein als ihr alle zusammen, aber sie haben sie mir weggenommen, und ich kann nicht mehr.

Zu so einer Rede, verworren, giftig, hätte ich sie gern gebracht. Mir war, als hätte sie, wenn sie sich dazu entschlossen hätte, solche Worte aus dem Knäuel ihrer Gedanken gezogen. Aber dazu kam es nicht. Im Gegenteil, wenn ich es recht bedenke, war sie in dieser Phase weniger aggressiv als zu anderen Zeiten unserer Geschichte. Vielleicht bestand dieser von mir gewünschte Ausbruch aus Gefühlen, die nur ich hatte und die mich deshalb hinderten, die Situation klar zu erkennen, und Lila für mich noch schwerer fassbar machten. Manchmal kam mir der Verdacht, dass sie etwas Unaussprechliches im Kopf hatte, das ich mir noch nicht einmal vorstellen konnte.

10

Am schlimmsten waren die Sonntage. Lila blieb zu Hause, arbeitete nicht, und von draußen drangen die Festtagsgeräusche herein. Ich ging zu ihr runter, sagte: »Komm, wir gehen raus und schlendern ein bisschen durchs Zentrum, ans Meer.« Sie lehnte ab und wurde wütend, wenn ich zu hartnäckig war. Dann sagte Enzo, um ihr schlechtes Benehmen wettzumachen: »Ich komme mit, lass uns gehen.« Sofort schrie sie: »Ja, geht, lasst mich in Frieden, ich nehme ein Bad und wasche mir die Haare, lasst mir Luft zum Atmen!«

Wir verließen das Haus, meine Töchter kamen mit und gelegentlich auch Gennaro, den wir nach dem Tod seines Onkels nun alle Rino nannten. Auf diesen Spaziergängen vertraute Enzo sich mir auf seine für ihn typische Art an, mit wenigen, manchmal undurchsichtigen Worten. Er sagte, ohne Tina wisse er nicht mehr, wozu er noch Geld verdienen solle. Sagte, Kinder zu entführen, um ihre Eltern leiden zu lassen, sei bezeichnend für die abscheulichen Zeiten, die nun anbrächen. Sagte, nach der Geburt seiner Tochter sei es gewesen, als sei in seinem Kopf ein Licht aufgeflammt, und jetzt sei dieses Licht erloschen. Sagte: »Weißt du noch, wie ich sie genau hier, auf dieser Straße, auf den Schultern getragen habe?« Sagte: »Danke, Lenù, für deine Hilfe, nimm's Lina nicht übel, in dieser Zeit gibt es nichts als Unglück, aber du kennst sie ja besser als ich, früher oder später rappelt sie sich wieder auf.«

Ich hörte ihm zu, fragte: »Sie ist sehr blass, weißt du, wie es ihr körperlich geht?« Ich meinte: Ich weiß, dass sie zutiefst betrübt ist, aber sag mir, ist sie gesund, hast du Symptome bemerkt, die uns Anlass zur Sorge geben? Doch bei dem Wort *körperlich* wurde Enzo verlegen. Über Lilas Körper wusste er so gut wie nichts, er verehrte sie, wie man ein Idol verehrt, mit Vorsicht und Respekt. Er antwortete halbherzig: »Gut.« Dann wurde er nervös, hatte es eilig, nach Hause zu kommen, sagte: »Lass uns versuchen, sie wenigstens zu ein paar Schritten durch den Rione zu überreden.«

Vergeblich, nur äußerst selten gelang es mir, Lila an einem Sonntag aus dem Haus zu ziehen. Was sich dann auch als keine gute Idee erwies. Sie lief schnell, nachlässig gekleidet, mit offenem, wirrem Haar, grimmig funkelnde Blicke um sich werfend. Meine Töchter und ich stolperten beflissen hinter ihr her und sahen aus wie Mägde, die schöner waren und reicher geschmückt als ihre Herrin. Jeder kannte sie, zumal die Straßenhändler, die sich noch gut an den Ärger erinnerten, den sie durch Tinas Verschwinden gehabt hatten, und fürchteten, noch mehr zu bekommen, sie wichen Lila aus. Für alle war sie die schreckliche Frau, die von einem großen Unglück heimgesucht worden war und es in all seiner Macht mit sich herumtrug und nach allen Seiten verbreitete. Lila marschierte mit ihrem wilden Blick den Stradone entlang zum kleinen Park, und die Leute sahen zu Boden, schauten weg. Wenn sie doch jemand grüßte, nahm sie keine Notiz davon, antwortete nicht. Ihrem Gang nach zu urteilen, hatte sie ein Ziel, das schnellstens erreicht werden musste. Dabei flüchtete sie nur vor der Erinnerung an den einen, nun zwei Jahre zurückliegenden Sonntag.

Wenn wir beide ausgingen, trafen wir unweigerlich auf die Solaras. Seit einiger Zeit entfernten sie sich nicht mehr aus dem Rione, in Neapel hatte es eine ganze Reihe von Mordopfern gegeben, und sie zogen es vor, zumindest den Sonntag friedlich auf diesen Straßen ihrer Kindheit zu verbringen, die für sie so sicher waren wie eine Festung. Die zwei Familien taten immer das Gleiche. Sie gingen zur Messe, schlenderten an den Verkaufsständen entlang und brachten ihre Kinder zur Bibliothek des Rione, die, einer langen Tradition folgend, seit Lila und ich Kinder gewesen waren, an Sonntagen geöffnet hatte. Ich glaubte, Elisa oder Gigliola hätten dieses kultvolle Ritual durchgesetzt, doch als ich einmal auf ein paar Worte stehen bleiben musste, erfuhr ich, dass Michele es so wollte. Er sagte auf seine Söhne deutend, die zwar groß waren, ihm aber offenkundig aus Angst gehorchten, während sie vor ihrer Mutter keinerlei Respekt hatten:

»Die wissen, dass sie nicht eine Lira mehr von mir kriegen, wenn sie nicht wenigstens ein Buch im Monat von der ersten bis zur letzten Seite lesen, ist doch richtig so, Lenù, oder?«

Ich weiß nicht, ob sie sich wirklich Bücher ausliehen, sie hatten genug Geld, um sich die ganze Nationalbibliothek zu kaufen. Doch egal, ob aus einem echten oder aus einem geheuchelten Bedürfnis heraus, sie hatten nun diese Angewohnheit: Sie gingen die Treppe hoch, drückten die Glastür aus den vierziger Jahren auf, traten ein, blieben nicht länger als zehn Minuten und gingen wieder hinaus.

Wenn ich allein mit meinen Töchtern unterwegs war, gaben sich Marcello, Michele, Gigliola und auch die Kinder herzlich, nur meine Schwester war kühl zu uns. Aber mit Lila zusammen wurde die Situation komplizierter, ich hatte Angst, dass die Spannung ein gefährliches Maß erreichte. Doch bei diesen höchst seltenen Sonntagsspaziergängen stellte sie sich stets so, als gäbe es die Solaras nicht. Diese taten es ihr nach, und da ich mit Lila zusammen war, ignorierten sie lieber auch mich. Eines Sonntagvormittags wollte sich allerdings Elsa nicht an dieses ungeschriebene Gesetz halten und grüßte mit ihrer typischen Art einer Königin der Herzen die Söhne von Michele und Gigliola, die ihr missmutig antworteten. Folglich waren wir gezwungen, trotz der großen Kälte alle für ein paar

Minuten stehen zu bleiben. Die Solara-Brüder taten so, als hätten sie etwas Dringendes zu besprechen, ich unterhielt mich mit Gigliola, die Mädchen redeten mit den Jungen, und Imma musterte ihren Cousin Silvio, den wir immer seltener sahen. Niemand richtete das Wort an Lila, und Lila schwieg ihrerseits. Nur Michele erwähnte sie, ohne sie anzusehen, als er die Unterhaltung mit seinem Bruder unterbrach und mich auf seine übliche spöttische Art ansprach. Er sagte:

»Lenù, wir schauen mal kurz in der Bibliothek vorbei und gehen dann was essen. Willst du mitkommen?«

»Nein, danke«, antwortete ich, »wir müssen weiter. Aber ein andermal gern.«

»Gut, dann kannst du den Jungen erzählen, was sie lesen sollen und was nicht. Du bist ein Vorbild für uns, du und deine Töchter. Wenn wir dich auf der Straße sehen, sagen wir immer: Lenuccia war mal wie wir, aber nun seht euch an, wie sie jetzt ist. Sie weiß gar nicht, was Dünkel ist, sie ist demokratisch, lebt hier bei uns und genauso wie wir, obwohl sie eine wichtige Person ist. O ja, wer studiert, wird ein guter Mensch. Heute gehen alle in die Schule, alle stecken ihren Kopf in die Bücher, und darum werden wir bald so viel von diesem Guten haben, dass es uns zu den Ohren rauskommt. Wenn man aber nicht liest und nicht studiert, wie Lina, wie wir alle, bleibt man ein schlechter Mensch, und das Schlechte ist nicht schön. Stimmt's, Lenù?«

Er packte mich am Handgelenk, seine Augen glänzten. Er wiederholte sarkastisch: »Stimmt's?«, und ich nickte, riss mich aber zu heftig los, er behielt das Armband meiner Mutter in der Hand.

»Oh!«, rief er, und diesmal suchte er Lilas Blick, fand

ihn aber nicht. Mit gespieltem Bedauern sagte er: »Entschuldige, ich lasse es für dich reparieren.«

»Das ist nicht weiter schlimm.«

»Aber ja doch, das bin ich dir schuldig. Du kriegst es wie neu zurück. Marcè, kannst du beim Juwelier vorbeischauen?«

Marcello nickte.

Währenddessen gingen die Leute mit gesenktem Blick vorüber, es war fast Mittag. Als wir uns von den zwei Brüdern losgeeist hatten, sagte Lila zu mir:

»Du kannst dich ja noch schlechter wehren als damals. Das Armband siehst du nie wieder.«

11

Ich spürte, dass eine ihrer Krisen bevorstand. Sah, dass sie geschwächt war und voller Angst, als wartete sie darauf, dass etwas Unkontrollierbares das Haus, die Wohnung und sie selbst zerstörte. Einige Tage hörte ich nichts von ihr, ich war von einer Grippe wie betäubt. Auch Dede hatte Husten und Fieber, ich rechnete fest damit, dass das Virus demnächst auch auf Elsa und Imma übergehen würde. Außerdem hatte ich dringend eine Arbeit abzugeben (ich musste mir etwas für eine Zeitschrift einfallen lassen, die eine ganze Ausgabe dem weiblichen Körper widmete), und ich hatte weder Lust noch Kraft zum Schreiben.

Draußen war ein kalter Wind aufgekommen, der die Fensterscheiben erzittern ließ, die Rahmen waren undicht, eisige Spitzen drangen herein. Am Freitag kam Enzo, um mir zu sagen, dass er nach Avellino müsse, weil es einer alten Tante von ihm nicht gutgehe. Rino werde den Sonnabend und den Sonntag bei Stefano verbringen, der ihn gebeten habe, ihm zu helfen, die Möbel in der Salumeria abzubauen und sie zu jemandem zu bringen, der sie kaufen wolle. Lila würde also allein sein, und nach Enzos Aussage war sie ein wenig depressiv, er bat mich, ihr Gesellschaft zu leisten. Doch ich war müde, immer wenn ich gerade einen Gedanken gefasst hatte, rief Dede nach mir, verlangte Imma nach mir, protestierte Elsa, und schon war der Gedanke wieder weg. Als Pinuccia erschien, um die Wohnung aufzuräumen, bat ich sie, für Samstag und Sonntag reichlich zu kochen, dann zog ich mich ins Schlafzimmer zurück, wo ich einen Tisch zum Arbeiten hatte.

Da Lila sich nicht gemeldet hatte, ging ich am nächsten Tag hinunter, um sie zum Mittagessen einzuladen. Sie öffnete mir mit ungekämmten Haaren, in Pantoffeln und in einem alten, dunkelgrünen Morgenrock über ihrem Schlafanzug. Zu meiner Überraschung waren ihre Augen und ihr Mund stark geschminkt. Die Wohnung war sehr unordentlich, es roch unangenehm. Sie sagte: »Wenn der Wind noch stärker wird, fliegt der Rione weg.« Nichts weiter als eine abgegriffene Übertreibung, und doch wurde ich unruhig. Sie hatte gesprochen, als wäre sie wirklich überzeugt davon, dass der Rione aus seinen Grundfesten gerissen werden könnte, um dann in der Gegend von Ponti Rossi in die Brüche zu gehen. Als sie bemerkte, dass mir die Unnatürlichkeit ihres Tons aufgefallen war, lächelte sie gezwungen und murmelte: »Das war nur ein Scherz.« Ich nickte und zählte ihr auf, was es Leckeres zum Mittagessen gab. Sie zeigte eine unmäßige Begeisterung, doch einen Augenblick später schlug ihre Stimmung um, sie sagte: »Bring mir das Essen runter, ich will nicht zu dir, deine Mädchen nerven mich.«

Ich brachte ihr das Mittagessen und das Abendbrot. Das Treppenhaus war eiskalt, ich fühlte mich nicht wohl und hatte keine Lust, nur hoch- und runterzulaufen, um mir Gemeinheiten anzuhören. Aber diesmal war sie erstaunlicherweise sehr herzlich, sagte: »Warte, bleib ein bisschen bei mir.« Sie zog mich ins Bad, bürstete sich sorgfältig die Haare und redete dabei zärtlich und bewundernd über meine Töchter, wie um mich davon zu überzeugen, dass sie nicht ernsthaft das dachte, was sie wenige Minuten zuvor geäußert hatte.

»Anfangs«, sagte sie, während sie ihr Haar in zwei Strähnen teilte und begann sich Zöpfe zu flechten, ohne ihr Spiegelbild aus den Augen zu lassen, »hatte Dede Ähnlichkeit mit dir, aber jetzt wird sie wie ihr Vater. Bei Elsa ist es umgekehrt. Sie war ihrem Vater wie aus dem Gesicht geschnitten und fängt jetzt an dir zu ähneln. Alles ist in Bewegung. Ein Wunsch, eine Phantasie zirkuliert schneller als Blut.«

»Ich verstehe nicht.«

»Weißt du noch, wie ich glaubte, Gennaro wäre von Nino?«

»Ja.«

»Mir kam das wirklich so vor, der Kleine war wie er, sein Ebenbild.«

»Meinst du damit, ein Wunsch kann so stark sein, dass er schon in Erfüllung gegangen zu sein scheint?«

»Nein, ich meine damit, dass Gennaro einige Jahre lang *wirklich* Ninos Sohn gewesen ist.«

»Nun übertreib mal nicht.«

Einen Moment starrte sie mich boshaft an, dann hinkte sie ein paar Schritte durch das Bad und brach in etwas künstliches Lachen aus.

»Du findest also, dass ich übertreibe?«

Ich begriff leicht verärgert, dass sie meinen Gang nachahmte.

»Mach dich nicht lustig über mich, mir tut die Hüfte weh.«

»Dir tut überhaupt nichts weh, Lenù. Du hast dir eingebildet, hinken zu müssen, damit deine Mutter nicht völlig tot ist, und jetzt hinkst du wirklich, und ich sehe dir zu, es tut dir gut. Die Solaras haben dir das Armband weggenommen, und du hast nichts gesagt, es hat dir nichts ausgemacht, du wurdest nicht mal unruhig. Im ersten Moment dachte ich, das war so, weil du dich nicht wehren kannst, aber jetzt weiß ich, dass es das nicht ist. Du wirst einfach alt, wie es sich gehört. Du fühlst dich stark, hast aufgehört, Tochter zu sein, bist nun wirklich Mutter.«

Mir war unbehaglich zumute, ich wiederholte:

»Ich habe nur ein paar Schmerzen.«

»Dir tun sogar Schmerzen noch gut. Du brauchtest bloß ein kleines bisschen zu hinken, und schon ruht deine Mutter sanft in dir. Ihr Bein freut sich, dass du hinkst, darum freust du dich auch. Ist es nicht so?«

»Nein.«

Sie verzog spöttisch das Gesicht, um zu betonen, dass sie mir nicht glaubte, und sah mich mit ihren angemalten, zu Schlitzen verengten Augen an:

»Was meinst du, wird Tina mit zweiundvierzig Jahren so aussehen?«

Ich starrte sie an. Ihre Miene war herausfordernd, ihre Hände umklammerten die Zöpfe. Ich sagte:

»Wahrscheinlich, ja, vielleicht ja.«

12

Meine Töchter mussten allein zurechtkommen, ich blieb zum Essen bei Lila, auch wenn mir die Kälte in den Knochen saß. Wir redeten lange über körperliche Ähnlichkeiten, ich versuchte zu ergründen, was in ihrem Kopf vor sich ging. Aber ich erwähnte auch die Arbeit, an der ich saß. »Mit dir zu sprechen, hilft mir«, sagte ich, um ihr Selbstvertrauen zu geben, »du inspirierst mich.«

Das schien sie aufzumuntern, sie antwortete: »Wenn ich weiß, dass ich dir nützlich bin, fühle ich mich besser.« Und sofort stellte sie in dem Bemühen, mir von Nutzen zu sein, umständliche, zusammenhanglose Überlegungen an. Sie hatte viel Rouge aufgelegt, um ihre Blässe zu überdecken, und ähnelte nicht mehr sich selbst, sondern einer Karnevalsmaske mit hochroten Wangen. Ich hörte ihr einerseits interessiert zu, erkannte aber andererseits nur die Anzeichen ihres Leidens, das ich inzwischen gut kannte, und wurde nervös. So sagte sie zum Beispiel lachend: »Eine Weile habe ich ein Kind von Nino großgezogen, genauso wie du Imma großgezogen hast, ein Kind aus Fleisch und Blut; aber als dieses Kind Stefanos Kind wurde, wo ist da Ninos Kind geblieben, hat Gennaro es noch in sich, habe ich es?« Solche Sätze, sie verlor sich. Dann begann sie abrupt meine Kochkunst zu loben, sagte, sie habe mit Appetit gegessen, das geschehe ihr nicht oft. Als ich antwortete, das Essen sei nicht mein Werk, sondern Pinuccias, verfinsterte sich ihr Gesicht, und sie knurrte, von Pinuccia wolle sie nichts. In dem Augenblick rief Elsa im Treppenflur nach mir, sie zeterte, ich solle sofort nach oben kommen, Dede sei mit Fieber noch unerträglicher als ohne. Ich bat Lila, mich zu rufen, falls sie mich brauchte, egal wann, riet ihr, sich auszuruhen, und ging schnell hoch in meine Wohnung.

Den Rest des Tages zwang ich mich, nicht an sie zu denken, ich arbeitete bis tief in die Nacht. Meine Mädchen waren in dem Bewusstsein aufgewachsen, dass sie sich allein behelfen mussten und mich nicht stören durften, wenn mir das Wasser wirklich bis zum Hals stand. Sie ließen mich tatsächlich in Frieden, ich kam gut voran. Für gewöhnlich genügte mir ein Halbsatz von Lila, und schon wurde mein Gehirn inspiriert, kam in Gang und setzte meine Intelligenz frei. Ich wusste nun, dass ich vor allem dann gut sein konnte, wenn sie, selbst mit nur wenigen unzusammenhängenden Worten, der unsichersten Seite in mir versicherte, dass ich irgendwie richtiglag. Ich fand für ihr abschweifendes Gebrabbel eine geschlossene, elegante Form. Ich schrieb über meine Hüfte, über meine Mutter. Jetzt, da ich rings um mich her immer mehr Zustimmung spürte, räumte ich ohne Unbehagen ein, dass die Gespräche mit Lila mich auf gute Ideen brachten und mich anregten, Zusammenhänge zwischen weit auseinanderliegenden Dingen herzustellen. Das war in diesen Jahren unserer Nachbarschaft, ich im oberen Stockwerk, sie darunter, oft geschehen. Ein leichter Anstoß genügte, und mein scheinbar leerer Kopf erwies sich als gedankenreich und rege. Ich schrieb ihr eine Art Weitblick zu, würde ihn ihr mein Leben lang zuschreiben, und fand nichts Schlimmes dabei. Ich sagte mir, erwachsen zu sein, bedeutete für uns genau das, anzuerkennen, dass ich ihre Anregungen brauchte. Während ich diese Impulse, die sie in mir auslöste, früher sogar vor mir selbst verheimlicht hatte, war ich nun stolz darauf und hatte sogar irgendwo darüber geschrieben. *Ich war ich*, und gerade deshalb konnte ich ihr Raum in mir gewähren und ihr eine dauerhafte Form geben. *Sie dagegen wollte nicht sie sein*, und so konnte sie nicht das Gleiche tun. Sicherlich trugen auch die Tragödie um Tina, ihr eigener geschwächter Körper und ihr verwirrter Verstand zu ihren Krisen bei. Aber dem Leiden, das sie als Auflösung bezeichnete, lag genau *das* zugrunde. Gegen drei ging ich zu Bett, um neun wachte ich auf.

Dede war fieberfrei, dafür hatte jetzt Imma Husten. Ich räumte die Wohnung auf, wollte nach Lila schauen. Ich klingelte lange, sie öffnete nicht. Ich drückte auf den Klingelknopf, bis ich ihr Schlurfen und ihre Stimme hörte, die Beschimpfungen im Dialekt knurrte. Ihre Zöpfe waren halb aufgelöst, ihre Schminke verschmiert, noch stärker als am Vortag glich sie einer traurigen Fratze.

»Pinuccia hat mich vergiftet«, sagte sie voller Überzeugung. »Ich hab' nicht geschlafen, mir platzt der Bauch.«

Ich trat ein, alles wirkte vernachlässigt und schmutzig. Neben dem Waschbecken lag blutiges Toilettenpapier auf dem Boden. Ich antwortete:

»Ich habe das Gleiche gegessen wie du, und mir geht's gut.«

»Dann sag mir, was ich habe.«

»Deine Tage?«

Sie wurde wütend:

»Die habe ich immer.«

»Dann musst du dich untersuchen lassen.«

»Ich lasse mir von niemandem in den Bauch gucken.«

»Was glaubst du, was du hast?«

»Das ist meine Sache.«

»Ich gehe jetzt zur Apotheke und hole dir ein Beruhigungsmittel.«

»Hast du nicht eins zu Hause?«

»So was brauche ich nicht.«

»Und Dede und Elsa?«

»Die auch nicht.«

»Ja, ihr seid perfekt, ihr braucht nie irgendwas.«
Ich schnaufte, es ging wieder los.

»Suchst du Streit?«

»Du suchst doch Streit, wenn du sagst, dass ich Menstruationsschmerzen habe. Ich bin kein kleines Mädchen
wie deine Töchter, ich weiß, wann ich solche Schmerzen
habe oder was anderes.«

Das stimmte nicht, sie wusste nichts über sich. Wenn
sie mit den Regungen ihres Organismus zu tun hatte, war
sie schlimmer als Dede und Elsa. Ich sah, dass sie litt, sie
hielt sich den Bauch. Womöglich hatte ich mich geirrt:
Sie war zweifellos außer sich vor Angst, aber nicht wegen
ihrer alten Panik, sie hatte eine konkrete Krankheit. Ich
machte ihr einen Kamillentee, nötigte sie, ihn zu trinken,
warf mir einen Mantel über und lief, um nachzusehen,
ob die Apotheke geöffnet hatte. Ginos Vater war ein sehr
erfahrener Apotheker, er konnte mir sicherlich gute Ratschläge geben. Aber kaum war ich auf dem Stradone zwischen den sonntäglichen Verkaufsständen, als ich es knal-
len hörte, so ähnlich wie bei dem Feuerwerk, das die
Kinder zu Weihnachten abbrannten. Es knallte viermal
in kurzer Folge, dann noch ein fünftes Mal.

Ich bog in die Straße zur Apotheke ein. Die Leute waren irritiert, bis Weihnachten war es noch lange hin, manche beschleunigten ihren Schritt, manche rannten los.

Plötzlich setzte Sirenengeheul ein: Polizei, ein Krankenwagen. Ich fragte irgendwen, was passiert sei, er schüttelte den Kopf, schimpfte mit seiner Frau, weil sie so lang-

sam war, und machte sich davon. Da sah ich Carmen mit
ihrem Mann und den zwei Kindern. Sie waren auf der anderen Straßenseite, ich ging hinüber. Bevor ich fragen
konnte, sagte Carmen im Dialekt: »Sie haben die beiden
Solaras erschossen.«

13

Es gibt Momente, in denen das, was an den Rändern unseres Lebens angesiedelt ist und ihm bis in alle Ewigkeit
als eine Art Rahmen zu dienen scheint – ein Imperium, eine politische Partei, ein Glauben, ein Denkmal, aber auch
einfach die Menschen, die zu unserem Alltag gehören –,
vollkommen unerwartet zusammenbricht, und zwar gerade dann, wenn noch unzählige andere Dinge uns bedrängen. Die Zeit damals war so. Tag für Tag, Monat
für Monat kam eine Belastung zur anderen, eine Furcht
zur anderen. Lange hatte ich das Gefühl, wie eine dieser
Gestalten aus einem Roman oder einem Gemälde zu sein,
die auf einem Felsen oder am Bug eines Schiffes still vor
einem Unwetter stehen, das aber nicht über sie kommt
und sie nicht einmal streift. Mein Telefon klingelte unaufhörlich. Die Tatsache, dass ich im Revier der Solaras
wohnte, verpflichtete mich zu einer endlosen Reihe schrift-
licher und mündlicher Stellungnahmen. Meine Schwester Elisa wurde nach dem Tod ihres Mannes zu einem
verschreckten Kind, wollte, dass ich Tag und Nacht bei
ihr blieb, und war fest davon überzeugt, dass die Mörder
wiederkommen und auch sie und ihren Sohn umbringen
würden. Und vor allem musste ich mich um Lila kümmern, die an ebendiesem Sonntag plötzlich aus dem Rio-

ne gerissen wurde, weg von ihrem Sohn, weg von Enzo, weg von der Arbeit, und in ärztlicher Obhut landete, weil sie sehr geschwächt war, Dinge sah, die wahr zu sein schienen, es aber nicht waren, und fast verblutete. Man entdeckte Fibrome in ihrer Gebärmutter, operierte, nahm sie ihr heraus. Einmal – sie lag noch im Krankenhaus – fuhr sie aus dem Schlaf auf, schrie, Tina sei noch einmal aus ihrem Bauch gekommen und räche sich nun an allen, auch an ihr. Für den Bruchteil einer Sekunde schien sie überzeugt davon zu sein, dass ihre Tochter es gewesen sei, die die Solara-Brüder getötet hatte.

14

Marcello und Michele starben an einem Sonntag im Dezember 1986 vor der Kirche, in der sie getauft worden waren. Erst wenige Minuten waren seit ihrer Ermordung vergangen, und schon kannte der ganze Rione die Einzelheiten. Auf Michele sei zweimal geschossen worden, auf Marcello dreimal. Gigliola sei weggerannt, ihre Kinder seien ihr instinktiv nachgelaufen. Elisa habe Silvio gepackt, ihn an sich gepresst und den Mördern den Rücken zugewandt. Michele sei sofort tot gewesen, Marcello nicht, er habe sich auf eine Treppenstufe gesetzt und versucht, sich das Jackett zuzuknöpfen, es aber nicht geschafft.

Diejenigen, die vorgaben, alles über den Tod der Solara-Brüder zu wissen, stellten fest, dass sie fast gar nichts gesehen hatten, als es darum ging, zu sagen, wer sie ermordet hatte. Ein einzelner Mann habe geschossen, sei dann in aller Ruhe in einen roten Ford Fiesta gestiegen und weggefahren. Nein, sie seien zu zweit gewesen, zwei Männer, und am Steuer des gelben Fiat 147, in dem sie geflohen seien, habe eine Frau gesessen. Von wegen, es seien drei Mörder gewesen, Männer, mit Sturmhauben maskiert, und sie seien zu Fuß geflüchtet. In manchen Darstellungen hatte es geradezu den Anschein, als hätte überhaupt niemand geschossen. In der Geschichte, die mir zum Beispiel Carmen erzählte, waren die Solaras, meine Schwester, mein Neffe, Gigliola und ihre Söhne vor der Kirche in Bewegung geraten, als wären sie von Wirkungen ohne Ursache getroffen worden: Michele sei rücklings zu Boden gefallen und mit dem Kopf heftig auf das Lavagestein aufgeschlagen; Marcello habe sich vorsichtig auf eine Stufe gesetzt, und da es ihm nicht gelungen sei, sein Jackett über dem blauen Rollkragenpullover zu schließen, habe er geflucht und sich auf die Seite gelegt; die Ehefrauen und die Kinder hätten nicht einen Kratzer abbekommen und innerhalb weniger Sekunden die Kirche erreicht, um sich zu verstecken. Scheinbar hatten die Anwesenden ausschließlich auf die Ermordeten geschaut und nicht auf die Mörder.

In dieser schlimmen Zeit interviewte mich Armando erneut für seinen Fernsehsender. Er war nicht der Einzige. Anfangs gab ich hier und da Auskunft über das, was ich wusste. Doch in den folgenden zwei, drei Tagen wurde mir klar, dass vornehmlich die Reporter der neapolitanischen Zeitungen viel mehr wussten als ich. Informationen, die bis vor kurzem nirgends zu finden gewesen waren, existierten plötzlich im Überfluss. Den Solara-Brüdern wurde eine beeindruckende Reihe krimineller Geschäfte zur Last gelegt, von denen ich noch nie gehört hatte. Ebenso beeindruckend war die Summe ihrer Vermögenswerte. Das, was ich mit Lila geschrieben hatte, das, was ich veröffentlicht hatte, als sie noch lebten, war nichts, so gut wie nichts, im Vergleich zu dem, was nach ihrem Tod darüber in den Zeitungen stand. Aber dafür bemerkte ich, dass ich andere Dinge wusste, Dinge, die niemand sonst wusste und über die niemand schrieb, nicht einmal ich. So wusste ich, dass wir Mädchen früher für die gutaussehenden Solaras geschwärmt hatten, dass sie in ihrem Fiat Millecento im Rione auf und ab gefahren waren wie antike Krieger in ihren Streitwagen, dass sie uns an einem Abend auf der Piazza dei Martiri vor der wohlhabenden Jugend von Chiaia beschützt hatten, dass Marcello Lila hatte heiraten wollen, dann aber meine Schwester Elisa zur Frau genommen hatte, und dass Michele früher als alle anderen die außergewöhnlichen Talente meiner Freundin erkannt und Lila jahrelang so absolut geliebt hatte, dass ihn dies am Ende fast um den Verstand gebracht hatte. In dem Moment, da ich mein Wissen um all diese Dinge bemerkte, wurde mir auch schon klar, wie wichtig sie waren. Sie verwiesen darauf, dass ich und unzählige andere anständige Menschen aus ganz Neapel in der Welt der Solaras gelebt hatten, wir waren zu ihren Geschäftseröffnungen gekommen, hatten Pasta und Gebäck in ihrer Bar gekauft, hatten ihre Hochzeiten gefeiert, hatten ihre Schuhe gekauft, waren zu Gast in ihren Wohnungen gewesen, hatten mit ihnen an einem Tisch gegessen, hatten direkt oder indirekt ihr Geld angenommen, hatten ihre Brutalität erduldet, und wir hatten so getan, als ob nichts wäre. Marcello und Michele waren wohl oder übel ein Teil von uns, so wie auch Pasquale es war. Aber während man sich gegen Pasquale, wenn auch mit vielen Relativierungen, sofort klar abgegrenzt hatte, war die Abgrenzung gegen Leute wie die Solaras in Neapel, in Italien keineswegs so klar. Je mehr wir entsetzt zurückzuckten, umso mehr schloss diese Linie uns mit ein.

Wie konkret dieser Einschluss in dem kleinen und berüchtigten Raum des Rione geworden war, deprimierte mich. Irgendwer schrieb, um mich mit Dreck zu bewerfen, dass ich mit den Solaras verwandt sei, und eine Zeitlang vermied ich es, meine Schwester und meinen Neffen zu besuchen. Ich ging auch Lila aus dem Weg. Sie war zwar die erbittertste Feindin der Brüder gewesen, aber hatte sie das Geld, mit dem sie ihr kleines Unternehmen gegründet hatte, nicht angehäuft, als sie für Michele gearbeitet hatte, und es ihm womöglich sogar gestohlen? Dieses Thema beschäftigte mich eine Weile. Doch mit der Zeit vermischten sich auch die Solaras mit den vielen anderen, die Tag für Tag die Liste der Ermordeten erweiterten, und allmählich war unsere Sorge nur noch, dass ihren Platz weniger vertraute und noch brutalere Leute einnehmen könnten. Ich vergaß sie, so dass ich, als mir ein etwa fünfzehnjähriger Junge ein Päckchen von einem Juwelier aus Montesanto brachte, nicht gleich ahnte, was es enthielt. Ich wunderte mich über das rote Etui, den an Dottoressa Elena Greco adressierten Umschlag. Ich musste erst das Kärtchen lesen, um zu begreifen, worum es sich handelte. Marcello hatte in einer schwerfälligen Schrift lediglich »Entschuldige« geschrieben und mit einem sehr verschnörkelten M unterzeichnet, wie es früher in der Grundschule gelehrt worden war. In dem Etui lag mein Armband, so blankgeputzt, dass es wie neu aussah.

Als ich Lila von dem Päckchen erzählte und ihr das funkelnde Armband zeigte, sagte sie: »Trag es nie wieder, und gib es auch deinen Töchtern nicht.« Sie war sehr geschwächt nach Hause zurückgekehrt, schon wenn sie nur ein paar Treppenstufen hinaufging, drohte die Atemnot ihr die Brust zu zerreißen. Sie nahm Tabletten, setzte sich selbst Spritzen, aber bleich, wie sie nun war, schien sie im Reich der Toten gewesen zu sein und sprach über das Armband, als wäre sie sicher, dass es von dort gekommen war.

Der Tod der Solaras hatte sich mit Lilas Notaufnahme ins Krankenhaus überschnitten, und das Blut, das sie verloren hatte, hatte sich – auch in meiner Wahrnehmung dieses chaotischen Sonntags – mit dem der Brüder vermischt. Aber jedes Mal, wenn ich versuchte, mit ihr über diese Exekution vor der Kirche zu sprechen, verzog sie ärgerlich das Gesicht und reagierte mit Bemerkungen wie: »Das waren Arschlöcher, Lenù, kein Schwein schert sich um die, deine Schwester tut mir leid, aber wenn sie ein bisschen schlauer gewesen wäre, hätte sie Marcello nicht geheiratet; dass Leute wie er irgendwann ermordet werden, weiß doch jeder.«

Hin und wieder versuchte ich, sie in das Gefühl der unmittelbaren Nähe einzubeziehen, das mich damals verwirrte, ich dachte, sie müsste es noch stärker spüren als ich. So sagte ich etwa:

»Wir kannten sie schon, als sie noch Kinder waren.«

»Jeder ist mal Kind gewesen.«

»Sie haben dir Arbeit gegeben.«

»Sie hatten was davon, und ich auch.«

»Michele war bestimmt ein Mistkerl, aber du warst manchmal auch ziemlich schlimm.«

»Ich hätte noch viel schlimmer sein müssen.«

Sie bemühte sich, lediglich Verachtung zu zeigen, doch ihr Blick wurde boshaft, und sie verflocht ihre Finger so fest, dass ihre Knöchel weiß wurden. Ich bemerkte, dass es hinter diesen an sich schon grausamen Worten noch viel grausamere gab, die sie nicht aussprach, die sie aber fertig im Kopf hatte. Ich las sie ihr vom Gesicht ab, hörte sie wie einen Schrei: ›Falls es die Solaras waren, die mir Tina weggenommen haben, hat man ihnen noch viel zu wenig angetan, man hätte sie vierteilen, ihnen das Herz rausreißen und ihre Eingeweide auf die Straße werfen müssen; und falls sie es nicht waren, hat ihr Mörder trotzdem das Richtige getan, sie haben das und noch mehr verdient; hätte er mich gerufen, wäre ich sofort losgerannt, um ihm zu helfen.‹

Aber sie äußerte sich nie auf diese Art. Anscheinend machte das jähe Abtreten der Brüder keinen oder wenig Eindruck auf sie. Es ermutigte sie nur, öfter durch den Rione zu schlendern, da nun nicht mehr die Möglichkeit bestand, ihnen zu begegnen. Sie machte keine Anstalten, zu dem Aktivismus zurückzukehren, den sie vor Tinas Verschwinden gezeigt hatte, und nahm auch ihr Leben zwischen Haushalt und Büro nicht wieder auf. Sie ließ sich für ihre Genesung immer mehr Zeit und strich zwischen Tunnel, Stradone und kleinem Park umher. Sie ging mit gesenktem Kopf, redete mit niemandem, und da sie, auch wegen ihres verwahrlosten Äußeren, fortwährend eine Gefahr für sich und andere zu sein schien, sprach niemand sie an.

Manchmal nötigte sie mich, sie zu begleiten, und es

war schwer, das abzulehnen. Wir gingen häufig an der Bar-Pasticceria vorbei, an der ein Schild mit der Aufschrift hing: *Wegen eines Trauerfalls geschlossen.* Der Trauerfall nahm kein Ende, das Geschäft öffnete nie wieder, die Zeit der Solaras war vorbei. Doch Lila warf bei jeder Gelegenheit einen Blick auf die heruntergelassenen Rollläden, auf das verblichene Ladenschild und stellte befriedigt fest: »Es ist immer noch geschlossen.« Das schien ihr so gut zu gefallen, dass ihr, während wir weitergingen, sogar ein Kichern entschlüpfen konnte, ein Kichern, mehr nicht, so als hätte diese Schließung etwas Lächerliches.

Nur einmal blieben wir an der Ecke stehen, wie um ihre Hässlichkeit auf uns wirken zu lassen, jetzt, da der übliche Schmuck der Bar fehlte. Hier hatten die bunten Tische und Stühle gestanden, hatte es nach Kuchen und Kaffee geduftet, hatte es ein Kommen und Gehen gegeben, undurchsichtige Geschäfte, ehrliche und schändliche Abmachungen. Jetzt war hier nur eine abgeblätterte, graue Wand. »Als ihr Großvater gestorben ist«, sagte Lila, »und als ihre Mutter ermordet worden ist, haben Marcello und Michele den Rione mit Kreuzen und Madonnen tapeziert und endlos gejammert; aber jetzt, wo sie tot sind, nichts.« Dann fiel ihr ein, was ich ihr erzählt hatte, als sie noch im Krankenhaus gewesen war, nämlich dass den zurückhaltenden Worten der Leute zufolge niemand die Kugeln abgefeuert hatte, durch die die Solaras getötet worden waren. »Niemand hat sie erschossen«, sagte sie lächelnd, »und niemand trauert um sie.« Dann geriet sie ins Stocken und schwieg ein paar Sekunden. Ohne erkennbaren Zusammenhang erzählte sie mir, dass sie nicht mehr arbeiten wolle.

16

Das schien mir kein willkürlicher Ausbruch schlechter Laune zu sein, sicherlich dachte sie schon lange darüber nach, vielleicht seit ihrer Entlassung aus der Klinik. Sie sagte:

»Wenn Enzo es allein schafft, gut so, und wenn nicht, verkaufen wir.«

»Du willst die Basic Sight aufgeben? Aber was willst du dann machen?«

»Muss man denn unbedingt was machen?«

»Du musst doch was mit deinem Leben anfangen.«

»So wie du?«

»Warum nicht?«

Sie lachte, seufzte:

»Ich will Zeit verschwenden.«

»Du hast Gennaro, hast Enzo, an die musst du denken.«

»Gennaro ist dreiundzwanzig, um ihn habe ich mich mehr als genug gekümmert. Und Enzo muss ich von mir loslösen.«

»Warum denn?«

»Ich will wieder allein schlafen.«

»Es ist schlimm, allein zu schlafen.«

»Machst du es nicht auch?«

»Ich habe keinen Mann.«

»Und warum muss ich einen haben?«

»Hast du Enzo nicht mehr gern?«

»Doch, aber ich begehre ihn nicht mehr und auch sonst niemanden. Ich bin alt geworden, und wenn ich schlafe, soll mich keiner stören.«

»Geh zum Arzt.«

»Nein, keine Ärzte mehr.«

»Ich komme mit, solche Probleme kann man lösen.«

Sie wurde ernst.

»Nein, es geht mir gut so.«

»So geht es niemandem gut.«

»Mir ja. Ficken wird ziemlich überbewertet.«

»Ich rede von Liebe.«

»Ich habe andere Sorgen. Du hast Tina schon vergessen, ich nicht.«

Ich hörte, wie sie und Enzo sich immer häufiger stritten. Besser gesagt, von Enzo drang nur seine volle, kaum erhobene Stimme zu mir, während Lila in einem fort zeterte. Von ihm erreichten mich im Stockwerk über ihnen durch den Fußboden nur wenige Sätze. Er war nicht wütend, auf Lila war er nie wütend, er war verzweifelt. Im Wesentlichen sagte er, nun sei alles kaputt – Tina, die Arbeit, ihre Beziehung –, aber sie tue nichts, um an dieser Situation etwas zu ändern, im Gegenteil, sie wolle, dass alles noch weiter kaputtgehe. »Red du mit ihr«, bat er mich einmal. Ich antwortete, das habe keinen Sinn, sie brauche nur mehr Zeit, um ihr Gleichgewicht wiederzufinden. Zum ersten Mal war Enzos Antwort schroff: »Lina hat nie ein Gleichgewicht gehabt.«

Was nicht stimmte. Wenn Lila wollte, konnte sie ruhig sein und vernünftig, auch in dieser Zeit großer Anspannung. Sie hatte gute Tage, an denen sie heiter und sehr liebevoll war. Dann kümmerte sie sich um mich und um meine Töchter, erkundigte sich nach meinen Reisen, nach dem, was ich schrieb, nach den Leuten, die ich traf. Oft hörte sie sich amüsiert und manchmal entrüstet die Geschichten von mangelnden schulischen Leistungen an, von verrückten Lehrern, Streitereien und Liebschaften, die Dede, Elsa und sogar Imma erzählten. Und sie war großzügig. Eines Nachmittags ließ sie sich von Gennaro helfen und brachte mir einen alten Computer hoch. Sie zeigte mir, wie man ihn einschaltete, und sagte am Ende: »Ich schenke ihn dir.«

Schon ab dem nächsten Tag benutzte ich ihn zum Schreiben. Ich gewöhnte mich schnell daran, auch wenn ich panische Angst davor hatte, ein Stromausfall könnte viele Stunden Arbeit auslöschen. Ansonsten war ich begeistert von diesem Gerät. Ich erzählte meinen Töchtern in Lilas Gegenwart: »Stellt euch vor, ich habe schreiben noch mit einem Federhalter gelernt, dann kam der Kugelschreiber, dann die Schreibmaschine – auch mit der elektrischen habe ich gearbeitet –, und jetzt sitze ich hier, berühre die Tasten, und diese wunderbare Schrift erscheint. Das ist herrlich, ich will nie wieder zurück, Schluss mit den Stiften, ich schreibe nur noch am Computer, kommt her, fühlt mal hier diese Schwiele an meinem Zeigefinger, wie hart die ist, die habe ich schon seit ewigen Zeiten, aber jetzt wird sie weggehen.«

Lila freute sich über so viel Zufriedenheit, sie sah aus wie jemand, der glücklich ist, ein willkommenes Geschenk gemacht zu haben. »Eure Mutter«, sagte sie dann allerdings, »hat die Begeisterung einer Ahnungslosen«, und zog sich zurück, damit ich arbeiten konnte. Obwohl sie wusste, dass sie das Vertrauen meiner Mädchen verloren hatte, nahm sie sie häufig mit ins Büro, wenn sie gute Laune hatte, und brachte ihnen alles bei, was ihre neuesten Geräte konnten, und auch das Wie und Warum. Um sie wieder für sich zu gewinnen, sagte sie: »Signora Elena Greco, ich weiß nicht, ob ihr sie kennt, hat die Aufmerksamkeit eines Nilpferds, das in einem Tümpel döst, ihr dagegen seid hellwach.« Aber ihre Zuneigung, besonders die von Dede und Elsa, konnte sie nicht zurückerobern. Die Mädchen sagten, wenn sie von ihr wiederkamen: »Man versteht nicht, was in ihrem Kopf vorgeht, Mama, erst will sie unbedingt, dass wir was lernen, und dann sagt sie, diese Maschinen sind nur dazu da, sehr viel Geld zu machen, und zerstören alle herkömmlichen Methoden, Geld zu machen.« Trotzdem erwarben meine großen Mädchen und ein wenig auch Imma schnell Kenntnisse und Fähigkeiten, die mich mit Stolz erfüllten, während ich den Computer nur zum Schreiben benutzen konnte. Ich war bei jeder Schwierigkeit vor allem von Elsa abhängig, die immer wusste, was zu tun war, und sich dann vor Tante Lina brüstete: »Ich habe das so und so gelöst, was meinst du, war das gut?«

Die Dinge liefen noch besser, als Dede anfing Rino einzubeziehen. Er, der sich nie auch nur entfernt mit den Geräten von Enzo und Lila hatte befassen wollen, zeigte nun ein wenig Interesse dafür, schon allein deshalb, um keine Vorwürfe von den Mädchen zu hören. Eines Morgens sagte Lila lachend zu mir:

»Dede verändert Gennaro.«

Ich antwortete:

»Rino braucht bloß ein bisschen Vertrauen.«

Sie entgegnete mit herausgekehrter Vulgarität:

»Die Art Vertrauen, die er braucht, kenne ich.«

17

Das waren die guten Tage. Doch bald schon kamen die schlechten. Ihr war heiß, ihr war kalt, ihr Gesicht wurde gelblich, wurde hochrot, dann zeterte sie, dann forderte sie, dann brach ihr der Schweiß aus, dann stritt sie sich mit Carmen, die sie als dumm und wehleidig bezeichnete. Ihr Körper schien nach der Operation immer mehr durcheinanderzugeraten. Unvermittelt ließ sie alle Freundlichkeit sein und fand Elsa unerträglich, kanzelte Dede ab, behandelte Imma schlecht, wandte mir abrupt den Rücken zu, während ich mit ihr sprach, und ging weg. In diesen dunklen Phasen hielt sie es zu Hause nicht aus und im Büro auch nicht. Sie nahm den Bus oder die U-Bahn, und weg war sie.

»Was machst du?«, fragte ich sie.

»Ich mache eine Tour durch Neapel.«

»Ja, aber wohin?«

»Bin ich dir etwa Rechenschaft schuldig?«

Jede Gelegenheit war willkommen, um zu streiten, ein Nichts genügte. Besonders mit ihrem Sohn legte sie sich an, gab die Schuld für ihre Unstimmigkeiten jedoch Dede und Elsa. Und sie hatte recht. Meine Älteste war oft und gern mit Rino zusammen, und um sich nicht allein zu fühlen, bemühte sich ihre Schwester nun, ihn zu mögen, sie verbrachte viel Zeit mit den beiden. Die Folge war, dass die zwei Mädchen ihm so etwas wie eine permanente Aufsässigkeit einimpften, ein Verhalten, das für sie nur eine leidenschaftliche verbale Trockenübung war, während es bei Rino zu einem konfusen, selbstgerechten Gefasel wurde, das Lila nicht ertrug. »Die beiden«, schrie sie ihren Sohn an, »gehen mit Intelligenz vor, und du plapperst bloß Blödsinn nach wie ein Papagei!« An diesen Tagen war sie unduldsam, akzeptierte keine Phrasen, keinen Schwulst, keine Form von Sentimentalität und vor allem keinen aus alten Parolen gespeisten Rebellengeist. Dabei legte sie bei Bedarf selbst einen aufgesetzten Anarchismus an den Tag, der mir nunmehr unangebracht zu sein schien. Wir gerieten heftig aneinander, als wir kurz vor dem Wahlkampf von 1987 lasen, dass Nadia Galiani in Chiasso verhaftet worden war.

Carmen kam in panischer Angst zu mir gerannt, konnte keinen vernünftigen Gedanken fassen und sagte: »Jetzt kriegen sie auch Pasquale, ihr werdet schon sehen, den Solaras ist er entkommen, aber die Carabinieri werden ihn töten.« Lila antwortete: »Nadia wurde nicht von den Carabinieri gefasst, sie hat sich selbst gestellt, um eine mildere Strafe auszuhandeln.« Diese Vermutung hielt ich für plausibel. In den Zeitungen standen nur wenige Zeilen, und von Verfolgungsjagden, Schießereien und Festnahmen war nicht die Rede. Um Carmen zu beruhigen, riet ich ihr erneut: »Pasquale täte gut daran, sich auch zu stellen, du weißt, wie ich darüber denke.« »Du liebe Güte!«, sagte Lila wütend und begann zu schreien:

»Sich wem denn stellen!«

»Dem Staat.«

»Dem Staat?«

Ungestüm zählte sie mir eine ganze Reihe von Unterschlagungen und von alten und neuen kriminellen Kungeleien zwischen Ministern, einfachen Parlamentariern, Polizisten, Richtern und Geheimdiensten seit 1945 auf, wobei sie wie üblich viel besser informiert schien, als ich es geahnt hätte. Und sie zeterte:

»*Das* ist der Staat, warum, verdammt noch mal, willst

du denen Pasquale ausliefern?« Dann sagte sie eindringlich: »Wetten, dass Nadia für ein paar Monate ins Gefängnis geht und dann rauskommt, während sie Pasquale, wenn sie ihn erwischen, in eine Zelle sperren und den Schlüssel wegwerfen?« Sie rückte mir dicht auf den Leib und wiederholte zunehmend aggressiv: »Wetten?«

Ich antwortete nicht. Wurde unruhig, Carmen taten diese Worte nicht gut. Nach dem Tod der Solaras hatte sie unverzüglich ihre Klage gegen mich zurückgezogen, hatte mir unzählige Gefälligkeiten erwiesen und war stets bereit, sich um meine Töchter zu kümmern, auch wenn sie selbst mit ihren Pflichten und Ängsten zu kämpfen hatte. Es tat mir leid, dass wir sie noch mehr verängstigten, anstatt ihr die Sorgen zu nehmen. Sie zitterte und sagte zu mir, aber Lilas Autorität suchend: »Wenn Nadia sich gestellt hat, Lenù, heißt das doch, dass sie geständig ist, dass sie jetzt Pasquale alle Schuld zuschiebt und sich aus der Affäre zieht, stimmt doch, Lina, oder?« Aber dann redete sie voller Groll mit Lila und suchte meine Autorität: »Das ist keine Frage des Prinzips mehr, Lina, wir müssen daran denken, was das Beste für Pasquale ist, wir müssen ihm klarmachen, dass es besser ist, im Gefängnis zu leben, als sich umbringen zu lassen, stimmt doch, Lenù, oder?«

Da beschimpfte Lila uns grob und verließ türenschlagend ihre eigene Wohnung.

18

Für sie war das Herumstreifen inzwischen die Lösung für alle Spannungen und Probleme, mit denen sie zu kämpfen hatte. Immer häufiger ging sie morgens weg und kehrte erst abends wieder, ohne sich um Enzo zu kümmern, der nicht wusste, wie er mit den Kunden zurechtkommen sollte, oder um Rino oder um die Zusagen, die sie mir gegenüber machte, wenn ich verreiste und ihr meine Töchter anvertraute. Sie war unzuverlässig geworden, ein Widerwort genügte, und sie warf alles hin, ohne an die Folgen zu denken.

Carmen behauptete einmal, Lila suche auf dem alten Friedhof von Doganella Trost, wo sie sich ein Kindergrab gesucht habe, um an Tina zu denken, die ja kein Grab habe, und dann auf den kleinen Alleen spazieren zu gehen, vorbei an Sträuchern und alten Grabnischen, und vor den verblichensten Fotos stehen zu bleiben. »Die Toten«, sagte sie zu mir, »sind eine Gewissheit, sie haben einen Grabstein, ein Geburtsdatum und ein Sterbedatum, aber Linas Tochter nicht, ihre Tochter wird für immer nur ein Geburtsdatum haben, und das ist schlimm, das arme Mädchen wird nie ein Ende haben und keinen festen Ort, an dem ihre Mutter sich setzen und zur Ruhe kommen kann.« Aber Carmen hatte eine Schwäche für Todesphantasien, darum hörte ich ihr kaum zu. Ich stellte mir vor, dass Lila durch die Stadt zog, ohne auf irgendetwas zu achten, nur um den Schmerz zu betäuben, der sie nach Jahren noch immer vergiftete. Oder ich vermutete, sie habe in ihrer stets extremen Art tatsächlich beschlossen, sich um nichts und niemanden mehr zu kümmern. Und da ich wusste, dass ihr Kopf das genaue Gegenteil brauchte, fürchtete ich, dass ihr die Nerven durchgehen könnten, dass sie bei der erstbesten Gelegenheit gegenüber Enzo aus der Haut fahren könnte, gegenüber Rino, gegenüber mir, gegenüber meinen Töchtern, gegenüber einem Passanten, der sie störte, gegenüber jemandem, der ihr einen Blick zu viel zuwarf. Zu Hause konnte ich mich mit ihr streiten, sie beruhigen, sie kontrollieren. Aber auf der Straße? Jedes Mal, wenn sie aus dem Haus ging, hatte ich Angst, sie könnte sich Ärger einbrocken. Doch immer öfter stieß ich einen Seufzer der Erleichterung aus, wenn ich zu tun hatte und unten die Tür schlagen hörte, dann ihre Schritte auf der Treppe und auf der Straße. Sie würde nicht zu mir heraufkommen, würde nicht mit provokanten Worten bei mir hereinplatzen, würde nicht gegen die beiden großen Mädchen sticheln, würde Imma nicht herabsetzen, würde nicht auf jede Weise versuchen, mir wehzutun.

Wieder dachte ich intensiv darüber nach, dass es Zeit war, wegzuziehen. Inzwischen hatte es für mich, für Dede, für Elsa, für Imma keinen Sinn mehr, im Rione zu bleiben. Auch Lila sagte übrigens nach ihrem Krankenhausaufenthalt, nach der Operation, nach ihrer körperlichen Unausgeglichenheit nun immer häufiger, was sie zuvor nur sporadisch geäußert hatte: »Hau ab, Lenù, was hast du hier verloren, sieh dich an, man hat den Eindruck, du bleibst bloß hier, weil du ein Gelübde für die Madonna abgelegt hast.« Sie wollte mich daran erinnern, dass ich ihren Erwartungen nicht genügt hatte, dass mein Aufenthalt im Rione nur eine Inszenierung für Intellektuelle war, dass ich ihr an dem Ort, an dem wir geboren waren – mit meiner ganzen Gelehrsamkeit, mit meinen Büchern –, faktisch nichts genützt hatte und nichts nütz-

te. Ich ärgerte mich, dachte: ›Sie behandelt mich, als
wollte sie mich wegen unzureichender Leistung entlassen.‹

19

Es begann eine Phase, in der ich unentwegt grübelte, was
zu tun sei. Meine Töchter brauchten Stabilität, und ich
musste mich vor allem dafür einsetzen, dass ihre Väter
sich um sie kümmerten. Nino blieb das größere Problem.
Hin und wieder rief er an und umschmeichelte Imma mit
ein paar gefälligen Worten, sie antwortete einsilbig, fertig. Kürzlich hatte er einen, wenn man seine Ambitionen
kannte, alles in allem vorhersehbaren Schritt getan: Er
hatte zu den Wahlen für die Sozialistische Partei kandi-
diert. Aus diesem Anlass hatte er mir einen kleinen Brief
geschickt, in dem er mich bat, ihn zu wählen und für seine Kandidatur zu werben. Dem Brief, der mit den Worten *Sag auch Lina Bescheid!* schloss, hatte er ein Flugblatt mit einem entzückenden Foto von sich und mit
einem knappen Lebenslauf beigefügt. Darin war mit einem Stift eine Zeile unterstrichen, aus der die Wähler er-
fuhren, dass er drei Kinder hatte, Albertino, Lidia und
Imma. An den Rand hatte er geschrieben: *Bitte zeig diese
Zeile auch der Kleinen.*
Ich hatte nicht für ihn gestimmt und auch nicht für seine Kandidatur geworben, hatte aber Imma das Flugblatt gezeigt, und sie hatte mich gefragt, ob sie es behalten dürfe. Als ihr Vater gewählt worden war, erklärte ich
ihr kurz und bündig, was Volk, Wahlen, Vertretung und
Parlament bedeuten. Er wohnte nun ständig in Rom.

Nach seinem Wahlerfolg hatte er sich nur ein einziges Mal gemeldet, mit einem ebenso eilig geschriebenen wie frohlockenden Brief, den ich, so bat er mich, auch seiner Tochter, Dede und Elsa zeigen sollte. Keine Telefonnummer, keine Adresse, nur Worte, mit denen er seinen Schutz aus der Ferne anbot (*seid unbesorgt, ich passe auf euch auf*). Imma wollte auch diesen Beweis für die Existenz ihres Vaters aufheben. Und wenn Elsa etwa zu ihr sagte: »Du bist langweilig, darum heißt du auch Sarratore und wir Airota«, war sie nicht mehr so verwirrt – vielleicht nicht mehr so beunruhigt – wegen ihres Nachnamens, der sich von dem ihrer Schwestern unterschied. Als die Lehrerin sie einmal gefragt hatte: »Bist du die Tochter des Abgeordneten Sarratore?«, hatte sie ihr am folgenden Tag das Flugblatt mitgebracht, das sie für alle Fälle aufbewahrt hatte. Ich freute mich über diesen Stolz auf ihren Vater und nahm mir vor, dafür zu sorgen, dass er gefestigt wurde. Ninos Leben war wie üblich voll ausgefüllt und turbulent? Na gut. Aber seine Tochter war keine Kokarde, die man sich ansteckte und dann bis zur nächsten Gelegenheit wieder ins Schubfach tat.

Mit Pietro hatte ich in den letzten Jahren nie Schwierigkeiten gehabt. Er zahlte pünktlich den Unterhalt für die Mädchen (von Nino hatte ich keine einzige Lira bekommen) und war im Rahmen des Möglichen als Vater präsent. Aber vor nicht langer Zeit hatte er sich von Doriana getrennt, hatte Florenz nun satt und wollte in die Vereinigten Staaten auswandern. Und hartnäckig, wie er war, würde ihm das auch gelingen. Das beunruhigte mich. Ich sagte zu ihm: »Also lässt du deine Töchter im Stich«, und er antwortete: »Das wirkt jetzt zwar wie eine Abtrünnigkeit, aber du wirst sehen, schon bald werden besonders sie davon profitieren.« Das war gut möglich, diesbezüglich hatten seine Worte etwas mit denen von Nino gemein (*seid unbesorgt, ich passe auf euch auf*). Doch praktisch hätten auch Dede und Elsa keinen Vater mehr. Während Imma seit jeher ohne ihren Vater auskommen musste, hingen Dede und Elsa sehr an Pietro und waren daran gewöhnt, sich an ihn zu wenden, wann immer sie wollten. Sein Weggang würde sie traurig machen und sie einschränken, da war ich mir sicher. Gewiss, sie waren schon recht groß, Dede war achtzehn, Elsa fast fünfzehn. Sie waren an guten Schulen, hatten beide gute Lehrer. Aber reichte das aus? Sie hatten sich nie ganz eingelebt, hatten keinen vertrauten Umgang mit Klassenkameraden und Freunden, schienen sich nur wohlzufühlen, wenn sie Rino sahen. Aber was hatten sie eigentlich gemeinsam mit diesem viel älteren und trotzdem viel kindischeren Trampel?

Nein, ich musste weg aus Neapel. Ich konnte zum Beispiel versuchen in Rom zu leben und Imma zuliebe die Verbindung zu Nino wieder auffrischen, natürlich auf rein freundschaftlicher Basis. Oder nach Florenz zurückkehren und einen häufigeren Umgang Pietros mit seinen Töchtern anstreben, darauf hoffend, dass er dann nicht nach Übersee ging. Besonders dringend schien mir meine Entscheidung zu werden, als Lila eines Abends hochkam und mich in einer offensichtlich schlechten Verfassung angriffslustig fragte:

»Stimmt es, dass du Dede verboten hast, Gennaro weiterhin zu sehen?«

Ich wurde verlegen. Ich hatte meiner Tochter nur zu verstehen gegeben, dass sie sich nicht ständig an ihn hängen solle.

»Sehen kann sie ihn, sooft sie will. Ich habe nur Angst, dass sie Gennaro zu viel wird, er ist erwachsen und sie ein kleines Mädchen.«

»Lenù, rede Klartext. Denkst du, dass mein Sohn nicht gut genug für deine Tochter ist?«

Ich starrte sie verdutzt an:

»Wie – gut genug?«

»Du weißt doch genau, dass sie verliebt ist.«

Ich lachte auf.

»Dede? In Rino?«

»Wieso, hältst du es für unmöglich, dass mein Sohn deiner Tochter den Kopf verdreht hat?«

20

Bis dahin hatte ich kaum zur Kenntnis genommen, dass Dede im Unterschied zu ihrer Schwester, die sich jeden Monat fröhlich einen anderen dienenden Ritter nahm, nie eine erklärte, offen gezeigte Liebesbeziehung gehabt hatte. Ich hatte mir ihre Zurückhaltung teils damit erklärt, dass sie sich nicht schön fand, teils mit ihrer Strenge und hatte sie hin und wieder aufgezogen (*Sind denn alle deine Kumpels nichts wert?*). Sie verzieh niemandem Frivolitäten, vor allem nicht sich selbst und erst recht nicht mir. Wenn sie gesehen hatte, wie ich mit einem Mann, ich will nicht sagen geflirtet, aber auch nur gelacht hatte – oder, was weiß ich, zu einem ihrer Freunde, der sie nach Hause gebracht hatte, gastfreundlich gewesen war –, hatte sie mich ihre ganze Missbilligung spüren lassen, und sie war einige Monate zuvor in einer heiklen Situation sogar so weit gegangen, etwas

Vulgäres im Dialekt zu mir zu sagen, was mich wütend gemacht hatte.

Aber vielleicht ging es gar nicht um einen Kampf gegen Frivolität. Nach Lilas Bemerkungen begann ich Dede aufmerksamer zu beobachten und sah, dass sich ihr Verhalten, wenn sie Lilas Sohn in Schutz nahm, keineswegs auf eine lange während Mädchenliebe oder auf eine hitzige, jugendliche Verteidigung der Erniedrigten und Beleidigten reduzieren ließ, wie ich es bis dahin geglaubt hatte. Ich erkannte vielmehr, dass ihre Enthaltsamkeit die Folge einer starken Beziehung ausschließlich zu Rino war, die seit ihrer frühesten Kindheit bestand. Das beunruhigte mich. Ich musste an die lange Dauer meiner Liebe zu Nino denken und sagte mir besorgt: ›Dede schlägt gerade den gleichen Weg ein, allerdings mit dem erschwerenden Unterschied, dass Nino ein außergewöhnlicher Junge war und ein gutaussehender, intelligenter, erfolgreicher Mann wurde, während Rino ein unsicherer, ungebildeter, reizloser Bursche ohne jede Perspektive ist und äußerlich, wenn man es recht bedenkt, mehr noch als an Stefano an seinen Großvater Don Achille erinnert.‹

Ich beschloss, mit ihr zu reden. Ihr fehlten nur noch wenige Monate bis zum Abitur, sie war sehr beschäftigt, und es wäre ein Leichtes für sie gewesen, zu sagen: Ich habe zu tun, ein andermal. Aber Dede war nicht Elsa, die sich darauf verstand, mich abzuweisen und sich zu verstellen. Bei meiner großen Tochter genügte es, zu fragen, und ich war mir sicher, dass sie zu jedem Zeitpunkt, egal, was sie gerade tat, mit größter Offenheit antworten würde. Ich fragte also:

»Bist du in Rino verliebt?«

»Ja.«

»Und er?«

»Ich weiß nicht.«

»Seit wann empfindest du so für ihn?«

»Schon immer.«

»Und falls er deine Gefühle nicht erwidert?«

»Dann hat mein Leben keinen Sinn mehr.«

»Was willst du tun?«

»Das sage ich dir nach den Prüfungen.«

»Sag es mir jetzt.«

»Wenn er mich will, gehen wir weg.«

»Und wohin?«

»Keine Ahnung, aber garantiert weg von hier.«

»Ist ihm Neapel auch verhasst?«

»Ja, er will nach Bologna.«

»Warum?«

»Weil das ein Ort der Freiheit ist.«

Ich sah sie liebevoll an.

»Dede, du weißt doch, dass weder dein Vater noch ich dich weglassen werden.«

»Ihr müsst mich gar nicht weglassen. Ich gehe einfach so.«

»Und mit welchem Geld?«

»Ich werde arbeiten.«

»Und deine Schwestern? Und ich?«

»Früher oder später müssen wir uns sowieso trennen, Mama.«

Nach diesem Gespräch fehlte mir jede Kraft. Obwohl sie mir wohlsortiert lauter unvernünftige Sachen dargelegt hatte, gab ich mir Mühe, mich so zu benehmen, als hätte sie sehr vernünftige Dinge gesagt.

Danach dachte ich äußerst besorgt darüber nach, was

zu tun sei. Dede war nur ein verliebtes Mädchen, ich würde ihr den Kopf zurechtrücken, ob sie wollte oder nicht. Das Problem war Lila, ich fürchtete mich vor ihr, mir war sofort klar, dass die Auseinandersetzung mit ihr hart werden würde. Sie hatte Tina verloren, Rino war ihr einziges Kind. Sie und Enzo hatten ihn mit brutalen Methoden rechtzeitig von den Drogen weggebracht, sie würde nicht zulassen, dass auch ich ihm Leid zufügte. Zumal die Gesellschaft meiner zwei großen Töchter ihm guttat, er arbeitete damals sogar ein bisschen bei Enzo, und es konnte sein, dass die Trennung von den Mädchen ihn erneut aus der Bahn werfen würde. Rinos möglicher Rückfall bereitete übrigens auch mir Sorgen. Ich hatte ihn sehr gern, er war ein unglückliches Kind gewesen, und er war ein unglücklicher junger Mann. Sicherlich liebte er Dede schon immer, sicherlich würde er es nicht ertragen, auf sie zu verzichten. Aber was tun. Ich wurde liebenswürdiger, wollte, dass es keine Missverständnisse gab: Ich mochte ihn, würde stets versuchen, ihm zu helfen, er brauchte nur zu fragen; aber niemandem konnte entgehen, dass er und Dede sehr verschieden waren und dass, egal, welche Lösung sie auch erwägen würden, das Ganze in kürzester Zeit in einer Katastrophe enden würde. In dieser Richtung agierte ich, und auch Rino wurde freundlicher, reparierte kaputte Jalousien, tropfende Wasserhähne, wobei ihm die drei Schwestern assistierten. Aber Lila gefiel die Hilfsbereitschaft ihres Sohnes nicht. Wenn er sich zu lange bei uns aufhielt, rief sie ihn herrisch nach unten.

21

Ich beließ es nicht bei dieser Strategie, ich telefonierte mit Pietro. Er stand kurz vor dem Umzug nach Boston, das war nun entschieden. Er war wütend auf Doriana, die, wie er mir angewidert erzählte, sich als falsche Schlange ohne jede Moral entpuppt habe. Dann hörte er mir sehr aufmerksam zu. Er kannte Rino gut, erinnerte sich an ihn als Kind und wusste, was aus ihm geworden war. Er fragte mehrmals nach, um sicher zu sein, dass er richtig gehört hatte: »Er hat keine Drogenprobleme?« Und nur einmal: »Er arbeitet?« Schließlich sagte er: »Das Ganze hat weder Hand noch Fuß.« Wir waren uns einig, dass angesichts der Sensibilität unserer Tochter schon ein Flirt zwischen den beiden abzulehnen war.

Ich freute mich, dass wir die Dinge ähnlich sahen, und bat ihn, nach Neapel zu kommen und mit Dede zu reden. Er versprach es, hatte aber sehr viel zu tun und kam erst kurz vor Dedes Prüfungen, eigentlich um sich von seinen Töchtern zu verabschieden, bevor er nach Amerika ging. Wir hatten uns lange nicht getroffen. Er hatte immer noch seine zerstreute Miene. Seine Haare waren nun graumeliert, sein Körper schwerer. Da er Lila und Enzo seit Tinas Verschwinden nicht mehr gesehen hatte – wenn er die Mädchen besucht hatte, war er nur wenige Stunden geblieben, oder er hatte sie mitgenommen –, kümmerte er sich sehr um die beiden. Pietro war ein freundlicher Mann und sorgsam darauf bedacht, sie mit seinem Rang eines renommierten Professors nicht in Verlegenheit zu bringen. Er redete lange mit ihnen und bekam dabei seine tiefernste, anteilnehmende Miene, die ich gut kannte und die mich früher geärgert hatte, die mir nun aber gefiel, weil sie nicht vorgetäuscht war und sie auch an Dede ganz natürlich war. Ich weiß nicht, was er über Tina sagte, aber während Enzo unbewegt blieb, hellte sich Lilas Stimmung auf, sie bedankte sich für seinen wunderschönen Brief von vor einigen Jahren und sagte, er habe ihr sehr geholfen. Erst bei dieser Gelegenheit erfuhr ich, dass Pietro ihr zum Verlust ihrer Tochter geschrieben hatte, und Lilas aufrichtige Dankbarkeit erstaunte mich. Er wehrte ab, und sie begann mit meinem Exmann über Neapel zu reden, wobei sie Enzo völlig aus dem Gespräch ausschloss. Sie ließ sich lang und breit über den Palazzo Cellamare aus, von dem ich gerade einmal wusste, dass er oberhalb von Chiaia lag, während sie, wie ich nun feststellte, genauestens über seinen Aufbau, seine Geschichte, seine Schätze Bescheid wusste. Pietro hörte ihr interessiert zu. Ich bebte vor Wut, wollte, dass er sich um seine Töchter kümmerte und vor allem mit Dede sprach.

Als Lila ihn endlich freigab und Pietro, nachdem er sich Elsa und Imma gewidmet hatte, Dede zur Seite nehmen konnte, unterhielten sich Vater und Tochter lange und friedlich miteinander. Ich beobachtete sie vom Fenster aus, wie sie auf dem Stradone auf und ab gingen. Mir fiel, zum ersten Mal, glaube ich, auf, wie ähnlich die zwei sich äußerlich waren. Dede hatte nicht das buschige Haar ihres Vaters, aber seine starken Knochen und auch etwas von seinem unbeholfenen Gang. Sie war ein Mädchen von achtzehn Jahren und besaß eine feminine Weichheit, schien aber bei jeder Bewegung, bei jedem Schritt in Pietros Körper zu schlüpfen und wieder herauszukommen, als wäre er ihr ideales Domizil. Von den beiden fasziniert, stand ich am Fenster. Ihr Gespräch zog sich mehr und mehr in die Länge, so dass Elsa und Imma ungeduldig wurden. »Ich habe auch was mit Papa zu besprechen«, erklärte Elsa, »und wann mache ich das, wenn er jetzt wieder fährt?« Imma flüsterte: »Er hat gesagt, dass er nachher auch mit mir redet.«

Endlich kamen Pietro und Dede zurück, sie waren gutgelaunt. Für den Abend setzten sich alle drei Mädchen um ihn herum und hörten ihm zu. Er erzählte, dass er in einem riesigen, wunderschönen Gebäude aus rotem Backstein arbeiten werde, vor dem es eine Statue gebe. Diese Statue bestehe aus einem Mann, dessen Gesicht und Kleidung komplett dunkel seien, außer einem Schuh, den die Studenten jeden Tag berührten, weil das Glück bringen solle, und der deshalb glänze, er leuchte in der Sonne, als wäre er aus Gold. Sie amüsierten sich, ohne mich einzubeziehen. Ich dachte, wie immer in solchen Momenten: ›Jetzt, da er nicht mehr jeden Tag Vater sein muss, ist er ein ausgezeichneter Vater, selbst Imma vergöttert ihn; vielleicht kann es mit den Männern gar nicht anders gehen als so: Ein bisschen mit ihnen zusammenleben, Kinder mit ihnen bekommen, und weg sind sie.‹ Waren sie so oberflächlich wie Nino, verschwanden sie ohne jedes Pflichtgefühl; waren sie so gewissenhaft wie Pietro, versäumten sie keine ihrer Pflichten und gaben bei Bedarf ihr Bestes. Auf jeden Fall waren die Zeiten von Treue und festen Lebensgemeinschaften für Männer wie für Frauen vorbei. Aber warum betrachteten wir dann den armen Gennaro, genannt Rino, wie eine Bedrohung? Dede würde ihre Leidenschaft ausleben, bis sie sich abgenutzt hätte, würde ihren eigenen Weg gehen. Wahrscheinlich würde sie Rino ab und an wiedersehen, und beide würden ein paar liebevolle Worte wechseln. So lief das, warum, also, wollte ich für meine Tochter etwas anderes?

Diese Frage verstörte mich, ich erklärte in meinem überzeugendsten Befehlston, dass es Zeit sei, schlafen zu gehen. Elsa hatte gerade ihren Schwur beendet, dass sie in wenigen Jahren, nach dem Abitur, zu ihrem Vater in die Vereinigten Staaten ziehen werde, und Imma zog Pietro am Arm, sie wollte seine Aufmerksamkeit, war sicherlich drauf und dran, ihn zu fragen, ob sie dann auch zu ihm kommen dürfe. Dede schwieg unschlüssig. ›Vielleicht‹, dachte ich, ›haben sich die Dinge ja schon geklärt, und Rino wird jetzt links liegengelassen, gleich wird sie zu Elsa sagen: Du musst noch vier Jahre warten, aber ich bin demnächst mit der Schule fertig, und in spätestens einem Monat fahre ich zu Papa.‹

22

Aber sobald Pietro und ich allein waren, brauchte ich ihn nur anzusehen, um zu erkennen, dass er sehr besorgt war. Er sagte:

»Nichts zu machen.«

»Wie meinst du das?«

»Dede funktioniert nach festen Vorsätzen.«

»Was hat sie gesagt?«

»Was sie gesagt hat, ist nicht so wichtig, aber das, was sie garantiert tut.«

»Wird sie mit ihm ins Bett gehen?«

»Ja. Sie hat einen unabänderlichen Plan mit streng gegliederten Etappen. Gleich nach dem Abitur wird sie Rino ihre Liebe gestehen, sie wird ihre Jungfräulichkeit verlieren, und sie werden zusammen weggehen, vom Betteln leben und die Arbeitsethik ins Wanken bringen.«

»Mach keine Witze.«

»Ich mache keine Witze, ich erzähle dir nur, was sie vorhat.«

»Sarkastisch zu sein, ist einfach, wenn man sich wie du aus dem Staub machen kann und mir die Rolle der bösen Mutter überlässt.«

»Sie zählt auf mich. Sie hat gesagt, sobald der Junge einverstanden ist, kommt sie mit ihm zu mir nach Boston.«

»Ich breche ihr alle Knochen.«

»Oder er und sie brechen dir deine.«

Wir diskutierten bis tief in die Nacht hinein, anfangs nur über Dede, dann auch über Elsa und Imma und schließlich über alles mögliche: über Politik, Literatur, die Bücher, die ich schrieb, die Zeitungsartikel und über einen neuen Aufsatz, an dem er gerade saß. So viel hatten wir schon sehr lange nicht mehr miteinander geredet. Er zog mich gutmütig mit meiner Art auf, stets, wie er es nannte, auf mittleren Positionen zu verharren. Spottete über meinen halben Feminismus, meinen halben Marxismus, meinen halben Freudianismus, meinen halben Foucaultismus, meine halbe Subversivität. »Nur mir gegenüber«, sagte er in einem etwas härteren Ton, »hast du in deiner Ausdrucksweise nie halbe Sachen gemacht.« Er seufzte: »Nichts war dir recht, ich war in jeder Hinsicht untauglich. Aber dieser andere Kerl war perfekt. Und heute? Er hat den harten Mann markiert und ist bei der Bande der Sozialisten gelandet. Elena, Elena, wie hast du mich gequält. Du warst sogar noch sauer auf mich, als man eine Pistole auf mich gerichtet hatte. Und du hast mir zwei Freunde aus deiner Kindheit ins Haus gebracht, die Mörder waren. Erinnerst du dich? Aber was soll's, du bist eben Elena, ich habe dich sehr geliebt, wir haben zwei

Töchter zusammen, unvorstellbar, dass ich dich nicht mehr lieben könnte.«

Ich ließ das so stehen. Dann räumte ich ein, dass ich oft sinnlose Standpunkte vertreten hatte. Ich räumte auch ein, dass er in Bezug auf Nino recht hatte, er war eine große Enttäuschung gewesen. Und ich versuchte, das Gespräch wieder auf Dede und Rino zu bringen. Ich machte mir Sorgen, wusste nicht, wie ich mit dieser Geschichte umgehen sollte. Sagte, den Jungen von unserer Tochter fernzuhalten, würde mir auch viel Ärger mit Lila einbringen, ich fühlte mich schuldig und wisse, dass sie es als Kränkung auffassen würde. Er nickte.

»Du musst ihr helfen.«

»Ich weiß nicht, wie.«

»Sie versucht auf jede erdenkliche Weise, ihren Kopf zu beschäftigen und aus dem Schmerz herauszukommen, aber sie schafft es nicht.«

»Das stimmt nicht, das war früher so, jetzt arbeitet sie nicht mal mehr, sie tut gar nichts.«

»Du irrst dich.«

Lila hatte ihm anvertraut, dass sie ganze Tage in der Nationalbibliothek verbrachte, sie wollte alles über Neapel erfahren. Ich sah ihn unsicher an. Lila erneut in einer Bibliothek, aber nicht in der aus den fünfziger Jahren des Rione, sondern in der namhaften, ineffizienten Nationalbibliothek? Das tat sie also, wenn sie aus dem Rione verschwand? Diese Manie hatte sie jetzt? Und warum hatte sie mir das verschwiegen? Oder hatte sie es Pietro extra verraten, damit er es mir erzählte?

»Hat sie dir nichts davon gesagt?«

»Sie wird es mir erzählen, wenn ihr danach ist.«

»Ermutige sie, weiterzumachen. Es ist unannehmbar,

dass ein so begabter Mensch nur bis zur fünften Grundschulklasse gegangen ist.«

»Lila macht nur, was sie will.«

»So willst du das sehen.«

»Ich kenne sie seit ihrem siebten Lebensjahr.«

»Vielleicht hasst sie dich deshalb.«

»Sie hasst mich nicht.«

»Es ist nicht leicht für sie, jeden Tag zu sehen, dass du frei bist und sie gefangen geblieben ist. Wenn es eine Hölle gibt, dann befindet sie sich in ihrem unzufriedenen Kopf, ich möchte nicht mal für ein paar Sekunden da hinein.«

Pietro sagte wirklich *da hinein*, und sein Ton verriet Entsetzen, Faszination, Mitleid. Ich wiederholte:

»Lina hasst mich überhaupt nicht.«

Er lachte.

»In Ordnung, wie du willst.«

»Komm, wir gehen schlafen.«

Er sah mich zweifelnd an. Ich hatte ihm nicht wie sonst die Liege zurechtgemacht.

»Zusammen?«

Seit etwa zwölf Jahren berührten wir uns überhaupt nicht mehr. Die ganze Nacht über fürchtete ich, die Mädchen könnten aufwachen und uns im selben Bett entdecken. Im Halbdunkel betrachtete ich diesen stämmigen, zerzausten Mann, der in Maßen schnarchte. Als wir verheiratet gewesen waren, hatte er nicht oft so lange bei mir geschlafen. Für gewöhnlich hatte er mich lange mit seinem auf einen beschwerlichen Orgasmus hinauslaufenden Sex geplagt, war eingeschlummert, dann aufgestanden und in sein Zimmer gegangen, um zu arbeiten. Diesmal war das Liebesspiel angenehm, ein Abschiedssex, wir wussten beide, dass das nicht noch einmal geschehen würde, und fühlten uns deshalb wohl. Pietro hatte von Doriana Dinge gelernt, die ich ihm nicht hatte zeigen können oder wollen, und er setzte alles daran, dass ich es merkte.

Gegen sechs weckte ich ihn, sagte: »Du musst jetzt gehen.« Ich brachte ihn zum Auto, er legte mir erneut die Mädchen ans Herz, besonders Dede. Wir gaben uns die Hand, küssten uns auf die Wangen, er fuhr ab.

Ich schlenderte am Kiosk vorbei, der Verkäufer packte gerade die Zeitungen aus. Wie üblich kam ich mit drei Tageszeitungen nach Hause, von denen ich nur die Schlagzeilen lesen würde. Ich machte mir Frühstück und dachte über Pietro nach, über unsere Gespräche. Ich hätte bei egal welchem Thema verweilen können – seinem sanften Groll, Dede, seinem etwas simplen Psychologismus in Bezug auf Lila –, aber manchmal entstehen rätselhafte Verbindungen zwischen unseren Gedankengängen und Ereignissen, deren Echo uns schon einen Moment später erreicht. Ich erinnerte mich, dass er Pasquale und Nadia – sie waren die Freunde aus meiner Kindheit, auf die er polemisch angespielt hatte – als Mörder bezeichnet hatte. Für Nadia verwendete ich dieses Wort, wie mir bewusst wurde, nunmehr ganz selbstverständlich, aber nicht für Pasquale, das lehnte ich weiterhin ab. Ich dachte gerade wieder über den Grund dafür nach, als das Telefon klingelte. Lila rief von unten an. Sie hatte gehört, wie ich mit Pietro hinausgegangen und dann allein zurückgekommen war. Sie wollte wissen, ob ich Zeitungen gekauft hatte. Im Radio hatten sie gerade gesagt, dass Pasquale verhaftet worden war.

Diese Nachricht nahm uns wochenlang ganz in Anspruch, und ich konzentrierte mich, zugegebenermaßen, mehr auf die Geschichte unseres Freundes als auf Dedes Prüfungen. Lila und ich liefen sofort zu Carmen nach Hause, aber sie wusste schon alles, oder jedenfalls das Wichtigste, und machte einen abgeklärten Eindruck. Pasquale war im Bergland von Serino in der Provinz Avellino gefasst worden. Die Carabinieri hatten das Gehöft umstellt, auf dem er sich versteckt hatte, und er hatte vernünftig reagiert, war nicht gewalttätig geworden und hatte nicht versucht zu fliehen. »Jetzt«, sagte Carmen, »kann ich nur hoffen, dass sie ihn nicht im Gefängnis sterben lassen, wie es meinem Vater passiert ist.« Nach wie vor hielt sie ihren Bruder für einen guten Menschen und verstieg sich sogar zu der leidenschaftlichen Bemerkung, wir drei – sie, ich, Lila – hätten ein weitaus größeres Maß an Niedertracht in uns als er. »Wir waren zu nichts weiter in der Lage, als uns um unsere eigenen Angelegenheiten zu kümmern«, sagte sie leise und brach in Tränen aus, »aber Pasquale nicht, Pasquale hat sich entwickelt, wie unser Vater ihn erzogen hat.«

Durch den aufrichtigen Schmerz in ihren Worten gelang es Carmen, vielleicht zum ersten Mal, seit wir uns kannten, sich gegen Lila und mich zu behaupten. So widersprach ihr Lila mit keiner Silbe, und ich selbst fühlte mich bei ihren Äußerungen unbehaglich. Die Geschwister Peluso verwirrten mich allein schon durch ihre Existenz im Hintergrund meines Lebens. Ich hielt es für völlig ausgeschlossen, dass ihr Vater, der Tischler, ihnen beigebracht hatte, so wie Franco es mit Dede getan hatte, die dumme Fabel des Menenius Agrippa anzufechten, aber beide – Carmen weniger, Pasquale mehr – hatten instinktiv immer gewusst, dass die Glieder eines Menschen nicht ernährt werden, wenn sich der Bauch eines anderen füllt, und dass der, der dir das weismachen will, früher oder später bekommen muss, was er verdient. Obwohl sie in allem sehr verschieden waren, bildeten sie mit ihrer Geschichte doch ein Ganzes, das ich weder auf mich noch auf Lila beziehen wollte, das ich aber auch nicht wegschieben konnte. Vielleicht deshalb sagte ich eines Tages zu Carmen: »Du solltest froh sein, jetzt, wo Pasquale in den Händen der Justiz ist, können wir besser herausfinden, wie wir ihm helfen können«, und sagte an einem anderen Tag zu Lila, mit der ich völlig einer Meinung war: »Gesetze und Garantien zählen nichts, während sie den Machtlosen schützen sollen, werden sie ihn im Gefängnis töten.« Manchmal räumte ich sogar beiden gegenüber ein, dass, obwohl mich die Gewalt, die wir seit frühester Kindheit erlebt hatten, nun abstieß, eine geringe Dosis davon notwendig sei, um der grausamen Welt zu begegnen, in der wir lebten. Auf diese wirre Weise bemühte ich mich, alles, was irgend möglich war, für Pasquale zu tun. Ich wollte nicht, dass er sich – im Gegensatz zu seiner Genossin Nadia, die ausgesprochen rücksichtsvoll behandelt wurde – wie ein Niemand fühlte, der niemandem am Herzen lag.

24

Ich suchte zuverlässige Anwälte, rang mich sogar dazu durch, Nino hinterherzutelefonieren, dem einzigen Parlamentarier, den ich persönlich kannte. Ihn bekam ich nie an den Apparat, aber seine Sekretärin, nach langen Verhandlungen gab sie mir einen Termin. »Richten Sie ihm aus«, sagte ich eisig, »dass ich mit unserer Tochter komme.« Am anderen Ende der Leitung entstand ein längeres Zögern. »Ich werde es ausrichten«, sagte die Frau schließlich.

Wenige Minuten später klingelte das Telefon. Es war wieder die Sekretärin: Der Herr Abgeordnete Sarratore würde sich sehr freuen, uns in seinem Büro an der Piazza Risorgimento zu empfangen. Aber in den folgenden Tagen änderten sich Ort und Zeit des Treffens immer wieder. Der Herr Abgeordnete sei verreist, der Herr Abgeordnete sei zurück, aber sehr beschäftigt, der Herr Abgeordnete habe einen Sitzungsmarathon im Parlament zu absolvieren. Ich wunderte mich, wie schwer es selbst für mich war, mit einem Volksvertreter in direkten Kontakt zu treten, trotz meiner bescheidenen Berühmtheit, trotz meines Presseausweises und trotz der Tatsache, dass ich die Mutter seiner Tochter war. Als endlich alles feststand – der Treffpunkt war kein Geringerer als der Palazzo Montecitorio –, putzten Imma und ich uns heraus und fuhren nach Rom. Sie fragte mich, ob sie ihr kostbares Wahlkampfflugblatt mitnehmen dürfe, ich sagte ja. Im Zug sah sie es sich ununterbrochen an, als wollte sie sich auf einen Vergleich zwischen Foto und Realität vorbereiten. In der Hauptstadt angekommen, nahmen wir ein Taxi und meldeten uns im Palazzo Montecitorio. An jeder

Sperre zeigte ich Papiere vor und sagte, vor allem damit Imma es hörte: »Wir werden vom Abgeordneten Sarratore erwartet, das ist seine Tochter Imma, Imma Sarratore.«

Wir warteten lange, Imma fragte ängstlich: »Und wenn das Volk ihn nun aufhält?« Ich beruhigte sie: »Es wird ihn nicht aufhalten.« Am Ende kam Nino tatsächlich, ihm voran seine Sekretärin, eine junge, sehr attraktive Frau. Er war hochelegant, strahlend, umarmte und küsste seine Tochter begeistert, nahm sie auf den Arm und trug sie die ganze Zeit, als wäre sie noch klein. Mich wunderte die sofortige Zutraulichkeit, mit der Imma sich an seinen Hals schmiegte und, während sie das Flugblatt hervorzog, glücklich zu ihm sagte: »Du bist viel schöner als auf dem Bild. Weißt du, dass meine Lehrerin für dich gestimmt hat?«

Nino schenkte ihr viel Aufmerksamkeit, ließ sich von der Schule erzählen, von ihren Klassenkameradinnen, von ihren Lieblingsfächern. Um mich kümmerte er sich nicht besonders, ich gehörte nun zu einem anderen seiner Leben – einem minderwertigen –, und es schien ihm überflüssig, Energie zu verschwenden. Ich erzählte ihm von Pasquale, er hörte mir zu, doch ohne seine Tochter auch nur kurz zu vernachlässigen, er bedeutete der Sekretärin nur, alles zu notieren. Als ich mit meinem Bericht fertig war, fragte er mich ernst:

»Was erwartest du von mir?«

»Dass du in Erfahrung bringst, ob er gesund ist und nach Recht und Gesetz behandelt wird.«

»Arbeitet er mit der Justiz zusammen?«

»Nein, und ich bezweifle, dass er das je tun wird.«

»Es wäre besser, wenn er es täte.«

»So wie Nadia?«

Er lächelte verlegen.

»Nadias Verhalten ist das einzig mögliche, wenn man nicht für den Rest des Lebens im Gefängnis sitzen will.«

»Nadia ist ein verzogenes Mädchen, so ist Pasquale nicht.«

Er antwortete nicht sofort, drückte auf Immas Nase wie auf einen Klingelknopf und ahmte ein Läuten nach. Sie lachten beide, dann sagte er zu mir:

»Ich werde mich erkundigen, wie es deinem Freund geht, ich bin hier, um darüber zu wachen, dass die Rechte aller geschützt werden. Aber ich werde ihm sagen, dass auch die Angehörigen der Menschen, die er ermordet hat, Rechte haben. Man spielt nicht den Rebellen und vergießt echtes Blut, um dann zu schreien: Wir haben Rechte. Hast du das verstanden, Imma?«

»Ja.«

»Ja, Papa.«

»Ja, Papa.«

»Und wenn die Lehrerin dich schlecht behandelt, komm zu mir.«

Ich sagte:

»Wenn die Lehrerin sie schlecht behandelt, regelt Imma das selbst.«

»So wie Pasquale Peluso das geregelt hat?«

»Pasquale hat nie jemanden gehabt, den er um den Gefallen hätte bitten können, ihn zu beschützen.«

»Und das entschuldigt ihn?«

»Nein, aber es ist bezeichnend, dass du zu Imma sagst: ›Komm zu mir‹, für den Fall, dass sie ihr Recht geltend machen muss.«

»Kommst du denn für deinen Freund Pasquale jetzt nicht auch zu mir?«

Ich verabschiedete mich sehr gereizt und bedrückt, aber für Imma war das der wichtigste Tag ihrer ersten sieben Lebensjahre.

Die Tage vergingen. Ich glaubte schon, die Reise sei Zeitverschwendung gewesen, aber Nino hielt Wort, er kümmerte sich um Pasquale. Ich erfuhr von ihm im Nachhinein Dinge, die die Anwälte entweder nicht wussten oder uns nicht sagten. Die Verwicklung unseres Freundes in einige allseits bekannte, politisch motivierte Verbrechen, die Kampanien erschüttert hatten, stand zwar im Mittelpunkt von Nadias ausführlichem Geständnis, war allerdings auch nichts Neues. Neu war dagegen, dass sie ihm nun alles mögliche anhängen wollte, auch Taten mit wenig Resonanz. So waren in Pasquales langem Strafregister auch der Mord an Gino und an Bruno Soccavo aufgetaucht, der Tod von Manuela Solara und schließlich der ihrer Söhne Marcello und Michele.

»Welche Abmachung hat deine Exfreundin mit den Carabinieri getroffen?«, fragte ich Nino bei unserer letzten Begegnung.

»Keine Ahnung.«

»Nadia lügt wie gedruckt.«

»Das halte ich für möglich. Aber eines weiß ich genau: Sie liefert gerade viele Leute ans Messer, die sich in Sicherheit gewähnt haben. Darum sag Lina, sie soll sich in Acht nehmen, Nadia konnte sie noch nie ausstehen.«

25

So viele Jahre waren vergangen, und doch ließ Nino keine Gelegenheit aus, um Lila zu erwähnen und selbst aus der Ferne seine Fürsorge ihr gegenüber zu zeigen. Ich stand hier vor ihm, hatte ihn geliebt, hatte seine Tochter bei mir, die ein Schokoladeneis leckte. Aber er sah in mir nur eine Jugendfreundin, vor der er seinen außergewöhnlichen Werdegang von der Schulbank auf dem Gymnasium bis zum Sitz im Parlament präsentieren konnte. Bei dieser letzten Begegnung bestand sein größtes Kompliment darin, mich auf eine Stufe mit ihm zu stellen. Ich weiß nicht mehr, in welchem Zusammenhang er sagte: »Wir beide haben es wirklich weit gebracht.« Doch noch während er redete, las ich in seinem Blick, dass seine Erwähnung unserer Gleichheit nicht ehrlich gemeint war. Er hielt sich für viel besser, als ich es war, und der Beweis dafür war, dass ich, trotz meiner bescheidenen Erfolgsbücher als Bittstellerin vor ihm stand. Seine herzlich lächelnden Augen sagten mir: ›Nun sieh, was du an mir verloren hast.‹

Schnell ging ich weg, zusammen mit der Kleinen. Ich war mir sicher, dass er sich ganz anders verhalten hätte, wenn Lila dabei gewesen wäre. Er hätte gestammelt, hätte sich seltsamerweise ganz klein gefühlt, vielleicht sogar ein bisschen lächerlich mit seinem Imponiergehabe. Als wir zu dem Parkhaus kamen, in dem ich meinen Wagen abgestellt hatte – diesmal war ich mit dem Auto nach Rom gekommen –, wurde mir etwas bewusst, was mir vorher nie aufgefallen war: Nur für sie hatte Nino seine ehrgeizigen Pläne aufs Spiel gesetzt. Auf Ischia, und dann das ganze folgende Jahr, hatte er sich auf ein Abenteuer eingelassen, das ihm nichts als Schwierigkeiten hatte bringen können. Eine Abweichung auf seinem Lebensweg. Damals war er bereits ein sehr bekannter, sehr vielversprechender Student gewesen. Er hatte mit Nadia angebändelt, weil sie – das war mir nun klar – die Tochter von Professoressa Galiani war, weil er sie als Türöffner zu dem betrachtet hatte, was uns damals als eine höhere Welt erschienen war. Seine Entscheidung für jemanden richtete sich stets nach seinen Ambitionen. Hatte er Eleonora nicht aus Berechnung geheiratet? Und ich, war ich, als ich Pietro seinetwegen verlassen hatte, nicht eigentlich eine etablierte Frau gewesen, eine Schriftstellerin mit einigem Erfolg und mit Verbindungen zu einem wichtigen Verlag, also alles in allem nützlich für seine Karriere? Und passten nicht all die anderen Damen, die ihm geholfen hatten, in dieselbe Logik? Nino war ein Frauenheld, natürlich, aber vor allem war er ein Liebhaber nützlicher Beziehungen. Was seine Intelligenz hergab, hätte er von sich aus, ohne das Netz einflussreicher Kontakte, das er seit seiner Jugend knüpfte, nie genügend Durchsetzungskraft gehabt. Aber Lila? Sie hatte nur einen Grundschulabschluss, war die sehr junge Frau eines Kaufmanns gewesen, und wenn Stefano hinter ihre Beziehung gekommen wäre, hätte er sie beide umbringen können. Warum hatte Nino in diesem Fall seine ganze Zukunft riskiert?

Ich setzte Imma ins Auto, machte ihr Vorhaltungen, weil sie das extra für diesen Anlass gekaufte Kleid mit Eis bekleckert hatte. Ich ließ den Motor an, fuhr aus Rom heraus. Vielleicht hatte Nino das Gefühl gefallen, bei Lila das gefunden zu haben, was auch er zu haben sich eingebildet hatte und was er, wie er nun im Vergleich entdeckte, nicht besaß. Sie hatte Intelligenz und schlug kein Kapital daraus, ja, sie vergeudete sie sogar wie eine große Dame, für die sämtliche Reichtümer der Welt nur ein Zeichen von Vulgarität sind. Das war es, was Nino bezaubert haben musste: die Unbestechlichkeit von Lilas Intelligenz. Lila unterschied sich von vielen, weil sie sich wie selbstverständlich keiner Ausbildung, keinem Nutzen und keinem Zweck unterordnete. Wir alle hatten uns untergeordnet, und diese Unterordnung hatte uns – durch Prüfungen, Niederlagen, Erfolge – zurechtgestutzt. Nur Lila schien durch nichts und niemanden zurechtgestutzt zu werden. Im Gegenteil, obwohl sie mit den Jahren dumm und störrisch wurde wie jeder andere, würden die Vorzüge, die wir ihr zugesprochen hatten, unverändert erhalten bleiben und vielleicht sogar ins Unermessliche wachsen. Selbst wenn wir sie hassten, respektierten und fürchteten wir sie noch. So gesehen, überraschte es mich nicht, dass Nadia sie nicht ausstehen konnte und ihr wehtun wollte, obgleich sie ihr nur wenige Male begegnet war. Lila hatte ihr Nino weggenommen. Lila hatte sie mit ihren, Nadias, revolutionären Überzeugungen beschämt. Lila war boshaft und verstand es, anzugreifen, bevor sie angegriffen wurde. Lila war die Plebs, der Pöbel, lehnte aber jede Erlösung ab. Kurz, Lila war eine ehrenwerte Feindin, und ihr zu schaden konnte die reine Genugtuung sein, ohne die dazugehörigen Schuldgefühle, die ein erwähltes Opfer wie Pasquale zweifellos verursachte. Es war gut möglich, dass Nadia so über sie dachte. Wie schäbig mit den Jahren alles geworden war: Professoressa Galiani, ihre Wohnung mit Blick auf den Golf, ihre unzähligen Bücher, ihre Gemälde, die gelehrten Gespräche, Armando und eben Nadia. Sie war so bezaubernd, so wohlerzogen gewesen, als ich sie vor der Schule neben Nino gesehen hatte, als sie mich zur Party in der schönen Wohnung ihrer Eltern begrüßt hatte. Und sie hatte auch noch etwas Außergewöhnliches, als sie sich mit der Vorstellung, in einer radikal neuen Welt ein viel strahlenderes Gewand zu tragen, jedes Privilegs entkleidet hatte. Aber jetzt? Die edlen Motive dieser Entkleidung hatten sich alle in Luft aufgelöst. Was blieb, waren der Schrecken so viel gleichgültig vergossenen Blutes und ihr schändliches Abwälzen der Schuld auf den ehemaligen Maurer, den sie früher für die Avantgarde einer neuen Menschheit gehalten hatte und der ihr, zusammen mit vielen anderen, nun dazu diente, ihre eigene Verantwortung auf fast null zu reduzieren.

Ich wurde sehr unruhig. Während ich Richtung Neapel fuhr, dachte ich an Dede. Ich hatte das Gefühl, dass sie kurz davor war, einer ähnlichen Verblendung zum Opfer zu fallen wie der von Nadia und wie allen Verblendungen, die dich von dir selbst entfernen. Es war Ende Juli. Dede hatte am Vortag das Abitur mit Bestnote bestanden. Sie war eine Airota, sie war meine Tochter, ihr glänzender Verstand konnte gar nicht anders, als großartige Ergebnisse erzielen. Schon bald würde sie viel besser sein können als ich und auch als ihr Vater. Was ich mir mit Fleiß und Mühe erobert hatte und mit viel Glück, hatte sie sich genommen, und sie würde es sich weiterhin nehmen, unbefangen, wie mit einem angeborenen Recht. Aber was war ihr Plan? Rino ihre Liebe zu gestehen. Mit ihm unterzugehen, jeden Vorteil von sich zu weisen, sich aus Solidarität und Gerechtigkeitssinn und wegen der Faszination dessen, was uns nicht ähnlt, zu verirren, weil sie im Gebrabbel dieses Jungen wer weiß was für einen außergewöhnlichen Geist entdeckte. Unvermittelt fragte ich Imma mit einem Blick zu ihr in den Rückspiegel:

»Magst du Rino?«

»Ich nicht, aber Dede mag ihn.«

»Woher weißt du das?«

»Das hat mir Elsa erzählt.«

»Und woher weiß Elsa das?«

»Von Dede.«

»Warum magst du Rino nicht?«

»Weil er so hässlich ist.«

»Und wen magst du?«

»Papa.«

Ich erkannte in ihren Augen den Lichtschein, den sie in diesem Moment rings um ihren Vater aufflammen sah. Ein Licht – dachte ich –, das Nino nie gehabt hätte, wenn er mit Lila untergegangen wäre; das gleiche Licht, das dagegen Nadia für immer verloren hatte, als sie mit Pasquale untergegangen war, und das Dede verlassen würde, wenn sie sich verirrte und Rino folgte. Plötzlich bemerkte ich beschämt, dass ich den Ärger der Galiani verstand und entschuldigte, die ihre Tochter auf Pasquales Knien gesehen hatte, ich verstand und entschuldigte Nino, der sich auf die eine oder andere Art von Lila zurückgezogen hatte, und ich verstand und entschuldigte – warum nicht – Adele, die gezwungen gewesen war, gute Miene zum bösen Spiel zu machen und zu akzeptieren, dass ich ihren Sohn heiratete.

26

Sobald ich wieder im Rione war, klingelte ich bei Lila. Sie war unwirsch und zerstreut, aber inzwischen war das typisch für sie, und es beunruhigte mich nicht. Ich erzählte ihr in allen Einzelheiten, was Nino mir gesagt hatte, und erst zum Schluss erwähnte ich auch die Drohung, die sie betraf. Ich fragte sie:

»Kann Nadia dir wirklich schaden?«

Sie zog ein unbekümmertes Gesicht.

»Man kann dir nur schaden, wenn du jemanden liebst. Aber ich liebe niemanden mehr.«

»Und Rino?«

»Der ist weg.«

Ich dachte sofort an Dede und ihre Pläne, ich erschrak.

»Wohin?«

Sie nahm einen Zettel vom Tisch und hielt ihn mir hin:

»Als Kind konnte er so gut schreiben, und jetzt, sieh dir das an, er ist wieder zum Analphabeten geworden.«

Ich las den Zettel. Sehr ungelenk erklärte Rino, dass er alles satthabe, er beschimpfte Enzo grob und teilte mit, dass er zu einem Freund nach Bologna ziehe, den er während seines Militärdienstes kennengelernt habe. Sechs Zeilen im Ganzen. Kein Hinweis auf Dede. Mein Herz schlug heftig. Was hatten diese Handschrift, diese Rechtschreibung, dieser Satzbau mit meiner Tochter zu tun? Auch seine Mutter empfand ihn als ein nicht eingehaltenes Versprechen, als eine Niederlage, vielleicht sogar als eine Prophezeiung: Das wäre aus Tina geworden, wenn man sie nicht entführt hätte.

»Ist er allein weggefahren?«

»Mit wem soll er denn weggefahren sein?«

Ich schüttelte unsicher den Kopf. Sie las mir den Grund meiner Sorge von den Augen ab, lächelte:

»Hast du Angst, er ist mit Dede weg?«

27

Ich lief hoch zu unserer Wohnung, Imma dicht hinter mir.
Ich trat ein, rief Dede, rief Elsa. Keine Antwort. Ich stürzte in das Zimmer, in dem meine großen Töchter schliefen und lernten. Dort fand ich Dede auf dem Bett, mit rotgeweinten Augen. Ich war erleichtert. Dachte, sie hätte
Rino von ihrer Liebe erzählt und er hätte sie zurückge-
wiesen.

Ich kam nicht dazu, etwas zu sagen. Imma erzählte
mit Begeisterung, vielleicht weil sie den Zustand ihrer
Schwester nicht bemerkt hatte, von ihrem Vater. Aber
Dede stieß sie mit einem Schimpfwort im Dialekt zurück, stand auf und brach in Tränen aus. Ich bedeutete
Imma, es ihr nicht zu verübeln, und sagte sanft zu meiner Großen: »Ich weiß, das ist schrecklich, das weiß ich
nur zu gut, aber es geht vorbei.« Ihre Reaktion war ungestüm. Da ich ihr übers Haar strich, entzog sie sich mit
einer schroffen Kopfbewegung, sie schrie: »Von wegen,
du weißt gar nichts, du begreifst gar nichts, du denkst
nur an dich und an den Mist, den du schreibst!« Dann
gab sie mir einen karierten Zettel oder, besser, sie warf
ihn mir an den Kopf und rannte weg.

Als Imma merkte, wie verzweifelt ihre Schwester war,
bekam sie ihrerseits feuchte Augen. Um sie abzulenken,
sagte ich leise zu ihr: »Ruf Elsa, sieh nach, wo sie steckt«,
dann hob ich den Zettel auf, es war der Tag der Zettel.
Sofort erkannte ich die schöne Handschrift meiner zweiten Tochter. Elsa hatte ausführlich an Dede geschrieben.
Sie erklärte ihr, dass man Gefühle nicht kontrollieren
könne, dass Rino sie seit langem liebe und dass auch sie
sich nach und nach in ihn verliebt habe. Natürlich wisse

sie, dass sie sie verletze, und das tue ihr leid, aber sie wisse auch, dass durch ihren eventuellen Verzicht auf den geliebten Menschen die Dinge nicht wieder in Ordnung kämen. Dann wandte sie sich mit einem beinahe amüsierten Ton an mich. Sie schrieb, dass sie beschlossen habe, mit der Schule aufzuhören, dass ihr mein Bildungskult schon immer albern vorgekommen sei, dass nicht Bücher die Menschen gut machten, sondern dass gute Menschen manches gute Buch machten. Sie schrieb, Rino sei ein guter Mensch, obwohl er nie ein Buch gelesen habe, und schrieb, ihr Vater sei ein guter Mensch und habe hervorragende Bücher gemacht. An dieser Stelle endete die Verknüpfung von Büchern, Menschen und Gutherzigkeit, ich wurde nicht erwähnt. Schließlich verabschiedete sie sich liebevoll von mir und schrieb, ich solle mich nicht zu sehr aufregen, Dede und Imma würden mir die Freude machen, die sie mir nicht mehr bereiten könne. Für ihre kleine Schwester hatte sie ein Herzchen mit Flügeln gemalt.

Ich wurde zur Furie. Legte mich mit Dede an, die nicht bemerkt hatte, dass ihre Schwester ihr wie üblich das wegschnappen wollte, was ihr wichtig war. »Du hättest sie durchschauen müssen«, schrie ich, »hättest sie aufhalten müssen, du bist so klug und lässt dich von einem kleinen, eingebildeten Biest an der Nase herumführen!« Dann rannte ich runter, sagte zu Lila:

»Dein Sohn ist nicht allein weggegangen, dein Sohn hat Elsa mitgenommen.«

Sie starrte mich verwirrt an.

»Elsa?«

»Ja. Und Elsa ist minderjährig, Rino ist neun Jahre älter, ich gehe zur Polizei und zeige ihn an, verlass dich drauf!«

Sie lachte los. Es war kein böses Lachen, sondern ein ungläubiges. Sie lachte und sagte über ihren Sohn:

»Nun sieh mal an, wie viel Unfug er anrichten kann, ich habe ihn unterschätzt. Er hat deinen beiden jungen Damen den Kopf verdreht, ich fasse es nicht. Komm, Lenù, beruhige dich, setz dich. Genau genommen gibt es doch mehr zu lachen als zu weinen.«

Ich schrie im Dialekt, ich könne da nichts zum Lachen finden, das, was Rino getan habe, sei äußerst gravierend, und ich wolle wirklich zur Polizei. Da änderte sie ihren Ton, wies mir die Tür, sagte:

»Dann geh zur Polizei, geh, worauf wartest du noch.«

Ich ließ sie stehen, verzichtete aber vorerst auf die Polizei und lief nach Hause, wobei ich jeweils zwei Stufen auf einmal nahm. Ich herrschte Dede an: »Ich will verdammt noch mal wissen, wo die beiden hin sind, los, sag es mir!« Sie bekam Angst, Imma hielt sich die Ohren zu, aber ich beruhigte mich nicht eher, als bis Dede verriet, dass Elsa Rinos Freund aus Bologna kennengelernt hatte, als er mal in den Rione gekommen war.

»Weißt du, wie er heißt?«

»Ja.«

»Hast du seine Adresse, seine Telefonnummer?«

Sie zitterte, war kurz davor, mir die Informationen zu geben, die ich haben wollte. Dann fiel ihr wohl ein, dass es schäbig war, zu kollaborieren, und obgleich sie ihre Schwester jetzt noch mehr hasste als Rino, schwieg sie.

»Dann finde ich es eben allein raus!«, schrie ich und warf ihre Sachen durcheinander, ich durchwühlte die ganze Wohnung. Danach hielt ich inne. Als ich den soundsovielten Zettel suchte oder eine Notiz im Schülerkalender, sah ich, dass noch etwas anderes fehlte. Das gesamte Geld war aus der Schublade verschwunden, in der ich es für gewöhnlich aufbewahrte, und vor allem war mein Schmuck nicht mehr da, nicht einmal mehr das Armband meiner Mutter. An diesem Armband hatte Elsa immer viel gelegen. Sie hatte halb im Spaß, halb im Ernst gesagt, wenn ihre Großmutter ein Testament aufgesetzt hätte, dann hätte sie es ihr vererbt und nicht mir.

28

Diese Entdeckung machte mich noch entschlossener, und am Ende gab mir Dede die gewünschte Adresse und Telefonnummer. Als sie sich dazu durchrang, voller Selbstverachtung, weil sie klein beigegeben hatte, schrie sie mich an, ich sei genauso wie Elsa, wir hätten vor nichts und niemandem Respekt. Ich sagte, sie solle still sein, und hängte mich ans Telefon. Rinos Freund hieß Moreno, ich drohte ihm. Sagte, ich wisse, dass er mit Heroin deale, und ich würde ihm so viel Ärger machen, dass er nie wieder aus dem Gefängnis kommen würde. Ich erfuhr nichts von ihm. Er beteuerte, er wisse nichts von Rino, er erinnere sich an Dede, aber die Tochter, von der ich redete, Elsa, habe er nie kennengelernt.

Ich ging wieder zu Lila. Sie öffnete mir, und nun war auch Enzo da, der mir einen Platz anbot und mich freundlich behandelte. Ich sagte, ich wolle sofort nach Bologna, forderte Lila im Befehlston auf, mich zu begleiten.

»Das ist nicht nötig«, antwortete sie. »Wenn sie nicht eine Lira mehr haben, kommen sie zurück, du wirst schon sehen.«

»Wie viel Geld hat Rino dir gestohlen?«

»Gar keins. Er weiß, dass ich ihm alle Knochen breche, wenn er sich auch nur zehn Lire nimmt.«

Ich war beschämt. Sagte leise:

»Elsa hat mir Geld und Schmuck gestohlen.«

»Weil du sie nicht richtig erzogen hast.«

Enzo sagte zu ihr:

»Hör auf.«

Sie fuhr heftig zu ihm herum:

»Ich rede, so viel ich will! Mein Sohn nimmt Drogen, mein Sohn hat nicht studiert, mein Sohn spricht und schreibt schlecht, mein Sohn ist ein Nichtsnutz, mein Sohn hat alle Fehler dieser Welt. Aber geklaut hat ihre Tochter, und die eigene Schwester betrogen hat auch Elsa.«

Enzo sagte zu mir:

»Komm, ich begleite dich nach Bologna.«

Wir nahmen das Auto, fuhren durch die Nacht. Ich war gerade erst aus Rom zurückgekehrt, die Reise hatte mich angestrengt. Schmerz und Wut hatten mir alle Kraft geraubt, und jetzt, da die Anspannung nachließ, war ich vollkommen erschöpft. Während ich neben Enzo saß und wir auf die Autobahn einbogen, um Neapel zu verlassen, stieg in mir die Sorge darüber auf, in welchem Zustand ich Dede zurückgelassen hatte, dazu die Angst vor dem, was Elsa passieren könnte, und etwas Scham, weil ich Imma so erschreckt hatte und weil ich so grob mit Lila gesprochen hatte, ohne zu bedenken, dass Rino ihr einziges Kind war. Ich wusste nicht, ob ich Pietro in Amerika anrufen und ihn bitten sollte, sofort zurückzukommen, wusste nicht, ob ich wirklich zur Polizei gehen sollte. »Wir regeln das selbst«, sagte Enzo Sicherheit vortäuschend, »mach dir keine Sorgen, es ist nicht nötig, dem Jungen zu schaden.«

»Ich will Rino nicht anzeigen«, erklärte ich ihm, »ich will nur, dass sie Elsa finden.«

Das war die Wahrheit. Ich sagte leise, ich wolle meine Tochter zurückholen, wolle nach Hause fahren, packen und nicht eine Minute länger in dieser Wohnung im Rione und in Neapel bleiben. »Es ist doch unsinnig«, sagte ich, »dass Lila und ich jetzt anfangen uns darüber zu streiten, wer seine Kinder besser erzogen hat und ob das, was geschehen ist, die Schuld ihres Sohnes oder meiner Tochter ist, das halte ich nicht aus.«

Enzo hörte mir lange zu, ohne etwas zu sagen, dann nahm er Lila in Schutz, obwohl er, wie ich wusste, seit einer Weile sehr wütend auf sie war. Er sprach dabei nicht über Rino und die Probleme, die er seiner Mutter machte, sondern über Tina. Er sagte: »Wenn ein kleines Kind stirbt, dann ist es tot, und alles ist vorbei, früher oder später findet man sich damit ab. Aber wenn es verschwindet, wenn man nichts mehr von ihm hört, dann bleibt in deinem Leben nichts mehr auf seinem Platz. Kommt Tina nie wieder, oder kommt sie zurück? Und wenn sie zurückkommt, kommt sie dann lebend zurück oder tot? In jedem Augenblick«, flüsterte er, »fragst du dich, wo sie ist. Treibt sie sich auf der Straße herum? Wohnt sie bei reichen, kinderlosen Leuten? Muss sie bei ihnen schlimme Dinge tun, und werden die Fotos und die Filme dann zu Geld gemacht? Haben sie Tina zerschnitten und ihr Herz teuer verkauft, damit es in die Brust eines anderen Kindes eingepflanzt werden kann? Sind ihre übrigen Körperteile begraben, wurden sie verbrannt? Oder liegt sie als Ganzes unter der Erde, weil sie tödlich verunglückt ist, nachdem man sie entführt hatte? Und wenn Erde und Feuer sie sich nicht geholt haben und sie irgendwo heranwächst, wie sieht sie dann jetzt aus, wie wird sie sich entwickeln, werden wir sie erkennen, wenn wir ihr auf der Straße begegnen? Und wenn wir sie erkennen, wer gibt uns all das von ihr zurück, was uns vorenthalten wurde, all das, was geschehen ist, als wir nicht da waren und die kleine Tina sich allein gefühlt hat?«

Während Enzo mit seinen mühselig formulierten, doch intensiven Sätzen zu mir sprach, bemerkte ich im Licht entgegenkommender Scheinwerfer seine Tränen, und mir wurde klar, dass er nicht nur von Lila redete, sondern auch sein eigenes Leid artikulierte. Diese Reise mit ihm war wichtig, bis heute kann ich mir kaum einen sensibleren Mann als ihn vorstellen. Anfangs erzählte er mir, was Lila in diesen vier Jahren Tag für Tag und Nacht für Nacht geflüstert oder geschrien hatte. Dann ermunterte er mich, über meine Arbeit und meine Unzufriedenheiten zu sprechen. Ich erzählte ihm von meinen Töchtern, meinen Büchern, meinen Männern, meinen Ressentiments, meinem Bedürfnis nach Anerkennung. Sprach mein Schreiben an, das nunmehr zur Pflicht geworden sei, Tag und Nacht mühte ich mich ab, um mich präsent zu fühlen, um mich nicht ausgrenzen zu lassen, um gegen die anzukämpfen, die mich für eine kleine, talentlose Aufstreberin hielten: »Verfolger«, murmelte ich, »deren einziges Ziel darin besteht, mir Leser abspenstig zu machen, aber nicht, weil sie von irgendwelchen höheren Motiven getrieben sind, sondern aus Spaß daran, mich an meiner Weiterentwicklung zu hindern, oder um auf meine Kosten für sich und ihre Protegés einen armseligen Einfluss herauszuschlagen.« Er wartete, bis ich mir Luft gemacht hatte, lobte die Energie, mit der ich die Dinge anging. »Merkst du«, sagte er, »wie leidenschaftlich du bist. Dein Eifer hat dich in der Welt verankert, die du dir ausgesucht hast, er hat dir umfassende, genaue Kenntnisse von ihr gebracht und hat dich besonders mit all deinen Gefühlen in Anspruch genommen. So hat das Leben dich weggezogen. Tina ist für dich sicherlich eine entsetzliche Geschichte, der Gedanke daran macht dich traurig, doch sie ist inzwischen auch weit weg. Aber auf Lina ist die Welt in all diesen Jahren wie vom Hörensagen herabgefallen und in die Leere geflossen, die unsere Tochter hinterlassen hat, wie Regen, der durch eine Dachrinne herabströmt. Sie ist bei Tina stehengeblieben und hat einen Groll gegen alles entwickelt, was weiterlebt, was weiter wächst und gedeiht. Natürlich ist sie stark«, sagte er, »sie behandelt mich miserabel, regt sich über dich auf, sagt hässliche Dinge. Aber du weißt nicht, wie oft sie ohnmächtig wurde, wenn sie ruhig zu sein schien, das Geschirr spülte oder aus dem Fenster auf den Stradone sah.«

29

In Bologna fanden wir keine Spur von Rino und meiner Tochter, obwohl Moreno, eingeschüchtert von Enzos grimmiger Ruhe, mit uns Straßen und Lokale abklapperte, wo die zwei seiner Meinung nach sicherlich gut aufgenommen worden wären. Enzo telefonierte oft mit Lila, ich mit Dede. Wir hofften auf gute Nachrichten, aber die gab es nicht. Da verzweifelte ich erneut, ich wusste nicht mehr, was ich tun sollte. Wieder sagte ich:

»Ich gehe zur Polizei.«

Enzo schüttelte den Kopf.

»Warte noch ein bisschen.«

»Rino hat Elsa zugrunde gerichtet.«

»Das kannst du nicht sagen. Du musst versuchen, deine Töchter zu sehen, wie sie wirklich sind.«

»Genau das mache ich die ganze Zeit.«

»Ja, aber du machst es nicht gut. Elsa würde alles tun, um Dede zu verletzen, und nur in einem sind die beiden ein Herz und eine Seele: wenn es darum geht, Imma zu drangsalieren.«

»Bring mich nicht dazu, Gemeinheiten zu sagen: Lina sieht sie so, und du wiederholst bloß, was sie sagt.«

»Lina hat dich sehr gern, sie bewundert dich, liebt deine Töchter. Ich bin es, der so denkt, und ich sage dir das, um dir zu einem klaren Blick zu verhelfen. Beruhige dich, du wirst sehen, wir finden sie.«

Wir fanden sie nicht und beschlossen, nach Neapel zurückzukehren. Aber in der Gegend von Florenz wollte Enzo erneut mit Lila telefonieren, um zu hören, ob es etwas Neues gab. Als er auflegte, sagte er verblüfft:

»Dede will mit dir sprechen, aber Lina weiß nicht, warum.«

»Ist sie bei euch zu Hause?«

»Nein, bei dir.«

Ich rief sofort an, hatte Angst, dass es Imma schlechtging. Dede ließ mich gar nicht erst zu Wort kommen, sie sagte:

»Morgen fahre ich in die Vereinigten Staaten, ich will da studieren.«

Ich bemühte mich, nicht zu schreien.

»Für solche Diskussionen ist jetzt nicht der richtige Zeitpunkt, wir reden sobald wie möglich mit Papa darüber.«

»Eines solltest du wissen, Mama. Elsa kommt erst in dieses Haus zurück, wenn ich weg bin.«

»Das Wichtigste ist jetzt, herauszufinden, wo sie steckt.«

Sie schrie mich im Dialekt an:

»Dieses Miststück hat gerade angerufen, sie ist bei Großmutter!«

30

Die Großmutter war natürlich Adele, ich telefonierte mit meinen Schwiegereltern. Guido war am Apparat, kühl gab er mir seine Frau. Adele war herzlich, sagte mir, dass Elsa bei ihnen sei, und fügte hinzu: »Und nicht nur sie.«

»Ist der Junge auch da?«

»Ja.«

»Macht es dir was aus, wenn ich zu euch komme?«

»Wir erwarten dich.«

Ich ließ mich von Enzo am Bahnhof von Florenz absetzen. Die Reise war kompliziert, Verspätungen, verpasste Anschlüsse, die verschiedensten Scherereien. Ich dachte an Elsa, die es mit ihrer launischen Durchtriebenheit geschafft hatte, Adele einzubeziehen. Während Dede zu Täuschungen unfähig war, gab Elsa ihr Bestes, wenn es darum ging, Strategien zu entwickeln, um sich zu schützen und gegebenenfalls zu gewinnen. Sie hatte, das war offensichtlich, geplant, mir Rino im Beisein ihrer Großmutter aufzuzwingen, die mich – wie sie und ihre Schwester genau wussten – nur ungern als Schwiegertochter akzeptiert hatte. Die ganze Fahrt über war ich erleichtert, weil ich sie in Sicherheit wusste, und hasste sie für die Situation, in die sie mich nun brachte.

Auf eine heftige Auseinandersetzung gefasst, kam ich in Genua an. Aber Adele war nett zu mir und Guido höflich. Was Elsa anging – die festlich gekleidet und stark geschminkt war, das Armband meiner Mutter trug und den Ring zur Schau stellte, den ihr Vater mir vor vielen Jahren geschenkt hatte –, so war sie herzlich und unbefangen, als wäre es unvorstellbar, dass ich wütend auf sie sein könnte. Der Einzige, der, mit ständig gesenktem Blick, schwieg, war Rino, so dass er mir leidtat und ich schließlich zu meiner Tochter feindseliger war als zu ihm. Enzo hatte vielleicht recht, der Junge spielte in dieser Geschichte so gut wie keine Rolle. Von der Härte und der Unverschämtheit seiner Mutter hatte er nichts, Elsa hatte ihn bezirzt und mitgeschleppt und das nur, um Dede wehzutun. Die wenigen Male, die er es wagte, mich anzusehen, warf er mir einen treuherzigen Hundeblick zu.

Ich begriff schnell, dass Adele Elsa und Rino aufgenommen hatte wie ein Paar: Sie hatten ein eigenes Zimmer, eigene Handtücher, schliefen zusammen. Elsa kehrte diese von der Großmutter genehmigte Intimität anstandslos heraus, womöglich betonte sie sie extra für mich. Als sich das junge Paar nach dem Essen händchenhaltend zurückgezogen hatte, versuchte meine Schwiegermutter, mich dazu zu bringen, meine Abneigung gegen Rino zu gestehen. »Sie ist noch ein kleines Mädchen«, sagte sie, »ich weiß wirklich nicht, was sie in diesem Burschen gesehen hat, man muss ihr helfen, da wieder herauszukommen.« Ich riss mich zusammen, antwortete: »Er ist ein guter Junge, aber auch wenn er es nicht wäre, ist sie verliebt in ihn, da kann man nichts machen.« Ich bedankte mich dafür, dass sie sie so liebevoll und großzügig aufgenommen hatte, und ging schlafen.

Aber die ganze Nacht grübelte ich über die Situation nach. Sagte ich auch nur ein falsches Wort, würde ich wahrscheinlich meinen beiden Töchtern schaden. Ich konnte Elsa und Rino nicht mit einem scharfen Schnitt voneinander trennen. Und ich konnte die zwei Schwestern nicht zu einem Zusammenleben zwingen. Was geschehen war, wog schwer, und die Mädchen würden für eine Weile nicht mehr unter demselben Dach wohnen können. Die Erwägung, in eine andere Stadt zu ziehen, hätte die Dinge nur zusätzlich kompliziert, Elsa hätte sich verpflichtet gefühlt, bei Rino zu bleiben. Schnell wurde mir klar, dass ich mich von Dede trennen und sie wirklich zu ihrem Vater schicken musste, wenn ich Elsa mit nach Hause nehmen und erreichen wollte, dass sie ihre schulische Laufbahn bis zum Abitur fortsetzte. Darum sprach ich am nächsten Tag mit Pietro, von Adele über die günstigsten Anrufzeiten belehrt (sie und ihr Sohn – erfuhr ich – telefonierten regelmäßig miteinander). Seine Mutter hatte ihn bereits bis ins Kleinste über die Ereignisse informiert, und aus seiner schlechten Laune schloss ich, dass Adeles wahre Haltung zu dieser Angelegenheit gewiss nicht die war, die sie mir gegenüber herauskehrte. Pietro sagte sehr ernst zu mir:

»Wir müssen erkennen, was für Eltern wir gewesen sind und was wir unseren Töchtern vorenthalten haben.«

»Willst du damit sagen, dass ich keine gute Mutter war und bin?«

»Ich will damit sagen, dass sie eine Stetigkeit liebevoller Zuwendung brauchen und dass weder ich noch du in der Lage gewesen sind, sie Dede und Elsa zu garantieren.«

Ich unterbrach ihn, kündigte ihm an, dass er die Gelegenheit haben werde, für wenigstens eines der Mädchen den Vollzeitvater zu spielen: Dede wolle auf der Stelle zu ihm ziehen, sie werde so bald wie möglich abreisen.

Er nahm diese Nachricht schlecht auf, schwieg, griff zu Ausflüchten, sagte, er sei noch in der Phase der Eingewöhnung und brauche noch Zeit. Ich antwortete: »Du kennst doch Dede, sie ist wie du, auch wenn du nein sagst, wirst du sie bald bei dir haben.«

Am selben Tag stellte ich, sobald sich die Gelegenheit bot, Elsa zur Rede, ohne im Geringsten auf ihr Getue einzugehen. Ich ließ mir Geld, Schmuck und das Armband meiner Mutter zurückgeben, das ich sofort anlegte, wobei ich deutlich sagte: »Du rührst nie wieder meine Sachen an.«

Sie schlug versöhnliche Töne an, ich nicht, ich zischte, ich würde keine Minute zögern, erst Rino und dann sie anzuzeigen. Als sie zu einer Antwort ansetzte, stieß ich sie gegen die Wand und hob die Hand, wie um sie zu schlagen. Ich muss schrecklich ausgesehen haben, sie brach entsetzt in Tränen aus.

»Ich hasse dich«, schluchzte sie, »ich will dich nie wiedersehen, ich komme nie mehr an diesen verdammten Ort zurück, an dem wir deinetwegen leben mussten.«

»Na gut, ich lasse dich für den Sommer hier, wenn deine Großeltern dich nicht vorher rauswerfen.«

»Und dann?«

»Dann kommst du im September zurück nach Hause, gehst zur Schule, lernst und wohnst mit Rino in unserer Wohnung, bis du die Nase voll hast.«

Sie starrte mich verblüfft an, ein langer Moment der Ungläubigkeit folgte. Ich hatte diese Worte ausgesprochen wie die schrecklichste aller Bestrafungen, sie nahm sie auf wie eine überraschende Geste der Großzügigkeit.

»Wirklich?«

»Ja.«

»Ich werde nie die Nase voll haben.«

»Abwarten.«

»Und Tante Lina?«

»Tante Lina wird einverstanden sein.«

»Ich wollte Dede nicht wehtun, Mama, ich liebe Rino, es ist eben passiert.«

»Es wird noch tausend Mal passieren.«

»Das ist nicht wahr.«

»Umso schlimmer für dich. Das heißt ja, dass du Rino ein Leben lang lieben wirst.«

»Du machst dich über mich lustig.«

Ich sagte nein, ich spürte nur die ganze Lächerlichkeit dieses Wortes aus dem Mund eines jungen Mädchens.

31

Ich kam in den Rione zurück, erzählte Lila, was ich unseren Kindern vorgeschlagen hatte. Es war ein kalter Wortwechsel, fast schon eine Verhandlung.

»Du nimmst sie zu dir?«

»Ja.«

»Wenn das für dich in Ordnung ist, dann ist es das auch für mich.«

»Die Ausgaben können wir uns teilen.«

»Ich kann auch alles bezahlen.«

»Im Moment habe ich Geld.«

»Das habe ich im Moment auch.«

»Also sind wir uns einig.«

»Wie hat Dede es aufgenommen?«

»Gut. Sie fährt in ein paar Wochen ab, zu ihrem Vater.«

»Sag ihr, sie soll vorbeikommen, um sich zu verabschieden.«

»Ich glaube nicht, dass sie kommt.«

»Dann sag ihr, sie soll Pietro von mir grüßen.«

»Das mache ich.«

Plötzlich spürte ich einen großen Schmerz, ich sagte:
»In nur wenigen Tagen habe ich zwei meiner Töchter verloren.«

»Diesen Ausdruck solltest du nicht verwenden. Du hast überhaupt nichts verloren, du hast sogar einen Sohn dazugewonnen.«

»Du warst es doch, die alles in diese Richtung getrieben hat.«

Sie runzelte die Stirn, wirkte verwirrt.

»Ich weiß nicht, was du meinst.«

»Immer musst du Unruhe stiften, aufstacheln, reizen.«

»Willst du dich jetzt auch noch wegen dem mit mir anlegen, was deine Töchter anstellen?«

Ich murmelte »ich bin müde« und ging.

Tatsächlich wurde ich tagelang, wochenlang den Gedanken nicht los, dass Lila die Gleichgewichte meines Lebens nicht ertrug und deshalb danach strebte, sie zu zerstören. So war es immer gewesen, doch nach Tinas Verschwinden war es noch schlimmer geworden. Sie führte einen Schachzug aus, beobachtete die Folgen, führte den nächsten aus. Warum? Vielleicht wusste nicht einmal sie selbst es. Auf jeden Fall war das Verhältnis zwischen den beiden Schwestern zerrüttet, Elsa war ernsthaft in Schwierigkeiten, Dede ging weg, und ich würde wer weiß wie lange noch im Rione bleiben.

32

Ich kümmerte mich um Dedes Abreise. Von Zeit zu Zeit sagte ich zu ihr: »Bleib doch hier, du machst mich sehr unglücklich.« Sie antwortete: »Du hast so viel zu tun, du wirst nicht mal merken, dass ich weg bin.« Ich ließ nicht locker: »Imma hängt sehr an dir, und auch Elsa, ihr werdet euch aussprechen, das geht vorbei.« Aber Dede wollte den Namen ihrer Schwester nicht hören, sobald ich Elsa erwähnte, zog sie ein angeekeltes Gesicht und verließ türenschlagend das Zimmer.

An einem Abend wenige Tage vor ihrer Abreise – wir waren beim Essen – wurde sie plötzlich kreidebleich und begann zu zittern. Sie flüsterte: »Ich kriege keine Luft.« Imma goss ihr sofort Wasser ein. Dede nahm einen Schluck, dann verließ sie ihren Platz und setzte sich auf meinen Schoß. Das war absolut ungewöhnlich. Sie war dick, größer als ich und hatte längst aufgehört, selbst die kleinste körperliche Berührung zwischen uns zu suchen, und wenn wir uns zufällig streiften, zuckte sie wie angewidert zurück. Mich überraschten ihr Gewicht, ihre Wärme, ihre vollen Hüften. Ich umfasste ihre Taille, sie schlang ihre Arme um meinen Hals, sie schluchzte heftig. Auch Imma verließ ihren Platz am Tisch, kam zu uns und versuchte, gleichfalls in die Umarmung aufgenommen zu werden. Offenbar glaubte sie, ihre Schwester würde nun doch nicht wegfahren, war in den folgenden Tagen vergnügt und benahm sich, als hätte sich alles eingerenkt. Aber Dede fuhr trotzdem, nach diesem Moment der Schwäche wurde sie sogar zunehmend härter und bestimmter. Zu Imma war sie zärtlich, küsste sie oft, sagte zu ihr: »Ich will mindestens einen Brief pro Woche.« Von mir ließ sie sich umarmen und küssen, aber ohne dies zu erwidern. Ich war ständig um sie herum und bemühte mich, ihr jeden Wunsch von den Augen abzulesen, doch vergeblich. Als ich mich über ihre Kälte beschwerte, sagte sie: »Mit dir kann man keine richtige Beziehung haben, für dich zählen nur die Arbeit und Tante Lina; es gibt nichts, was nicht davon verschlungen wird, die eigentliche Strafe für Elsa ist, hierbleiben zu müssen. Ciao, Mama.«

Das einzige Positive war, dass sie ihre Schwester wieder beim Namen nannte.

33

Als Elsa Anfang September 1988 nach Hause zurückkehrte, hoffte ich, dass sie mit ihrer Lebhaftigkeit den Eindruck verjagte, es wäre Lila tatsächlich gelungen, mich in ihre Leere hinunterzuziehen. Aber so kam es nicht. Rinos Anwesenheit in der Wohnung brachte kein neues Leben in die Räume, sondern verdüsterte sie. Er war ein warmherziger Junge, Elsa und Imma vollkommen hörig, die ihn wie einen Diener behandelten. Auch ich gewöhnte mir an, wie ich zugeben muss, ihm zahlreiche lästige Dinge – besonders das lange Schlangestehen auf der Post – aufzutragen, um mehr Zeit zum Arbeiten zu haben. Aber es deprimierte mich, diesen schwerfälligen Klotz um mich zu haben, der zwar auf den kleinsten Wink reagierte, aber doch kleinlaut war und stets gehorsam, außer wenn es darum ging, grundlegende Regeln einzuhalten, wie beim Pinkeln die Klobrille hochzuklappen, die Badewanne sauberzumachen und keine dreckigen Socken und Unterhosen auf dem Fußboden herumliegen zu lassen.

Elsa rührte keinen Finger, um die Situation zu verbessern, im Gegenteil, sie sorgte gern für zusätzliche Komplikationen. Mir gefiel ihr Geknutsche mit Rino vor Immas Augen nicht, und mir war zuwider, wie sie eine Frau ohne Hemmungen spielte, obwohl sie bloß ein fünfzehnjähriges Mädchen war. Vor allem ertrug ich nicht, wie sie das Zimmer hinterließ, in dem sie früher mit Dede gewohnt hatte, das sie nun aber mit Rino teilte. Sie stand zu spät auf, frühstückte hastig und lief noch verschlafen zur Schule los. Nach einer Weile kam Rino heraus, aß mehr als eine Stunde lang alles, was er fand, schloss sich dann für mindestens eine weitere halbe Stunde im Bad ein, zog sich an, lungerte herum, ging hinaus und holte Elsa von der Schule ab. Nach ihrer Rückkehr tafelten die zwei unbeschwert und zogen sich dann sofort in ihr Zimmer zurück.

Dieses Zimmer war wie ein Tatort, Elsa wollte nicht, dass irgendetwas angerührt wurde. Aber keiner der beiden hielt es für nötig, die Fenster zu öffnen und etwas Ordnung zu schaffen. Das tat ich, bevor Pinuccia kam, es störte mich, dass sie den Sex riechen und Spuren ihres Beischlafs finden könnte.

Pinuccia gefiel dieser Zustand nicht. Ging es um Kleider, Schuhe, Schminke, Frisuren, zeigte sie sich begeistert von dem, was sie meine moderne Art nannte, aber in diesem speziellen Fall gab sie mir schnell und auf jede erdenkliche Weise zu verstehen, dass ich eine allzu moderne Entscheidung getroffen hatte, eine Ansicht übrigens, die im Rione ziemlich verbreitet zu sein schien. Es war dann sehr unerquicklich, als sie eines Morgens plötzlich vor mir stand, während ich zu arbeiten versuchte, und eine Zeitung in der Hand hielt, auf der ein Präservativ prangte, das zugeknotet war, damit das Sperma nicht herauslief. »Das habe ich neben dem Bett gefunden«, sagte sie angewidert. Ich tat so, als ob nichts wäre. »Es ist nicht nötig, dass du mir das zeigst«, kommentierte ich, während ich weiter am Computer schrieb, »dafür gibt es Mülleimer.«

Aber eigentlich wusste ich nicht, wie ich mich verhalten sollte. Anfangs hatte ich geglaubt, dass mit der Zeit alles besser werden würde. Doch es wurde alles immer schwieriger. Jeden Tag gab es Auseinandersetzungen mit Elsa, aber ich versuchte, nicht ausfallend zu werden, Dedes Weggang schmerzte mich noch sehr, und ich wollte nicht auch sie verlieren. Daher ging ich immer öfter zu Lila, um zu verlangen: »Sprich mit Rino, er ist ein guter Junge, versuch ihm zu erklären, dass er ein bisschen ordentlicher werden muss.« Aber es sah so aus, als würde sie nur auf meine Beschwerden warten, um einen Streit vom Zaun zu brechen.

»Dann schick ihn mir runter«, sagte sie eines Morgens wütend, »Schluss mit dieser Scheiße, dass er bei dir wohnt. Wir machen es lieber so: Hier ist Platz genug, wenn deine Tochter ihn sehen will, kann sie runterkommen, klingeln und hier schlafen.«

Ich ärgerte mich. Meine Tochter sollte klingeln und sie fragen, ob sie bei ihrem Sohn schlafen durfte? Ich knurrte:

»Nein, ist schon gut.«

»Wenn es gut ist, worüber reden wir dann hier?«

Ich schnaufte.

»Lila, ich bitte dich bloß, mal mit Rino zu reden. Er ist vierundzwanzig Jahre alt, sag ihm, er soll sich wie ein Erwachsener benehmen. Ich habe keine Lust, mich ständig mit Elsa zu streiten, ich könnte die Geduld verlieren und sie rausschmeißen.«

»Also ist dein Kind das Problem und nicht meins.«

In solchen Momenten wuchs die Spannung schnell, entlud sich aber nicht, Lila wurde ironisch, ich ging frustriert nach Hause. Als wir einmal beim Abendessen saßen, drang von der Treppe ein unversöhnlicher Schrei herauf, Lila wollte, dass Rino auf der Stelle zu ihr kam. Er wurde unruhig, Elsa bot an, ihn zu begleiten. Aber als Lila sie sah, sagte sie: »Das geht dich nichts an, scher dich nach Hause.« Meine Tochter kam deprimiert wieder nach oben, und währenddessen brach unten ein heftiger Streit los. Lila schrie, Enzo schrie, Rino schrie. Mir tat Elsa leid, die ihre Hände verknotete, sie hatte Angst, sagte: »Mama, tu was, was ist da los, warum behandeln die ihn so?«

Ich sagte nichts, tat nichts. Der Streit hörte auf, ein bisschen Zeit verging, Rino kam nicht wieder hoch. Da bestand Elsa darauf, dass ich nachschauen ging, was passiert war. Nicht Lila öffnete mir, sondern Enzo. Er war müde, niedergeschlagen, bat mich nicht herein. Er sagte:

»Lila hat mir erzählt, der Junge hat keine Manieren, darum bleibt er ab jetzt hier.«

»Lass mich mit ihr sprechen.«

Ich diskutierte bis spätnachts mit Lila, Enzo zog sich missmutig in ein Zimmer zurück. Schnell begriff ich, dass sie gebeten werden wollte. Sie war aktiv geworden, hatte sich ihren Jungen zurückgeholt, hatte ihn zur Schnecke gemacht. Jetzt wünschte sie sich, dass ich sagte: ›Dein Sohn ist auch für mich wie ein Sohn, ich finde es prima, dass er bei mir wohnt, dass er mit Elsa schläft, ich werde mich nicht mehr beschweren kommen.‹ Ich sträubte mich lange, dann gab ich nach und nahm Rino wieder mit nach oben. Kaum hatten wir die Wohnung verlassen, hörte ich, dass Lila und Enzo erneut zu streiten begannen.

34

Rino war mir sehr dankbar.

»Ich schulde dir was, Tante Lenù, du bist der tollste Mensch, den ich kenne, ich werde dich immer lieben.«

»Rino, ich bin überhaupt nicht toll. Und du schuldest mir lediglich den Gefallen, daran zu denken, dass wir nur ein Bad haben und dass dieses Bad außer von Elsa auch von mir und Imma benutzt wird.«

»Du hast recht, entschuldige, ich bin manchmal unaufmerksam, es kommt nicht wieder vor.«

Er entschuldigte sich in einem fort, war in einem fort unaufmerksam. Er war auf seine Art guten Willens. Unzählige Male erklärte er, sich Arbeit suchen zu wollen, sich an den Ausgaben für die Wohnung beteiligen zu wollen, sorgfältigst darauf achten zu wollen, mir keinerlei Unannehmlichkeiten zu bereiten, und eine grenzenlose Hochachtung für mich zu hegen. Aber eine Arbeit fand er nicht, und das in jeder Hinsicht sehr unangenehme Alltagsleben ging so weiter wie zuvor und wurde vielleicht sogar noch schlimmer. Trotzdem hörte ich auf, mich bei Lila zu beschweren, zu ihr sagte ich: »Alles in Ordnung.«

Ich sah, dass die Spannungen zwischen ihr und Enzo zunahmen, und wollte nicht die Zündschnur für ihre Explosionen sein. Seit einer Weile machte ich mir Sorgen, weil sich die Art ihrer Auseinandersetzungen verändert hatte. Früher hatte Lila geschrien und Enzo meistens geschwiegen. Aber nun war das nicht mehr so. Sie zeterte, ich hörte häufig Tinas Namen, und ihre Stimme klang durch den Fußboden wie ein krankes Jaulen. Dann plötzlich polterte Enzo los. Er brüllte, und sein Gebrüll wurde zu einem langen, wilden Strom wütender Worte, sämtlich in einem brutalen Dialekt. Dann verstummte Lila schlagartig, solange Enzo schrie, war sie nicht mehr zu hören. Aber sobald er ruhig war, hörte man die Tür schlagen. Ich horchte auf Lilas Schritte die Treppe hinunter und an der Haustür. Dann verklangen sie zwischen dem Verkehrslärm auf dem Stradone.

Bis vor kurzem wäre Enzo ihr noch nachgelaufen, doch nun tat er das nicht mehr. Ich dachte: ›Vielleicht sollte ich runtergehen, mit ihm reden, sagen: Du hast mir doch selbst erzählt, wie sehr Lila immer noch leidet, hab Verständnis.‹ Aber ich tat es nicht und hoffte, dass sie bald wiederkam. Doch sie blieb den ganzen Tag weg und manchmal auch die Nacht. Was tat sie? Ich stellte mir vor, dass sie in der Bibliothek Zuflucht suchte, wie Pietro es mir erzählt hatte. Oder dass sie durch Neapel streifte, sich jeden Palazzo ansah, jede Kirche, jedes Monument, jeden Gedenkstein. Oder dass sie beides vermengte: Erst erkundete sie die Stadt, dann durchforschte sie die Bücher, um sich lesend zu bereichern. Von den Ereignissen überrollt, hatte ich nie Lust und Zeit gehabt, diese neue Manie von ihr anzusprechen, und auch sie hatte mir nichts davon erzählt. Aber ich wusste, wie besessen sie sich auf etwas konzentrieren konnte, wenn es sie interessierte, und es erstaunte mich nicht, dass sie sehr viel Zeit und Energie darauf verwendete. Ich dachte nur mit einiger Sorge daran, wenn ihr Verschwinden jeweils auf dieses Gebrüll folgte und Tinas Schatten sich auch nachts mit diesem Herumirren in der Stadt verband. Dann kamen mir die Tuffsteingänge unter Neapel in den Sinn, die Katakomben mit den langen Totenkopfreihen und die nachgedunkelten Bronzeschädel, die zu den unglücklichen Seelen der Chiesa delle Anime del Purgatorio ad Arco führen. Und manchmal blieb ich wach, bis ich die Haustür zuschlagen und Lilas Schritte auf der Treppe hörte.

An einem dieser schwarzen Tage erschien die Polizei. Es hatte einen Streit gegeben, Lila war weg. Ich stand unruhig am Fenster, sah Polizisten auf dem Weg zu unserem Wohnblock. Ich erschrak, dachte, Lila sei etwas zugestoßen. Ich lief auf den Treppenflur. Die Polizisten suchten Enzo, sie waren gekommen, um ihn zu verhaften. Ich versuchte, mich einzumischen, zu verstehen. Man brachte mich barsch zum Schweigen, er wurde in Handschellen abgeführt. Als Enzo die Treppe runterging, rief er mir im Dialekt zu: »Wenn Lila zurückkommt, sag ihr, sie soll sich keine Sorgen machen, das ist doch alles Blödsinn!«

35

Eine Zeitlang war schwer zu begreifen, was man ihm vorwarf. Lila stellte alle Feindseligkeiten gegen ihn ein, bündelte ihre Kräfte, kümmerte sich nur um ihn. Angesichts dieser neuen Prüfung war sie still und entschlossen. Sie regte sich nur auf, als sie feststellen musste, dass der Staat – da sie mit Enzo keine offizielle Verbindung eingegangen war und sich auch nicht von Stefano hatte scheiden lassen – ihr nicht den Status einer Ehefrau zuerkennen wollte und folglich auch nicht die Berechtigung, ihn zu besuchen. Daher gab sie viel Geld aus, um ihn über inoffizielle Kanäle ihre Nähe und Unterstützung spüren zu lassen.

Ich wandte mich unterdessen erneut an Nino. Von Marisa wusste ich, dass es vollkommen sinnlos war, von ihm ein bisschen Hilfe zu erwarten, er rührte sogar für seinen Vater, seine Mutter und seine Geschwister keinen Finger. Aber für mich setzte er sich sofort wieder ein, vielleicht, um vor Imma gut dazustehen, vielleicht, um Lila, wenn auch nur indirekt, die eigene Macht vorzuführen. Allerdings gelang es nicht einmal ihm, Enzos Situation genau zu ergründen, er lieferte mir zu verschiedenen Zeitpunkten verschiedene Versionen, die er selbst für kaum glaubwürdig hielt. Was war geschehen? Sicherlich hatte Nadia im Laufe ihrer bruchstückhaften Geständnisse Enzos Namen genannt. Sicherlich hatte sie von der Zeit erzählt, als Enzo zusammen mit Pasquale das Arbeiter- und Studentenkollektiv in der Via dei Tribunali besucht hatte. Sicherlich hatte sie den beiden kleine, Jahre zurückliegende, demonstrative Aktionen gegen den Besitz von Nato-Offizieren, die in der Via Manzoni wohnten, angehängt. Sicherlich versuchten die Ermittler, auch Enzo mit vielen Verbrechen in Verbindung zu bringen, die Pasquale zur Last gelegt wurden. Doch an dieser Stelle war Schluss mit den Sicherheiten, und die Vermutungen begannen. Vielleicht hatte Nadia ausgesagt, dass Enzo Pasquale für nicht politisch motivierte Morde eingesetzt habe. Vielleicht hatte Nadia behauptet, dass einige dieser Bluttaten – insbesondere der Mord an Bruno Soccavo – von Pasquale verübt und von Enzo geplant gewesen seien. Vielleicht hatte Nadia erklärt, sie habe von Pasquale persönlich erfahren, dass sie die Solara-Brüder zu dritt ermordet hätten: er, Antonio Cappuccio und Enzo Scanno, Freunde seit Kindertagen, die sich aufgrund einer langjährigen Solidarität und einer ebenso langjährigen Wut zu diesem Verbrechen entschlossen hätten.

Es waren komplizierte Jahre. Die Ordnung der Welt, in der wir aufgewachsen waren, löste sich auf. Die alten Kenntnisse, die dem langen Studium und der Wissenschaft der richtigen politischen Linie zu verdanken waren, schienen plötzlich nutzlos zu sein. Anarchistisch, marxistisch, gramscistisch, kommunistisch, leninistisch, trotzkistisch, maoistisch, operaistisch wurden im Nu zu anachronistischen Etiketten oder, schlimmer noch, zu Malen der Bestialität. Die Ausbeutung des Menschen durch den Menschen und die Logik der Profitmaximierung, die früher als abscheulich gegolten hatten, waren nun überall wieder zu den Grundlagen von Freiheit und Demokratie geworden. Zugleich wurden sämtliche noch offene Rechnungen innerhalb des Staates und innerhalb der revolutionären Organisationen auf legalem oder illegalem Weg mit harter Hand beglichen. Man wurde leicht ermordet oder landete im Gefängnis, und bei den Normalbürgern hatte ein »Rette sich, wer kann« eingesetzt. Solche wie Nino – der im Parlament saß – oder solche wie Armando Galiani – der inzwischen durch das Fernsehen einige Berühmtheit genoss – hatten rechtzeitig geahnt, dass sich der Wind drehte, und sich schnellstens an die neue Situation angepasst. Solche wie Nadia waren offensichtlich gut beraten gewesen und wuschen ihr Gewissen mit Denunziationen rein. Aber Menschen wie Pasquale und Enzo nicht. Sie, so stelle ich mir vor, waren fortgesetzt nachdenklich, diskutierten, griffen an, verteidigten sich, verwendeten Parolen, die sie in den sechziger und siebziger Jahren gelernt hatten. Pasquale führte tatsächlich auch im Gefängnis seinen Krieg weiter und sagte zu den Dienern des Staates kein Wort, weder um anzuklagen noch um sich zu entlasten. Enzo dagegen redete garantiert. Auf seine schwerfällige Art und jedes Wort sorgfältig abwägend, legte er seine kommunistische Gesinnung dar, wies aber gleichzeitig alle Anschuldigungen zurück, die gegen ihn erhoben wurden.

Lila wiederum bündelte ihren Scharfsinn, ihren schlechten Charakter und extrem teure Anwälte im Kampf für Enzos Befreiung. Stratege Enzo? Ein aktiver Kämpfer? Wann denn, wenn er seit Jahren von morgens bis abends in der Basic Sight arbeitete? Wie hätte er denn mit Antonio und Pasquale die Solara-Brüder umbringen können, wenn er in genau diesen Stunden in Avellino gewesen war und Antonio in Deutschland? Abgesehen davon, selbst wenn es möglich gewesen wäre, waren die drei Freunde im Rione doch bestens bekannt, und man hätte sie identifiziert, egal ob mit Maske oder ohne.

Aber da war wenig zu machen, die Mühlen des Gesetzes mahlten, wie man so sagt, und irgendwann bekam ich Angst, dass man auch Lila verhaften könnte. Nadia nannte Namen über Namen. Man nahm einige Leute fest, die zum Kollektiv der Via dei Tribunali gehört hatten – einer arbeitete bei der FAO, ein anderer war Bankangestellter –, und es traf auch Armandos Exfrau Isabella, eine friedliche Hausfrau, die mit einem Techniker von der ENEL verheiratet war. Nadia verschonte nur zwei Menschen: ihren Bruder und, trotz verbreiteter Befürchtungen, Lila. Vielleicht war Professoressa Galianis Tochter der Meinung, damit, dass sie Enzo mit hineingezogen hatte, hätte sie Lila schon zutiefst getroffen. Oder vielleicht hasste und respektierte sie sie gleichermaßen, so dass sie nach vielem Zögern beschlossen hatte, sie rauszuhalten. Oder vielleicht hatte sie Angst vor Lila und scheute die direkte Konfrontation mit ihr. Aber mir ist die Vermutung am liebsten, dass sie von der Geschichte mit Tina erfahren und Mitleid gehabt hatte oder, noch wahrscheinlicher, dass sie gedacht hatte, wenn eine Mutter so etwas erleben muss, gibt es nichts mehr, was sie noch wirklich treffen kann.

Inzwischen erwiesen sich die Anschuldigungen gegen Enzo als haltlos, die Justiz erlahmte, wurde müde. Letztlich blieb nach vielen Monaten nur noch sehr wenig zu seinen Lasten übrig: die alte Freundschaft mit Pasquale, das aktive Engagement im Arbeiter- und Studentenkomitee in der Zeit von San Giovanni a Teduccio und der Umstand, dass das verfallene Gehöft in den Bergen von Serino, wo Pasquale sich versteckt gehalten hatte, von einem von Enzos Verwandten aus Avellino gepachtet war. Der Mann, der als gefährlicher Anführer betrachtet wurde, als Planer und Ausführer unmenschlicher Verbrechen, wurde von einer gerichtlichen Instanz zur nächsten zu einem Sympathisanten des bewaffneten Kampfes herabgestuft. Und als endlich auch diese Sympathien sich als eher allgemeine Ansichten erwiesen, die nie in kriminelle Aktionen umgesetzt worden waren, kam Enzo wieder nach Hause.

Aber nun waren seit seiner Festnahme fast zwei Jahre vergangen, und im Rione hatte sich das Gerücht verfestigt, er sei ein sehr viel gefährlicherer Terrorist als Pasquale Peluso. Pasquale – sagten die Leute auf der Straße und in den Geschäften – kennen wir alle, seit er ein kleiner Junge war, er hat immer gearbeitet, und sein einziges

Vergehen besteht darin, dass er ein konsequenter, rechtschaffener Mensch ist, der auch nach dem Fall der Berliner Mauer die kommunistische Uniform, wie sein Vater sie ihm auf den Leib geschneidert hatte, nicht ausgezogen hat, der die Schuld anderer auf sich genommen hat und der sich nie ergeben wird. Enzo dagegen – hieß es – ist sehr intelligent, hat sich mit seinem Schweigen und den Milliarden aus der Basic Sight gut getarnt, und er hat vor allem Lina Cerullo hinter sich, seine schwarze Seele, die ihn lenkt und intelligenter und gefährlicher ist als er: Bestimmt haben die zwei schreckliche Dinge getan. So wurden die beiden mehr und mehr als solche abgestempelt, die nicht nur Blut vergossen hatten, sondern auch noch so gerissen gewesen waren, ungeschoren davonzukommen.

Unter diesen Umständen konnte ihre Firma, die schon wegen Lilas Trägheit und wegen des vielen Geldes, das sie vor allem für Anwälte ausgegeben hatte, in Schwierigkeiten steckte, nicht wieder in Gang kommen. Sie verkauften sie einvernehmlich, und obwohl sie nach Enzos häufig geäußerter Schätzung eine Milliarde Lire wert war, bekamen sie mit Mühe ein paar hundert Millionen dafür. Im Frühjahr 1992, als sie sich nicht mehr stritten, trennten sie sich als Geschäftspartner wie als Paar. Enzo überließ Lila einen großen Teil des Geldes und suchte sich eine Arbeit in Mailand. Eines Nachmittags bat er mich: »Bleib in ihrer Nähe, es geht ihr nicht gut mit sich selbst, das Alter wird schlimm für sie werden.« Eine Weile schrieb er mir noch regelmäßig und ich ihm. Einige Male rief er mich an. Und das war's.

36

Etwa zur selben Zeit scheiterte noch ein anderes Paar, Elsa und Rino. Fünf oder sechs Monate waren sie ein Herz und eine Seele gewesen, dann nahm meine Tochter mich beiseite und vertraute mir an, dass sie sich zu einem jungen Mathematiklehrer hingezogen fühle, der in einem anderen Kurs unterrichte und nicht einmal wisse, dass es sie gab. Ich fragte:

»Und Rino?«

Sie antwortete:

»Er ist meine große Liebe.«

Während sie kluge Sprüche und schmachtende Seufzer aneinanderreihte, begriff ich, dass sie zwischen Liebe und Begehren unterschied und dass ihre Liebe zu Rino durch ihr Begehren des Lehrers keineswegs beeinträchtigt wurde.

Da ich wie üblich sehr eingespannt war – ich schrieb viel, veröffentlichte viel, reiste viel –, wurde sowohl für Elsa als auch für Rino meine jüngste Tochter zur Eingeweihten. Imma, die die Gefühle beider respektierte, gewann ihr Vertrauen und wurde eine zuverlässige Informationsquelle für mich. Von ihr erfuhr ich, dass Elsa mit ihrer Absicht, ihren Lehrer zu verführen, erfolgreich gewesen war. Von ihr erfuhr ich, dass Rino nach einer Weile geargwöhnt hatte, die Dinge mit Elsa könnten nicht mehr so gut laufen. Von ihr erfuhr ich, dass Elsa mit dem Lehrer Schluss gemacht hatte, um Rino nicht wehzutun. Von ihr erfuhr ich, dass sie es nach einem Monat Pause nicht mehr ausgehalten und wieder angefangen hatte. Von ihr erfuhr ich, dass der seit fast einem Jahr leidende Rino sie schließlich weinend zur Rede gestellt und sie angefleht hatte, ihm zu sagen, ob sie ihn noch liebe. Von ihr erfuhr ich, dass Elsa ihn angeschrien hatte: »Ich liebe dich nicht mehr, ich liebe einen andern!« Von ihr erfuhr ich, dass Rino ihr, um zu beweisen, dass er ein Mann war, eine Ohrfeige gegeben hatte, aber *nur* mit den Fingerspitzen. Von ihr erfuhr ich, dass Elsa in die Küche gerannt war, den Besen genommen und wütend auf ihn eingeprügelt hatte, ohne dass er sich gewehrt hatte.

Von Lila dagegen erfuhr ich, dass Rino – als ich nicht da gewesen war und Elsa nicht von der Schule nach Hause gekommen und auch über Nacht weggeblieben war – verzweifelt bei ihr Trost gesucht hatte. »Kümmere dich ein bisschen um deine Tochter«, sagte sie eines Abends zu mir. »Finde heraus, was sie vorhat.« Aber sie sagte es lustlos, ohne Anteilnahme an Elsas oder an Rinos Schicksal. Und sie fügte hinzu: »Aber wenn du zu tun hast und nichts unternehmen willst, nun ja, dann ist es auch gut.« Dann brummte sie: »Wir sind für Kinder nicht geschaffen.« Ich wollte erwidern, dass ich mich für eine gute Mutter hielt und mich wie keine andere aufrieb, um meiner Arbeit nachzugehen, ohne es Dede, Elsa und Imma an etwas fehlen zu lassen. Aber ich sagte es nicht, ich spürte, dass sie in dem Moment nicht wütend auf mich oder meine Tochter war, sondern nur versuchte, ihrer mangelnden Liebe zu Rino Normalität zu verleihen.

Die Dinge änderten sich, als Elsa sich von dem Lehrer trennte, sich mit einem Klassenkameraden einließ, mit dem sie für die Abiturprüfungen lernte, und dies unverzüglich Rino mitteilte, um ihm klarzumachen, dass es vorbei sei. Da kam Lila zu uns hoch und nutzte die Gelegenheit, dass ich gerade in Turin war, um Elsa eine Szene zu machen. »Was hat deine Mutter dir bloß in den Kopf gesetzt«, sagte sie im Dialekt. »Du hast überhaupt kein Gefühl, du tust anderen Menschen weh und merkst es nicht mal.« Dann schrie sie: »Du bildest dir ein, wer weiß was zu sein, meine Liebe, dabei bist du nichts als eine Nutte!« So, zumindest, erzählte es mir Elsa, voll und ganz von Imma unterstützt, die zu mir sagte: »Es stimmt, Mama, sie hat Nutte zu ihr gesagt.«

Was immer Lila gesagt hatte, es hatte meine zweite Tochter tief getroffen. Sie verlor ihre Leichtigkeit. Sie verließ auch den Freund, mit dem sie gelernt hatte, verhielt sich Rino gegenüber wieder freundlich, teilte aber nicht das Bett mit ihm, sie zog zu Imma. Nach bestandenem Abitur beschloss sie, zu ihrem Vater und Dede zu reisen, obwohl Dede nie zu erkennen gegeben hatte, dass sie sich mit ihr versöhnen wollte. Sie fuhr nach Boston, und dort einigten sich, von Pietro unterstützt, die zwei Schwestern darauf, dass sie beide blind gewesen seien, als sie sich in Rino verliebt hatten. Nachdem sie Frieden geschlossen hatten, machten sie eine lange, sehr fröhliche Reise durch die Vereinigten Staaten, und als Elsa nach Neapel zurückkehrte, wirkte sie heiterer. Aber sie blieb nur kurze Zeit bei mir. Sie schrieb sich in Physik ein, wurde wieder leichtfertig und bissig, hatte häufig wechselnde Freunde. Da sie von ihrem Schulfreund, von dem jungen Lehrer und natürlich von Rino belagert wurde, ging sie nicht zu den Prüfungen, kehrte zu ihren alten Liebschaften zurück, führte sie parallel zu neuen und brachte nichts zustande. Schließlich flog sie erneut in die Vereinigten Staaten, um dort zu studieren. Wie Dede brach sie auf, ohne sich von Lila zu verabschieden, redete aber zu meiner großen Überraschung wohlwollend über sie. Sie sagte, sie könne verstehen, warum ich seit vielen Jah-

ren mit ihr befreundet sei, und bezeichnete sie ohne jede
Ironie als den besten Menschen, dem sie je begegnet sei.

37

Rinos Meinung war das allerdings nicht. So erstaunlich
es auch anmuten kann, Elsas Abreise hinderte ihn nicht
daran, weiter bei mir zu wohnen. Er war lange unglücklich, fürchtete, in das körperliche und seelische Elend zu-
rückzufallen, aus dem *ich* ihn – unterwürfig schrieb er
mir dieses Verdienst und viele weitere zu – herausgeholt
hätte. Nach wie vor belegte er das Zimmer, das Dede
und Elsa gehört hatte. Natürlich erledigte er viele kleine
Aufträge für mich. Wenn ich verreiste, brachte er mich
mit dem Auto zum Bahnhof und trug mir den Koffer,
wenn ich zurückkam, holte er mich wieder ab. Er wurde
mein Chauffeur, mein Laufbursche, mein Faktotum. Wenn
er Geld brauchte, bat er mich freundlich, herzlich und
ohne jeden Skrupel darum.

Manchmal, wenn seine Anwesenheit mich störte, erinnerte ich ihn daran, dass er seiner Mutter gegenüber
Pflichten habe. Er begriff und verschwand für eine Weile.
Doch irgendwann kam er verzagt zurück und murmelte
entweder, dass Lila nie zu Hause sei und ihn die leere
Wohnung deprimiere, oder er brummte: »Sie hat nicht
mal Ciao gesagt, sie sitzt am Computer und schreibt.«

Lila schrieb? Was schrieb sie?

Meine Neugier war anfangs nur schwach ausgeprägt,
ich nahm das eher zerstreut zur Kenntnis. Ich war damals
fast fünfzig und in meiner erfolgreichsten Lebensphase,
ich veröffentlichte bis zu zwei Bücher im Jahr, die sich

ziemlich gut verkauften. Lesen und Schreiben waren für mich zum Beruf geworden, der, wie alle Berufe, anfing zur Last zu werden. Ich weiß noch, dass ich dachte: ›An ihrer Stelle würde ich am Strand in der Sonne liegen.‹ Dann sagte ich mir: »Wenn ihr das Schreiben guttut, umso besser.« Ich kümmerte mich um andere Dinge und vergaß es.

38

Dedes Weggang und dann Elsas waren ein großer Schmerz. Es drückte mich nieder, dass beide ihren Vater am Ende mir vorgezogen hatten. Bestimmt liebten sie mich, bestimmt fehlte ich ihnen. Ich schickte ihnen fortwährend Briefe, rief in traurigen Momenten an, ohne mich um die Kosten zu scheren. Und ich freute mich über Dedes Stimme, wenn sie sagte: »Ich träume oft von dir«, so wie ich gerührt war, wenn Elsa mir schrieb: »Ich suche überall nach deinem Parfüm, ich will es auch benutzen.« Aber Tatsache war, dass sie weggegangen waren, dass ich sie verloren hatte. Jeder ihrer Briefe, ihrer Anrufe bezeugte, dass sie, auch wenn sie unter der Trennung von mir litten, mit ihrem Vater nie die Konflikte hatten, die sie mit mir gehabt hatten, er war der Zugangspunkt zu ihrer wirklichen Welt.

Eines Morgens sagte Lila in einem schwer zu entschlüsselnden Ton zu mir: »Es hat keinen Sinn, dass du Imma noch länger hier im Rione behältst, schick sie zu Nino nach Rom, es ist doch sonnenklar, dass sie ihren Schwestern sagen möchte: Ich hab's genauso gemacht wie ihr.« Diese Worte waren mir unangenehm. Als wäre dies ein unvoreingenommener Rat, legte sie mir nahe, mich auch von meiner dritten Tochter zu trennen. Sie schien zu sagen: Es wäre besser für Imma, und es wäre besser für dich. Ich erwiderte: »Wenn Imma mich auch noch verlässt, hat mein Leben keinen Sinn mehr.« Sie lächelte: »Wer sagt denn, dass das Leben einen Sinn haben muss?« Dann begann sie meine ganzen Schreibbemühungen herabzusetzen. Amüsiert sagte sie: »Besteht der Sinn etwa in dieser Aneinanderreihung schwarzer Teilchen, die aussehen wie Fliegendreck?« Sie riet mir, ein wenig auszuspannen, rief: »Wozu all die Anstrengung, das reicht jetzt!«

Eine lange Zeit ging es mir nicht gut. Einerseits dachte ich: ›Sie will, dass ich auch noch auf Imma verzichte.‹ Andererseits sagte ich mir: ›Sie hat recht, ich muss Imma zu ihrem Vater bringen.‹ Ich wusste nicht, ob ich mich an die Zuneigung der einzigen Tochter klammern durfte, die mir geblieben war, oder ob ich ihr zuliebe versuchen sollte, die Verbindung mit Nino zu festigen.

Letzteres war nicht so einfach, die jüngsten Wahlen waren ein Beweis dafür. Imma war elf, begeisterte sich aber schon sehr für Politik. Ich weiß noch, dass sie ihrem Vater schrieb, ihn anrief, sich immer wieder erbot, Wahlkampf für ihn zu betreiben, und wollte, dass auch ich ihm half. Ich konnte die Sozialisten noch weniger ausstehen als früher. Bei meinen Treffen mit Nino hatte ich Sätze zu ihm gesagt wie: »Was ist aus dir geworden, ich erkenne dich nicht wieder.« Mit einiger rhetorischer Übertreibung sagte ich sogar: »Wir sind mit Armut und Gewalt aufgewachsen, die Solaras waren Kriminelle, die alles an sich gerafft haben, aber ihr seid noch schlimmer, ihr seid eine Bande von Plünderern, die Gesetze gegen die Plünderungen der anderen erlassen.« Er hatte mir heiter geantwortet: »Du hast nie was von Politik verstanden und wirst auch nie was davon verstehen, spiel weiter mit deiner Literatur und rede nicht über Sachen, von denen du keine Ahnung hast.«

Doch dann spitzte sich die Situation zu. Eine seit langem herrschende Korruption – auf allen Ebenen gemeinhin praktiziert und gemeinhin geduldet wie ein ungeschriebenes, doch immerfort geltendes und weitreichend befolgtes Gesetz – kam durch ein plötzliches Durchgreifen der Justiz ans Licht. Die hochrangigen Gauner, die so dumm waren, sich auf frischer Tat ertappen zu lassen, schienen anfangs nur wenige zu sein, wurden aber immer zahlreicher und zeigten schließlich, wie es wirklich um die Führung der Republik bestellt war. Kurz vor den Wahlen war Nino nicht mehr so forsch. Da ich ziemlich bekannt und angesehen war, benutzte er Imma, um mich zu bitten, mich öffentlich hinter ihn zu stellen. Meiner Tochter gegenüber stimmte ich zu, um ihr nicht wehzutun, zog mich dann aber zurück. Imma regte sich auf, bekräftigte ihre Unterstützung für ihren Vater, und als er sie bat, für einen Wahlspot an seine Seite zu kommen, war sie begeistert. Ich protestierte, war in einer Zwickmühle. Einerseits verwehrte ich Imma meine Erlaubnis nicht – das hätte unweigerlich zu einem Bruch geführt –, andererseits schrie ich Nino am Telefon an: »Nimm Albertino, nimm Lidia für deinen Spot, aber wag es ja nicht, meine Tochter dafür auszunutzen!« Er ließ nicht locker, zögerte, gab schließlich auf. Ich nötigte ihn, Imma zu sagen, er hätte sich erkundigt, Kinder wären in Wahlspots nicht zugelassen. Aber sie durchschaute, dass ich es war, die sie um die Freude gebracht hatte, öffentlich an der Seite ihres Vaters aufzutreten, und sagte: »Du hast mich nicht lieb,

Mama, Dede und Elsa schickst du zu Pietro, aber ich darf nicht mal fünf Minuten mit Papa zusammen sein.« Als Nino nicht wiedergewählt wurde, brach Imma in Tränen aus, sie schluchzte, das sei meine Schuld.

Kurz, alles war kompliziert. Nino verbitterte, wurde unausstehlich. Eine Zeitlang schien er das einzige Opfer dieser Wahlen zu sein, doch so war es nicht, schnell wurde das gesamte Parteiensystem zum Einsturz gebracht, und wir verloren ihn aus den Augen. Die Wähler waren sauer auf die Alten, auf die Neuen und auf die ganz Neuen. Während die Leute sich vorher entsetzt von denen abgewendet hatten, die den Staat zerschlagen wollten, zuckten sie nun angewidert vor denen zurück, die in verschiedenen Funktionen vorgegeben hatten, ihm zu dienen, sich aber nur an ihm bedient hatten. Eine dunkle Welle, zunächst überdeckt von pompösen Machtszenerien und einer ebenso unverschämten wie anmaßenden Geschwätzigkeit, überschwemmte ganz Italien und wurde nun immer deutlicher sichtbar. Nicht nur der Rione meiner Kindheit war ein von jeder Gnade unberührter Ort, nicht nur Neapel war eine unerlösbare Stadt. Eines Morgens traf ich die offenbar gutgelaunte Lila auf der Treppe. Sie zeigte mir die Ausgabe der *Repubblica*, die sie gerade gekauft hatte. Darin war ein Bild von Professor Guido Airota. Der Fotograf hatte ihn, ich weiß nicht wann, mit einem erschreckten Gesichtsausdruck erwischt, der ihn fast unkenntlich machte. Der Artikel stellte mit vielen »es heißt« und »vielleicht« die These auf, dass auch der angesehene Gelehrte und alte Politiker in Führungsposition von den Richtern schon bald als jemand vorgeladen werden könnte, der über Italiens Sumpf gut informiert war.

39

Guido Airota landete nie vor den Richtern, aber über viele Tage entwarfen Tageszeitungen und Wochenblätter Korruptionsszenarien, in denen auch er eine Rolle spielte. Angesichts dieser Umstände freute ich mich, dass Pietro in Amerika war, dass nun auch Dede und Elsa ihr Leben jenseits des Atlantiks hatten. Ich machte mir allerdings Gedanken um Adele, dachte darüber nach, dass ich sie zumindest einmal anrufen sollte. Aber ich zögerte, sagte mir: ›Sie wird annehmen, dass es mir Genugtuung bereitet, und es wird schwer sein, sie davon zu überzeugen, dass es nicht so ist.‹

Dafür rief ich Mariarosa an, das schien mir leichter zu sein. Ich irrte mich. Seit Jahren hatte ich sie nicht gesehen und nicht gesprochen, sie antwortete kühl. Mit einer Spur Sarkasmus sagte sie: »Was hast du doch für eine Karriere hingelegt, meine Liebe, man liest dich ja inzwischen überall, nicht eine Zeitung oder Zeitschrift kann man aufschlagen, ohne auf deinen Namen zu stoßen.« Dann redete sie unentwegt über sich, was sie früher nie getan hatte. Sie erzählte von Büchern, von Artikeln, von Reisen. Vor allem verblüffte mich, dass sie die Universität verlassen hatte.

»Warum?«, fragte ich.

»Ich hatte die Nase voll.«

»Und jetzt?«

»Was – und jetzt?«

»Wie lebst du jetzt?«

»Ich komme aus einer reichen Familie.«

Aber sie bereute diesen Satz, sobald sie ihn gesagt hatte, lachte verlegen und fing von sich aus gleich darauf

an, über ihren Vater zu reden. Sie sagte: »Es musste ja so
kommen.« Sie zitierte Franco, sagte leise, er sei einer der
Ersten gewesen, die begriffen hätten, dass man entweder
alles schnellstens verändern musste oder dass immer
schwerere Zeiten kommen würden und es keine Hoffnung mehr gäbe. »Mein Vater«, erklärte sie wütend, »hat
geglaubt, man könnte hier ein bisschen und da ein bisschen verändern, mit Bedacht. Aber wenn du so gut wie
nichts veränderst, bist du gezwungen, dich auf das System der Lügen einzulassen, dann musst du lügen wie die
anderen, oder du wirst ausgeschlossen.« Ich fragte sie:
»Ist Guido schuldig, hat er Geld genommen?«
Sie lachte nervös.
»Ja. Aber er ist vollkommen unschuldig, in seinem ganzen Leben hat er nicht eine Lira angenommen, die nicht
vollkommen legal war.«
Dann kam sie wieder auf mich zu sprechen, allerdings
in einem fast schon beleidigenden Ton. Sie wiederholte:
»Du schreibst zu viel, hast für mich nichts Überraschen-
des mehr.« Und obwohl ich es war, die sie angerufen hatte, beendete sie das Gespräch und legte auf.
Mariarosas widersprüchliches Doppelurteil über ihren
Vater erwies sich als zutreffend. Der Presserummel um
Guido legte sich nach und nach, und er zog sich wieder
in sein Arbeitszimmer zurück, aber als ein gewiss schuldiger Unschuldiger und, wenn man so will, als ein gewiss
unschuldiger Schuldiger. Nun fühlte ich mich imstande,
Adele anzurufen. Sie bedankte sich ironisch für meine
Mühe, erwies sich als informierter über das Leben und
das Studium von Dede und Elsa, als ich es war, und sagte
Sätze wie: »In diesem Land ist man vor keiner Ungerechtigkeit sicher, anständige Leute sollten schnellstens aus-

wandern.« Als ich sie fragte, ob ich Guido guten Tag sagen könnte, antwortete sie: »Ich grüße ihn von dir, er ruht sich gerade aus.« Dann platzte sie ärgerlich heraus: »Seine einzige Schuld besteht darin, dass er sich mit ehemaligen Analphabeten ohne jede Moral umgeben hat, mit jungen, zu allem bereiten Emporkömmlingen, mit Gesindel!«

Am selben Abend zeigte das Fernsehen das ausnehmend fröhliche Bild des ehemaligen sozialistischen Abgeordneten Giovanni Sarratore – den man damals nicht gerade als jung bezeichnen konnte, er war fünfzig – und setzte ihn auf die immer länger werdende Liste der Bestecher und der Bestochenen.

40

Diese Nachricht verstörte vor allem Imma. In ihren wenigen bewussten Lebensjahren hatte sie ihren Vater höchst selten gesehen und ihn zum Idol erhoben. Sie brüstete sich vor ihren Schulkameraden, vor ihren Lehrern mit ihm, zeigte allen ein Zeitungsfoto, auf dem sie beide Hand in Hand am Eingang des Montecitorio standen. Wenn sie sich vorstellen sollte, wie der Mann aussah, den sie einmal heiraten würde, sagte sie: »Er muss auf jeden Fall sehr groß sein, braune Haare haben und gut aussehen.« Als sie erfuhr, dass ihr Vater im Gefängnis gelandet war wie ein gewöhnlicher Bewohner des Rione – einem Ort, den sie schrecklich fand; jetzt, da sie heranwuchs, sagte sie unumwunden, dass sie ihn fürchtete, und sie hatte zunehmend recht damit –, verlor sie das bisschen Unbeschwertheit, das ich ihr hatte bewahren können. Sie schluchzte im Schlaf, wachte mitten in der Nacht auf und wollte in mein Bett kommen.

Einmal trafen wir Marisa, heruntergekommen, nachlässig gekleidet, wütender als sonst. Ohne auf Imma Rücksicht zu nehmen, sagte sie: »Das geschieht Nino recht, immer hat er nur an sich gedacht, und das weißt du auch, er wollte uns überhaupt nicht helfen, spielte nur vor den Eltern den rechtschaffenen Mann, dieser Scheißkerl.« Meine Tochter ertrug nicht ein Wort davon, ließ uns auf dem Stradone stehen und rannte weg. Ich verabschiedete mich hastig von Marisa, lief Imma hinterher, versuchte sie zu trösten: »Hör nicht auf sie, dein Vater und seine Schwester haben sich noch nie gut verstanden.« Von nun an kritisierte ich Nino in ihrem Beisein nicht mehr. Ich hörte auch auf, ihn vor anderen zu kritisieren. Ich erinnerte mich daran, wie ich mich an ihn gewandt hatte, um zu erfahren, wie es Pasquale oder Enzo ging. Man braucht immer einen Schutzheiligen, um sich in der beabsichtigten Undurchsichtigkeit der Unterwelt zurechtzufinden, und Nino, obwohl weit entfernt von jeder Heiligkeit, hatte mir geholfen. Nun, da die Heiligen in die Hölle stürzten, hatte ich niemanden, an den ich mich wenden konnte, um zu erfahren, wie es ihm ging. Mich erreichten aus dem üblen Höllengraben seiner vielen Anwälte nur unzuverlässige Informationen.

41

Lila zeigte übrigens keinerlei Interesse an Ninos Schicksal. Auf die Nachricht von seinen Schwierigkeiten mit der Justiz reagierte sie wie auf eine höchst amüsante Mitteilung. Mit der Miene eines Menschen, der sich an ein alles erklärendes Detail erinnert, sagte sie: »Immer wenn er Geld brauchte, ließ er sich von Bruno Soccavo welches geben, und garantiert hat er es ihm nie zurückgezahlt.« Dann brummte sie, dass sie sich schon denken könne, wie es ihm ergangen war. Er hatte gelächelt, hatte Hände geschüttelt, hatte sich für den Größten gehalten, hatte unentwegt beweisen wollen, dass er jeder Situation gewachsen war. Wenn er etwas Schlechtes getan hatte, dann aus dem Wunsch heraus, immer noch mehr zu gefallen, als der Klügste zu erscheinen und immer noch weiter aufzusteigen. Das war alles. Danach tat sie so, als existierte Nino nicht mehr. Sosehr sie sich für Pasquale und Enzo eingesetzt hatte, so vollkommen gleichgültig zeigte sie sich den Problemen des Exabgeordneten Sarratore gegenüber. Wahrscheinlich verfolgte sie seinen Fall in den Zeitungen und im Fernsehen, wo Nino häufig zu sehen war, blass, plötzlich ergraut, mit dem Blick eines schmollenden Kindes, das flüstert: Wirklich, ich war das nicht. Natürlich fragte sie mich nie, was ich über ihn wusste, ob es mir gelungen war, ihn zu sehen, was ihn erwartete, wie sein Vater, seine Mutter, seine Geschwister reagiert hatten. Stattdessen flammte ohne erkennbaren Grund ihr Interesse für Imma wieder auf, sie kümmerte sich wieder um sie.

Während sie mir ihren Sohn Rino überlassen hatte wie einen kleinen Hund, der ein neues Frauchen liebgewonnen hat und für das alte nicht mehr mit dem Schwanz wedelt, war sie Imma sehr zugetan, und Imma, die stets viel Zuneigung brauchte, schloss sie auch wieder ins Herz. Ich sah sie zusammen plaudern, und oft gingen sie gemeinsam aus dem Haus, Lila sagte mir: »Ich zeige ihr den Botanischen Garten, das Museum, Capodimonte.«

In unserer letzten Zeit in Neapel steckte Lila sie durch die gemeinsamen Rundgänge mit ihrer Neugier auf die Stadt an, die sie sich auch später bewahrte. »Tante Lina weiß enorm viel«, sagte sie bewundernd zu mir. Und ich freute mich, dass Lila dadurch, dass sie sie auf ihre Streifzüge mitnahm, Immas Angst um ihren Vater abschwächte und auch die Wut über die krassen Beschimpfungen ihrer Schulkameraden, die von ihren Eltern aufgehetzt waren, und den Kummer um den Verlust ihrer Sonderstellung, die die Lehrer ihr wegen ihres Namens eingeräumt hatten. Aber nicht nur das. Aus Immas Berichten ging für mich immer deutlicher hervor, dass das, worauf Lila sich konzentrierte, worüber sie, am Computer hockend, vielleicht stundenlang schrieb, nicht diese oder jene Sehenswürdigkeit war, sondern Neapel als Ganzes. Ein riesiges Vorhaben, von dem sie mir nie erzählt hatte. Die Zeiten, in denen sie mich in ihre Manien eingeweiht hatte, waren vorbei, als Vertraute hatte sie sich nun meine Tochter ausgesucht. Ihr berichtete sie, was sie gelesen hatte, oder sie nahm sie zu Orten mit, die sie begeistert oder neugierig gemacht hatten.

42

Imma hatte eine sehr hohe Auffassungsgabe, prägte sich alles mögliche schnell ein. Sie klärte mich über die Piazza dei Martiri auf, die für Lila und mich in der Vergangenheit eine wichtige Rolle gespielt hatte. Ich wusste nichts darüber, aber Lila hatte die Geschichte dieses Platzes studiert und sie ihr erzählt. Imma wiederholte sie eines Morgens an Ort und Stelle für mich, als wir zusammen Einkäufe machten, wobei sie, wie ich glaube, Fakten, ihre Phantasien und Lilas Phantasien vermischte. »Mama, hier waren im 18. Jahrhundert Felder. Es gab Bäume, es gab Bauerngehöfte, Wirtshäuser und eine Straße, die geradewegs zum Meer hinunterführte, sie hieß Calata Santa Caterina a Chiaia, nach der Kirche hier an der Ecke, die sehr alt, aber ziemlich hässlich ist. Nachdem am 15. Mai 1848 genau hier viele Patrioten getötet worden waren, die für Verfassung und Parlament gekämpft hatten, beschloss der Bourbone Ferdinand II. als Symbol für die Rückkehr des Friedens eine Straße des Friedens zu bauen und auf der Piazza eine Säule mit einer Madonna darauf errichten zu lassen. Als aber der Anschluss Neapels an das Königreich Italien proklamiert und der Bourbone verjagt worden war, beauftragte Bürgermeister Giuseppe Colonna di Stigliano den Bildhauer Enrico Alvino mit der Umgestaltung der Säule samt der Madonna des Friedens in eine Säule zum Gedenken an die Neapolitaner, die für die Freiheit gefallen waren. Enrico Alvino postierte unterhalb der Säule diese vier Löwen, die die großen revolutionären Momente Neapels symbolisieren: den tödlich getroffenen Löwen von 1799; den Löwen der Unruhen von 1820, der, vom Schwert durchbohrt, noch in die Luft beißt; den Löwen von 1848, der die Kraft der unterworfenen, aber nicht bezwungenen Patrioten verkörpert; und schließlich den drohenden und rächenden Löwen von 1859. Und dann, Mama, ersetzte man die Madonna des Friedens da oben durch die Bronzestatue einer schönen, jungen Frau, der Siegesgöttin Vittoria, die über der Welt schwebt. Diese Vittoria hält in der Linken ein Schwert und in der Rechten einen Siegeskranz für die Bürger Neapels, für die Märtyrer, die, im Kampf und auf dem Schafott für die Freiheit gefallen, ihr Blut für das Volk vergossen haben und so weiter und so fort.«

Ich hatte oft den Eindruck, dass Lila die Vergangenheit benutzte, um Immas stürmische Gegenwart zu normalisieren. In den neapolitanischen Geschichten, die sie erzählte, gab es anfangs immer etwas Hässliches, Ungeordnetes, das später die Formen eines schönen Bauwerks, einer Straße, eines Monuments annahm, um dann wieder in Vergessenheit zu geraten, an Bedeutung zu verlieren, schlimmer zu werden, besser zu werden, schlimmer zu werden, in einem von Natur aus unvorhersehbaren Strom, der aus Wellen, Windstille, Sturzfluten und Kaskaden bestand. Das Entscheidende in Lilas Vorgehen war, sich Fragen zu stellen. Wer waren die Märtyrer, was bedeuteten die Löwen, und wann hatte es die Kämpfe und Schafotte gegeben und die Via della Pace und die Madonna und die Vittoria. Die Geschichten waren immer wieder eine Aneinanderreihung des Vorher, des Nachher, des Folglich. Vor dem eleganten Chiaia, dem Viertel der Reichen, gab es die in den Episteln des Gregorius erwähnte *playa*, die Sümpfe, die bis zum Strand und zum Meer reichten, und einen urwüchsigen Wald, der sich bis zum Vomero hinauf erstreckte. Vor der Sanierung am Ende des 19. Jahrhunderts, vor den Baugenossenschaften der Eisenbahn gab es ein ungesundes Gebiet, morsch bis in den letzten Stein, aber auch nicht wenige herrliche Bauwerke, die der Manie zum Opfer fielen, unter dem Vorwand der Sanierung Dinge abzureißen. Und eines der zu sanierenden Gebiete hieß seit undenklichen Zeiten Vasto. Der Name Vasto bezeichnete die Gegend zwischen Porta Capuana und Porta Nolana, und auch als das Viertel saniert war, hatte es seinen Namen behalten. Lila hielt sich lange bei dieser Bezeichnung – Vasto – auf, sie gefiel ihr, und sie gefiel auch Imma: *Vasto e Risanamento*, Fäulnis und Sanierung, die Manie, zu zerstören, zu plündern, zu entstellen, auszuweiden, und die Manie, aufzubauen, zu ordnen, neue Straßen zu planen oder die alten umzubenennen, mit dem Ziel, neue Welten zu konsolidieren und alte Übel zu verbergen, die jedoch stets drohten, Revanche zu üben.

»Bevor Vasto den Namen Vasto trug und in seiner Substanz verfault war – erzählte Tante Lina –, hatte es dort Parks, Gärten, Springbrunnen gegeben. Dort hatte der Marchese di Vico sogar einen Palazzo mit einem Garten errichten lassen, der Paradiesgarten genannt wurde, *il Giardino del Paradiso*. Dieser Paradiesgarten war voller versteckter Wasserspiele, Mama. Das berühmteste war ein großer, weißer Maulbeerbaum, auf dem fast unsichtbare Rinnen angebracht waren, aus denen das Wasser als Regen von den Ästen tropfte oder als Kaskade den Stamm herabströmte. Alles klar? Vom Paradies des Marchese di Vico zum Vasto des Marchese del Vasto zur Sanierung von Bürgermeister Nicola Amore und wieder zum kaputten Vasto, dann zu neuen Wiedergeburten und so weiter und so fort.«

»Ah, was für eine Stadt«, sagte Tante Lina zu meiner Tochter, »was für eine strahlende, bedeutende Stadt: Hier wurden alle Sprache gesprochen, Imma, hier wurde alles gebaut und ging alles kaputt, hier glauben die Leute keinem Geschwätz und sind doch sehr geschwätzig, hier steht der Vesuv und erinnert dich jeden Tag daran, dass auch die größte Tat der mächtigen Menschen, das herrlichste Werk, durch Feuer, Erdbeben, Asche und Meer in wenigen Sekunden in nichts verwandelt werden kann.«

Ich hörte ihr zu, aber manchmal war ich verblüfft. Ja, Imma hatte sich beruhigt, doch nur weil Lila sie in ein stetiges Verrinnen von Pracht und Elend einführte, in ein zyklisches Neapel, in dem alles wunderbar war, dann grau und sinnlos wurde und erneut zu strahlen begann, wie wenn eine Wolke über die Sonne jagt und es so aussieht, als wäre es die Sonne, die entflieht, eine zaghaft gewordene Scheibe, blass, kurz vor dem Erlöschen, die aber, wenn die Wolke sich aufgelöst hat, siehe da, plötzlich wieder gleißend hell ist, so dass man die Augen mit der Hand abschirmen muss. In Lilas Geschichten verfielen die Paläste mit den paradiesischen Gärten, sie verwilderten und wurden fortan manchmal von Nymphen, Dryaden, Satyren und Faunen bewohnt, manchmal von toten Seelen und manchmal von Dämonen, die Gott in die Schlösser schickte und auch in die Häuser einfacher Menschen, um sie für Sünden büßen zu lassen oder um edelmütige Bewohner auf die Probe zu stellen und nach dem Tod zu belohnen. Was schön, stabil und leuchtend war, wurde mit nächtlichen Phantasien bevölkert, und die Spukgeschichten gefielen beiden. Imma erzählte mir, dass an der Landspitze von Posillipo, wenige Schritte vom Meer entfernt und gegenüber von Gajóla, genau über der Grotta delle Fate, ein berühmtes Geisterhaus stehe. Geister, so sagte sie, gebe es auch in den Häusern am Vico San Mandato und am Vico Mondragone. Lila habe ihr versprochen, mit ihr in den Gassen von Santa Lucia nach einem Geist zu suchen, der wegen seines großen Gesichts Faccione genannt werde, allerdings auch gefährlich sei, er werfe mit Gesteinsbrocken nach denen, die ihn störten. In Pizzofalcone und anderen Orten – so hatte sie ihr erzählt – wohnten auch viele Geister toter Kinder. In der

Gegend von Porta Nolana werde abends oft ein spukendes Mädchen gesehen. Existierten sie wirklich, existierten sie nicht? Tante Lina sagte, es gebe Geister, aber nicht in den Häusern, in den Gässchen und in der Nähe der alten Tore von Vasto. Sie existierten in den Ohren der Menschen, in den Augen, wenn sie nach innen schauten und nicht nach außen, in der Stimme, sobald man zu sprechen beginne, im Kopf, wenn man denke, denn die Worte, doch auch die Bilder seien voller Hirngespinste. »Stimmt das, Mama?«

»Ja«, antwortete ich, »vielleicht.« »Wenn Tante Lina das sagt, kann es schon sein.« Lila hatte ihr erzählt: »Diese Stadt ist voller Geschichten und Anekdoten; Geistern kannst du auch begegnen, wenn du ins Museum gehst, in die Gemäldegalerie und vor allem in die Nationalbibliothek, in den Büchern gibt es Unmengen davon. Du schlägst eins auf, und es springt, zum Beispiel, Masaniello heraus. Masaniello ist ein spaßiger und schrecklicher Geist, er brachte die Armen zum Lachen und ließ die Reichen zittern.« Imma gefiel besonders, dass er mit dem Schwert nicht den Herzog von Maddaloni tötete und nicht den Vater des Herzogs von Maddaloni, sondern ihre Porträts, zack, zack, zack. Ihr zufolge war es sogar am lustigsten, als Masaniello den Bildnissen des Herzogs und den seines Vaters den Kopf abschnitt oder als er die Porträts anderer grausamer Adliger erhängte. *Er schnitt den Bildern den Kopf ab*, lachte Imma ungläubig, *er erhängte die Bilder*. Und nach diesen Enthauptungen und Erhängungen zog Masaniello ein blaues, silberbesticktes Seidengewand an, legte sich eine Goldkette um den Hals, steckte sich eine Diamantnadel an den Hut und ging auf den Markt. »Er ging so dorthin, Mama, ganz als Marchese, Herzog und Fürst ausstaffiert, er, der ein Plebejer war, er, der ein Fischer war und weder lesen noch schreiben konnte.« Tante Lina hatte ihr gesagt, dass das und noch mehr in Neapel geschehen konnte, freiheraus, ohne dass man so tat, als würde man Gesetze und Dekrete und ganze Verhältnisse besser machen, als die vorhergehenden gewesen waren. In Neapel übertrieb man in aller Offenheit, deutlich sichtbar und voller Genugtuung.

Sehr beeindruckt hatte sie die Affäre um einen Minister, das Museum unserer Stadt war darin verwickelt, Pompeji war darin verwickelt. Imma sagte mit ernster Stimme: »Mama, wusstest du, dass der Bildungsminister Nasi, ein Vertreter des Volkes vor fast einhundert Jahren, von den Leuten, die in Pompeji die Ausgrabungen machten, eine damals gefundene, wertvolle Statuette als Geschenk angenommen hat? Wusstest du, dass er sich Kopien der besten Kunstwerke Pompejis als Schmuck für seine Villa in Trapani hat anfertigen lassen? Mama, dieser Nasi hat, obwohl er ein Minister des Königreichs Italien war, spontan gehandelt. Man hat ihm eine schöne Statuette geschenkt, und er hat sie genommen, er dachte, sie würde gut in sein Haus passen. Manchmal macht man einen Fehler, aber wenn man als Kind nicht gelernt hat, was das Gemeinwohl ist, dann begreift man gar nicht, dass es ein Verbrechen ist.«

Ich weiß nicht, ob sie mit diesem letzten Satz Tante Linas Worte wiedergab oder ihre eigenen Gedanken äußerte. Jedenfalls gefielen mir diese Worte nicht, und ich beschloss zu widersprechen. Ich hielt ihr einen vorsichtigen, aber deutlichen Vortrag: »Tante Lina erzählt dir allerhand schöne Sachen, das freut mich; wenn sie sich für was begeistert, kann niemand sie aufhalten. Doch du darfst nicht glauben, dass die Leute schlimme Dinge aus Leichtsinn tun. Das darfst du nicht glauben, Imma, vor allem dann nicht, wenn es sich um Abgeordnete, Minister, Senatoren, Bankiers und Camorristi handelt. Du darfst auch nicht glauben, dass die Welt sich immer im Kreis dreht, mal geht es gut, mal schlecht und dann wieder gut. Wir müssen beharrlich arbeiten, mit Disziplin, Schritt für Schritt, egal wie die Dinge um uns her laufen, und uns bemühen, keine Fehler zu machen, denn für Fehler bezahlt man.«

Imma zitterte die Unterlippe, sie fragte:

»Kommt Papa nicht ins Parlament zurück?«

Ich wusste nicht, was ich sagen sollte, und das merkte sie. Wie um mich zu einer positiven Antwort zu ermuntern, murmelte sie:

»Tante Lina denkt, dass er zurückkommt.«

Ich zögerte lange, dann entschied ich mich.

»Nein, Imma, das glaube ich nicht. Aber Papa muss ja keine wichtige Persönlichkeit sein, damit man ihn lieben kann.«

43

Diese Antwort war rundweg falsch. Mit der für ihn typischen Behendigkeit entschlüpfte Nino der Falle, in die er geraten war. Imma freute sich sehr, als sie es erfuhr. Sie wollte sich mit ihm treffen, aber er tauchte eine Weile unter, es war schwierig, ihn aufzuspüren. Als wir endlich eine Verabredung hatten, ging er mit uns in eine Pizzeria in Mergellina, aber ohne seine übliche Lebhaftigkeit. Er war nervös, unaufmerksam, riet Imma, sie solle niemals auf irgendein politisches Lager vertrauen, und bezeichnete sich als Opfer einer Linken, die keine Linke sei, sie sei noch schlimmer als die Faschisten. »Du wirst sehen«, beruhigte er sie, »Papa bringt alles in Ordnung.«

Dann las ich sehr aggressive Artikel von ihm, in denen er eine These wiederaufgriff, die er schon vor langer Zeit vertreten hatte: Die Justiz sollte der Exekutive unterstellt werden. Empört schrieb er: »Es kann nicht sein, dass die Staatsanwaltschaft an einem Tag diejenigen bekämpft, die das Herz des Staates treffen wollen, und am nächsten Tag den Bürgern weismacht, dass dieses Herz krank ist und entfernt werden muss.« Er kämpfte darum, nicht entfernt zu werden. Er durchlief die alten, abgewirtschafteten Parteien, wobei er sich immer weiter nach rechts bewegte, und kehrte 1994 strahlend ins Parlament zurück.

Imma nahm die Nachricht, dass ihr Vater wieder der Herr Abgeordnete Sarratore war und Neapel ihm eine große Zahl von Vorzugsstimmen gegeben hatte, mit Freude auf. Als sie es erfuhr, kam sie sofort zu mir und sagte: »Du schreibst zwar Bücher, aber so viel Weitblick wie Tante Lina hast du nicht.«

44

Ich nahm das nicht übel, im Grunde hatte meine Tochter mich nur darauf aufmerksam machen wollen, dass ich gehässig über ihren Vater geredet und nicht erkannt hatte, wie toll er war. Stattdessen hatten ihre Worte (*du schreibst zwar Bücher, aber so viel Weitblick wie Tante Lina hast du nicht*) eine unvermutete Wirkung. Sie stießen mich auf die Tatsache, dass Lila, die Imma zufolge die Frau mit dem Weitblick war, mit fünfzig Jahren offiziell zu den Büchern und zum Lesen zurückgekehrt war und sogar schrieb. Schon Pietro hatte vermutet, dass sie sich mit dieser Entscheidung eine Art Therapie auferlegt hatte, um gegen Tinas quälendes Fehlen anzukämpfen. Doch in meinem letzten Jahr im Rione begnügte ich mich nicht mehr mit Pietros Einfühlungsvermögen und auch nicht mit Immas Vermittlung. Sobald ich konnte, sprach ich dieses Thema an, ich stellte Fragen:

»Woher kommt auf einmal dieses ganze Interesse für Neapel?«

»Was ist denn dabei?«

»Nichts, ich beneide dich sogar. Du recherchierst zu deinem Vergnügen, während ich nur von Berufs wegen lese und schreibe.«

»Ich recherchiere nicht. Ich sehe mir bloß hier einen Palast an und da eine Straße oder ein Denkmal, und bei Gelegenheit vertreibe ich mir ein bisschen die Zeit damit, was darüber zu lesen, mehr nicht.«

»Und das ist recherchieren.«

»Meinst du?«

Sie wich aus, wollte sich mir nicht anvertrauen. Aber manchmal redete sie sich in Feuer, wie nur sie es konnte, sie sprach über die Stadt, als bestünde sie nicht aus den üblichen Straßen, aus der Normalität alltäglicher Orte, sondern als hätte sie nur ihr ein geheimes Funkeln offenbart. Lila verwandelte sie mit wenigen Sätzen in die denkwürdigste Stätte der Welt, in die bedeutsamste, so dass ich nach einigem Plaudern mit heißem Kopf wieder über meine Angelegenheiten nachdachte. Was für eine große Nachlässigkeit war es gewesen, in Neapel geboren zu sein und zu leben, ohne mir die Mühe gemacht zu haben, es kennenzulernen. Ich stand kurz davor, die Stadt zum zweiten Mal zu verlassen, hatte mich hier insgesamt dreißig Jahre meines Lebens aufgehalten und wusste trotzdem so gut wie nichts über den Ort, an dem ich geboren war. Früher hatte schon Pietro mir meine Unkenntnis vorgeworfen, jetzt tat ich es selbst. Ich hörte Lila zu und merkte, wie inkonsistent ich war.

Sie dagegen, die mit ihrer mühelosen Schnelligkeit lernte, schien nun jedem Monument, jedem einzelnen Stein so viel Bedeutungsreichtum, so viel phantastische Wichtigkeit geben zu können, dass ich den Blödsinn, mit dem ich mich abgab, am liebsten hingeworfen und mich selbst ans Recherchieren gemacht hätte. Aber dieser *Blödsinn* verschlang meine ganze Energie und bescherte mir ein behagliches Leben, ich arbeitete für gewöhnlich auch nachts. Manchmal hielt ich in der stillen Wohnung inne und dachte, dass vielleicht in diesem Moment auch Lila wach war, vielleicht schrieb sie wie ich, vielleicht fasste sie in der Bibliothek gelesene Texte zusammen, vielleicht notierte sie ihre Gedanken, vielleicht erzählte sie davon ausgehend ihre eigene Geschichte, vielleicht interessierte die historische Wahrheit sie nicht und sie suchte nur Impulse für ihre Phantastereien.

Gewiss verfuhr sie mit dem für sie typischen Improvisieren, mit plötzlicher Neugier, die dann nachließ und wieder verschwand. Nach dem, was ich mitbekam, beschäftigte sie sich mal mit der Porzellanfabrik in der Nähe des Palazzo Reale, mal sammelte sie Informationen über San Pietro a Majella, mal suchte sie nach den Zeugnissen ausländischer Besucher und glaubte darin eine Mischung aus Verzauberung und Abscheu zu entdecken. »Alle«, sagte sie, »alle haben im Laufe der Jahrhunderte den großen Hafen gepriesen, das Meer, die Schiffe, die Kastelle, den hohen, schwarzen Vesuv mit seinen zornigen Flammen, die Stadt in Form eines Amphitheaters, die Parks, die Obstgärten und die Paläste. Aber dann haben sie sich, ebenfalls im Laufe der Jahrhunderte, über den Schlendrian beklagt, über die Verkommenheit, über das physische und moralische Elend. Keine Institution, die hinter ihrer Fassade, hinter ihrem hochtrabenden Namen und mit ihren zahlreichen Beschäftigten wirklich funktionieren würde. Keine erkennbare Ordnung, nur eine zügellose, unbezähmbare Menge auf den Straßen, die mit Verkäufern von allem möglichen Plunder überfüllt sind, mit lauthals redendem Volk, mit Straßenjungen, mit Bettlern. Ah, keine andere Stadt verursacht so viel Lärm und so viel Getöse wie Neapel.«

Einmal sprach sie über Gewalt. »Wir haben geglaubt«, sagte sie, »sie wäre nur für den Rione typisch. Sie hat uns seit unserer Geburt umgeben, hat uns unser Leben lang gestreift oder voll erwischt, wir dachten immer: Wir haben es schlecht getroffen. Weißt du noch, wie wir anderen mit Wörtern wehgetan haben und wie viele kränkende Ausdrücke wir erfunden haben? Erinnerst du dich noch an die Schläge, die Antonio, Enzo, Pasquale, mein Bruder und die Solaras ausgeteilt und eingesteckt haben, und auch ich, und auch du? Weißt du noch, wie mein Vater mich aus dem Fenster geworfen hat? Jetzt lese ich gerade einen alten Artikel über San Giovanni a Carbonara, in dem erklärt wird, was die Carbonara oder der Carboneto war. Ich dachte, dass es dort früher Kohle und Köhler gegeben hatte. Doch nein, das war ein Müllgraben, jede Stadt hatte einen. Man nannte ihn *Fosso carbonario*, dorthin flossen die Abwasser, und man warf Tierkadaver hinein. Neapels *Fosso carbonario* befand sich seit der Antike da, wo heute die Kirche San Giovanni a Carbonara steht. Vergil hatte seinerzeit verfügt, dass auf dem Gelände der Piazza di Carbonara alljährlich der *Ioco de Carbonara* stattfinden sollte, Gladiatorenspiele, die aber keine Menschenleben kosteten, wie es dann später praktiziert wurde, also ohne *morte de homini come de po è facto*« – Lila liebte dieses Altitalienisch, es amüsierte sie, und sie zitierte es mir gegenüber mit sichtlichem Vergnügen –, »sondern Spiele, bei denen sich die Männer, *li homini, ali facti de l'arme* übten, also im Waffengebrauch. Bald schon handelte es sich nicht mehr um ein *ioco* oder Übungen. An diesem Ort, wo man Tierkadaver und Müll ablud, wurde fortan viel Menschenblut vergossen. Offenbar erfand man dort das Spiel des Steinewerfens, die *petriàte*, das wir als kleine Mädchen auch gespielt haben, du weißt ja, dass Enzo mich an der Stirn traf – ich habe die Narbe noch – und ganz traurig wurde und mir einen Vogelbeerkranz schenkte. Auf der Piazza di Carbonara wechselte man später aber von den Steinen zu Waffen, und sie wurde zu dem Platz, an dem man auf Leben und Tod kämpfte. Arme Schlucker und feine Herren und Fürsten eilten herbei, um zuzuschauen, wie die Leute sich aus Rache gegenseitig umbrachten. Wenn ein bildschöner Junge von einer auf dem Amboss des Todes geschmiedeten Klinge durchbohrt zu Boden sank, spendeten Bettler, Bürger, Könige und Königinnen sogleich einen Beifall, der bis zu den Sternen aufstieg. Ja, ja, die Gewalt: Aufreißen, totschlagen, zerfetzen.« Zwischen Faszination und Grauen erzählte mir Lila dies alles, indem sie Dialekt, Italienisch und gelehrte Zitate vermischte, die sie wer weiß woher hatte und auswendig kannte. »Die ganze Erde«, sagte sie, »ist ein großer Müllgraben.« Manchmal dachte ich, dass sie ganze Säle hätte begeistern können, doch dann reduzierte ich sie wieder auf ihr wirkliches Maß. ›Sie ist eine fünfzigjährige Frau fast ohne Schulbildung, sie weiß nicht, wie man richtig recherchiert, weiß nicht, was dokumentarische Wahrheit ist. Sie liest, begeistert sich, wirft Wahres und Falsches durcheinander, phantasiert. Nichts weiter.‹ Am meisten schien es sie zu interessieren und zu amüsieren, dass all diese Fäulnis, dieses ganze Gemetzel mit abgetrennten Gliedmaßen und ausgestochenen Augen und zertrümmerten Schädeln später von einer Kirche überdeckt – buchstäblich überdeckt – wurde, die San Giovanni Battista, Johannes dem Täufer, geweiht war, und auch von einem Kloster der Augustiner-Eremiten, das mit einer sehr reichen Bibliothek ausgestattet war. »Haha«, lachte sie, »unten war das Blut und oben Gott, Frieden, Gebet und Bücher. So entstand die Verbindung von San Giovanni und dem *Fosso carbonario*, mit anderen Worten: der Name der Straße San Giovanni a Carbonara, durch die wir schon tausendmal gegangen sind, Lenù, sie liegt nur ein paar Schritte vom Bahnhof, von Forcella und von Tribunali entfernt.«

Ich wusste, wo die Straße San Giovanni a Carbonara lag, wusste es genau, aber von diesen Geschichten wusste ich nichts. Sie erzählte mir lange davon. Und dies, um mich spüren zu lassen, so argwöhnte ich, dass sie das, was sie mir mündlich mitteilte, im Wesentlichen bereits aufgeschrieben hatte und es zu einem langen Text gehörte, dessen Struktur sich mir allerdings nicht erschloss. Ich fragte mich: ›Was hat sie vor, was sind ihre

Absichten? Sortiert sie nur ihre Streifzüge und Lektüren, oder plant sie ein Buch über neapolitanische Sehenswürdigkeiten, ein Buch, das sie natürlich nie abschließen wird, das es ihr aber ermöglicht, über jeden einzelnen Tag zu kommen, jetzt, da nicht nur Tina verschwunden ist, sondern auch Enzo, auch die Solaras und bald auch ich, zusammen mit Imma, die ihr zwischen Höhen und Tiefen geholfen hat, zu überleben?‹

45

Kurz bevor ich nach Turin abreiste, verbrachte ich viel Zeit mit ihr, es wurde ein herzlicher Abschied. Es war ein Sommertag 1995. Wir redeten stundenlang über Gott und die Welt, aber zum Schluss richtete sich ihre Aufmerksamkeit auf Imma, die nun vierzehn Jahre alt war und schön und lebhaft, sie hatte gerade die Mittelschule abgeschlossen. Lila redete sehr wohlwollend und ohne plötzliche Gemeinheiten über sie, und ich hörte mir ihre Lobreden an und bedankte mich dafür, dass sie Imma in einer schwierigen Zeit geholfen hatte. Sie sah mich verdutzt an, korrigierte mich:

»Ich habe Imma ständig geholfen, nicht nur jetzt.«

»Ja, aber als Nino Probleme bekommen hatte, warst du ihr eine besonders große Hilfe.«

Auch diese Worte gefielen ihr nicht, es folgte ein kurzer Moment der Verwirrung. Sie wollte nicht, dass ich ihre Aufmerksamkeit für Imma in Verbindung mit Nino brachte, erinnerte mich daran, dass sie sich von Anfang an um die Kleine gekümmert habe, sagte, sie habe es getan, weil Tina Imma sehr geliebt habe, und fügte hinzu:

»Vielleicht hat Tina Imma sogar mehr geliebt als mich.«
Dann schüttelte sie unzufrieden den Kopf.

»Ich verstehe dich nicht«, sagte sie.

»Was verstehst du nicht?«

Sie wurde nervös, hatte etwas im Sinn, was sie mir sagen wollte, hielt sich aber zurück.

»Ich verstehe nicht, wie es sein kann, dass du in dieser ganzen Zeit kein einziges Mal darauf gekommen bist.«

»Worauf denn, Lila?«

Sie schwieg ein paar Sekunden, dann sagte sie mit gesenktem Blick:

»Erinnerst du dich noch an das Foto in *Panorama*?«

»An welches?«

»An das, auf dem du mit Tina zu sehen bist und unter dem stand, sie wäre deine Tochter.«

»Natürlich erinnere ich mich daran.«

»Ich habe oft gedacht, sie könnten mir Tina wegen dieses Bildes weggenommen haben.«

»Wie meinst du das?«

»Sie glaubten, sie entführen dein Kind, dabei haben sie meines entführt.«

Das sagte sie, und so hatte ich an diesem Vormittag den Beweis dafür, dass ich von den unzähligen Vermutungen, Phantasien und Obsessionen, die sie gequält hatten und noch quälten, fast nichts mitbekommen hatte. Ein Jahrzehnt hatte nicht genügt, um sie zu beruhigen, ihr Kopf fand keinen stillen Winkel für ihr Kind. Sie flüsterte:

»Du warst immer in den Zeitungen und im Fernsehen, so schön, so elegant, so blond: Vielleicht wollten sie Geld von dir und nicht von mir, das kann man nicht wissen, ich weiß heute gar nichts mehr, die Dinge gehen erst in die eine Richtung und dann in eine andere.«

Sie sagte, Enzo habe mit der Polizei darüber gesprochen, und sie selbst habe mit Antonio darüber gesprochen, aber weder die Polizei noch Antonio hätten diese Möglichkeit ernsthaft erwogen. Trotzdem redete sie mit mir darüber, als wäre sie sich nun erneut sicher, dass sich die Dinge so zugetragen hatten. Wer weiß, wie viel außerdem an ihr genagt hatte und noch nagte, von dem ich nie etwas bemerkt hatte. War Nunziatina anstelle meiner Immacolata geraubt worden? War mein Erfolg schuld an der Entführung ihres Kindes? Und war ihre enge Beziehung zu Imma eine Sorge, ein Behüten, ein Schutz? Hatte sie sich vorgestellt, dass die Entführer, nachdem sie das falsche Kind weggeworfen hatten, zurückkommen könnten, um sich das richtige zu holen? Oder was sonst? Was war ihr durch den Kopf gegangen und tat es noch? Warum erzählte sie mir erst jetzt von dieser Vermutung? Wollte sie mir ein letztes Gift einflößen, um mich dafür zu bestrafen, dass ich sie nun verließ? Ja, jetzt verstand ich, warum Enzo weggegangen war. Das Zusammenleben mit ihr war zu qualvoll geworden.

Sie bemerkte, dass ich sie besorgt ansah, und fing an, wie um sich in Sicherheit zu bringen, über ihre Lektüren zu reden. Diesmal allerdings sehr konfus, das Leiden verzerrte ihre Gesichtszüge. Lachend murmelte sie, das Böse gehe unvorhergesehene Wege. »Du stellst Kirchen drauf, Klöster, Bücher – Bücher scheinen sehr wichtig zu sein«, sagte sie sarkastisch, »du hast ihnen dein ganzes Leben gewidmet –, und das Böse bricht durch den Boden und taucht da auf, wo du es nicht erwartest.« Dann beruhigte sie sich, sprach wieder über Tina, über Imma, über mich, aber versöhnlich, sich beinahe für das entschuldigend, was sie vorher zu mir gesagt hatte. Als das Schweigen zu mächtig wurde, sagte sie: »Mir geht so vieles im Kopf herum, achte nicht darauf. Nur in schlechten Romanen denken und sagen die Leute immer das Richtige, jede Wirkung hat ihre Ursache, es gibt die Sympathischen und die Unsympathischen, die Guten und die Schlechten, und am Ende tröstet dich alles.« Sie flüsterte: »Es kann sein, dass Tina heute Abend zurückkommt, und dann ist es scheißegal, wie das passiert ist, das Entscheidende wird sein, dass sie wieder da ist und mir meine Unachtsamkeit verzeiht. Verzeih auch du mir«, sie umarmte mich und sagte abschließend: »Geh, geh, mach noch schönere Sachen, als du bisher gemacht hast. Ich bin *auch* in Immas Nähe geblieben, weil ich Angst hatte, dass jemand sie entführen könnte, und du hast meinen Sohn *auch* dann noch wirklich geliebt, als deine Tochter ihn verlassen hat. Wie viel hast du seinetwegen ertragen, hab Dank. Ich bin so froh, dass wir so lange befreundet waren und es noch sind.«

46

Die Idee, man hätte Tina entführt, weil man sie für mein Kind gehalten hatte, erschütterte mich, doch nicht, weil ich glaubte, dass sie in irgendeiner Weise begründet sein könnte. Ich dachte vielmehr an das Geflecht dunkler Gefühle, das ihr zugrunde lag, und versuchte, es zu entwirren. Mir fiel auch nach so langer Zeit noch ein, dass Lila ihre Tochter vollkommen zufällig – unter den belanglosesten Zufällen verbergen sich Weiten aus Treibsand – zu guter Letzt beim Namen meiner geliebten Puppe gerufen hatte, der Puppe, die sie als kleines Mädchen in ein

Kellerloch geworfen hatte. Es war das erste Mal, erinnere ich mich, dass ich mir Gedanken darüber machte, aber ich hielt das nicht lange aus, ich schaute in einen dunklen Schacht, in dem ein paar Lichter glitzerten, und wich zurück. Jede intensive zwischenmenschliche Beziehung ist voller Fangeisen, und wenn man will, dass sie von Dauer ist, muss man lernen, ihnen auszuweichen. Das tat ich auch bei dieser Gelegenheit, und schließlich kam es mir so vor, als wäre ich nur auf den soundsovielten Beweis dafür gestoßen, wie strahlend und finster unsere Freundschaft war, wie lang und kompliziert Lilas Schmerz gewesen war und dass er noch immer andauerte und stets andauern würde. Aber ich ging mit der Überzeugung nach Turin, dass Enzo recht gehabt hatte: Lila war in den Grenzen, die sie sich selbst gesetzt hatte, weit von einem ruhigen Lebensabend entfernt. Das letzte Bild, das sie mir bot, war das einer einundfünfzigjährigen Frau, die zehn Jahre älter wirkte und beim Reden von Zeit zu Zeit von lästigen Hitzewallungen überfallen und feuerrot wurde. Auch auf ihrem Hals zeigten sich Flecken, sie bekam einen verstörten Blick, packte den Saum ihres Kleides mit beiden Händen und wedelte sich Luft zu, so dass Imma und ich ihren Slip sahen.

47

In Turin war nun alles vorbereitet. Ich hatte eine Wohnung am Ponte Isabella gefunden und dafür gesorgt, dass ein Großteil meiner und Immas Sachen dorthin gebracht worden war. Wir fuhren ab. Der Zug hatte, wie ich mich erinnere, Neapel gerade verlassen, meine Tochter saß mir gegenüber, und zum ersten Mal schien sie melancholisch wegen dem zu sein, was sie zurückließ. Ich war sehr müde von dem vielen Hin und Her der letzten Monate, von den tausend Dingen, um die ich mich hatte kümmern müssen, von dem, was ich getan hatte, und von dem, was zu tun ich vergessen hatte. Ich sank auf meinem Sitz zusammen und sah durch das Fenster, wie sich die Vorstadt und der Vesuv entfernten. Da sprang plötzlich wie eine Boje, die nicht länger unter Wasser gedrückt wird, die Gewissheit in mir hoch, dass Lila, während sie über Neapel schrieb, auch über Tina schrieb und sich dieser Text – gerade weil er aus der Mühe herrührte, einen unbeschreiblichen Schmerz zu beschreiben – als außergewöhnlich erweisen würde.

Diese Gewissheit setzte sich mit Macht durch und ließ nicht mehr nach. In den Jahren in Turin – solange ich den kleinen, aber vielversprechenden Verlag leitete, der mich angestellt hatte, und solange ich das Gefühl hatte, weitaus mehr geschätzt und, möchte ich sagen, sogar mächtiger zu sein, als Adele Jahrzehnte früher in meinen Augen gewesen war – nahm diese Gewissheit die Form eines Wunsches an, einer Hoffnung. Es hätte mir gefallen, wenn Lila mich irgendwann angerufen und gesagt hätte: Ich habe hier ein Manuskript, ein Schmierheft, ein Sammelsurium, kurz, einen eigenen Text, und ich würde mich freuen, wenn du ihn lesen und mir helfen könntest, ihn in Form zu bringen. Ich hätte ihn auf der Stelle gelesen. Ich hätte Hand angelegt, um ihm eine annehmbare Gestalt zu geben, hätte ihn am Ende wahrscheinlich Abschnitt für Abschnitt umgeschrieben. Trotz ihres lebhaften Intellekts, trotz ihres außergewöhnlichen Gedächtnisses, trotz der Dinge, die sie offenbar ihr Leben lang gelesen hatte und die sie mir manchmal erzählt, jedoch viel häufiger verschwiegen hatte, verfügte Lila nur über eine absolut unzureichende Bildung und besaß keinerlei Erfahrung als Autorin. Ich fürchtete, es könnte eine wirre Anhäufung von schlecht formulierten Kostbarkeiten sein, von falsch platzierten Glanzstücken. Aber nie – nie – kam mir in den Sinn, sie könnte ein albernes Machwerk voller Klischees geschrieben haben, im Gegenteil, ich war mir stets vollkommen sicher, dass es sich um einen achtbaren Text handeln würde. Ich ging sogar so weit, in Zeiten, in denen es mir schwerfiel, ein hochwertiges Verlagsprogramm zusammenzustellen, Rino auszufragen, der nebenbei bemerkt in einer Tour bei mir zu Hause auftauchte, er kam, ohne vorher anzurufen, sagte: »Ich wollte nur mal guten Tag sagen« und blieb mindestens einige Wochen lang. Ich fragte ihn: »Schreibt deine Mutter noch? Hast du nicht mal irgendwann einen Blick darauf geworfen, um zu sehen, was das ist?« Aber er sagte: »Ja, nein, ich weiß nicht mehr, das ist ihre Sache, keine Ahnung.« Ich ließ nicht locker. Malte mir die Reihe aus, in der ich diesen Phantomtext platzieren könnte, und das, was ich tun würde, um ihm die größte Sichtbarkeit zu verleihen und selbst etwas Ansehen aus ihm zu ziehen. Manchmal telefonierte ich direkt mit Lila, fragte sie, wie es ihr gehe, erkundigte mich zurückhaltend und im Allgemeinen bleibend: »Hast du noch dein Faible für Neapel, machst du dir immer noch so viele Notizen?« Sie antwortete unweigerlich: »Was für ein Faible, was für Notizen, ich bin eine verrückte Alte wie Melina, erinnerst du dich noch an Melina, wer weiß, ob sie noch lebt.« Also hörte ich mit der Fragerei auf, und wir wechselten das Thema.

48

In diesen Telefonaten redeten wir immer öfter über Tote, was aber auch eine Gelegenheit war, über die Lebenden zu sprechen.

Ihr Vater Fernando war gestorben, und wenige Monate später auch Nunzia. Lila war daraufhin mit Rino in die alte Wohnung gezogen, in der sie geboren war und die sie vor langer Zeit von ihrem Geld gekauft hatte. Aber nun behaupteten ihre Geschwister, sie hätte ihren Eltern gehört, und setzten Lila mit der Forderung zu, einen Anteil zu bekommen.

Stefano war nach einem weiteren Infarkt gestorben – sie hatten nicht einmal Zeit gehabt, den Krankenwagen zu rufen, er war zusammengebrochen und mit dem Gesicht auf den Boden geprallt –, und Marisa war mit den Kindern aus dem Rione weggezogen. Nino hatte endlich etwas für sie getan. Er hatte ihr nicht nur eine Stellung als Sekretärin in einer Anwaltskanzlei in der Via Crispi besorgt, sondern gab ihr auch Geld, damit die Kinder an der Universität bleiben konnten.

Einer, den ich nie kennengelernt hatte, den man aber als Geliebten meiner Schwester Elisa kannte, war auch gestorben. Sie hatte den Rione verlassen, aber weder sie noch mein Vater, noch meine Brüder hatten mir Bescheid gesagt. Von Lila erfuhr ich, dass sie nach Caserta gezogen war und die Bekanntschaft eines Anwalts im Ruhestand gemacht hatte, der auch Stadtrat war, zur Hochzeit hatte sie mich nicht eingeladen.

Solche Gespräche führten wir, Lila hielt mich mit allem, was es Neues gab, auf dem Laufenden. Ich erzählte ihr von meinen Töchtern, von Pietro, der eine fünf Jahre ältere Kollegin geheiratet hatte, von dem, was ich gerade schrieb, und von meiner Arbeit im Verlag. Nur selten kam ich dazu, ihr etwas deutlichere Fragen zu dem Thema zu stellen, das mir am Herzen lag:

»Wenn du, sagen wir, was schreiben würdest – nur mal so angenommen –, würdest du es mich lesen lassen?«

»Was denn so?«

»Irgendwas. Rino sagt, du sitzt ständig am Computer.«

»Rino erzählt Blödsinn. Ich surfe im Internet. Informiere mich, was es Neues in Sachen Elektronik gibt. So was mache ich, wenn ich am Computer sitze. Ich schreibe nicht.«

»Bestimmt nicht?«

»Natürlich nicht. Antworte ich vielleicht jemals auf deine Mails?«

»Nein. Und das macht mich wütend. Ich schreibe dir andauernd, aber von dir – nichts.«

»Siehst du? Ich schreibe nicht, an niemanden, nicht mal an dich.«

»Gut. Aber falls du was schreiben würdest, dürfte ich es dann lesen, dürfte ich es veröffentlichen?«

»Du bist doch hier die Schriftstellerin.«

»Das ist keine Antwort.«

»Und ob das eine Antwort ist, aber du tust so, als würdest du nicht verstehen. Um zu schreiben, musst du den Wunsch haben, dass dich was überlebt. Doch ich habe nicht mal den Wunsch, selbst zu leben, ich habe ihn nie so stark gehabt, wie du ihn hast. Wenn ich mich jetzt auslöschen könnte, gerade jetzt, während wir reden, wäre ich mehr als froh. Ich bitte dich, da soll ich mich ans Schreiben machen?«

Die Vorstellung, sich auszulöschen, hatte sie oft geäußert, aber seit dem Ende der neunziger Jahre – und besonders seit dem Jahr 2000 – wurde sie zu so etwas wie einem spöttischen Kehrreim. Sie war natürlich eine Metapher. Sie gefiel ihr, sie hatte sie bei den verschiedensten Anlässen gebraucht, und niemals in den vielen Jahren unserer Freundschaft – selbst in den schrecklichsten Momenten nach Tinas Verschwinden nicht – war mir in den Sinn gekommen, dass sie an Selbstmord denken könnte. Sich auszulöschen war eine Art ästhetisches Projekt. »Das geht so nicht weiter«, sagte sie, »die Elektronik wirkt so sauber, und dabei macht sie Dreck, sehr viel Dreck, und sie zwingt dich, überall was von dir zu hinterlassen, als würdest du ständig einkacken und einpinkeln. Aber ich will nichts von mir hinterlassen, meine Lieblingstaste ist die Löschtaste.«

Dieser Drang war in manchen Phasen authentisch, in anderen weniger. Ich erinnere mich an eine boshafte Tirade, die von meiner Berühmtheit ausging. Sie sagte: »Nein, was für ein Theater um einen Namen. Ob berühmt oder nicht, er ist doch bloß ein Schleifchen an einem Sack, der beliebig mit Blut, Fleisch, Wörtern, Scheiße und netten Gedanken gefüllt ist.« Sie verspottete mich lange damit: »Ich löse die Schleife – *Elena Greco* –, und der Sack bleibt, wo er ist, er funktioniert trotzdem, natürlich einfach nur so, ohne irgendwelche Verdienste oder Schwächen, bis er kaputtgeht.« An ihren düstersten Tagen sagte sie mit einem harten Lachen: »Ich will meinen Namen wie eine Schleife lösen, ihn abstreifen, wegwerfen, vergessen.« Bei anderen Gelegenheiten war sie entspannter. So kam es etwa vor, dass ich sie in der Hoffnung anrief, sie überreden zu können, mir von ihrem Text zu erzählen, und obwohl sie dessen Existenz vehement leugnete und sich weiterhin bedeckt hielt, hatte ich den Eindruck, dass mein Anruf sie mitten in einer kreativen Phase überrascht hatte. Eines Abends wirkte sie glücklich zerstreut. Sie hielt ihre üblichen Reden zur Zerstörung jeder Hierarchie – »So viel Theater um die Großartigkeit von diesem oder jenem, doch was ist das schon für ein Verdienst, mit bestimmten Vorzügen geboren zu sein, das ist, als würde man die Lostrommel bewundern, wenn man sie in Bewegung setzt und die richtigen Zahlen herausfallen!« –, aber sie tat es mit Phantasie und zugleich mit Präzision, ich bemerkte ihre Freude daran, Bilder zu erfinden. Wie gut sie doch mit Wörtern umgehen konnte, wenn sie wollte. Sie schien einen eigenen, geheimen Sinn in sich zu tragen, der allem anderen seinen Sinn nahm. Vielleicht war es das, was mich niederzudrücken begann.

49

Meine Krise setzte im Winter 2002 ein. Damals hatte ich, wenn auch mit gelegentlichen Zweifeln, noch das Gefühl, mich verwirklicht zu haben. Dede und Elsa kamen jedes Jahr aus den Vereinigten Staaten herüber, manchmal allein, manchmal mit offensichtlich provisorischen Partnern. Die Älteste beschäftigte sich mit den gleichen Dingen wie ihr Vater, die Zweite hatte vorzeitig einen Lehrstuhl für einen mysteriösen Zweig der Algebra übernommen. Wenn ihre Schwestern kamen, entledigte sich Imma aller Pflichten und verbrachte die ganze Zeit mit ihnen. Die Familie versammelte sich wieder, wir vier

Frauen hielten uns in der Turiner Wohnung auf oder schlenderten durch die Stadt, glücklich, wenigstens für eine kurze Zeit wieder zusammen zu sein, rücksichtsvoll miteinander, zärtlich. Ich schaute die drei an und sagte mir: ›Was für ein Glück ich gehabt habe.‹

Aber Weihnachten 2002 geschah etwas Deprimierendes. Die Mädchen kamen alle für einen längeren Zeitraum zu mir. Dede hatte einen seriösen Ingenieur iranischer Herkunft geheiratet und hatte seit zwei Jahren einen quirligen, kleinen Jungen namens Hamid. Elsa brachte einen Kollegen aus Boston mit, auch er Mathematiker, noch kindlicher als sie und sehr laut. Imma kam in Begleitung eines Studienfreundes, eines hochgewachsenen, nicht gerade hübschen und fast durchgängig schweigenden Franzosen, aus Paris, wo sie seit zwei Jahren Philosophie studierte. Wie erfreulich dieser Dezember war. Ich war achtundfünfzig Jahre alt, war Großmutter, schmuste mit Hamid. Ich weiß noch, dass ich am Weihnachtsabend mit dem Kleinen in einer Ecke saß und heiter die jungen, energiegeladenen Körper meiner Töchter betrachtete. Alle drei ähnelten mir und auch keine von ihnen, ihr Leben war meilenweit von meinem entfernt, und trotzdem empfand ich sie jeweils als einen von mir untrennbaren Teil. Ich dachte: ›Wie viel Anstrengung liegt hinter mir und was für ein langer Weg. Bei jedem Schritt hätte ich aufgeben können, aber das ist nicht passiert. Ich bin aus dem Rione weggegangen, bin zurückgekehrt, habe es geschafft, erneut wegzugehen. Nichts, gar nichts hat mich mit diesen Mädchen, die ich gemacht habe, nach unten gezogen. Wir haben uns in Sicherheit gebracht, ich habe sie alle drei in Sicherheit gebracht. Sie gehören nun an andere Orte und leben in anderen Sprachen. Sie sehen in Italien ein herrliches Fleckchen Erde und zugleich eine unbedeutende, nichtsnutzige Provinz, bewohnbar nur für einen kurzen Urlaub. Dede sagt oft zu mir: Geh weg hier, zieh zu mir, du kannst deiner Arbeit auch bei mir nachgehen. Ich sage ja, irgendwann mache ich das. Die Mädchen sind stolz auf mich, und doch weiß ich, dass keine von ihnen mich lange ertragen könnte, inzwischen nicht einmal mehr Imma. Die Welt hat sich erstaunlich verändert, sie gehört immer mehr ihnen und immer weniger mir. Aber das ist in Ordnung‹ – dachte ich, während ich mit Hamid schmuste –, ›was zählt, sind diese großartigen Mädchen, die nicht eine der Schwierigkeiten hatten, auf die ich gestoßen bin. Sie haben Umgangsformen, Stimmen, Bedürfnisse, Ansprüche und ein Selbstbewusstsein, für das mir noch heute der Mut fehlt. Andere Menschen haben dieses Glück nicht. In den Ländern mit einigem Wohlstand hat sich eine Ausgewogenheit durchgesetzt, die die Schrecken der übrigen Welt verdeckt. Wenn diese Schrecken eine Gewalt freisetzen, die bis in unsere Städte und in unsere Gewohnheiten gelangt, schreckt uns das auf, alarmiert uns das. Letztes Jahr bin ich vor Angst fast gestorben und habe lange Telefongespräche mit Dede, mit Elsa und auch mit Pietro geführt, als ich im Fernsehen die Flugzeuge gesehen habe, die die Twin Towers von New York entzündeten, wie man mit einem leichten Ruck einen Streichholzkopf entzündet. In der unteren Welt ist die Hölle. Meine Töchter wissen das, aber nur theoretisch, und sie sind empört, und gleichzeitig genießen sie die Freuden des Lebens, solange es dauert. Sie schreiben ihren Wohlstand und ihre Erfolge ihrem Vater zu. Aber ich – ich, die ich keine Privilegien hatte – bin das Fundament ihrer Privilegien.‹

Während ich noch meinen Gedanken nachhing, verstörte mich etwas. Es geschah wohl, als die drei Mädchen ihre Freunde feierlich vor das Regal führten, in dem meine Bücher standen. Wahrscheinlich hatte keine von ihnen jemals eins davon gelesen, garantiert hatte ich nie gesehen, dass sie es taten, und auf jeden Fall hatten sie es mir nie erzählt. Jetzt hingegen blätterten sie in dem einen oder anderen und lasen sogar einige Sätze laut vor. Diese Bücher waren aus der Atmosphäre heraus entstanden, in der ich gelebt hatte, aus dem, was mich angeregt hatte, aus den Ideen, die mich beeinflusst hatten. Ich war meiner Zeit Schritt für Schritt gefolgt, hatte Geschichten erfunden, mir Gedanken gemacht. Ich hatte Missstände aufgezeigt, sie in Szene gesetzt. Ich hatte wer weiß wie oft rettende Veränderungen vorweggenommen, die dann allerdings nie kamen. Hatte die Sprache des Alltags verwendet, um die Dinge des Alltags zu benennen. Hatte bestimmte Themen hervorgehoben: die Arbeit, die Klassengegensätze, den Feminismus, die Ausgegrenzten. Nun hörte ich wahllos herausgegriffene Sätze von mir und empfand sie als peinlich. Elsa – Dede war respektvoller, Imma behutsamer – las mit spöttischer Miene aus meinem ersten Roman vor, las aus meiner Erzählung von der Erfindung der Frauen durch die Männer vor, las aus mehrfach preisgekrönten Büchern vor. Ihre Stimme betonte wirkungsvoll Fehler, Übertreibungen, zu laute Töne und die Bejahrtheit von Ideologien, die ich als unbestreitbare Wahrheiten vertreten hatte. Amüsiert verweilte sie vor allem bei meinem Wortschatz, wiederholte zwei oder drei Mal Begriffe, die seit langem aus der Mode waren und albern klangen. Was erlebte ich da gerade? Ein herzliches Gespött, wie es in Neapel üblich war – den

Ton hatte meine Tochter auf jeden Fall von dort –, das aber mit jeder Zeile mehr zu einer Vorführung der Minderwertigkeit all der Bücher wurde, die dort mitsamt ihren Übersetzungen aufgereiht standen?

Elsas Freund, der junge Mathematiker, war der Einzige, glaube ich, dem auffiel, dass meine Tochter mir wehtat, er unterbrach sie, nahm ihr das Buch weg und stellte mir Fragen über Neapel, als handelte es sich um eine mythische Stadt wie die, von denen einst die kühnsten Forscher berichtet hatten. Der Feiertag verstrich. Aber von nun an veränderte sich etwas in mir. Ich nahm hin und wieder eins meiner Bücher zur Hand, las ein paar Seiten darin und erkannte, wie anfechtbar sie waren. Meine üblichen Unsicherheiten wurden noch stärker. Zunehmend hatte ich Zweifel an der Qualität meiner Arbeit. Dafür gewann das Werk, an dem Lila womöglich saß, einen unvermuteten Wert. Hatte ich ihn mir zuvor als Rohmaterial vorgestellt, das ich zusammen mit ihr bearbeiten konnte, so dass sich ein gutes Buch für meinen Verlag aus ihm herausholen ließ, verwandelte er sich nun in ein abgeschlossenes Werk und somit in einen möglichen Prüfstein. Ich ertappte mich dabei, dass ich mich fragte: ›Und wenn nun aus ihren Dateien irgendwann eine Erzählung entsteht, die bei weitem besser ist, als meine es sind? Wenn ich nun wirklich nie einen denkwürdigen Roman geschrieben habe und sie, sie dagegen seit Jahren an einem schreibt und schreibt? Wenn nun das Genie, das Lila als Kind mit der *Blauen Fee* gezeigt und damit Maestra Oliviero verwirrt hat, jetzt im Alter seine ganze Kraft offenbart?‹ In diesem Fall wäre ihr Buch – und wenn auch nur für mich – zu einem Beweis für mein Scheitern geworden, und ich hätte bei seiner Lektüre erkannt, wie ich hätte schreiben müssen, doch nicht gekonnt hatte. Dann hätten sich die verbissene Selbstdisziplin, die mühsamen Studien und jede Zeile, die ich mit Erfolg publiziert hatte, in Luft aufgelöst, wie wenn ein aufziehendes Unwetter auf dem Meer gegen die violette Kante des Horizonts stößt und alles verhüllt. Mein Bild als Schriftstellerin, die zwar aus einer heruntergekommenen Gegend stammte, es aber zu einem recht ansehnlichen Erfolg gebracht hatte, hätte seine Unbeständigkeit offenbart. Die Freude über meine gut geratenen Mädchen hätte nachgelassen und auch die über meine Berühmtheit und sogar die über meinen letzten Liebhaber, einen Dozenten der Polytechnischen Universität, acht Jahre jünger als ich, ein Kind, zweimal geschieden, den ich einmal wöchentlich in seinem Haus in den Bergen traf. Mein ganzes Leben hätte sich auf einen armseligen Kampf um den Aufstieg in eine andere Gesellschaftsschicht reduziert.

50

Ich hielt die Depression im Zaum, telefonierte seltener mit Lila. Nun hoffte ich nicht mehr, sondern fürchtete, *fürchtete*, dass sie zu mir sagte: »Willst du lesen, was ich geschrieben habe, ich arbeite schon seit Jahren daran, ich schicke es dir per Mail.« Ich wusste schon, wie ich reagiert hätte, wenn ich erfahren hätte, dass sie wirklich in meine berufliche Identität eingebrochen wäre und sie ausgehöhlt hätte. Mit Sicherheit hätte ich Bewunderung empfunden wie damals angesichts der *Blauen Fee*. Ich hätte ihren Text, ohne zu zögern, veröffentlicht. Hätte alles getan, um ihn auf jede erdenkliche Weise durchzusetzen.

Aber ich war nicht mehr das kleine Wesen, das die außerordentlichen Talente seiner Banknachbarin erkennen musste. Ich war jetzt eine reife Frau mit gefestigten Konturen. Ich war das, was Lila selbst, mal im Scherz, mal im Ernst, häufig wiederholt hatte: Elena Greco, die geniale Freundin von Raffaella Cerullo. Aus der plötzlichen Umkehrung der Schicksale wäre ich vernichtet hervorgegangen.

Doch in dieser Zeit liefen die Dinge noch gut für mich. Mein ausgefülltes Leben, mein noch jugendliches Aussehen, die beruflichen Pflichten und eine beruhigende Berühmtheit ließen nicht viel Raum für derlei Gedanken und reduzierten sie auf einen vagen Missmut. Dann kamen die schlimmen Jahre. Meine Bücher verkauften sich immer schlechter. Ich verlor meine Stellung im Verlag. Nahm zu, geriet aus der Form, fühlte mich alt und fürchtete mich vor der Möglichkeit eines Lebensabends in Armut und ohne Ansehen. Während ich noch der geistigen Form entsprechend arbeitete, die ich mir Jahrzehnte zuvor angeeignet hatte, musste ich zur Kenntnis nehmen, dass nun alles anders war, auch ich.

2005 fuhr ich nach Neapel, traf mich mit Lila. Es war ein schwieriger Tag. Sie hatte sich noch mehr verändert, zwang sich, umgänglich zu sein, grüßte neurotisch jeden, redete zu viel. Beim Anblick der Afrikaner und Asiaten an jeder Ecke des Rione, beim Geruch unbekannter Speisen geriet sie ins Schwärmen, sagte: »Ich bin nicht durch die Welt gereist so wie du, aber siehst du, die Welt ist zu mir gekommen.« In Turin war es jetzt genauso, und das Hereinbrechen des Exotischen, seine Beschränkung auf das Alltägliche hatten mir gefallen. Aber erst im Rione wurde mir bewusst, wie sehr sich die menschliche Landschaft gewandelt hatte. Der alte Dialekt hatte, einer festen Tradition folgend, sofort mysteriöse Sprachen aufgenommen und musste sich gleichzeitig auf verschiedene Lautbildungsfähigkeiten, auf Satzgefüge und auf Empfindungen einstellen, die einst weit weg gewesen waren. Der graue Stein der Wohnblocks wies überraschende Schilder auf, die alten legalen und illegalen Geschäfte mischten sich mit neuen, die Ausübung von Gewalt öffnete sich neuen Kulturen.

Es war der Tag, an dem sich die Nachricht verbreitete, man habe Gigliolas Leichnam im kleinen Park gefunden. Noch wusste man nicht, dass sie an einem Herzinfarkt gestorben war, ich nahm an, sie wäre ermordet worden. Ihr auf der Erde liegender Körper war riesig. Wie sehr muss sie unter ihrer Veränderung gelitten haben, sie, die so schön gewesen war und sich den gutaussehenden Michele Solara geschnappt hatte. ›Ich bin noch am Leben‹ – dachte ich –, ›trotzdem kann ich keinen Unterschied mehr zwischen mir und diesem dicken Körper spüren, der leblos an diesem elenden Ort liegt, auf diese elende Weise.‹ So war es. Obwohl ich mich wie besessen pflegte, erkannte auch ich mich nicht mehr, mein Gang wurde zunehmend unsicher, und meine ganze Erscheinung war nicht mehr so, wie ich sie jahrzehntelang gewohnt gewesen war. Als Mädchen hatte ich mich so andersartig gefühlt, jetzt stellte ich fest, dass ich wie Gigliola war.

Lila dagegen schien keine Notiz vom Alter zu nehmen. Sie gestikulierte energisch, kreischte, grüßte mit ausladenden Gesten. Ich fragte sie nicht schon wieder nach ihrem etwaigen Text. Egal wie ihre Antwort ausgefallen wäre, sie hätte mich nicht aufgemuntert, da war ich mir sicher. Inzwischen wusste ich nicht mehr, wie ich aus der Depression herauskommen sollte, an was ich mich klammern konnte. Das Problem war nicht mehr Lilas Werk und dessen hohe Qualität, jedenfalls brauchte ich das Gefühl dieser Bedrohung nicht, um zu bemerken, dass das, was ich seit Ende der sechziger Jahre geschrieben hatte, nun ohne Gewicht und Kraft war, dass es kein Publikum mehr ansprach, wie es das für meine Begriffe jahrzehntelang getan hatte, und keine Leser mehr fand. Stattdessen wurde mir bei diesem traurigen Todesfall bewusst, dass sich das Wesen meiner Unruhe verändert hatte. Mich quälte nun, dass nichts von mir bleiben würde. Meine Bücher waren früh erschienen und hatten mit ihrem kleinen Erfolg für Jahrzehnte die Illusion in mir geweckt, einer wichtigen Arbeit nachzugehen. Doch plötzlich war diese Illusion verschwunden, es gelang mir nicht mehr, an die Bedeutsamkeit meines Werkes zu glauben. Andererseits war auch für Lila alles vorbei. Sie führte ein obskures Leben, zurückgezogen in die kleine Wohnung ihrer Eltern, fütterte sie den Computer mit wer weiß was für Eindrücken und Gedanken. Dennoch bestand die Möglichkeit, so malte ich mir aus, dass ihr Name – ob nun Schleifchen oder nicht – gerade jetzt, da sie eine alte Frau war, oder direkt nach ihrem Tod mit einem einzigartigen Werk von großer Bedeutung verbunden bleiben würde: nicht die Tausenden Seiten, die ich geschrieben hatte, sondern mit einem Buch, dessen Erfolg sie nie genießen würde, so wie ich es dagegen mit meinen getan hatte, das aber trotzdem bleiben würde und viele hundert Jahre lang gelesen und wiedergelesen werden würde. Lila verfügte über diese Möglichkeit, ich hingegen hatte sie verpasst. Mein Schicksal unterschied sich nicht von dem Gigliolas, ihres vielleicht doch.

51

Eine Weile ließ ich mich gehen. Ich arbeitete so gut wie gar nicht, überdies verlangte man weder im Verlag noch anderswo, dass ich mehr arbeitete. Ich traf mich mit niemandem, führte nur lange Telefongespräche mit meinen Töchtern und bestand darauf, dass sie mir meine Enkel an den Apparat holten, mit denen ich in einer kindischen Sprache redete. Nun hatte auch Elsa einen kleinen Jungen, Conrad, und Dede hatte Hamid ein Schwesterchen geschenkt, dem sie den Namen Elena gegeben hatte.

Die präzise artikulierenden Kinderstimmchen erinnerten mich an Tina. In meinen düstersten Momenten war ich zunehmend überzeugt davon, dass Lila eine ausführliche Geschichte ihrer Tochter geschrieben hatte und darin die Geschichte Neapels hatte einfließen lassen, mit der anmaßenden Naivität eines ungebildeten Menschen, der aber vielleicht gerade damit am Ende wunderbare Resultate erzielte. Dann begriff ich, dass ich mir das nur einbildete. Ohne es zu wollen, vereinigte ich Besorgnis, Neid, Groll und Zuneigung in mir. Lila besaß diese Art Ehrgeiz nicht, war nie ehrgeizig gewesen. Um irgendein Projekt auf die Beine zu stellen, das man mit dem eigenen Namen verband, musste man sich selbst lieben, und sie hatte es mir gesagt: Sie liebte sich nicht, liebte nichts an sich. An meinen depressivsten Abenden stellte ich mir sogar vor, sie hätte ihre Tochter verloren, um sich nicht mit all ihrer Antipathie reproduziert zu sehen, mit all ihrer Fähigkeit zu bösartigen Reaktionen, mit all ihrer zwecklosen Intelligenz. Sie wollte sich auslöschen, weil sie sich nicht ertrug. Das hatte sie ständig getan, ihr ganzes Leben lang, angefangen damit, dass sie sich auf ein erdrückend enges

Gebiet zurückgezogen und sich gerade dann immer stärker eingegrenzt hatte, als der Planet Grenzen nicht mehr haben wollte. Nie war sie in einen Zug gestiegen, nicht einmal, um nach Rom zu fahren. Nie hatte sie ein Flugzeug genommen. Ihre Erfahrung war minimal, und als ich daran dachte, tat mir das leid für sie, ich lächelte, stand mit ein paar Seufzern auf, ging zum Computer und schrieb ihr die x-te Mail, um ihr zu sagen: Komm zu mir, lass uns ein bisschen zusammen sein. In solchen Momenten war ich davon überzeugt, dass es kein Manuskript von Lila gab und auch nie geben würde. Ich hatte sie stets überschätzt, von ihr würde nichts Denkwürdiges kommen, ein Umstand, der mich aufheiterte und den ich zugleich aufrichtig beklagte. Ich liebte Lila. Wollte, dass sie fortdauerte. Aber ich wollte es sein, die sie fortdauern ließ. Ich glaubte, das sei meine Aufgabe. War überzeugt davon, dass sie selbst sie mir übertragen hatte, als wir Kinder gewesen waren.

52

Die Erzählung, die ich später *Eine Freundschaft* nannte, entstand in diesem Zustand sanfter Erschöpfung während einer Regenwoche in Neapel. Natürlich wusste ich, dass ich gegen eine ungeschriebene Abmachung zwischen Lila und mir verstieß, und ich wusste auch, dass sie das nicht vertragen würde. Aber ich glaubte, sie würde am Ende, wenn das Ergebnis gut ausfallen würde, zu mir sagen: »Ich bin dir dankbar, mir fehlte der Mut, um diese Dinge auch nur mir selbst zu sagen, und du hast sie an meiner Stelle gesagt.« Es gibt diese Anmaßung bei denen, die sich zur Kunst und besonders zur Literatur berufen fühlen: Man arbeitet, als wäre man mit einem Amt betraut worden, aber eigentlich hat uns niemand je mit irgendetwas betraut, wir selbst haben uns ermächtigt, Autoren zu sein, und dennoch sind wir bekümmert, wenn andere sagen: »Was du da geschrieben hast, interessiert mich nicht, es ärgert mich sogar. Wer hat dir das Recht dazu gegeben.« Ich schrieb in wenigen Tagen eine Geschichte, die letztlich ich mir jahrelang mit dem Wunsch und der Angst, Lila würde gerade an ihr schreiben, bis ins kleinste Detail ausgedacht hatte. Ich tat es, weil ich alles, was von ihr kam oder was ich ihr zuschrieb, seit unserer Kindheit bedeutsamer und verheißungsvoller fand als das, was von mir kam.

Als ich die erste Fassung fertigstellte, war ich in einem Hotelzimmer mit einem kleinen Balkon, von dem aus man einen schönen Blick auf den Vesuv und auf das grauweiße Halbrund der Stadt hatte. Ich hätte Lila auf dem Handy anrufen und sagen können: »Ich habe über mich, über dich, über Tina, über Imma geschrieben, willst du es lesen, es sind nur achtzig Seiten, ich komme bei dir vorbei, lese es dir vor.« Aus Scheu tat ich es nicht. Sie hatte mir ausdrücklich verboten, über sie zu schreiben und auch über die Menschen und die Angelegenheiten des Rione. Immer wenn ich es getan hatte, fand sie früher oder später eine Gelegenheit, mir mitzuteilen – auch durchaus bekümmert –, dass das Buch schlecht sei, man müsse entweder fähig sein, die Dinge so zu erzählen, wie sie sich in ihrer ganzen wimmelnden Unordnung wirklich zugetragen hätten, oder man solle seine Phantasie einsetzen und sich einen Plot ausdenken, aber ich hätte weder das eine noch das andere geschafft. Also ließ ich es sein, ich beruhigte mich mit dem Gedanken: ›Es wird so sein wie immer, die Erzählung wird ihr nicht gefallen, sie wird so tun, als ob nichts wäre, und in ein paar Jahren wird sie andeuten oder mir klipp und klar sagen, dass ich nach besseren Ergebnissen streben sollte. Wäre es nach ihr gegangen‹, dachte ich, ›hätte ich im Grunde nie auch nur eine Zeile veröffentlichen dürfen.‹

Mein Buch erschien, ich wurde von einem Beifall überwältigt, wie ich ihn seit langem nicht mehr erlebt hatte, und da ich ihn brauchte, war ich glücklich. *Eine Freundschaft* bewahrte mich davor, mich unter die Schriftsteller einzureihen, die von jedem für tot gehalten werden, obwohl sie noch am Leben sind. Meine alten Bücher verkauften sich nun wieder, das Interesse an meiner Person flammte wieder auf, und ich hatte trotz des beginnenden Alters wieder ein ausgefülltes Leben. Doch meine Liebe zu diesem Buch, das ich anfangs für mein schönstes gehalten hatte, ist mir vergangen. Es ist mir durch Lila verleidet worden, da sie sich strikt geweigert hat, mich zu treffen, mit mir darüber zu diskutieren oder mich andererseits zu beschimpfen und zu ohrfeigen. Ich habe sie unentwegt angerufen, habe ihr unzählige Mails geschrieben, bin in den Rione gegangen, habe mit Rino gesprochen. Sie hat sich nie blicken lassen. Aber ihr Sohn hat auch nie gesagt: »Meine Mutter benimmt sich so, weil sie dich nicht treffen will.« Wie üblich ist er vage geblieben, hat etwas gebrummt wie: »Du weißt doch, wie sie ist, ständig zieht sie durch die Gegend, ihr Handy ist entweder abgeschaltet oder sie vergisst es zu Hause, manchmal kommt sie nicht mal zum Schlafen heim.« So habe ich einsehen müssen, dass unsere Freundschaft vorbei war.

53

Eigentlich weiß ich nicht, was sie gekränkt hat, ob ein Detail oder die Geschichte an sich. Das Gute an *Eine Freundschaft* war meines Erachtens, dass sie linear aufgebaut war. Sie erzählte im Wesentlichen, mit allen gebotenen Verkleidungen, unsere zwei Leben, vom Verlust unserer Puppen bis zum Verlust von Tina. Was hatte ich falsch gemacht? Lange glaubte ich, sie habe es mir übel genommen, dass ich im letzten Teil, wenn auch mit mehr Phantasie als an anderen Stellen der Geschichte, das geschildert hatte, was wirklich geschehen war: Lila hatte vor Nino Immas Vorzüge gelobt, war dadurch abgelenkt gewesen und hatte in der Folge Tina verloren. Aber natürlich wird das, was in der literarischen Fiktion in aller Unschuld dazu dient, das Herz der Leser zu erreichen, zu etwas Abscheulichem für jemanden, der das Echo dessen erkennt, was er tatsächlich erlebt hat. Kurz, ich glaubte eine Zeitlang, dass das, was den Erfolg des Buches ausgemacht hatte, auch das war, was Lila den größten Schmerz zugefügt hatte.

Allerdings habe ich meine Meinung dann geändert. Ich erkannte, dass der Grund dafür, dass sie sich zurückgezogen hatte, woanders lag, er lag in der Art und Weise, wie ich die Geschichte der Puppen erzählt hatte. Ich hatte den Moment, da sie in der Finsternis des Kellerlochs verschwanden, absichtlich übersteigert, hatte das Trauma des Verlusts verstärkt und mich, um der Rührung willen, der Tatsache bedient, dass eine der Puppen und das verschwundene Kind den gleichen Namen trugen. Das Ganze hatte die Leser gezielt dahin geführt, einen Zusammenhang zwischen dem kindlichen Verlust der Spielzeugtöchter und dem erwachsenen Verlust der echten Tochter herzustellen. Lila muss es zynisch und schamlos vorgekommen sein, dass ich einen wichtigen Moment unserer Kindheit, ihre Tochter und ihren Schmerz benutzt hatte, um meinem Publikum gefällig zu sein.

Doch ich trage hier nur Vermutungen zusammen, ich müsste mich mit ihr auseinandersetzen, ihre Beschwerden anhören, mich erklären. Manchmal fühle ich mich schuldig und verstehe sie. Manchmal hasse ich sie für ihre Entscheidung, mich ausgerechnet jetzt im Alter, da wir Nähe und Solidarität gebrauchen könnten, so scharf von sich abzutrennen. So hat sie es immer gemacht: Wenn ich mich nicht unterordne, schließt sie mich eben aus, bestraft sie mich eben, verdirbt sie mir sogar die Freude, ein gutes Buch geschrieben zu haben. Ich bin wütend. Auch ihre Inszenierung der eigenen Auslöschung regt mich mehr auf, als dass sie mich beunruhigt. Vielleicht geht es nicht um die kleine Tina, vielleicht geht es auch nicht um deren Phantom, das Lila unaufhörlich verfolgt, sei es in der zählebigsten Gestalt des fast vierjährigen Kindes, sei es in der unbeständigen Gestalt der Frau, die wie Imma heute dreißig Jahre alt wäre. Es geht immer nur um uns zwei: um sie, die will, dass ich das gebe, was zu geben ihre Natur und die Umstände ihr verwehrt haben, und um mich, der es nicht gelingt, das zu geben, was sie verlangt; um sie, die sich über meine Unzulänglichkeit ärgert und mich dafür auf ein Nichts reduzieren will, wie sie es mit sich selbst getan hat, und um mich, die Monat für Monat für Monat geschrieben hat, um ihr eine Gestalt zu geben, deren Konturen sich nicht auflösen, um sie zu besiegen, um sie zu beruhigen und so auch mich selbst zu beruhigen.

EPILOG
Restitution

Ich kann es selbst kaum fassen. Ich habe diese Geschichte, von der ich dachte, sie würde niemals enden, zu Ende gebracht. Ich habe sie zu Ende gebracht und sie geduldig noch einmal durchgelesen, nicht so sehr, um sie etwa stilistisch zu verbessern, sondern um zu überprüfen, ob sich nicht zumindest in einigen Zeilen der Beweis dafür finden ließe, dass Lila sich in meinen Text eingeschaltet und beschlossen hat, an ihm mitzuschreiben. Doch ich musste einsehen, dass alle diese Seiten nur von mir stammen. Was Lila oft angedroht hatte – in meinen Computer einzudringen –, hat sie nicht wahrgemacht, vielleicht war sie gar nicht in der Lage dazu, ich hatte mir das lange Zeit nur ausgemalt, ich, eine alte Frau, die nichts von Netzwerken, Kabeln, Anschlüssen und elektronischen Geistern versteht. Lila steckt nicht in diesen Worten. Darin steckt nur das, was ich festhalten konnte. Es sei denn, dass ich nicht mehr unterscheiden kann, was von mir ist und was von ihr, weil ich mir immer vorstellte, was sie geschrieben hätte und wie.

Während dieser Arbeit telefonierte ich oft mit Rino und erkundigte mich nach seiner Mutter. Man weiß nichts von ihr, die Polizei hat sich damit begnügt, ihn drei, vier Mal vorzuladen, um ihm die Leichen betagter, namenloser Frauen zu zeigen, es verschwinden so viele. Zweimal musste ich nach Neapel fahren, und so besuchte ich ihn in der alten Wohnung im Rione, die noch düsterer, noch verwahrloster war als früher. Von Lila fand sich tatsächlich gar nichts mehr, alles, was ihr gehört hatte, war weg. Und ihr Sohn kam mir noch gedankenloser vor als sonst, als wäre seine Mutter auch aus seinem Kopf endgültig verschwunden.

Ich musste zu zwei Begräbnissen in die Stadt zurückkommen, erst zu dem meines Vaters, dann zu dem von Ninos Mutter Lidia. An Donatos Beerdigung nahm ich nicht teil, nicht aus Feindseligkeit, sondern weil ich zu der Zeit im Ausland war. Als ich wegen meines Vaters im Rione war, gab es viel Aufregung, weil kurz zuvor ein junger Bursche vor der Bibliothek umgebracht worden war. Da dachte ich, dass diese Geschichte bis in alle Ewigkeit so weitergehen könnte, indem sie mal von den Anstrengungen der unterprivilegierten Kinder erzählte, die, um weiterzukommen, Bücher aus alten Regalen fischten, wie Lila und ich es als kleine Mädchen getan hatten, und mal von der Abfolge aus verführerischem Geschwätz, Versprechungen, Betrug und Blut, die meiner Heimatstadt und der Welt jede wirkliche Verbesserung verwehrt.

Als ich zu Lidias Begräbnis kam, war der Tag wolkenverhangen, die Stadt wirkte ruhig, und auch ich war ruhig. Dann kam Nino, redete in einem fort mit lauter Stimme, riss Witze und lachte sogar, als wären wir nicht auf der Trauerfeier für seine Mutter. Er war dick, aufgedunsen, ein rüstiger Koloss mit sehr schütterem Haar, der sich unentwegt selbst feierte. Ihn nach der Beisetzung loszuwerden, war nicht einfach. Ich wollte ihm weder zuhören noch ihn überhaupt sehen müssen. Er erweckte den Eindruck von vergeudeter Zeit und vergeblicher Mühe, der sich, wie ich fürchtete, in meinem Kopf festsetzen und sich auf mich, auf alles ausdehnen könnte.

Anlässlich der beiden Beerdigungen habe ich schon im Voraus einen Besuch bei Pasquale eingeplant. In den letzten Jahren habe ich ihn so oft besucht, wie ich konnte. Er hat im Gefängnis viel studiert, hat einen Schulabschluss und kürzlich ein Diplom in astronomischer Geographie erworben.

»Wenn ich gewusst hätte, dass es für ein Abschlusszeugnis und ein Diplom ausreicht, freie Zeit zu haben, eingeschlossen an einem Ort zu sitzen, ohne sich um seinen täglichen Lebensunterhalt kümmern zu müssen, und diszipliniert jede Menge Seiten irgendwelcher Bücher auswendig zu lernen, hätte ich das schon früher gemacht«, sagte er einmal frotzelnd zu mir.

Heute ist er ein alter Mann, redet bedächtig und hält sich viel besser als Nino. Mit mir spricht er nur selten Dialekt. Aber er ist keinen Deut von den hochherzigen Ideen abgewichen, mit denen sein Vater ihn in seiner Kindheit vertraut gemacht hatte. Als ich ihn nach Lidias Beerdigung sah und ihm von Lila erzählte, lachte er los. »Sie veranstaltet bestimmt wieder irgendwo eine von ihren klugen Wunderlichkeiten«, brummte er. Und gerührt dachte er an die Zeit zurück, als wir uns in der Bibliothek des Rione getroffen hatten und der Grundschullehrer Preise für die eifrigsten Leser vergeben hatte und Lila sich als die Eifrigste von allen erwiesen hatte, gefolgt von ihrer ganzen Familie, das heißt wieder von Lila, die sich mit den Bibliotheksausweisen ihrer Eltern und Geschwister heimlich Bücher ausgeliehen hatte. Ach, Lila die Schuhmacherin, Lila, die Kennedys Frau imitierte, Lila die Künstlerin und Raumgestalterin, Lila die Arbeiterin, Lila die Programmiererin, Lila immerfort am selben Platz und immer fehl am Platz.

»Wer hat ihr Tina weggenommen?«, fragte ich ihn.

»Die Solara-Brüder.«

»Bestimmt?«

Er lächelte und zeigte seine schlechten Zähne. Ich begriff, dass er mir nicht die Wahrheit sagte – vielleicht kannte er sie nicht, vielleicht interessierte sie ihn auch nicht –, er verkündete nur seinen unanfechtbaren Glauben, der auf der primären Erfahrung von Gewalt basierte, auf der Erfahrung des Rione, von der jede seiner Gewissheiten geprägt war, trotz der Bücher, die er gelesen hatte, trotz des Diploms, das er erworben hatte, trotz seiner konspirativen Reisen hierhin und dorthin und trotz der Verbrechen, die er begangen oder auf sich genommen hatte. Er erwiderte:

»Soll ich dir auch sagen, wer diese beiden Arschlöcher umgebracht hat?«

Plötzlich las ich etwas in seinem Blick, was mich entsetzte – einen unstillbaren Hass –, und ich sagte nein. Er schüttelte den Kopf, das Lächeln hielt sich noch einen Moment auf seinem Gesicht. Leise sagte er:

»Du wirst sehen, wenn Lina sich dazu entschließt, meldet sie sich wieder.«

Aber Spuren von ihr gab es wirklich keine mehr. Als ich zu den beiden Trauerfeiern in der Stadt war, schlenderte ich durch den Rione und fragte aus Neugier herum: Kein Mensch erinnerte sich mehr an sie, oder vielleicht taten sie alle nur so. Auch mit Carmen konnte ich nicht über sie reden. Roberto war tot, sie hatte die Tanksäule aufgegeben und war zu einem ihrer Kinder nach Formia gezogen.

Wozu sind nun alle diese Seiten gut gewesen? Ich wollte Lila festhalten, sie wieder an meiner Seite haben, und nun werde ich sterben, ohne zu erfahren, ob es mir gelungen ist. Manchmal frage ich mich, wohin sie verschwunden ist. Ist sie auf dem Meeresgrund. In einer Felsspalte oder in einem unterirdischen Gang, von dessen Existenz nur sie weiß. In einer alten, mit einer starken Säure gefüllten Badewanne. In einem Müllgraben aus vergangener Zeit wie denen, für die sie so viele Worte hatte. In der Krypta einer kleinen, verlassenen Bergkirche. In einer der vielen Dimensionen, die wir noch nicht kennen, aber Lila ja, und jetzt ist sie dort mit ihrer Tochter.

Kommt sie zurück?

Kommen sie zusammen zurück, die alte Lila und Tina als erwachsene Frau?

Heute Morgen sitze ich auf dem kleinen Balkon mit Blick auf den Po und warte.

2

Ich frühstücke jeden Tag um sieben, gehe in Gesellschaft des Labradors, den ich mir vor kurzem angeschafft habe, zum Zeitungskiosk und verbringe einen großen Teil des Vormittags im Valentino-Park, wo ich mit dem Hund spiele und Zeitungen lese. Gestern, als ich nach Hause kam, fand ich auf meinem Briefkasten ein schlecht in Zeitungspapier gewickeltes Päckchen. Erstaunt nahm ich es mit. Nichts wies darauf hin, dass es für mich und nicht für einen anderen Mieter hinterlassen worden war. Es gab keinen Begleitbrief, und auch war mein Name handschriftlich nirgends vermerkt.

Vorsichtig öffnete ich das Päckchen an einer Seite, und das genügte. Tina und Nu sprangen aus meiner Erinnerung hervor, noch bevor ich sie ganz aus dem Papier befreite. Ich erkannte die Puppen sofort wieder, die vor fast sechs Jahrzehnten nacheinander – meine von Lila, Lilas von mir – in ein Kellerloch des Rione geworfen worden waren. Es waren wirklich die Puppen, die wir nicht wiedergefunden hatten, obwohl wir in die Tiefe hinuntergestiegen waren, um sie zu suchen. Es waren die Puppen, derentwegen Lila mich angestachelt hatte, bis zur Wohnung von Don Achille, dem Unhold und Dieb, hinaufzugehen, um sie zurückzuholen, aber Don Achille hatte erklärt, sie nicht zu haben, und hatte vielleicht vermutet, sein Sohn Alfonso könnte sie uns gestohlen haben, weshalb er uns zur Entschädigung Geld gegeben hatte, damit wir uns neue kauften. Doch wir hatten uns mit diesem Geld keine Puppen gekauft – wie hätten wir Tina und Nu denn ersetzen können? –, wir hatten uns *Betty und ihre Schwestern* gekauft, den Roman, der Lila dazu gebracht hatte, *Die blaue Fee* zu schreiben, und mich dazu, das zu werden, was ich heute bin, die Autorin vieler Bücher und vor allem einer sehr erfolgreichen Erzählung mit dem Titel *Eine Freundschaft*.

Der Hausflur des Palazzos war still, aus den Wohnungen drangen weder Stimmen noch sonst Geräusche. Ich schaute mich erwartungsvoll um. Wollte, dass Lila am Treppenaufgang A oder B oder aus der verwaisten Portiersloge auftauchte, dünn, grau, mit gebeugtem Rücken. Das wünschte ich mir mehr als alles andere, mehr als einen Überraschungsbesuch meiner Töchter mit den Enkelkindern. Ich rechnete damit, dass sie in der für sie typischen spöttischen Art sagte: »Gefällt dir mein Geschenk?« Aber das geschah nicht, und ich brach in Tränen aus. Das, also, hatte sie getan: Sie hatte mich getäuscht, hatte mich dahin gezogen, wohin sie wollte, vom Anfang unserer Freundschaft an. Das ganze Leben lang hatte sie *ihre* Geschichte einer Erlösung erzählt und dazu *meinen* lebendigen Leib und *meine* Existenz benutzt.

Oder vielleicht auch nicht. Vielleicht bedeuteten diese beiden Puppen, die mehr als ein halbes Jahrhundert überdauert hatten und bis nach Turin gelangt waren, lediglich, dass es ihr gut ging und sie mich liebte, dass sie alle Schranken eingerissen hatte und endlich beabsichtigte, durch die Welt zu reisen, die inzwischen nicht weniger klein war als ihre, und so im Alter, einer neuen Wahrheit folgend, das Leben zu führen, das man ihr in ihrer Jugend verwehrt hatte und das sie sich auch selbst verwehrt hatte.

Ich bin mit dem Fahrstuhl nach oben gefahren, habe mich in meiner Wohnung eingeschlossen. Ich habe die beiden Puppen sorgfältig untersucht, ihren muffigen Geruch bemerkt, sie gegen die Rücken meiner Bücher gelehnt. Festzustellen, wie armselig und hässlich sie sind, hat mich verwirrt. Anders als in den Geschichten neigt sich das wahre Leben, wenn es vorbei ist, nicht dem Licht zu, sondern der Dunkelheit. Ich dachte: ›Jetzt, da Lila sich so deutlich gezeigt hat, muss ich mich damit abfinden, sie nicht mehr zu sehen.‹